Grammar 3 mentor joy

PEARSON Longman

Grammar mentor joy 3

지은이 교재개발연구소
발행처 Pearson Education
판매처 inkedu(inkbooks)
전 화 (02) 455-9620(주문 및 고객지원)
팩 스 (02) 455-9619
등 록 제13-579호

Grammar 3 mentor joy

선택이 중요합니다!

인생에 수많은 선택이 있듯이 많은 시간 함께할 영어 공부의 시작에도 수많은 선택이 있습니다. 오늘 여러분의 선택이 앞으로의 여러분의 영어실력을 좌우합니다. Grammar Mentor Joy 시리즈는 현장 경험이 풍부한 선생님들과 이전 학습자들의 의견을 충분히 수렴하여 여러분의 선택에 후회가 없도록 하였습니다.

효율적인 학습이 필요한 때입니다!

학습의 시간은 유한합니다. 중요한 것은 그 시간을 얼마나 효율적으로 사용하는 지입니다. Grammar Mentor Joy 시리즈는 우선 튼튼한 기초를 다지기 위해서 단계별 Syllabus를 현행 교과과정과 연계할 수 있도록 맞춤 설계하여 학습자들이 효율적으로 학습할 수 있도록 하였습니다. 또한 기존의 기계적 반복 학습 문제에서 벗어나 학습자들이 능동적 학습을 유도할 수 있도록 사고력 향상이 필요한 문제와 난이도를 조정하였습니다.

중학 기초 문법을 대비하는 교재입니다!

Grammar Mentor Joy 시리즈는 확고한 목표를 가지고 있습니다. 그것은 중학교 문법을 완벽하게 준비하는 것입니다. Grammar Mentor Joy 시리즈에서는 문법 기초를 확고하게 다루고 있기 때문에 중학교 문법은 새로운 것이 아닌 Grammar Mentor Joy 시리즈의 연장선에 지나지 않습니다. 또한 가장 힘들 수 있는 어휘 학습에 있어서도 반복적인 문제 풀이를 통해서 자연스럽게 기초 어휘를 학습하도록 하였습니다.

마지막으로 어떤 기초 교재보다도 처음 영어 문법을 시작하는 학습자들에게 더없이 완벽한 선택이 될 수 있다고 자신합니다. 이 교재를 통해서 영어가 학습자들의 평생 걸림돌이 아닌 자신감이 될 수 있기를 바랍니다. 감사합니다.

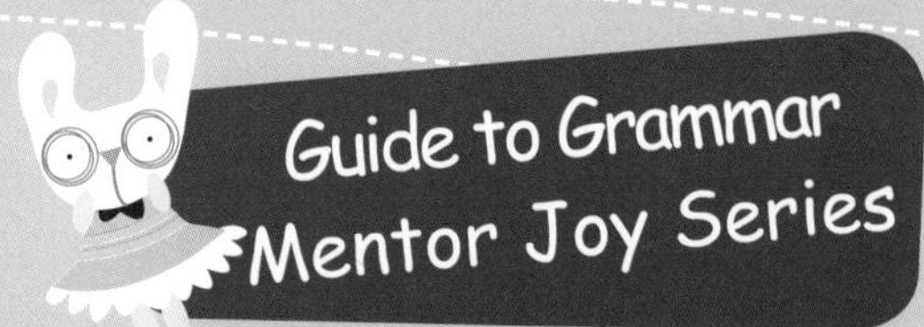

❶ 단계별 학습을 통한 맞춤식 문법 학습

– 각 Chapter별 2개의 Unit에서 세부 설명과 Warm-up, First Step, Second Step, Third Step, Writing Step과 Exercise, Review Test, Achievement Test, 마지막으로 실전모의테스트로 구성되어 있습니다.

❷ 서술형 문제를 위한 체계적인 학습

– 특히 Writing Step에서는 서술형 문제에 대비할 수 있도록 하고 있습니다.

❸ 단순 암기식 공부가 아닌 사고력이 필요한 문제 풀이 학습

– 단순 패턴 드릴 문제가 아닌 이전 문제들을 함께 섞어 제시하고 있어 사고력 향상에 도움이 되도록 하였습니다.

❹ 반복적인 학습을 통해 문제 풀이 능력을 향상시킴

– 세분화된 Step으로 반복 학습이 가능합니다.

❺ 맞춤식 어휘와 문장을 통한 체계적인 학습

– 학습한 어휘와 문장을 반복적으로 제시하고 있어 무의식적으로 습득이 가능합니다.

❻ 중학 기초 문법을 대비하는 문법 학습

– 중학 문법에서 다루는 기초 문법 대부분을 다루고 있습니다.

❼ 반복적인 문제풀이를 통한 기초 어휘 학습

– Chapter별 제공되는 단어장에는 자주 쓰는 어휘들을 체계적으로 제시하고 있습니다.

Grammar Mentor Joy 시리즈는 전체 4권으로 구성되어 있습니다. 각 Level이 각각 8개의 Chapter 총 6주의 학습 시간으로 구성되어 있는데, 특히 Chapter 4와 Chapter 8은 Review와 Achievement Test로 반복 복습할 수 있도록 구성되어 있습니다. 부가적으로 단어장과 전 시리즈가 끝난 후 실전 모의고사 테스트 3회도 제공되고 있습니다.

Level	Month	Week	Chapter	Unit	Homework
1	1st	1	1 단어의 역할	01 명사, 대명사, 동사, 형용사	*각 Chapter별 단어 퀴즈 제공 *각 Chapter별 드릴 문제 제공 *각 Chapter별 모의 테스트지 제공
				02 부사, 전치사, 접속사, 감탄사	
			2 명사 I	01 셀 수 있는 명사의 특징과 규칙 변화	
		2		02 명사의 변화	
			3 명사 II	01 셀 수 없는 명사와 특징	
				02 셀 수 없는 명사 표현 방법	
		3	4 관사	01 부정관사	
				02 정관사	
		4	5 대명사 I	01 인칭대명사	
				02 지시대명사와 지시형용사	
			6 대명사 II	01 대명사의 격변화와 역할	
	2nd	5		02 대명사와 명사의 격변화	
			7 be동사 I	01 be동사의 쓰임 I	
				02 be동사의 쓰임 II	
		6	8 be동사 II	01 be동사의 부정문	
				02 be동사의 의문문	
2		1	1 일반동사 I	01 일반동사의 쓰임	*각 Chapter별 단어 퀴즈 제공 *각 Chapter별 드릴 문제 제공 *각 Chapter별 모의 테스트지 제공
				02 일반동사의 3인칭 단수	
			2 일반동사 II	01 일반동사의 부정문	
		2		02 일반동사의 의문문	
			3 현재진행형	01 현재진행형 만들기	
				02 현재진행형의 부정문과 의문문	
	3rd	3	4 형용사	01 형용사의 종류 및 역할	
				02 반대의 뜻을 가진 형용사와 역할	
		4	5 기수 · 서수	01 기수와 서수	
				02 수읽기	
			6 부사	01 부사의 종류와 위치	
		5		02 부사의 형태와 역할	
			7 전치사	01 시간, 장소 전치사	
				02 위치를 나타내는 전치사	
		6	8 수량을 나타내는 표현	01 some, any와 many, much	
				02 a lot of/lots of, a few/few와 a little/little	

Level	Month	Week	Chapter	Unit	Homework
3	4th	1	1 be동사 과거	01 be동사 과거 Ⅰ	*각 Chapter별 단어 퀴즈 제공 *각 Chapter별 드릴 문제 제공 *각 Chapter별 모의테스트지 제공
				02 be동사 과거 Ⅱ	
			2 일반동사 과거	01 일반동사 과거형	
		2		02 일반동사 과거형의 부정문과 의문문	
			3 과거진행형과 비인칭주어 It	01 과거진행형	
				02 비인칭주어 It	
		3	4 조동사 Ⅰ	01 can, may	
				02 can, be able to, may의 부정문과 의문문	
		4	5 조동사 Ⅱ	01 must, have to, had better	
				02 must, have to, had better의 부정문	
			6 의문사 Ⅰ	01 Who, What, Which	
	5th	5		02 Who, Whose, What, Which	
			7 의문사 Ⅱ	01 When, Where, Why	
				02 How	
		6	8 접속사	01 and, or, but	
				02 before, after, so because	
4		1	1 미래시제	01 will	*각 Chapter별 단어 퀴즈 제공 *각 Chapter별 드릴 문제 제공 *각 Chapter별 모의테스트지 제공 *최종 3회의 실전모의고사 테스트지 제공
				02 be going to	
			2 의문사와 미래시제	01 의문사와 will	
		2		02 의문사와 be going to	
			3 의문사와 can, will	01 how와 can, will	
				02 의문사와 be going to, can	
	6th	3	4 비교급과 최상급	01 비교급	
				02 최상급	
		4	5 명령문과 감탄문	01 명령문	
				02 감탄문	
			6 부가의문문	01 부가의문문 – 앞 문장이 긍정문일 때	
		5		02 부가의문문 – 앞 문장이 부정문일 때	
			7 주요 동사의 쓰임 Ⅰ	01 동사+명사	
				02 동사+형용사 / 동사+to동사원형	
		6	8 주요 동사의 쓰임 Ⅱ	01 동사+명사+명사	
				02 동사+to동사원형	

Construction

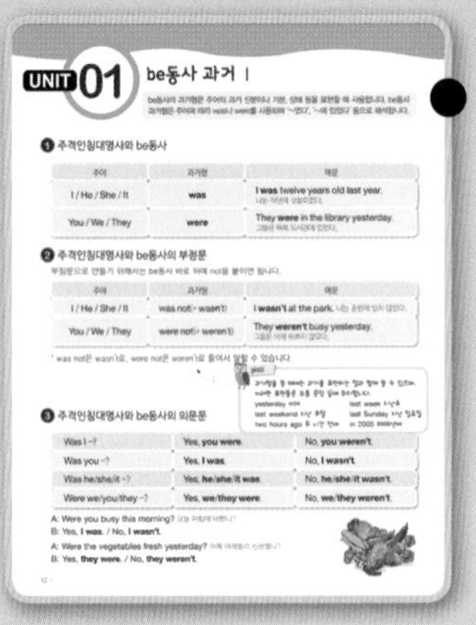

Unit

각 Chapter를 2개의 Unit으로 나누어 보다 심층적이고 체계적으로 학습할 수 있도록 했습니다.

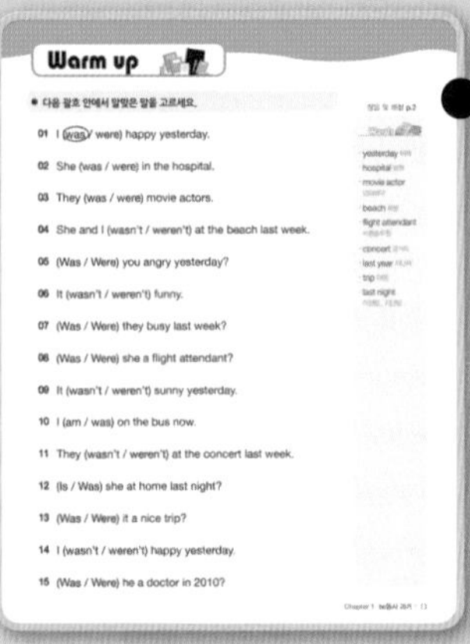

Warm-up

본격적인 학습에 앞서 Unit의 기본적인 내용을 점검하는 단계입니다.

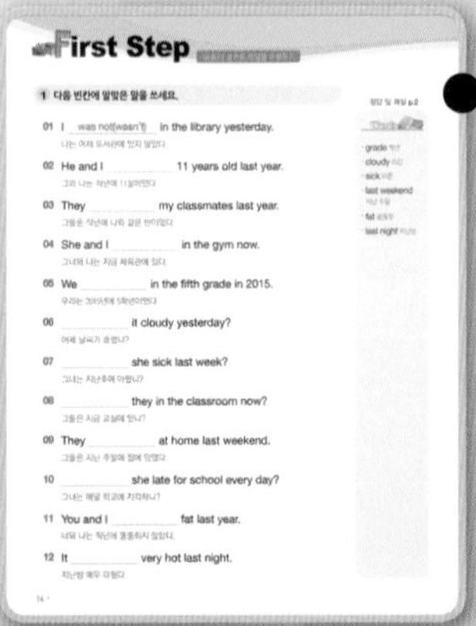

First Step

각 Unit에서 다루고 있는 문법의 기본적인 내용들을 점검할 수 있도록 했습니다.

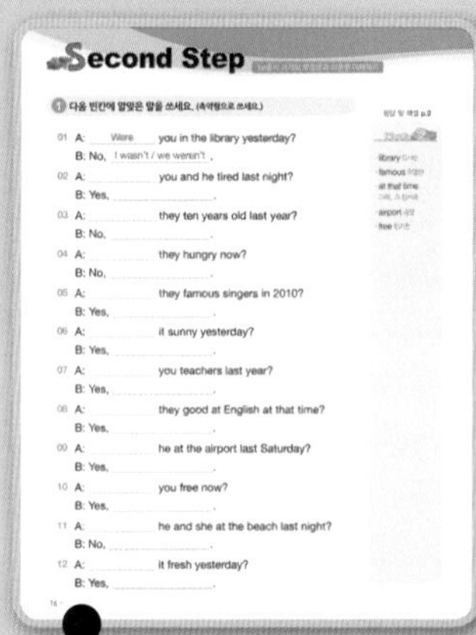

Second Step

First Step보다 한 단계 높은 수준의 내용을 이해하면서 문제를 해결하도록 구성 했습니다.

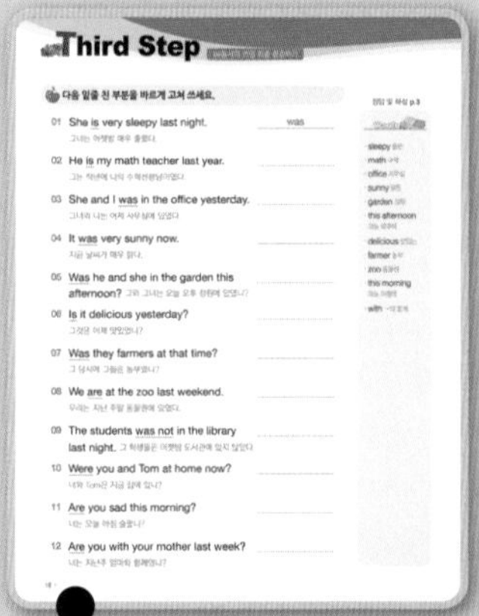

Third Step

난이도 있는 문제를 풀면서 여러분이 각 Unit의 내용을 얼마나 이해했는지 점검하도록 했습니다.

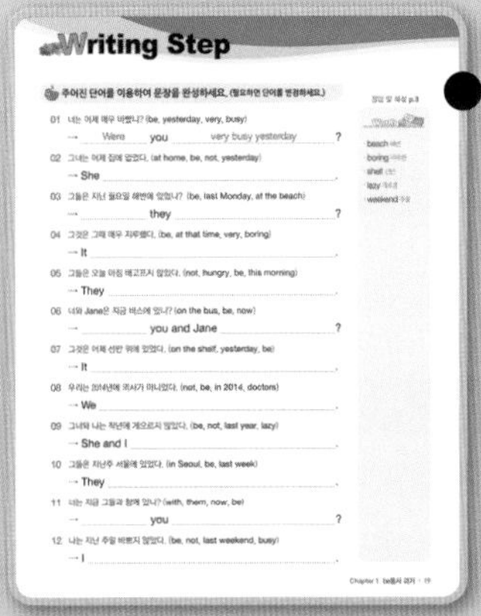

Writing Step

서술형 문제에 대비하는 단계로 단순 단어의 나열이 아닌, 사고력이 요하는 문제들로 구성되어 있습니다.

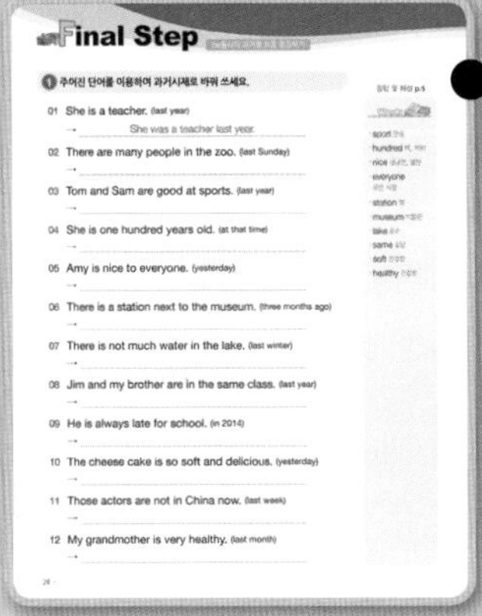

Final Step

각 Chapter의 내용을 최종 점거하는 단계로 두 Unit의 내용들을 기초로 한 문제들로 구성되어 있습니다.

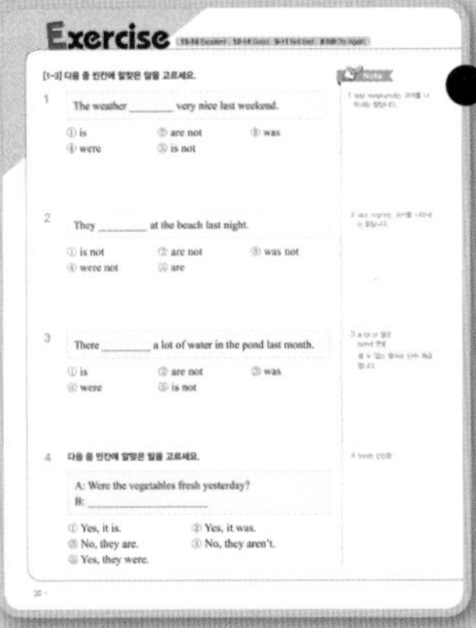

Exercise

각 Chapter의 내용을 통합해 내신 문제 유형을 통해 다시 한 번 정리할 수 있도록 구성되어 있습니다.

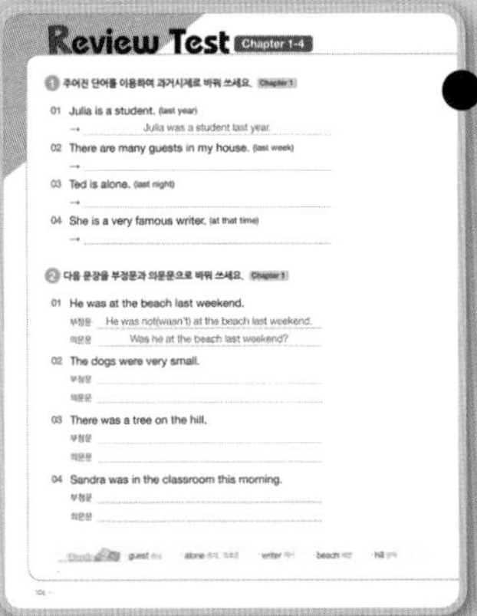

Review Test

Chapter 4개마다 구성되어 있으며, 앞서 배운 기본적인 내용들을 다시 한 번 풀어보도록 구성했습니다.

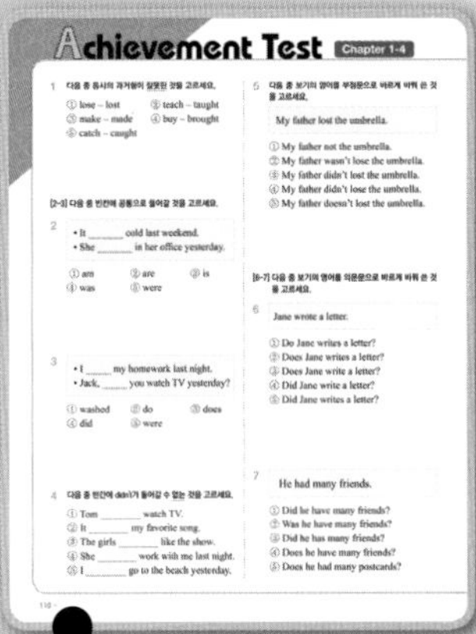

Achievement Test

Chapter 4개마다 구성되어 있으며, 5지선다형 문제와 서술형 문제로 구성되어 있어 실전 내신문제에 대비하도록 했습니다.

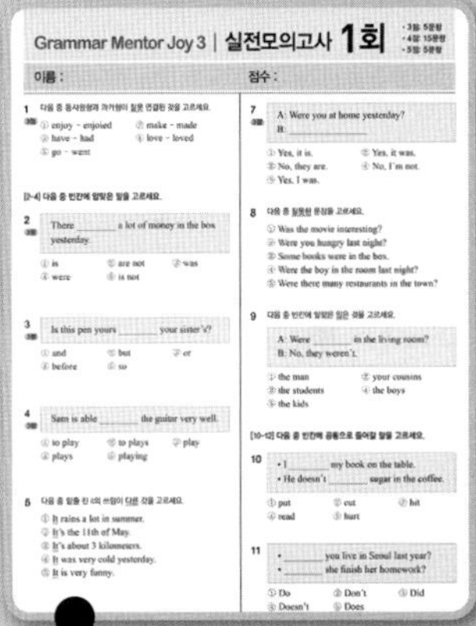

실전모의고사

총 3회로 구성되어있으며 각 Level의 모든 내용을 5지선다형 문제와 서술형 문제로 구성하여 여러분들이 최종적으로 학습한 내용을 점검할 수 있도록 했습니다.

Grammar Mentor Joy 1	Grammar Mentor Joy 2	Grammar Mentor Joy 4
Chapter 1 단어의 역할	Chapter 1 일반동사 I	Chapter 1 미래시제
Chapter 2 명사 I	Chapter 2 일반동사 II	Chapter 2 의문사와 미래시제
Chapter 3 명사 II	Chapter 3 현재진행형	Chapter 3 의문사와 can, will
Chapter 4 관사	Chapter 4 형용사	Chapter 4 비교급과 최상급
Chapter 5 대명사 I	Chapter 5 기수 · 서수	Chapter 5 명령문과 감탄문
Chapter 6 대명사 II	Chapter 6 부사	Chapter 6 부가의문문
Chapter 7 be동사 I	Chapter 7 전치사	Chapter 7 주요 동사의 쓰임 I
Chapter 8 be동사 II	Chapter 8 수량을 나타내는 표현	Chapter 8 주요 동사의 쓰임 II

be동사 과거

Word Check

□ artist	□ bookstore	□ dirty	□ excellent	□ fat
□ festival	□ freezer	□ fresh	□ healthy	□ hill
□ library	□ market	□ pilot	□ score	□ terrible
□ theater	□ tourist	□ town	□ trip	□ weekend

UNIT 01 be동사 과거 I

be동사의 과거형은 주어의 과거 신분이나 기분, 상태 등을 표현할 때 사용합니다. be동사 과거형은 주어에 따라 was나 were를 사용하며 '~였다', '~에 있었다' 등으로 해석합니다.

1 주격인칭대명사와 be동사

주어	과거형	예문
I / He / She / It	**was**	I **was** twelve years old last year. 나는 작년에 12살이었다.
You / We / They	**were**	They **were** in the library yesterday. 그들은 어제 도서관에 있었다.

2 주격인칭대명사와 be동사의 부정문

부정문으로 만들기 위해서는 be동사 바로 뒤에 not을 붙이면 됩니다.

주어	과거형	예문
I / He / She / It	was not(= wasn't)	I **wasn't** at the park. 나는 공원에 있지 않았다.
You / We / They	were not(= weren't)	They **weren't** busy yesterday. 그들은 어제 바쁘지 않았다.

* was not은 wasn't로, were not은 weren't로 줄여서 말할 수 있습니다.

plus

과거형을 쓸 때에는 과거를 표현하는 말과 함께 쓸 수 있으며, 이러한 표현들은 보통 문장 끝에 위치합니다.

yesterday 어제	last week 지난주
last weekend 지난 주말	last Sunday 지난 일요일
two hours ago 두 시간 전에	in 2005 2005년에

3 주격인칭대명사와 be동사의 의문문

Was I ~?	Yes, **you were**.	No, **you weren't**.
Were you ~?	Yes, **I was**.	No, **I wasn't**.
Was he/she/it ~?	Yes, **he/she/it was**.	No, **he/she/it wasn't**.
Were we/you/they ~?	Yes, **we/they were**.	No, **we/they weren't**.

A: Were you busy this morning? 오늘 아침에 바빴니?
B: Yes, **I was**. / No, **I wasn't**.

A: Were the vegetables fresh yesterday? 어제 야채들이 신선했니?
B: Yes, **they were**. / No, **they weren't**.

Warm up

● 다음 괄호 안에서 알맞은 말을 고르세요.

정답 및 해설 p.2

01 I (was / were) happy yesterday.

02 She (was / were) in the hospital.

03 They (was / were) movie actors.

04 She and I (wasn't / weren't) at the beach last week.

05 (Was / Were) you angry yesterday?

06 It (wasn't / weren't) funny.

07 (Was / Were) they busy last week?

08 (Was / Were) she a flight attendant?

09 It (wasn't / weren't) sunny yesterday.

10 I (am / was) on the bus now.

11 They (wasn't / weren't) at the concert last week.

12 (Is / Was) she at home last night?

13 (Was / Were) it a nice trip?

14 I (wasn't / weren't) happy yesterday.

15 (Was / Were) he a doctor in 2010?

- yesterday 어제
- hospital 병원
- movie actor 영화배우
- beach 해변
- flight attendant 비행승무원
- concert 콘서트
- last year 지난해
- trip 여행
- last night 어젯밤, 지난밤

be동사 과거의 쓰임을 이해하기

1 다음 빈칸에 알맞은 말을 쓰세요.

정답 및 해설 p.2

01 I ___was not(wasn't)___ in the library yesterday.
나는 어제 도서관에 있지 않았다.

02 He and I ____________ 11 years old last year.
그와 나는 작년에 11살이었다.

03 They ____________ my classmates last year.
그들은 작년에 나와 같은 반이었다.

04 She and I ____________ in the gym now.
그녀와 나는 지금 체육관에 있다.

05 We ____________ in the fifth grade in 2015.
우리는 2015년에 5학년이었다.

06 ____________ it cloudy yesterday?
어제 날씨가 흐렸니?

07 ____________ she sick last week?
그녀는 지난주에 아팠니?

08 ____________ they in the classroom now?
그들은 지금 교실에 있니?

09 They ____________ at home last weekend.
그들은 지난 주말에 집에 있었다.

10 ____________ she late for school every day?
그녀는 매일 학교에 지각하니?

11 You and I ____________ fat last year.
너와 나는 작년에 뚱뚱하지 않았다.

12 It ____________ very hot last night.
지난밤 매우 더웠다.

- grade 학년
- cloudy 흐린
- sick 아픈
- last weekend 지난 주말
- fat 뚱뚱한
- last night 지난밤

2 다음 빈칸에 알맞은 말을 쓰세요.

정답 및 해설 p.2

01 It ___was not(wasn't)___ cold yesterday.
어제는 춥지 않았다.

02 She ________________ a student last year.
그녀는 작년에 학생이 아니었다.

03 ____________ they good at English at that time?
그들은 그때 영어를 잘했니?

04 He ____________ at the bus stop last night.
그는 어젯밤 버스 정류장에 있었다.

05 They ____________ in Paris in 2011.
그들은 2011년에 파리에 있었다.

06 ____________ they at the shopping mall last Sunday?
그들은 지난 일요일 쇼핑몰에 있었니?

07 ____________ you and he soccer players last year?
너와 그는 작년에 축구선수였니?

08 ____________ you happy now?
너는 지금 행복하니?

09 They ________________ tall two years ago.
그들은 2년 전에는 키가 크지 않았다.

10 ____________ you and she near the pool last weekend?
너와 그녀는 지난 주말 수영장 근처에 있었니?

11 You and I ________________ honest students last year.
너와 나는 작년에 정직한 학생이 아니었다.

12 He ________________ tired last night.
그는 지난밤 피곤하지 않았다.

Words

- cold 추운
- at that time 그때, 그 당시에
- bus stop 버스 정류장
- shopping mall 쇼핑몰
- tall 키 큰
- ago ~전에
- pool 수영장
- honest 정직한
- fresh 신선한

Second Step

be동사 과거의 부정문과 의문문 이해하기

1 다음 빈칸에 알맞은 말을 쓰세요. (축약형으로 쓰세요.)

정답 및 해설 p.2

- library 도서관
- famous 유명한
- at that time 그때, 그 당시에
- airport 공항
- free 한가한

01 A: Were you in the library yesterday?
B: No, I wasn't / we weren't .

02 A: ________ you and he tired last night?
B: Yes, ________.

03 A: ________ they ten years old last year?
B: No, ________.

04 A: ________ they hungry now?
B: No, ________.

05 A: ________ they famous singers in 2010?
B: Yes, ________.

06 A: ________ it sunny yesterday?
B: Yes, ________.

07 A: ________ you teachers last year?
B: Yes, ________.

08 A: ________ they good at English at that time?
B: Yes, ________.

09 A: ________ he at the airport last Saturday?
B: Yes, ________.

10 A: ________ you free now?
B: Yes, ________.

11 A: ________ he and she at the beach last night?
B: No, ________.

12 A: ________ it fresh yesterday?
B: Yes, ________.

2 다음 문장을 지시대로 바꿔 쓰세요.

정답 및 해설 p.3

01 I was tired last night.

부정문 I wasn't(was not) tired last night.

02 He and I were in the room two hours ago.

부정문 ______________________

03 They were in London yesterday.

의문문 ______________________

04 It was very funny.

의문문 ______________________

05 He was a pilot at that time.

부정문 ______________________

06 She was kind to Jessica.

의문문 ______________________

07 It was in the freezer yesterday.

의문문 ______________________

08 They were lazy last year.

부정문 ______________________

09 He and she were great artists.

의문문 ______________________

10 It was windy last weekend.

부정문 ______________________

11 He was young at that time.

부정문 ______________________

12 She and Sara were sick last night.

의문문 ______________________

Words

- tired 피곤한
- funny 재미있는
- pilot 조종사
- freezer 냉장고
- great 위대한
- artist 예술가
- young 어린
- sick 아픈

Third Step

be동사의 쓰임 최종 점검하기

다음 밑줄 친 부분을 바르게 고쳐 쓰세요.

정답 및 해설 p.3

01 She <u>is</u> very sleepy last night. ______was______
그녀는 어젯밤 매우 졸렸다.

02 He <u>is</u> my math teacher last year. ____________
그는 작년에 나의 수학선생님이었다.

03 She and I <u>was</u> in the office yesterday. ____________
그녀와 나는 어제 사무실에 있었다.

04 It <u>was</u> very sunny now. ____________
지금 날씨가 매우 맑다.

05 <u>Was</u> he and she in the garden this afternoon? 그와 그녀는 오늘 오후 정원에 있었니? ____________

06 <u>Is</u> it delicious yesterday? ____________
그것은 어제 맛있었니?

07 <u>Was</u> they farmers at that time? ____________
그 당시에 그들은 농부였니?

08 We <u>are</u> at the zoo last weekend. ____________
우리는 지난 주말 동물원에 있었다.

09 The students <u>was not</u> in the library last night. 그 학생들은 어젯밤 도서관에 있지 않았다. ____________

10 <u>Were</u> you and Tom at home now? ____________
너와 Tom은 지금 집에 있니?

11 <u>Are</u> you sad this morning? ____________
너는 오늘 아침 슬펐니?

12 <u>Are</u> you with your mother last week? ____________
너는 지난주 엄마와 함께였니?

Words

- sleepy 졸린
- math 수학
- office 사무실
- sunny 맑은
- garden 정원
- this afternoon 오늘 오후에
- delicious 맛있는
- farmer 농부
- zoo 동물원
- this morning 오늘 아침에
- with ~와 함께

Writing Step

주어진 단어를 이용하여 문장을 완성하세요. (필요하면 단어를 변경하세요.)

정답 및 해설 p.3

01 너는 어제 매우 바빴니? (be, yesterday, very, busy)

→ ___Were___ you ___very busy yesterday___?

02 그녀는 어제 집에 없었다. (at home, be, not, yesterday)

→ She ________________.

03 그들은 지난 월요일 해변에 있었니? (be, last Monday, at the beach)

→ ________ they ________________?

04 그것은 그때 매우 지루했다. (be, at that time, very, boring)

→ It ________________.

05 그들은 오늘 아침 배고프지 않았다. (not, hungry, be, this morning)

→ They ________________.

06 너와 Jane은 지금 버스에 있니? (on the bus, be, now)

→ ________ you and Jane ________________?

07 그것은 어제 선반 위에 있었다. (on the shelf, yesterday, be)

→ It ________________.

08 우리는 2014년에 의사가 아니었다. (not, be, in 2014, doctors)

→ We ________________.

09 그녀와 나는 작년에 게으르지 않았다. (be, not, last year, lazy)

→ She and I ________________.

10 그들은 지난주 서울에 있었다. (in Seoul, be, last week)

→ They ________________.

11 너는 지금 그들과 함께 있니? (with, them, now, be)

→ ________ you ________________?

12 나는 지난 주말 바쁘지 않았다. (be, not, last weekend, busy)

→ I ________________.

Words

- beach 해변
- boring 지루한
- shelf 선반
- lazy 게으른
- weekend 주말

be동사 과거 II

be동사 과거형의 의문문도 be동사를 문장의 맨앞에 놓고, 문장 끝에 물음표(?)를 붙이면 됩니다.

1 명사와 be동사

주어	과거형	예문
단수명사	was wasn't	The woman **was** at the beach yesterday. 그 여자는 어제 해변에 있었다. The woman **wasn't** at the beach yesterday. 그 여자는 어제 해변에 없었다.
복수명사	were weren't	The fruits **were** fresh. 그 과일들은 신선했다. The vegetables **weren't** fresh. 그 야채들은 신선하지 않았다.

2 명사와 be동사의 의문문

Was 단수명사 ~?	Yes, **he/she/it was**.	No, **he/she/it wasn't**.
Were 복수명사 ~?	Yes, **they were**.	No, **they weren't**.

A: Was **the book** interesting? 그 책은 재미있었니? B: Yes, **it was**. / No, **it wasn't**.
A: Were **the movies** exciting? 그 영화들은 흥미로웠니? B: Yes, **they were**. / No, **they weren't**.

3 There와 be동사

There was + 단수명사 (~이 있었다) There wasn't + 단수명사 (~이 없었다)	**There was a book** on the desk. 책상 위에 책이 있었다. **There wasn't a book** on the desk. 책상 위에 책이 없었다.
There were + 복수명사 (~들이 있었다) There weren't + 복수명사 (~들이 없었다)	**There were students** in the classroom. 교실에 학생들이 있었다. **There weren't students** in the classroom. 교실에 학생들이 없었다.

*there은 해석하지 않습니다.

4 There와 be동사의 의문문

Was there a boy in the room? 방에 한 소년이 있었니?	Yes, **there was**.	No, **there was not**. (= No, **there wasn't**.)
Were there boys in the room? 방에 소년들이 있었니?	Yes, **there were**.	No, **there were not** (= No, **there weren't**.)

Warm up

● 다음 괄호 안에서 알맞은 말을 고르세요.

정답 및 해설 p.3

01 Jessica (wasn't / weren't) at the market last weekend.

02 The vegetables (was / were) fresh yesterday.

03 There (was / were) two bottles of juice in the refrigerator.

04 Sam (was / were) very tired last night.

05 Mike (wasn't / weren't) a dancer in 2006.

06 (Was / Were) there many cars on the street last night?

07 There (wasn't / weren't) any children in the park.

08 (Was / Were) there a remote control on the desk?

09 My grandparents (was / were) healthy five years ago.

10 The games (was not / were not) exciting.

11 (Was / Were) the books interesting?

12 James (was / were) a famous movie director.

13 The boxes (wasn't / weren't) heavy yesterday.

14 (Was / Were) you and Tom at the market ten minutes ago?

15 His shirt (was / were) clean yesterday.

- market 시장
- weekend 주말
- bottle 병
- refrigerator 냉장고
- tired 피곤한
- street 거리
- remote control 리모컨
- healthy 건강한
- movie director 영화감독
- heavy 무거운

be동사 과거의 쓰임을 이해하기

1 다음 빈칸에 알맞은 말을 쓰세요.

정답 및 해설 p.3

01 The apples ___were___ fresh this morning.
그 사과들은 오늘 아침에 신선했다.

02 Yesterday ____________ my birthday.
어제는 나의 생일이었다.

03 There ____________ two girls in the room three hours ago.
3시간 전에 그 방에 두 명의 소녀가 있었다.

04 There ____________ a house on the hill last year.
작년에 언덕에 집이 있었다.

05 Mike and Sara ____________ good basketball players at that time. Mike와 Sara는 그 당시 훌륭한 농구선수가 아니었다.

06 ____________ the restaurant open yesterday?
어제 그 식당 열었니?

07 ____________ your brother at the bookstore last Sunday?
네 남동생은 지난 일요일 서점에 있었니?

08 My friends ____________ good at English last year.
내 친구들은 작년에 영어를 못했다.

09 ____________ the baseball game exciting yesterday?
어제 야구경기는 흥미로웠니?

10 Mr. Smith ____________ a famous actor at that time.
Smith 씨는 그 당시 유명한 배우였다.

11 John and Stellar ____________ in Korea in 2013.
John과 Stellar는 2013년 한국에 있었다.

12 The food ____________ very salty yesterday.
어제 그 음식은 매우 짰다.

Words

- birthday 생일
- hill 언덕
- at that time 그 당시
- restaurant 식당
- bookstore 서점
- exciting 흥미진진한
- salty 짠

2 다음 빈칸에 알맞은 말을 쓰세요.

정답 및 해설 p.4

01 My parents ___were___ with me yesterday.
나의 부모님은 어제 나와 함께 있었다.

02 Joe's dog __________ small two months ago.
Joe의 개는 2달 전에 작았다.

03 __________ there many flowers in the garden last year?
작년에 정원에 꽃들이 많았니?

04 His math score __________ good yesterday.
어제 그의 수학 점수는 좋지 않았다.

05 The market __________ big three years ago.
그 시장은 3년 전에 컸었다.

06 __________ there a theater near your house last year?
작년에 너희 집 근처에 영화관이 있었니?

07 __________ the soccer players excellent yesterday?
어제 그 축구선수들은 훌륭했니?

08 Three bottles of water __________ in the freezer two hours ago. 2시간 전에 냉장고에 물 세 병이 있었다.

09 Jennifer __________ a smart and kind girl five months ago.
5개월 전에 Jennifer는 영리하고 친절한 소녀였다.

10 __________ the weather fine last Sunday?
지난 일요일 날씨가 좋았니?

11 __________ their bags on the desk this morning?
그들 가방은 오늘 아침에 책상에 있었니?

12 The English test __________ difficult yesterday.
어제 영어시험은 어렵지 않았다.

Words

- small 작은
- garden 정원
- score 점수
- theater 영화관
- excellent 뛰어난
- freezer 냉장고
- kind 친절한
- weather 날씨
- fine 좋은, 날씨가 좋은
- difficult 어려운

Second Step

be동사 과거의 부정문과 의문문 이해하기

1 다음 빈칸에 알맞은 말을 쓰세요.

정답 및 해설 p.4

01 A: ___Was___ his birthday party great yesterday?
B: No, ___it wasn't(was not)___.

02 A: __________ your children at school last night?
B: Yes, __________.

03 A: __________ the museum closed last weekend?
B: Yes, __________.

04 A: __________ your friends busy yesterday?
B: No, __________.

05 A: __________ there a park near your house in 2011?
B: Yes, __________.

06 A: __________ Jane and Jessica diligent at that time?
B: Yes, __________.

07 A: __________ this copy machine cheap two years ago?
B: No, __________.

08 A: __________ there many tourists at the festival last night?
B: Yes, __________.

09 A: __________ the mountain beautiful last fall?
B: Yes, __________.

10 A: __________ the room dirty yesterday?
B: Yes, __________.

11 A: __________ you famous actors at that time?
B: No, __________.

12 A: __________ these songs popular in 2010?
B: Yes, __________.

Words

- closed 닫힌, 휴업의
- diligent 부지런한
- cheap 싼
- tourist 관광객
- festival 축제
- last fall 작년 가을
- dirty 더러운
- popular 인기 있는

2 다음 문장을 지시대로 바꿔 쓰세요.

정답 및 해설 p.4

01 Samuel was very sad last night.

부정문 Samuel was not(wasn't) very sad last night.

02 Five students were in the classroom two minutes ago.

부정문 ______________________

03 Joe was hungry this morning.

의문문 ______________________

04 There were three cars in the parking lot yesterday.

의문문 ______________________

05 There was a Korean restaurant in the building last month.

부정문 ______________________

06 His sister was a member of the book club last year.

의문문 ______________________

07 The watermelons were very sweet yesterday.

의문문 ______________________

08 Erica was short last year.

부정문 ______________________

09 There were many parks in the city at that time.

부정문 ______________________

10 Her hair was long last summer.

부정문 ______________________

11 His wife was at home ten minutes ago.

의문문 ______________________

12 The shirt was small for me last year.

부정문 ______________________

Words

- sad 슬픈
- hungry 배고픈
- parking lot 주차장
- last month 지난달
- short 키가 작은
- last summer 지난여름

Third Step be동사의 쓰임 점검하기

다음 밑줄 친 부분을 바르게 고쳐 쓰세요.

정답 및 해설 p.4

01 Jessica <u>is</u> good at math last year. ______was______
Jessica는 작년에 수학을 잘했다.

02 This hair style <u>is</u> popular in 2014. ____________
이 머리 스타일이 2014년에 인기 있었다.

03 Sam and Jane <u>was not</u> at the bank this morning. Sam과 Jane은 오늘 아침 은행에 있지 않았다. ____________

04 The sky <u>is</u> clear yesterday. ____________
어제 하늘은 맑았다.

05 <u>Was</u> the women famous basketball players? 그 여성들은 유명한 농구선수들이었니? ____________

06 The food <u>is</u> terrible yesterday. ____________
어제 음식은 형편없었다.

07 His brother <u>was</u> at the farm now. ____________
그의 동생은 지금 농장에 있다.

08 There <u>is</u> a big hotel in the town last summer. 작년 여름 마을에 큰 호텔이 있었다. ____________

09 These trees <u>is</u> very small three years ago. 3년 전에 이 나무들은 매우 작았다. ____________

10 This towel <u>were not</u> wet this morning. ____________
이 수건은 오늘 아침에 젖어 있지 않았다.

11 <u>Are</u> the fruits in the box last night? ____________
그 과일들은 어젯밤 상자에 있었니?

12 <u>Is</u> the waiter kind to you yesterday? ____________
그 종업원은 어제 너에게 친절했니?

- popular 인기 있는
- style 스타일
- bank 은행
- clear 맑은
- terrible 형편없는
- hotel 호텔
- farm 농장
- town 마을
- kind 친절한

Writing Step

주어진 단어를 이용하여 문장을 완성하세요. (필요하면 단어를 변경하세요.)

정답 및 해설 p.4

01 Eric은 어제 매우 피곤했다. (be, very, yesterday, tired)

→ Eric ___was very tired yesterday___.

02 나의 개들은 지난달에 작았다. (small, be, last month)

→ My dogs ________________.

03 그 해변은 작년에 깨끗하지 않았다. (be, last year, not, clean)

→ The beach ________________.

04 5분 전에 집 앞에 자동차가 있었다. (be, five minutes, a car, in front of, the house)

→ There ________________ ago.

05 저 양말들은 어제 서랍에 있었다. (in the drawer, be, yesterday)

→ Those socks ________________.

06 이 야채들은 지난달에는 비싸지 않았다. (be, not, last month, expensive)

→ These vegetables ________________.

07 너의 삼촌은 유명한 작가였니? (a famous, be, writer)

→ ________ your uncle ________________?

08 그 쇼핑몰은 지난 주말 붐비지 않았다. (be, not, last weekend, crowded)

→ The shopping mall ________________.

09 오늘 아침 차가 많이 막혔다. (a lot of, traffic, be, this morning)

→ There ________________.

10 어제 파티에 많은 사람이 왔었니? (at the party, be, yesterday)

→ ________ there many people ________________?

11 내 부모님은 2001년에 매우 가난했다. (very poor, in 2001, be)

→ My parents ________________.

12 James는 지금 외롭다. (lonely, now, be)

→ James ________________.

- tired 피곤한
- in front of ~앞에
- drawer 서랍
- expensive 비싼
- crowded 붐비는, 사람이 많은
- traffic 교통
- party 파티
- poor 가난한
- lonely 외로운

Final Step be동사의 과거형 최종 점검하기

1 주어진 단어를 이용하여 과거시제로 바꿔 쓰세요.

정답 및 해설 p.5

01 She is a teacher. (last year)

→ She was a teacher last year.

02 There are many people in the zoo. (last Sunday)

→ ______________________

03 Tom and Sam are good at sports. (last year)

→ ______________________

04 She is one hundred years old. (at that time)

→ ______________________

05 Amy is nice to everyone. (yesterday)

→ ______________________

06 There is a station next to the museum. (three months ago)

→ ______________________

07 There is not much water in the lake. (last winter)

→ ______________________

08 Jim and my brother are in the same class. (last year)

→ ______________________

09 He is always late for school. (in 2014)

→ ______________________

10 The cheese cake is so soft and delicious. (yesterday)

→ ______________________

11 Those actors are not in China now. (last week)

→ ______________________

12 My grandmother is very healthy. (last month)

→ ______________________

- sport 운동
- hundred 백, 백의
- nice 상냥한, 좋은
- everyone 모든 사람
- station 역
- museum 박물관
- lake 호수
- same 같은
- soft 부드러운
- healthy 건강한

2 다음 문장을 부정문과 의문문으로 바꿔 쓰세요.

정답 및 해설 p.5

01 She was at the beach yesterday.

부정문 She was not(wasn't) at the beach yesterday.

의문문 Was she at the beach yesterday?

02 They were famous singers.

부정문 ______

의문문 ______

03 The school was near the airport.

부정문 ______

의문문 ______

04 There were many books behind the woman.

부정문 ______

의문문 ______

05 Sandra was in the office this morning.

부정문 ______

의문문 ______

06 The weather was good last week.

부정문 ______

의문문 ______

07 Baseball was his favorite sport.

부정문 ______

의문문 ______

08 The science class was boring.

부정문 ______

의문문 ______

Words

- beach 해변
- airport 공항
- behind ~뒤에
- weather 날씨
- sport 운동
- science 과학
- class 수업
- boring 지루한

Exercise

15-16 Excellent 12-14 Good 9-11 Not bad 8 이하 Try Again

[1-3] 다음 중 빈칸에 알맞은 말을 고르세요.

1

The weather ________ very nice last weekend.

① is ② are not ③ was
④ were ⑤ is not

2

They _________ at the beach last night.

① is not ② are not ③ was not
④ were not ⑤ are

3

There _________ a lot of water in the pond last month.

① is ② are not ③ was
④ were ⑤ is not

4 **다음 중 빈칸에 알맞은 말을 고르세요.**

A: Were the vegetables fresh yesterday?
B: ______________________

① Yes, it is. ② Yes, it was.
③ No, they are. ④ No, they aren't.
⑤ Yes, they were.

Note

1 last weekend는 과거를 나타내는 말입니다.

2 last night는 과거를 나타내는 말입니다.

3 a lot of 많은
pond 연못
셀 수 없는 명사는 단수 취급합니다.

4 fresh 신선한

5 **다음 중 빈칸에 알맞지 않은 것을 고르세요.**

I was very hungry ____________________.

① yesterday ② now
③ this morning ④ last night
⑤ three hours ago

[6-7] 다음 중 우리말을 영어로 바르게 쓴 것을 고르세요.

6

그녀는 작년에 뚱뚱하지 않았다.

① She was not fat last year.
② She was fat last year.
③ She weren't fat last year.
④ She isn't very fat last year.
⑤ She aren't very fat last year.

7

너는 지난주에 바빴니?

① Were you busy now?
② Was you busy last weekend?
③ Were you busy this week?
④ Were you busy this weekend?
⑤ Were you busy last week?

8 **다음 중 잘못된 문장을 고르세요.**

① Were there many people at the concert?
② Was he tired yesterday?
③ The carrots were in the basket.
④ Was the children in the park last night?
⑤ Were the movies interesting?

Note

5 hungry 배고픈
빈칸에는 과거를 나타내는 말이 와야 합니다.

6 fat 뚱뚱한
last year 작년에

7 busy 바쁜
weekend 주말
week 주

8 tired 피곤한
basket 바구니
children은 child의 복수형입니다.

Exercise

9 다음 중 영어를 우리말로 바르게 쓴 것을 고르세요.

Were they in the third grade last year?

① 그들은 올해 3학년이 되었니?
② 그들은 작년에 4학년을 마쳤니?
③ 그들은 올해 3학년이었니?
④ 그들은 작년에 3학년이었니?
⑤ 그들은 작년에 4학년이 되었니?

Note

9 third grade 3학년

[10–11] 다음 중 빈칸에 알맞지 않은 것을 고르세요.

10

A: Were ________________ at the concert?
B: No, they weren't.

① the woman ② your friends
③ their parents ④ the boys
⑤ the kids

10 concert 콘서트

11

A: Was there ________________ in the bag?
B: Yes, there was.

① an apple ② my watch
③ tomatoes ④ his book
⑤ your pen

11 be동사의 형태를 파악해보세요.

12 다음 중 빈칸에 들어갈 말이 순서대로 바르게 짝지어진 것을 고르세요.

• ________ there a lot of cheese in the box yesterday?
• ________ it sunny last Sunday?

① Were - Was ② Are - Were
③ Was - Were ④ Was - Was
⑤ Is - Was

12 주어가 단수인지 복수인지 파악합니다.

[13-14] 다음 영어를 지시대로 바꿔 쓰세요.

13 There was a bookstore near the bus stop.

의문문 ______________________________

14 The singers were in London last month.

부정문 ______________________________

15 다음 우리말과 뜻이 같도록 빈칸에 알맞은 말을 쓰세요.

지난 주말 공원에 사람이 많았니?

→ __________ there many people in the park __________ weekend?

16 다음 빈칸에 들어갈 알맞은 말을 쓰세요.

A: Were you famous singers?
B: Yes, ______________.

→ ______________________________

Note

13 bookstore 서점
bus stop 버스 정류장

14 singer 가수

15 주어가 복수이다.

16 1인칭 복수형의 쓰임을 이해해야 한다.

우리가 잘못 사용하고 있는 영어표현 I

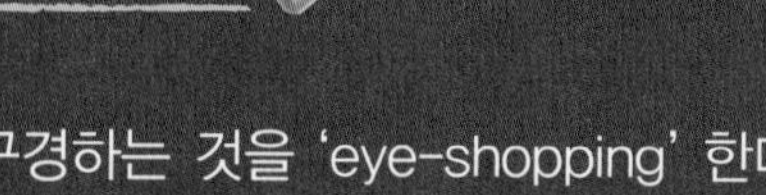

eye shopping vs window-shopping

우리가 물건은 구매하지 않고 전시된 상품을 구경하는 것을 'eye-shopping' 한다고 합니다. 하지만 eye shopping은 '눈을 쇼핑한다'는 것처럼 오해할 수 있습니다. eye shopping의 올바른 표현은 window-shopping입니다.

Let's go window-shopping.
우리 윈도우 쇼핑하자.

talent vs TV actor / actress

여러분 중에 장래 희망으로 탤런트(talent)를 원하는 분들이 있을 텐데 탤런트의 올바른 표현은 actor 또는 actress라고 해야 합니다. 앞에 TV를 붙여 TV actor라고 해도 됩니다. 우리말의 '탤런트'는 주로 텔레비전에서 활약하는 연예인을 말하는데, 영어의 talent는 '(타고난) 재능(이 있는 사람)'을 의미하지만 actor만을 의미하지는 않습니다.

I want to be an actor.
나는 배우가 되고 싶다.

일반동사 과거

Word Check

□ break	□ bridge	□ catch	□ enjoy	□ factory
□ floor	□ history	□ hospital	□ nap	□ order
□ picture	□ pretty	□ secret	□ shelf	□ soldier
□ strange	□ twin	□ understand	□ uniform	□ voice

일반동사 과거형

일반동사의 과거형은 주어의 인칭이나 수에 상관없이 과거형만을 사용합니다.

❶ 일반동사의 과거형 만드는 법 - 규칙 변화

일반동사의 과거형은 보통 동사원형에 -(e)d를 붙입니다.

대부분의 동사	동사원형+ed	work → work**ed** paint → paint**ed**	jump - jump**ed** open - open**ed**
-e로 끝나는 동사	동사원형+d	live → live**d** smile → smile**d**	dance - dance**d** move - move**d**
「자음+y」로 끝나는 동사	y를 i로 고치고 ed를 붙입니다.	study → stud**ied** cry → cr**ied**	worry - worr**ied** marry - marr**ied**
「단모음+자음」 끝나는 동사	자음을 한 번 더 쓰고 ed를 붙입니다.	plan → plan**ned** stop → stop**ped**	jog - jog**ged** drop - drop**ped**

plus
read는 과거형도 read[red]이지만 발음이 다르다는 것에 유의해야 합니다.

❷ 일반동사의 과거형 만드는 법 - 불규칙 변화

동사원형과 같은 경우	cut - cut	put - put	hit - hit	read - read
철자가 바뀌는 경우	see - saw do - did know - knew say - said stand - stood spend - spent sleep - slept tell - told	have - had drive - drove make - made sing - sang write - wrote go - went think - thought hear - heard	buy - bought eat - ate meet - met speak - spoke take - took drink - drank build - built get - got	come - came feel - felt run - ran swim - swam teach - taught pay - paid find - found catch - caught

Warm up

● 다음 빈칸에 알맞은 과거형을 쓰세요.

정답 및 해설 p.6

01	work	worked	16	see	
02	have		17	sing	
03	open		18	stop	
04	study		19	enjoy	
05	live		20	move	
06	buy		21	cut	
07	hit		22	build	
08	come		23	sleep	
09	do		24	drink	
10	eat		25	pay	
11	feel		26	speak	
12	know		27	think	
13	make		28	teach	
14	meet		29	put	
15	read		30	swim	

First Step 일반동사 과거형 학습하기

1 다음 주어진 단어를 이용해서 빈칸에 알맞은 말을 쓰세요. (과거형으로 쓰세요.)

정답 및 해설 p.6

01 I ___played___ baseball yesterday. (play)

02 Jessica ______________ breakfast thirty minutes ago. (eat)

03 They ______________ at a bank last year. (work)

04 The bus ______________ in front of my house yesterday. (stop)

05 My sister ______________ home late last Monday. (come)

06 My friends ______________ to the beach last weekend. (go)

07 He ______________ a glass of milk this morning. (drink)

08 We ______________ a good time at the concert. (have)

09 Mike and I ______________ some books yesterday. (buy)

10 She ______________ her bag on the table. (put)

11 She ______________ her room last night. (clean)

12 The concert ______________ at 10:30. (start)

13 She and I ______________ in Chicago two years ago. (live)

14 I ______________ my friends at the shopping mall. (meet)

15 Alice ______________ beautiful pictures at the museum. (see)

Words

- bank 은행
- in front of ~앞에
- buy 사다(과거형 bought)
- shopping mall 쇼핑몰
- picture 그림
- museum 미술관, 박물관

2 다음 주어진 단어를 이용해서 빈칸에 알맞은 말을 쓰세요. (과거형으로 쓰세요.)

정답 및 해설 p.6

01 I ___took___ pictures in the park. (take)

02 Susan __________ hard last week. (study)

03 We __________ to school yesterday. (walk)

04 She __________ her schedule for summer vacation. (plan)

05 Jack __________ my smartphone this morning. (use)

06 I __________ my homework ten minutes ago. (finish)

07 My father __________ early yesterday. (get up)

08 He sometimes __________ to his friend. (write)

09 We __________ on the subway platform. (stand)

10 The train __________ at eight. (arrive)

11 They __________ many poor people in 2013. (help)

12 We __________ these songs last year. (like)

13 Jane always __________ a cup of coffee after breakfast. (drink)

14 I __________ Korean history at a middle school. (teach)

15 My mom __________ me every day last month. (call)

Words

- take a picture 사진 찍다
- hard 열심히
- plan 계획하다
- vacation 방학, 휴가
- homework 숙제
- subway platform 지하철 승강장
- arrive 도착하다
- Korean history 한국역사
- middle school 중학교
- call 전화하다

Second Step

일반동사 과거형의 쓰임을 이해하기

1 다음 빈칸에 들어갈 알맞은 말을 보기에서 골라 과거형으로 쓰세요.

정답 및 해설 p.7

go want move put dance pay enjoy listen open sing

01 Kathy and I ___went___ to the zoo last weekend.
Kathy와 나는 지난 주말 동물원에 갔다.

02 Some people __________ at the party.
파티에서 일부 사람들은 춤을 췄다.

03 She __________ a cold drink this morning.
그녀는 오늘 아침 차가운 음료를 원했다.

04 Sam __________ a lot of money for the car.
그는 많은 돈을 지불하고 그 자동차를 샀다.

05 We __________ the warm sunshine in spring.
우리는 봄에 따뜻한 햇살을 즐겼다.

06 He __________ songs all day long.
그는 하루 종일 노래를 불렀다.

07 They __________ to music with me last night.
그들은 어젯밤 나와 함께 음악을 들었다.

08 My uncle __________ his shop last week.
삼촌은 지난주 그의 가게를 열었다.

09 Smith __________ to Toronto.
Smith는 토론토로 이사했다.

10 She __________ some sugar in the coffee.
그녀는 커피에 설탕을 조금 넣었다.

- zoo 동물원
- cold 차가운
- a lot of 많은
- warm 따뜻한
- sunshine 햇빛, 햇살
- shop 가게
- all day long 하루 종일
- Toronto 토론토(캐나다에 있는 도시 이름)

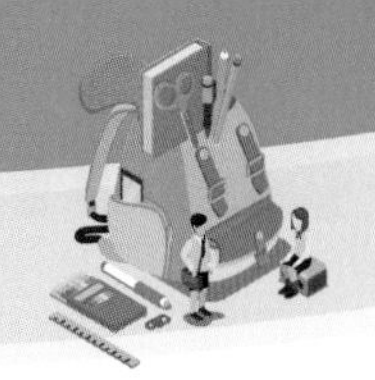

2 다음 빈칸에 들어갈 알맞은 말을 보기에서 골라 과거형으로 쓰세요.

정답 및 해설 p.7

play close tell hit need have run stop start buy

01 Kevin sometimes ___played___ the piano last year.
Kevin은 지난해 가끔 피아노를 쳤다.

02 He ____________ a lie to me yesterday.
그는 어제 내게 거짓말을 했다.

03 She ____________ a lot of help.
그녀는 많은 도움이 필요했다.

04 The children ____________ some flowers for their parents.
그 어린이들은 부모님을 위해 꽃을 좀 샀다.

05 I ____________ a great summer vacation this year.
나는 올해 여름방학을 멋지게 보냈다.

06 My friends ____________ to my house.
내 친구들은 나의 집으로 달려왔다.

07 The elevator ____________ on the third floor.
그 엘리베이터가 3층에서 멈췄다.

08 She ____________ the window ten minutes ago.
그녀는 10분 전에 창문을 닫았다.

09 Jack ____________ the ball with a bat.
Jack은 그 공을 배트로 쳤다.

10 The movie ____________ five minutes ago.
그 영화가 5분 전에 시작했다.

Words

- sometimes 가끔
- yesterday 어제
- parents 부모
- run 달리다(과거형 ran)
- floor 층
- bat 배트, 방망이
- movie 영화

Third Step 일반동사 과거형 형태 점검하기

다음 밑줄 친 부분을 바르게 고쳐 쓰세요.

정답 및 해설 p.7

01 The woman swimed in the river yesterday. swam

02 She cutted the carrot with a knife. ____________

03 The TV show starts ten minutes ago. ____________

04 Jason sleeped for 10 hours yesterday. ____________

05 My mom works at a hospital last month. ____________

06 The boy cryed for an hour last night. ____________

07 The tourists comed here last month. ____________

08 William knowed about our secret yesterday. ____________

09 I feel pretty good at that time. ____________

10 The factory closes three years ago. ____________

11 She drived a car this morning. ____________

12 It snow a lot last weekend. ____________

13 She sells furniture two years ago. ____________

14 The library opens at 9 o'clock last summer. ____________

15 We builded a bridge last spring. ____________

Words

- swim 수영하다
- cut 자르다
- knife 칼
- hospital 병원
- cry 울다
- know 알다
- secret 비밀
- pretty 꽤
- factory 공장
- furniture 가구
- build 건설하다 (과거형 built)
- bridge 다리
- sell 판매하다 (과거형 sold)

Writing Step

주어진 단어를 이용하여 문장을 완성하세요. (필요하면 단어를 변형하세요.)

정답 및 해설 p.7

01 Alice는 30분 전에 숙제를 했다. (do, thirty minutes, her homework)

→ Alice ___did her homework thirty minutes___ ago.

02 Jessica는 작년에 음악을 가르쳤다. (music, teach, last year)

→ Jessica ________________________.

03 우리는 어제 학교에서 일본어를 배웠다. (learn, at school, Japanese, yesterday)

→ We ________________________.

04 그들은 오늘 오후에 기말시험에 대해 얘기했다. (about, talk, the final exam)

→ They ________________________ this afternoon.

05 Jim과 나는 지난 일요일 쇼핑을 갔다. (shopping, last Sunday, go)

→ Jim and I ________________________.

06 그녀는 오늘 아침 많은 우유를 마셨다. (drink, milk, a lot of, this morning)

→ She ________________________.

07 그 소녀들은 지난주 무대에서 춤을 추었다. (on the stage, last week, dance)

→ The girls ________________________.

08 James는 지난 금요일 세차했다. (his car, wash, last Friday)

→ James ________________________.

09 내 사촌은 2달 전에 꽃가게를 열었다. (two months, open, a flower shop)

→ My cousin ________________________ ago.

10 어제는 하루 종일 비가 왔다. (rain, yesterday, all day)

→ It ________________________.

11 그녀와 나는 지난주 함께 조깅을 했다. (last week, jog, together)

→ She and I ________________________.

12 그들은 2시간 전에 샤워를 했다. (take, two hours ago, a shower)

→ They ________________________.

- teach 가르치다 (과거형 taught)
- about ~에 관해
- go shopping 쇼핑하러 가다
- stage 무대
- flower shop 꽃가게
- all day 하루종일
- jog 조깅하다
- together 함께

일반동사 과거형의 부정문과 의문문

일반동사 과거형의 부정문과 의문문은 did를 이용해서 표현합니다.

1 일반동사 과거형의 부정문

일반동사 과거형의 부정문은 주어의 인칭이나 수에 관계없이 「did not+동사원형」의 형태로 '~하지 않았다'라는 의미를 가지고 있습니다.

I / She / He / It / You / We	did not + 동사원형 = didn't + 동사원형 (축약형)	I **didn't go** to school yesterday. 나는 어제 학교에 가지 않았다. He **didn't do** his homework last night. 그는 지난밤에 숙제를 하지 않았다. They **didn't have** money. 그들은 돈이 없었다.
주어가 단수/복수명사	did not + 동사원형 = didn't + 동사원형 (축약형)	Sally **didn't listen** to the radio. Sally는 라디오를 듣지 않았다. The two girls **didn't have** any money. 그 두 소녀는 돈이 조금도 없었다.

2 일반동사 과거형의 의문문

Did + I / She / He / It / You / We + 동사원형 ~?	**Did he go** to the beach? 그는 해변에 갔니? **Did you have** lunch? 너(희)는 점심을 먹었니? **Did they watch** TV yesterday? 그들은 어제 TV를 보았니?
Did + 단수/복수명사 + 동사원형 ~?	**Did the boy read** the book? 그 소년은 그 책을 읽었니? **Did your friends clean** the room? 네 친구들은 청소를 했니?

3 일반동사 과거형의 의문문에 대한 대답

대답이 긍정일 때는 「Yes, 주어+did.」로 부정일 때는 「No, 주어+didn't.」로 합니다.

Did you have dinner? 너는 저녁을 먹었니? **Did you and she** take a walk? 너와 그녀는 산책을 했니? **Did we** order pizza? 우리는 피자를 주문했니?	Yes, **I did**. / No, **I didn't** . Yes, **we did**. / No, **we didn't**. Yes, **you [we] did**. / No, **you [we] didn't**.
Did Tom and Jack need apples? Tom과 Jack은 사과들이 필요했니? **Did your mom** have an umbrella? 네 엄마는 우산을 가지고 계셨니? **Did the train** arrive at seven? 그 기차는 7시에 도착했니?	Yes, **they did**. / No, **they didn't**. Yes, **she did**. / No, **she didn't**. Yes, **it did**. / No, **it didn't**.

Warm up

● 다음 괄호 안에서 알맞은 말을 고르세요.

정답 및 해설 p.7

01 I (don't / didn't) use a computer yesterday.

02 They (don't / didn't) go shopping last week.

03 She didn't (clean / cleaned) the room this morning.

04 We didn't (have / has) dinner yesterday.

05 (Do / Did) you eat Korean food last night?

06 Did Jane (wait / waits) for my brother?

07 Did the taxi (stop / stopped) at the bank?

08 (Does / Did) your father work at a library last year?

09 (Do / Did) the girls wear school uniforms yesterday?

10 Cathy (doesn't / didn't) have much money now.

11 The bus (doesn't / didn't) leave at 9 o'clock this morning.

12 (Does / Did) Sam and Kathy make a kite?

13 (Does / Did) the twin boys live in Canada last month?

14 I didn't (know / knew) the answer.

15 She (doesn't / didn't) ask me any questions last night.

- use 사용하다
- Korean food 한국음식
- wait 기다리다
- uniform 유니폼, 교복
- leave 떠나다(과거형 left)
- twin 쌍둥이, 쌍둥이의
- answer 대답, 정답
- kite 연

과거형의 부정문과 의문문에 대한 기초를 다지기

1 다음 빈칸에 알맞은 말을 쓰세요. (축약형으로 쓰세요.)

정답 및 해설 p.8

01 We ___didn't___ go to school last Monday.
우리는 지난 월요일 학교에 가지 않았다.

02 Ted ____________ take a shower this morning.
Ted는 오늘 아침 샤워를 하지 않았다.

03 She ____________ see him yesterday.
그녀는 그를 어제 보지 못했다.

04 ____________ he put his glasses on the table last night?
그가 어젯밤 안경을 식탁 위에 올려놓았니?

05 ____________ they build the house last summer?
그들이 지난 여름에 그 집을 지었니?

06 We ____________ have any geese at that time.
우리는 그 당시 거위가 전혀 없었다.

07 ____________ you write a diary yesterday?
너 어제 일기 썼니?

08 ____________ Kevin meet his father last week?
지난 주 Kevin은 그의 아버지를 만났니?

09 ____________ they catch fish in the river last month?
그들은 지난 달 강에서 고기를 잡았니?

10 She and I ____________ see any animals in Africa.
그녀와 나는 아프리카에서 어떤 동물도 보지 못했다.

11 We ____________ understand Korean culture last summer.
우리는 지난 여름에 한국문화를 이해하지 못했다.

12 ____________ you hear the news this morning?
너는 오늘 아침에 뉴스 들었니?

Words

- take a shower 샤워하다
- glasses 안경
- at that time 그 당시
- diary 일기
- catch 잡다
- river 강
- understand 이해하다 (과거형 understood)
- culture 문화
- hear 듣다 (과거형 heard)
- news 뉴스

2 다음 빈칸에 알맞은 말을 쓰세요.

정답 및 해설 p.8

- break 깨뜨리다, 부수다
- sick 아픈
- enjoy 즐기다
- factory 공장
- suddenly 갑자기
- weather report 일기예보
- leaf 나뭇잎
- change 변화하다
- Chinese food 중국음식

01 A: Did he break the window?
B: No, he didn't.

02 A: Did you and Jack help the sick people?
B: Yes, ____________________.

03 A: Did they wear skirts yesterday?
B: Yes, ____________________.

04 A: Did your sister enjoy the food at the party?
B: No, ____________________.

05 A: Did he brush his teeth this morning?
B: Yes, ____________________.

06 A: Did he and she work at a car factory?
B: Yes, ____________________.

07 A: Did your father read a book last night?
B: No, ____________________.

08 A: Did the bus start suddenly?
B: Yes, ____________________.

09 A: Did you hear a weather report this morning?
B: Yes, ____________________.

10 A: Did the leaves change their color?
B: Yes, ____________________.

11 A: Did your mom like Chinese food?
B: No, ____________________.

12 A: Did your son play baseball yesterday?
B: No, ____________________.

Second Step

과거형의 부정문과 의문문 이해하기

1 다음 문장을 지시대로 바꿔 쓰세요.

정답 및 해설 p.8

Words

- classical music 고전음악
- wear 입다, 쓰다 (과거형 wore)
- glasses 안경
- a lot 많은
- arrive 도착하다
- nap 낮잠
- stay 머무르다
- farm 농장

01 She liked classical music.

의문문 Did she like classical music?

02 My mother wore glasses last year.

부정문 ______________________

03 Brian played computer games.

의문문 ______________________

04 It snowed a lot last winter.

부정문 ______________________

05 She wanted two glasses of milk.

부정문 ______________________

06 She bought a nice car.

의문문 ______________________

07 I didn't teach math last year.

긍정문 ______________________

08 The train arrived at 10 o'clock.

의문문 ______________________

09 He took a nap this afternoon.

부정문 ______________________

10 Tom and I didn't stay at home last week.

긍정문 ______________________

11 David wanted a new computer.

의문문 ______________________

12 I went to my uncle's farm last weekend.

부정문 ______________________

2 다음 문장을 지시대로 바꿔 쓰세요.

정답 및 해설 p.8

01 Sam enjoyed reading.

의문문 Did Sam enjoy reading?

02 His friends liked animals.

의문문 ______________________

03 She didn't study English yesterday.

긍정문 ______________________

04 My father painted the wall.

부정문 ______________________

05 Jessica drank a cup of tea.

의문문 ______________________

06 The baby smiled at him.

의문문 ______________________

07 I didn't hear his voice at that time.

긍정문 ______________________

08 The students talked about their future.

의문문 ______________________

09 She and Jane took a bath this morning.

부정문 ______________________

10 They sometimes ordered pizza.

의문문 ______________________

11 David read a newspaper this morning.

의문문 ______________________

12 It rained a lot last summer.

부정문 ______________________

- reading 독서
- paint 칠하다
- wall 벽
- smile 웃다
- voice 목소리
- future 미래
- take a bath 목욕하다
- order 주문하다
- newspaper 신문

Third Step 과거형의 부정문과 의문문 점검하기

다음 잘못된 부분을 바르게 고쳐 쓰세요.

정답 및 해설 p.9

01 He didn't makes cheese sandwiches yesterday.
그는 어제 치즈샌드위치를 만들지 않았다. makes → make

02 Do James cut the cheese with a knife this morning?
James는 오늘 아침 칼로 치즈를 잘랐니? ______

03 He did not sleeped on the floor last night.
그는 지난밤에 바닥에서 자지 않았다. ______

04 Did your uncle felt tired yesterday?
너의 삼촌은 어제 피곤했니? ______

05 He puts these books on the shelf last month.
그는 지난달 선반 위에 이 책들을 놓았다. ______

06 She did not called me last week.
그녀는 지난주에 나에게 전화하지 않았다. ______

07 Did the players stayed at the hotel two days ago?
그 선수들은 이틀 전에 호텔에서 묵었니? ______

08 He doesn't get up early yesterday morning.
그는 어제 아침에 일찍 일어나지 않았다. ______

09 We didn't ate pizza for lunch yesterday.
우리는 어제 점심으로 피자를 먹지 않았다. ______

10 Did the soldiers stood in front of you at that time?
그 군인들은 그 당시 네 앞에 서 있었니? ______

11 She didn't taught history at school last year.
그녀는 작년에 학교에서 역사를 가르치지 않았다. ______

12 Do you hear a strange sound last night?
너는 지난밤에 이상한 소리를 들었니? ______

- cheese 치즈
- knife 칼
- floor 바닥
- feel 느끼다 (과거형 felt)
- shelf 선반
- call 전화하다
- early 일찍
- soldier 군인
- in front of ~앞에
- history 역사
- strange 이상한
- sound 소리

Writing Step

주어진 단어를 이용하여 문장을 완성하세요. (필요하면 단어를 추가하세요.)

정답 및 해설 p.9

01 나는 그때 자동차가 없었다. (have, at that time, a car)

→ I didn't have a car at that time.

02 너는 어제 동굴에서 금을 발견했니? (find, you, in the cave, gold)

→ ______________________ yesterday?

03 영화가 10시에 시작했니? (the movie, begin)

→ ______________________ at ten o'clock?

04 Jane은 이틀 전에 영화 보러 갔니? (go to, the movies, Jane)

→ ______________________ two days ago?

05 우리는 어젯밤에 그를 만나지 않았다. (last night, meet, him)

→ We ______________________.

06 그는 어제 그 벤치에 앉지 않았다. (sit, the bench, on)

→ He ______________________ yesterday.

07 그녀는 지난 주말 화장실 청소를 했니? (she, the bathroom, clean)

→ ______________________ last weekend?

08 Tommy는 오늘 아침에 식사를 하지 않았다. (breakfast, eat, this morning)

→ Tommy ______________________.

09 나는 어젯밤 피곤함을 느끼지 않았다. (tired, last night, feel)

→ I ______________________.

10 Julie는 지난달 삼촌을 방문했니? (visit, Julie, her uncle)

→ ______________________ last month?

11 너는 지난 토요일 집에 있었니? (stay, you, at home)

→ ______________________ last Saturday?

12 David는 작년에 이 컴퓨터를 가지고 있지 않았다. (last year, have, this computer)

→ David ______________________.

Words

- find 발견하다 (과거형 found)
- cave 동굴
- ago ~전에
- meet 만나다
- bathroom 화장실
- clean 청소하다
- visit 방문하다

Final Step 과거형의 부정문과 의문문 최종 점검하기

1 다음 우리말과 뜻이 같도록 빈칸에 알맞은 말을 쓰세요. (과거형으로 쓰세요.)

정답 및 해설 p.9

01 He ___bought___ new shoes yesterday.
그는 어제 새로운 신발을 샀다.

02 Jenny ____________ to the party late.
Jenny는 파티에 늦게 왔다.

03 Jack ____________ his watch under the sofa.
Jack은 자신의 시계를 소파 아래에서 발견했다.

04 We ____________ Australia last year.
우리는 작년에 호주를 방문했다.

05 The taxi ____________ behind the bakery.
택시가 제과점 뒤에 멈췄다.

06 We ____________ pizza for dinner yesterday.
우리는 어제 저녁으로 피자를 먹었다.

07 My friend, Amy ____________ camping three days ago.
내 친구 Amy는 3일 전에 캠핑을 갔다.

08 I ____________ my bag on the chair two hours ago.
나는 두 시간 전에 가방을 의자 위에 놓았다.

09 Ted ____________ in the library last night.
Ted는 어젯밤 도서관에서 공부했다.

10 We ____________ many stars in the sky yesterday.
우리는 어제 하늘에 있는 많은 별들을 보았다.

11 The train ____________ at the station ten minutes ago.
기차는 10분 전에 역에 도착했다.

12 The children ____________ in the pool this afternoon.
그 아이들은 오늘 오후에 수영장에서 수영했다.

- buy 사다 (과거형 bought)
- find 발견하다
- Australia 호주
- behind ~뒤에
- bakery 제과점
- camp 캠프
- pool 수영장
- swim 수영하다 (과거형 swam)

2 다음 우리말과 뜻이 같도록 빈칸에 알맞은 말을 쓰세요. (과거형으로 쓰세요.)

정답 및 해설 p.9

01 She __didn't__ __love__ animals.
그녀는 동물을 사랑하지 않았다.

02 He ________ ________ his homework yesterday.
그는 어제 숙제를 하지 않았다.

03 We ________ ________ to the zoo two days ago.
우리는 이틀 전에 동물원에 가지 않았다.

04 Sara ________ ________ in Seoul last year.
Sara는 작년에 서울에 살지 않았다.

05 ________ you ________ any fruits at the market?
너는 시장에서 과일을 좀 샀니?

06 ________ they sometimes ________ a walk last year?
그들은 작년에 가끔 산책을 했니?

07 ________ you ________ a thief yesterday?
너는 어제 도둑을 잡았니?

08 Jeff ________ ________ wine last night.
Jeff는 어젯밤 와인을 마시지 않았다.

09 My mom ________ ________ the dishes this morning.
엄마는 오늘 아침 설거지를 하지 않으셨다.

10 ________ your sister ________ to the bookstore yesterday?
어제 네 여동생이 서점으로 뛰어 갔니?

11 ________ your father ________ these chairs?
네 아버지가 이 의자들을 만드셨니?

12 We ________ ________ this food.
우리는 이 음식을 주문하지 않았다.

Words

- do 하다
- homework 숙제
- zoo 동물원
- market 시장
- sometimes 가끔
- take a walk 산책하다
- catch 잡다
- thief 도둑
- wash 닦다
- bookstore 서점
- make 만들다
- order 주문하다

Exercise

15-16 Excellent 12-14 Good 9-11 Not bad 8 이하 Try Again

[1-2] 다음 중 동사원형과 과거형이 잘못 연결된 것을 고르세요.

1 ① study – studyed ② like – liked
③ have – had ④ work – worked
⑤ swim – swam

2 ① cut – cutted ② walk – walked
③ catch – caught ④ teach – taught
⑤ hit – hit

[3-5] 다음 중 빈칸에 알맞은 말을 고르세요.

3

We ________________ the party last night.

① enjoy ② enjoyed ③ enjoys
④ enjoying ⑤ is enjoying

4

They ____________ drink coffee yesterday.

① don't ② doesn't ③ didn't
④ isn't ⑤ weren't

5

• My father __________ home late yesterday. • He ___________ bake cookies last night.

① comes – don't ② come – doesn't
③ came – didn't ④ came – don't
⑤ came – doesn't

Note

1 swim 수영하다
work 일하다

2 cut 자르다
catch 잡다

3 last night 어젯밤

4 drink 마시다

5 yesterday가 있으므로 과거형이 필요합니다.

[6-7] 다음 중 빈칸에 공통으로 들어갈 말을 고르세요.

6

- I ____________ my book on the table.
- She didn't ____________ salt in the food.

① put ② cut ③ hit
④ read ⑤ hurt

7

- ________ you meet her yesterday?
- ________ he have breakfast?

① Do ② Don't ③ Did
④ Doesn't ⑤ Does

[8-9] 다음 중 밑줄 친 곳이 잘못된 것을 고르세요.

8 ① We went to the park last week.
② She hit the ball with a bat.
③ Amy lived in London last year.
④ Joe walked to school yesterday.
⑤ He teached English at school.

9 ① Did you go to the beach?
② He didn't like vegetables.
③ Julie didn't watch TV.
④ Did he and David has dinner?
⑤ Did Jane work with you?

Note

5 food 음식
주어진 단어를 빈칸에 하나씩 넣어 해석해 보세요.

6 breakfast 아침식사

7 park 공원
hit 치다, 때리다

8 beach 해변

10 다음 문장을 의문문으로 바르게 바꾼 것을 고르세요.

Jonathan moved to Seoul last month.

① Do Jonathan move to Seoul last month?
② Does Jonathan move to Seoul last month?
③ Did Jonathan moved to Seoul last month?
④ Did Jonathan move to Seoul last month?
⑤ Does Jonathan moved to Seoul last month?

10 move 이사하다
last month 지난달

11 다음 문장을 부정문으로 바르게 바꾼 것을 고르세요.

The taxi stopped at the subway station.

① The taxi didn't stopped at the subway station.
② The taxi didn't stop at the subway station.
③ The taxi don't stopped at the subway station.
④ The taxi doesn't stopped at the subway station.
⑤ The taxi doesn't stop at the subway station.

11 subway station 지하철역

12 다음 중 우리말을 영어로 바르게 쓴 것을 고르세요.

내 아버지는 오늘 아침에 신문을 읽으셨다.

① My father is reading a newspaper this morning.
② My father readed a newspaper this morning.
③ My father was reading a newspaper this morning.
④ My father reads a newspaper this morning.
⑤ My father read a newspaper this morning.

12 read의 과거형은 read입니다.

13 다음 빈칸에 알맞은 말을 쓰세요.

A: Did your sister get up early today?
B: Yes, ___________________.

→ ______________________

14 다음 문장을 의문문으로 바꿔 쓰세요.

He had a math class yesterday.

→ ______________________

15 다음 밑줄 친 부분을 바르게 고쳐 다시 쓰세요.

Kevin writed a letter two days ago.

→ ______________________

16 다음 문장을 과거형 부정문으로 바꿔 쓰세요.

Cathy misses her parents.

→ ______________________

Note

13 주어 your sister가 여성임에 유의하세요.

14 math 수학
class 수업

15 two days ago 이틀 전에

16 miss 그리워하다

Take a break!

일반동사의 불규칙 과거형

원형	과거형	동사원형	과거형	동사원형	과거형
become ~이 되다	became	have 가지고 있다	had	sell 팔다	sold
break 부수다, 깨다	broke	hear 듣다	heard	send 보내다	sent
buy 사다	bought	hide 숨다	hid	sing 노래하다	sang
build 짓다, 만들다	built	hit 치다	hit	sit 앉다	sat
begin 시작하다	began	grow 자라다	grew	see 보다	saw
catch 잡다	caught	keep 유지하다	kept	speak 말하다	spoke
choose 선택하다	chose	know 알다	knew	spend (돈, 시간을) 쓰다	spent
come 오다	came	leave 떠나다	left	stand 서다	stood
do 하다	did	lose 잃다, 지다	lost	steal 훔치다	stole
draw 그리다	drew	make 만들다	made	swim 수영하다	swam
drink 마시다	drank	mean 의미하다	meant	take 가져가다	took
drive 운전하다	drove	meet 만나다	met	teach 가르치다	taught
eat 먹다	ate	pay 지불하다	paid	tell 말하다	told
fall 떨어지다	fell	put 놓다	put	think 생각하다	thought
feel 느끼다	felt	read 읽다	read [red]	throw 던지다	threw
fight 싸우다	fought	ride 타다	rode	understand 이해하다	understood
find 찾다	found	sleep 자다	slept	wake 깨다	woke
fly 날다	flew	rise 올라가다	rose	wear 입다	wore
forget 잊다	forgot	run 달리다	ran	win 이기다	won
get 얻다	got	say 말하다	said	write (글씨를) 쓰다	wrote

과거진행형과 비인칭주어 It

Word Check

□ accident	□ autumn	□ cross	□ deliver	□ dream
□ enter	□ expensive	□ far	□ garage	□ hit
□ knock	□ problem	□ raise	□ rest	□ rise
□ snowman	□ speech	□ spend	□ station	□ yell

UNIT 01 과거진행형

과거진행형이란 주어가 과거의 어느 시점에 하고 있는 일을 표현할 때 사용하는 표현으로 '~하고 있었다', '~하는 중이었다'라는 의미를 가지고 있습니다.

1 과거진행형의 형태

현재진행형은 「am/are/is+동사원형 -ing」 형태이지만 과거진행형은 「was/were+동사원형 -ing」의 형태입니다.

was/were+ 동사원형 -ing	I **was reading** a book. 나는 책을 읽고 있었다. The girl **was eating** pizza. 그 소녀는 피자를 먹고 있었다. They **were singing** a song. 그들은 노래를 부르고 있었다.

plus

인칭대명사와 be동사 과거형은 줄여 쓰지 않습니다.
He is reading a book. = He's reading a book. (현재진행형)
He was reading a book.과 같은 과거진행형에서 He와 was를 줄여서 He'as로 쓸 수 없습니다.

2 과거진행형의 부정문: '~하고 있지 않았다', '~하는 중이 아니었다'라는 의미를 나타냅니다.

was/were+not+ 동사원형 -ing	I **was not drinking** coffee. 나는 커피를 마시고 있지 않았다. Cathy **was not eating** cookies. Cathy는 쿠키를 먹고 있지 않았다. The boys **were not having** dinner. 그 소년들은 저녁을 먹고 있지 않았다.

* was not은 wasn't로, were not은 weren't로 줄여서 표현할 수 있습니다.

3 과거진행형의 의문문: '~하고 있었니?', '~하는 중이었니?'라는 의미를 나타냅니다.

Was/Were+주어 + 동사원형 -ing ~?	**Was she sitting** on the sofa? 그녀는 소파에 앉아 있었니? **Were you watching** TV? 너는 TV를 보고 있었니? **Were the boys swimming** in the pool? 그 소년들은 수영장에서 수영하고 있었니?

4 과거진행형 의문문의 대답

Were **you** having dinner? 너(희)는 저녁을 먹고 있었니?	Yes, **I was**. / No, **I wasn't**. Yes, **we were**. / No, **we weren't**.
Were **the boys** playing soccer? 그 소년들은 축구를 하고 있었니?	Yes, **they were**. / No, **they weren't**.

Warm up

● 다음 괄호 안에서 알맞은 말을 고르세요.

정답 및 해설 p.10

01 He was (go / going) to the bus stop.

02 Kevin was (sing / singing) a song at that time.

03 His teacher (was / were) asking him a question.

04 We were (do / doing) our homework then.

05 She (wasn't / didn't) cleaning the room.

06 Ted (wasn't / didn't) talk about his dream.

07 He and I (was / were) working together.

08 (Are / Were) you talking on the phone yesterday?

09 (Is / Was) she speaking to the children now?

10 They (wasn't / weren't) crying in the room.

11 (Was / Were) you and your sister making pizza?

12 Was Jim (took / taking) pictures at the zoo?

13 (Did / Were) your uncle live in Seoul last year?

14 Her mom was (enter / entering) the store.

15 Jack (was / is) driving a car last night.

Words

- bus stop 버스 정류장
- song 노래
- ask 물어보다
- then 그때
- question 질문
- dream 꿈, (장래의) 꿈
- together 함께
- speak 말하다
- cry 울다
- picture 사진, 그림
- enter 들어가다
- store 가게

First Step 일반동사 과거진행형을 학습하기

1 우리말과 의미가 같도록 주어진 단어를 이용하여 빈칸에 알맞은 말을 쓰세요.

정답 및 해설 p.10

01 Jack ___was waiting___ for a taxi. (wait)
Jack은 택시를 기다리고 있었다.

02 Susie ________________ to music. (listen)
Susie는 음악을 듣고 있었다.

03 It ________________ at that time. (rain)
그때 비가 오고 있었다.

04 He ________________ a helmet. (wear, not)
그는 헬멧을 쓰고 있지 않았다.

05 A little girl ________________ on the street. (cry)
작은 소녀가 길거리에서 울고 있었다.

06 Paul and I ________________ water this morning. (drink)
Paul과 나는 오늘 아침 물을 마시고 있었다.

07 We ________________ TV after dinner. (watch)
우리는 저녁식사 후 TV를 시청하고 있었다.

08 James ________________ to his mother. (run, not)
James는 그의 어머니에게 달려가고 있지 않았다.

09 The student ________________ the question. (answer)
그 학생은 질문에 대답을 하고 있었다.

10 My mother ________________ the bank at that time. (enter)
어머니는 그때 은행에 들어가는 중이셨다.

11 The workers ________________ a rest. (take, not)
그 근로자들은 휴식을 하고 있지 않았다.

12 He ________________ a bike in the playground. (ride)
그는 운동장에서 자전거를 타고 있었다.

Words

- taxi 택시
- wear 입다, 쓰다
- helmet 헬멧
- street 거리
- answer 대답하다
- bank 은행
- rest 휴식
- bike 자전거
- playground 운동장

2 우리말과 의미가 같도록 주어진 단어를 이용하여 빈칸에 알맞은 말을 쓰세요.

정답 및 해설 p.10

01 ___Were___ you ___eating___ a sandwich? (eat)
너는 샌드위치를 먹고 있었니?

02 ________ the bird ________ to the tree? (fly)
그 새가 나무로 날아가고 있었니?

03 ________ it ________ at that time? (snow)
그때 눈이 오고 있었니?

04 ________ you and he ________ to the cafe? (go)
너와 그는 카페에 가고 있었니?

05 ________ the students ________ pictures? (draw)
학생들은 그림을 그리고 있는 중이었니?

06 ________ the sun ________ from the east? (rise)
태양이 동쪽에서 떠오르고 있었니?

07 ________ your son ________ the glass? (break)
너의 아들이 유리를 깨뜨리고 있었니?

08 ________ they ________ a new school? (build)
그들이 새로운 학교를 짓고 있었니?

09 ________ the farmers ________ under the tree? (sit)
그 농부들이 나무 아래 앉아 있었니?

10 ________ he ________ some sugar in the coffee? (put)
그가 설탕을 커피에 넣고 있는 중이었니?

11 ________ they ________ ribbons? (cut)
그들이 리본을 자르고 있었니?

12 ________ the children ________ into the pool? (jump)
그 아이들이 수영장으로 뛰어들고 있었니?

Words

- fly 날다
- snow 눈, 눈이 오다
- cafe 카페
- draw 그리다
- rise 오르다, 올라가다
- break 깨뜨리다
- glass 유리
- build 건축하다, 만들다
- ribbon 리본
- jump 뛰다, 점프하다

Second Step

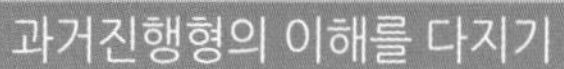

1 다음 문장을 과거진행형으로 바꿔 쓰세요.

정답 및 해설 p.10

01 I did my homework.

→ I was doing my homework.

02 The man delivered the pizza yesterday.

→ ______

03 Those boys made a snowman.

→ ______

04 Jennifer danced in front of the students.

→ ______

05 She and her father didn't live in Hongkong.

→ ______

06 Amy didn't close the window.

→ ______

07 We talked about the car accident.

→ ______

08 The woman didn't cut the tree.

→ ______

09 Did Jake use the copy machine at that time?

→ ______

10 Did Julie knock on the door?

→ ______

11 They didn't listen to music at that time.

→ ______

12 Joe read a newspaper.

→ ______

- deliver 배달하다
- snowman 눈사람
- close 닫다
- accident 사고
- copy 복사하다
- machine 기계
- knock 두드리다
- listen 듣다
- newspaper 신문

2 다음 문장을 과거진행형으로 바꿔 쓰세요.

정답 및 해설 p.10

01 Did he wash his car?

→ Was he washing his car?

02 The boy swam in the pool yesterday.

→ ______________________

03 They ate cookies at that time.

→ ______________________

04 Amy bought a skirt at the shopping mall.

→ ______________________

05 Kevin and I didn't visit his office.

→ ______________________

06 Sam didn't play the piano.

→ ______________________

07 They took an English test.

→ ______________________

08 It didn't rain then.

→ ______________________

09 He spent three days in Korea.

→ ______________________

10 Did Smith fix the computer?

→ ______________________

11 Did she write a letter to her mom?

→ ______________________

12 Did they stay at a hotel?

→ ______________________

Words

- wash 닦다
- eat 먹다(과거형 ate)
- buy 사다 (과거형 bought)
- then 그때
- spend (시간 등) 보내다(과거형 spent)
- letter 편지

Third Step 과거진행형에 대한 이해도 점검하기

보기의 단어를 이용하여 빈칸에 알맞은 말을 쓰세요.

정답 및 해설 p.11

sit sleep cross listen solve swim run take play travel

01 They ___were sitting___ on the sofa.
그들은 소파에 앉아 있었다.

02 She ________________ the street.
그녀는 거리를 건너고 있었다.

03 The women ________________ to his speech.
그 여성들은 그의 연설을 듣고 있는 중이었다.

04 They ________________ in the lake.
그들은 호수에서 수영을 하고 있었다.

05 Jessie ________________ care of her sister.
Jessie는 여동생을 돌보고 있었다.

06 She ________________ around the world.
그녀는 세계를 여행 중이었다.

07 I ________________ computer games.
나는 컴퓨터게임을 하고 있지 않았다.

08 The cat ________________ to the garage.
그 고양이가 차고로 달려가고 있었다.

09 My sister ________________ at that time.
내 여동생은 그때 잠자고 있지 않았다.

10 We ________________ math problems.
우리는 수학 문제를 풀고 있었다.

- cross 건너다
- street 거리
- listen 듣다
- speech 연설
- lake 호수
- travel 여행하다
- garage 차고
- solve 해결하다
- problem 문제

Writing Step

주어진 단어를 이용하여 문장을 완성하세요. (필요하면 단어를 변형하세요.)

정답 및 해설 p.11

01 그녀는 어제 TV를 보고 있었다. (be, watch, TV, yesterday)

→ She ______ was watching TV yesterday ______.

02 기차가 역에 도착하고 있었다. (be, arrive, at the station)

→ The train ____________________.

03 학생들이 그들의 손을 올리고 있었다. (be, raise, their hands)

→ The students ____________________.

04 Ted가 그의 책들을 책상에 놓고 있었다. (be, put, his books, on the desk)

→ Ted ____________________.

05 Jessie는 그 가게에서 과일을 좀 사고 있었다. (be, buy, some fruits)

→ Jessie ____________________ at the store.

06 Mike와 Joe는 그 사진을 보고 있었다. (be, look at, the picture)

→ Mike and Joe ____________________.

07 엄마는 오븐에 쿠키를 굽고 있었다. (be, bake, cookies, in the oven)

→ My mom ____________________.

08 그들은 체육관에서 농구 연습을 하고 있었다. (be, practice, basketball, in the gym)

→ They ____________________.

09 그는 주차장에 주차를 하고 있었다. (be, park, a car)

→ He ____________________ in the parking lot.

10 그녀와 나는 Jack을 기다리고 있었다. (be, wait for, Jack)

→ She and I ____________________.

11 Sam은 그 개에게 소리를 지르고 있었다. (be, yell, at the dog)

→ Sam ____________________.

12 개들이 소파 뒤에서 자고 있었다. (be, sleep, behind, the sofa)

→ The dogs ____________________.

- arrive 도착하다
- station 역
- raise 올리다
- bake 굽다
- oven 오븐
- practice 연습하다
- park 주차하다
- parking lot 주차장
- yell 소리치다

비인칭주어 It

비인칭주어란 어떤 것을 대신해서 사용하는 것이 아니며, 문장에서도 아무런 의미가 없어 해석을 하지 않습니다. 비인칭주어 It은 날씨, 시간, 요일, 날짜, 거리 등을 표현할 때 사용합니다.

1 날씨를 나타낼 때

It's cold. 춥다.
It's cloudy. 흐리다.
It's snowing. 눈이 오고 있다.
It's hot. 덥다.
It's warm. 따뜻하다.
It's raining. 비가 오고 있다.
It's sunny. 맑다.
It's windy. 바람이 분다.
It's foggy. 안개가 끼다.

2 요일을 나타낼 때

It's Monday today. 오늘은 월요일이다.
It's Sunday. 일요일이다.
It's Wednesday. 수요일이다.
It's Saturday today. 오늘은 토요일이다.

3 날짜를 나타낼 때

It's September (the) first. / **It**'s the first of September. 9월 1일이다.

4 시간을 나타낼 때

It's ten o'clock. 10시이다.
It's five after[past] four. 4시 5분이다.
It's ten twenty. 10시 20분이다.
It's ten to five. 5시 10분 전이다.

plus 1

시간에서 after, past, to를 사용할 때 이들 전치사 앞에 '분'이 오고 뒤에 '시'가 온다는 것을 기억하세요. after와 past는 '~이후'를 의미하며, to는 '어떤 것이 시작되기 전'을 나타냅니다.

5 거리를 나타낼 때

It's 10 kilometers. 10㎞이다.
It's about 3 kilometers. 대략 3㎞이다.

6 시간, 요일, 거리, 날씨, 날짜를 묻는 질문

What time is **it**? (it은 비인칭주어) = Do you have the time? 몇 시니? (time 앞에 정관사가 와야 합니다.)
How far is **it** to your house? 너의 집까지 얼마나 머니? (it은 비인칭주어)
What day is **it** today? 오늘은 무슨 요일이니? (it은 비인칭주어)
What's the date today? 오늘 며칠이니?
How's the weather? / What's the weather like? 날씨가 어때?

plus 2

대명사 it은 앞에 언급한 것을 대신해서 사용하며, '그것'이라고 해석합니다.
I have a book. **It**(= a book) is funny.
나는 책이 한 권 있다. 그것은 재미있다.

Warm up

● 다음 문장에서 비인칭주어 It을 고르세요. (비인칭주어가 아닌 것에는 X표 하세요.)

정답 및 해설 p.11

01 (It) is warm today.

02 What time is it?

03 It was cloudy yesterday.

04 It is my watch.

05 It's Tuesday today.

06 It was very cold last night.

07 It is five after[past] four.

08 It was very delicious.

09 It is very boring.

10 It is November 10th.

11 It is my father's car.

12 It was Sunday yesterday.

13 It's ten twenty.

14 What day is it today?

15 It is very expensive.

Words

- warm 따뜻한
- cloudy 구름 낀, 흐린
- boring 지루한
- expensive 비싼

비인칭주어 it 이해하기

1 다음 빈칸에 알맞은 말을 쓰세요.

정답 및 해설 p.11

01 What time is ___it___ now?
지금 몇 시니?

02 ________ is 7 o'clock.
7시이다.

03 What ________ is it today?
오늘은 무슨 요일이니?

04 ________ is Saturday today.
오늘은 토요일이다.

05 What's the ________ today?
오늘 며칠이니?

06 ________ is May 6th.
5월 6일이다.

07 How far is ________ to the station?
역까지 얼마나 머니?

08 ________ is 6 kilometers.
6km이다.

09 How is the ________?
날씨가 어떠니?

10 It is ________.
날씨가 맑다.

11 It is five ________ ten.
10시 5분 전이다.

12 ________ was cloudy yesterday.
어제는 날씨가 흐렸다.

- o'clock 정각
- far 먼
- date 날짜
- May 5월
- kilometer 킬로미터
- weather 날씨

2 다음 빈칸에 알맞은 말을 쓰세요.

정답 및 해설 p.11

Words

- about 대략
- past (…분) 지나서
- rain 비가 오다
- a lot 많이
- summer 여름

01 How is the weather ___today___?
오늘 날씨가 어떠니?

02 ____________ was Monday yesterday.
어제는 월요일이었다.

03 ____________ is cold in winter.
겨울에는 춥다.

04 How ____________ is it?
얼마나 머니?

05 ____________ is about 3 kilometers.
대략 3km이다.

06 It is ____________ today.
오늘은 화요일이다.

07 What ____________ is it now?
지금 몇 시니?

08 It's ten ____________ eight.
8시 10분이다.

09 What's the ____________ like today?
오늘 날씨 어떠니?

10 It is ____________ today.
오늘은 바람이 분다.

11 ____________ rains a lot in summer.
여름에는 비가 많이 내린다.

12 ____________ is five past nine.
9시 5분이다.

Second Step 비인칭주어 It 문장 이해하기

1 다음 영어를 우리말로 쓰세요.

정답 및 해설 p.11

- October 10월
- Saturday 토요일
- cool 시원한
- autumn 가을

01 It is nine five.

→ 9시 5분이다.

02 What time is it now?

→ ______

03 It is the fifth of October.

→ ______

04 It is Saturday.

→ ______

05 It is about 5 kilometers.

→ ______

06 It is cool in autumn.

→ ______

07 It was very hot last night.

→ ______

08 It is ten to six.

→ ______

09 What day is it today?

→ ______

10 How far is it to your house?

→ ______

11 What's the date today?

→ ______

12 How is the weather today?

→ ______

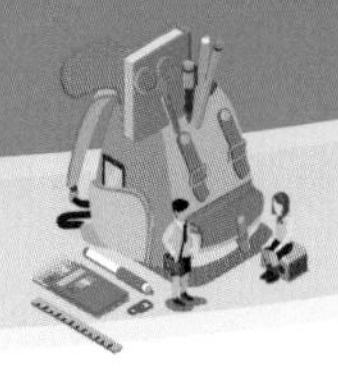

2 다음 영어를 우리말로 쓰세요.

정답 및 해설 p.11

01 It's cold today.

→ 오늘 춥다.

02 What's the weather like today?

→ ______

03 It is Wednesday today.

→ ______

04 It was rainy last night.

→ ______

05 It is snowing now.

→ ______

06 It snows a lot in winter.

→ ______

07 It is eight past ten.

→ ______

08 It is four twenty-five.

→ ______

09 It is June the fifth.

→ ______

10 How far is it to your school?

→ ______

11 It is Friday today.

→ ______

12 It is seven to ten.

→ ______

- cold 추운
- rainy 비가 오는
- snow 눈, 눈이 오다
- a lot 많이
- from ~에서, ~로부터
- here 여기

Third Step 비인칭주어 It 문장 완성하기

다음 대화의 빈칸에 알맞은 말을 쓰세요.

정답 및 해설 p.12

- June 6월
- Tuesday 화요일
- about 약, 대략
- station 역
- this morning 오늘 아침(에)

01 A: How's the ___weather___ today?

B: ___It___ is cold.

02 A: What is the __________ today?

B: __________ is June 15th.

03 A: How was the __________ yesterday?

B: __________ was very hot.

04 A: What __________ is it today?

B: __________ is Tuesday.

05 A: What's the weather __________ today?

B: __________ is raining.

06 A: How __________ is it?

B: __________ is about ten kilometers.

07 A: What __________ is it now?

B: __________ is two fifteen.

08 A: Do you have __________ __________?

B: It is nine after eleven.

09 A: How __________ is it from here to the station?

B: __________ is three kilometers.

10 A: What was the __________ like this morning?

B: __________ was very warm.

Writing Step

주어진 단어를 이용하여 문장을 완성하세요. (단어를 추가하거나 변형하세요.)

정답 및 해설 p.12

Words

- March 3월
- now 지금
- hot 더운

01 3시 20분이다. (three, twenty)

→ It is three twenty.

02 오늘 날씨가 어떠니? (the weather, today)

→ ______

03 지금 눈이 온다. (be, snowing, now)

→ ______

04 오늘 무슨 요일이니? (day, today)

→ What ______?

05 지금 몇 시니? (time, now)

→ What ______?

06 오늘은 3월 17일이다. (March, (the) seventeenth)

→ It ______ today.

07 7시 10분 전이다. (ten, seven)

→ It ______.

08 어제는 매우 더웠다. (be, very, yesterday, hot)

→ It ______.

09 지금 몇 시니? (have, the time)

→ Do ______?

10 오늘 며칠이니? (the date, today)

→ ______

11 바람이 분다. (windy)

→ ______

12 오늘은 일요일이다. (Sunday)

→ ______ today.

Final Step

과거진행형과 비인칭주어 It 정검하기

1 다음 밑줄 친 부분을 바르게 고쳐 과거진행형 문장으로 다시 쓰세요.

정답 및 해설 p.12

01 We were took a walk this morning.

→ We were taking a walk this morning.

02 Jack looking at a traffic sign.

→ ______

03 They was drinking milk in the kitchen.

→ ______

04 Ellen was met his uncle at the station.

→ ______

05 Was you wearing glasses at that time?

→ ______

06 It not was raining at that time.

→ ______

07 Jina and her sister was playing with the dogs.

→ ______

08 He was not talked with his friends.

→ ______

09 Were the students cleaned the classroom?

→ ______

10 She was not sold vegetables yesterday.

→ ______

11 The woman was cut the tree.

→ ______

12 He not was traveling with his parents.

→ ______

- traffic sign 교통 표지판
- clean 청소하다
- classroom 교실
- sell 판매하다 (과거형 sold)
- travel 여행하다

2 우리말과 의미가 같도록 빈칸에 알맞은 말을 쓰세요.

정답 및 해설 p.12

01 A: What was the weather like this afternoon? (sunny)

B: ______It was sunny.______ 날씨가 맑았어.

02 A: How's the weather today? (snowing)

B: ____________________ 눈이 내리고 있어.

03 A: What is the date today? (the fifteenth)

B: ____________________ 2월 15일이야.

04 A: Do you have the time? (to)

B: ____________________ 2시 5분 전이야.

05 A: How was the weather yesterday? (windy)

B: ____________________ 바람이 불었어.

06 A: What day is it today? (Thursday)

B: ____________________ 목요일이야.

07 A: What's the weather like today? (cloudy)

B: ____________________ 날씨가 흐려.

08 A: How far is it to your school? (five kilometers)

B: ____________________ 5km야.

09 A: What time is it now? (after)

B: ____________________ 9시 10분이야.

10 A: How far is it from here to the airport? (about)

B: ____________________ 약 7km야.

- afternoon 오후
- weather 날씨
- Thursday 목요일
- far 먼
- airport 공항
- kilometer 킬로미터

Exercise

15-16 Excellent 12-14 Good 9-11 Not bad 8 이하 Try Again

[1-2] 다음 중 빈칸에 공통으로 들어갈 말을 고르세요.

1

- ________ is very sunny today.
- ________ is not my car.

① This ② That ③ It
④ There ⑤ Those

2

- She ________ reading a newspaper.
- Jack ________ watching TV yesterday.

① are ② is ③ were
④ was ⑤ did

3 다음 중 밑줄 친 it의 쓰임이 다른 것을 고르세요.

① It is Sunday.
② It is June 9th.
③ It is ten to seven.
④ It is delicious.
⑤ It is cloudy today.

4 다음 중 잘못된 문장을 고르세요.

① It was windy yesterday.
② He was not eating pizza.
③ It is about four kilometers.
④ They were talking with their teacher.
⑤ They are swimming in the pool last night.

Note

1 대명사와 비인칭주어의 쓰임을 알아야 합니다.

2 newspaper 신문
watch 보다

3 delicious 맛있는

4 last night 어젯밤

[5-6] 다음 중 우리말을 영어로 바르게 쓴 것을 고르세요.

Note

5

James는 자동차를 운전하고 있지 않았다.

① James is not driving a car.
② James doesn't driving a car.
③ James were not driving a car.
④ James did not driving a car.
⑤ James was not driving a car.

5 과거진행형 문장은 「be+not+동사원형-ing」의 순서여야 합니다.

6

오늘은 12월 6일이다.

① It is December 6th today.
② It is the December 6th today.
③ It dose December 6th today.
④ This is December 6th today.
⑤ It is 6th December today.

6 날짜에는 서수를 씁니다.

7 **다음 중 대화가 <u>어색한</u> 것을 고르세요.**

① How is the weather? / It's cold.
② What day is it today? / It's May 5th.
③ What time is it now? / It's ten twenty.
④ Were they staying at home? / No, they weren't.
⑤ Were you watching TV? / Yes, we were.

7 date 날짜

8 **다음 중 질문에 맞는 대답을 고르세요.**

Were the students doing their homework?

① Yes, they are. ② Yes, they was.
③ Yes, they were. ④ No, they are.
⑤ No, they aren't.

8 homework 숙제

Exercise

[9-10] 다음 중 빈칸에 알맞은 말을 고르세요.

9

A: What's the date today?
B: ______________________

① It is October the tenth. ② It is Tuesday.
③ It is very hot. ④ It is about 1 kilometer.
⑤ It is six after two.

10

A: How far is it from here to your house?
B: ______________________

① It is on the fifth floor. ② It is not my house.
③ It is not here. ④ It is your house.
⑤ It is about three kilometers.

11 **다음 중 보기의 영어를 우리말로 바르게 쓴 것을 고르세요.**

The kids were not listening to music at that time.

① 아이들은 지금 음악을 듣고 있다.
② 아이들은 지금 음악을 듣지 않는다.
③ 아이들은 그때 음악을 듣고 있다.
④ 아이들은 그때 음악을 듣고 있지 않았다.
⑤ 아이들은 그때 음악을 듣는다.

12 **다음 문장을 과거진행형으로 바꿔 쓰세요.**

I washed the dishes yesterday.

→ ______________________

Note

9 date 날짜
hot 더운
Tuesday 화요일
요일을 물을 때는 day를 씁니다.

10 from ~ to …
~에서 …까지

11 at that time 그때에, 그 당시에

12 wash the dishes
설거지하다

13 **다음 문장을 의문문으로 바꿔 쓰세요.**

They were catching fish in the river.

→ ______________________________

[14-15] 다음 빈칸에 알맞은 말을 쓰세요.

14

A: What day is __________ today?
B: It's Tuesday.

→ __________

15

A: What's the __________ today?
B: It is June 8th.

→ __________

16 **다음 주어진 단어를 이용하여 문장을 영어로 완성하세요.**

그때 비가 오고 있지 않았다.
(not, raining, at that time)

→ ______________________________

Note

13 catch 잡다
river 강

14 요일을 묻는 질문이 와야 합니다.

15 날짜를 묻는 질문이 와야 합니다.

미국의 *landmark*

Disneyland

Disneyland(디즈니랜드)는 월트 디즈니 회사의 부속 월트 디즈니 파크 앤 리조트가 운영하는 미국 캘리포니아 주 오렌지 군 애너하임에 위치한 테마파크입니다. 공원은 일정 구역으로 나뉘어 있는데, 중앙 광장에서 사방으로 연결된 길을 통해 네 가지 주요 구획으로 이동할 수 있습니다. 한 구역에 진입하면, 관광객은 완벽하게 그 공간에만 있게 되고 다른 구역을 보거나 들을 수가 없습니다.

1971년 플로리다 주 올랜도에 디즈니랜드의 100배가 넘는 넓은 부지에 월트 디즈니월드를 개설했으며, 연간 1,400만 명 이상의 관광객이 디즈니랜드를 방문합니다.

조동사 I

Word Check

□ again	□ bottle	□ club	□ exam	□ fan
□ female	□ fix	□ meal	□ outside	□ password
□ question	□ remember	□ report	□ rocket	□ save
□ sick	□ slowly	□ solve	□ thief	□ touch

can, may

조동사는 동사 앞에서 동사의 의미를 보충해 주는 말입니다. 조동사는 주어에 따라 형태가 변하지 않으며, 조동사 뒤에는 동사원형이 옵니다. be able to는 조동사는 아니지만 can과 같은 의미를 가지고 있습니다.

1 can

조동사 can은 '~할 수 있다', '~할 힘[능력]이 있다', '~할 줄 안다'라는 의미로 주어의 '능력'이나, '가능'의 의미를 가지고 있으며, 「주어+can+동사원형」의 형태가 됩니다.

can+동사원형 (~할 수 있다)	He **can play** the piano. 그는 피아노를 칠 수 있다. They **can ride** a bike. 그들은 자전거를 탈 수 있다.

plus 1

조동사 can은 '~ 해도 된다'라는 '허락'의 의미로도 쓰입니다.
You **can** go home now. 너는 지금 집에 가도 된다.
(= You **may** go home now.)

2 be able to

be able to는 '~할 수 있다'라는 뜻으로 can과 같은 의미입니다. be동사는 주어에 따라 변하며 to 다음에는 동사원형이 옵니다.

be able to+동사원형 (~할 수 있다)	He **is able to** play the piano. 그는 피아노를 칠 수 있다. They **are able to** ride a bike. 그들은 자전거를 탈 수 있다. He **was able to** help her. 그는 그녀를 도와 줄 수 있었다.

plus 2

can과 be able to의 과거형
can의 과거형은 could이고, be able to의 과거형은 was[were] able to입니다.
She **could** watch TV yesterday. 그녀는 어제 TV를 볼 수 있었다.
= She **was able to** watch TV yesterday.

3 may

조동사 may는 '~해도 된다'는 허락의 의미와 '~일지도 모른다'는 추측의 의미를 가지고 있습니다.

may+동사원형 (~해도 된다)	He **may go** to the beach. 그는 해변에 가도 된다. You **may use** the computer. 너는 컴퓨터를 사용해도 된다.
may+동사원형 (~일 것이다, ~일지 모른다)	He **may be** a doctor. 그는 의사일 것이다. She **may be** rich. 그녀는 부자일지 모른다.

Warm up

● 다음 괄호 안에서 알맞은 것을 고르세요.

정답 및 해설 p.13

01 He can (play / plays) the guitar.

02 She can (ride / rides) a bike after school.

03 I can (remember / remembers) his phone number.

04 Ellen is able to (write / writes) her name.

05 He is able to (speak / speaks) three different languages.

06 The boys (is / are) able to sing well.

07 You may (use / uses) this room for three days.

08 The woman may (is / be) a doctor.

09 I (am / be) able to help those sick people.

10 She and I (am / are) able to swim in the river.

11 Ted (is / are) able to walk again.

12 I (is / was) able to answer the question yesterday.

13 Jessie (swim / swims) in the pool every day.

14 I was able (help / to help) him last night.

15 You may (go /goes) now.

- play the guitar 기타를 치다
- bike 자전거
- remember 기억하다
- different 다른
- language 언어
- use 사용하다
- sick 아픈
- river 강
- again 다시
- pool 수영장
- help 돕다

First Step 조동사의 의미 확인하기

1 다음 보기의 단어를 이용해서 빈칸에 알맞은 말을 쓰세요. (중복 사용 가능)

정답 및 해설 p.13

can　may　is able　are able　was able　were able

01 The kid ______is able______ to read books.
그 아이는 책을 읽을 수 있다.

02 She ________________ be in the library.
그녀는 도서관에 있을지 모른다.

03 My mom ________________ make pizza.
나의 엄마는 피자를 만들 수 있다.

04 It ________________ rain today.
오늘 비가 올지도 모른다.

05 They ________________ to live in water.
그들은 물속에서 살 수 있다.

06 Jake ________________ to teach English last year.
Jake은 작년에 영어를 가르칠 수 있었다.

07 My friends ________________ help you.
나의 친구들은 당신을 도울 수 있다.

08 We ________ to arrive at the airport in time this morning.
우리는 오늘 아침 공항에 제시간에 도착할 수 있었다.

09 You ________________ play computer games now.
너는 지금 컴퓨터게임을 해도 된다.

10 My parents ________________ be in the park now.
부모님은 지금 공원에 계실지도 모른다.

11 She ________________ to finish the report before noon.
그녀는 그 보고서를 정오 전에 마칠 수 있다.

12 The cat ________________ be a female.
그 고양이는 아마 암컷일 것이다.

Words

- live in ~에 살다
- arrive 도착하다
- airport 공항
- in time (~에) 시간 맞춰[늦지 않게]
- park 공원
- finish 끝내다
- report 보고서
- before ~전에
- noon 정오
- female 암컷

2 다음 보기의 단어를 이용해서 빈칸에 알맞은 말을 쓰세요. (중복 사용 가능)

정답 및 해설 p.13

can　may　is able　are able　was able　were able

01 Susan ______can______ dance very well.
Susan은 춤을 매우 잘 출 수 있다.

02 A monkey ____________ use tools.
원숭이는 도구를 사용할 수 있다.

03 It ____________ be true.
그것은 사실일지 모른다.

04 They ____________ to save a lot of money last year.
그들은 작년에 많은 돈을 저축할 수 있었다.

05 The students ____________ to speak Japanese.
그 학생들은 일본어를 말할 수 있다.

06 Donovan ____________ to play the piano.
Donovan은 피아노를 연주할 수 있다.

07 Jack and I ____________ fix computers.
Jack과 나는 컴퓨터를 고칠 수 있다.

08 It ____________ snow today.
오늘 눈이 올지도 모른다.

09 David ____________ to borrow the book yesterday.
David는 어제 그 책을 빌릴 수 있었다.

10 My friends ____________ be in the gym now.
내 친구들은 지금 체육관에 있을지도 모른다.

11 Alice ____________ to pass the test.
Alice는 테스트에 통과할 수 있었다.

12 You ____________ use my car during the vacation.
너는 휴가 동안 내 차를 사용해도 된다.

Words

- monkey 원숭이
- use 사용하다
- tool 도구
- true 사실
- save 저축하다
- fix 고치다
- borrow 빌리다
- pass 통과하다
- during ~동안
- vacation 휴가, 방학

조동사 문장을 이해하기

1 다음 영어를 우리말로 쓰세요.

정답 및 해설 p.14

01 Jane can drive a car.
→ Jane은 자동차를 운전할 수 있다.

02 They are able to read Korean.
→ ____________________

03 They may be doctors.
→ ____________________

04 You may use my computer.
→ ____________________

05 He is able to speak English well.
→ ____________________

06 You may go home now.
→ ____________________

07 We may be late for school.
→ ____________________

08 She and I can solve the math problem.
→ ____________________

09 Tom and Jane are able to finish their homework before dinner.
→ ____________________

10 I was able to run fast.
→ ____________________

11 We were able to win the game.
→ ____________________

12 The kid can write the English alphabet.
→ ____________________

Words

- drive 운전하다
- Korean 한국어
- may be ~일지 모른다
- speak 말하다
- well 잘
- be late 늦다
- solve 해결하다, 풀다
- finish 마치다, 끝내다
- fast 빠르게
- win 승리하다
- alphabet 알파벳

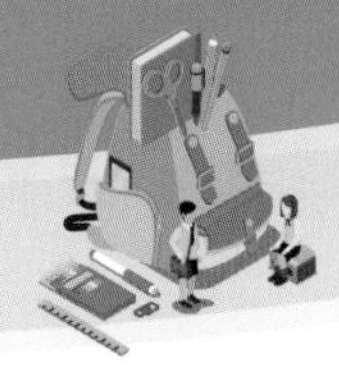

2 다음 영어를 우리말로 쓰세요.

정답 및 해설 p.14

01 My dog can swim in the sea.
→ 내 개는 바다에서 수영할 수 있다.

02 My father can drive a truck.
→ ______________________

03 You may open your books.
→ ______________________

04 We can order pizza on the Internet.
→ ______________________

05 He was able to meet them yesterday.
→ ______________________

06 I can give you some money now.
→ ______________________

07 The man is able to buy this house.
→ ______________________

08 She can make delicious meals.
→ ______________________

09 That monkey can draw pictures.
→ ______________________

10 You may use my bed tonight.
→ ______________________

11 This robot is able to run slowly.
→ ______________________

12 Judy was able to return to school.
→ ______________________

- open 열다
- order 주문하다
- on the Internet 인터넷으로
- delicious 맛있는
- meal 음식
- draw 그리다
- slowly 천천히
- return 돌아가다

Third Step 조동사 문장 점검하기

다음 중 잘못된 곳을 바르게 고쳐 쓰세요.

정답 및 해설 p.14

01 His friends is able to play the guitar.
그의 친구들은 기타를 칠 수 있다. is → are

02 My mom can makes a chocolate cake.
내 엄마는 초콜릿 케이크를 만들 수 있으시다. ______

03 The students can joins the book club.
그 학생들은 독서 모임에 가입할 수 있다. ______

04 My father is able to visiting us before noon.
내 아버지는 12시 전에 우리를 방문할 수 있으시다. ______

05 Those women may are singers.
저 여성들은 아마 가수일지 모른다. ______

06 My sister is able to come home early yesterday.
내 여동생은 어제 집에 일찍 올 수 있었다. ______

07 They may to forget my e-mail address.
그들은 나의 이메일 주소를 잊어버릴지도 모른다. ______

08 I can hear the noise last night.
나는 어젯밤 그 소음을 들을 수 있었다. ______

09 We can has enough water in summer.
우리는 여름에 충분한 물을 얻을 수 있다. ______

10 They can eats lunch at two o'clock.
그들은 2시에 점심을 먹을 수 있다. ______

11 We can watching a baseball game on TV.
우리는 TV로 야구 경기를 볼 수 있다. ______

12 Jack is able take care of the baby.
Jack은 그 아기를 돌볼 수 있다. ______

Words

- chocolate 초콜릿
- join 가입하다
- club 모임
- noon 정오
- early 일찍
- forget 잊어버리다
- noise 소음
- enough 충분한
- summer 여름
- take care of 돌보다
- baby 아기

Writing Step

주어진 단어를 이용하여 문장을 완성하세요.
(필요하면 단어를 추가하거나 변형하세요.)

정답 및 해설 p.14

01 나는 중국어를 잘할 수 있다. (Chinese, speak, well)

→ I can[am able to] speak Chinese well.

02 Kevin은 어젯밤 TV를 볼 수 있었다. (TV, watch, last night)

→ Kevin ______________________.

03 내일 눈이 올지도 모른다. (snow, tomorrow)

→ It ______________________.

04 너는 테이블 위의 사과를 먹어도 된다. (the apple, on, eat, the table)

→ You ______________________.

05 내 개는 저 벽을 뛰어넘을 수 있다. (jump, the wall, over)

→ ______________________

06 Jackson은 어제 자전거를 고칠 수 있었다. (the bike, yesterday, fix, was)

→ Jackson ______________________.

07 내 휴대전화기를 사용해도 된다. (cell phone, use, my)

→ You ______________________.

08 그들은 점심식사 전에 그것을 마칠 수 있다. (finish, before, it, lunch)

→ They ______________________.

09 그녀는 다음 주말에 캠핑 갈 수 있다. (go, next weekend, camping)

→ She ______________________.

10 그들은 많은 돈을 저축할지도 모른다. (money, save, a lot of)

→ They ______________________.

11 우리는 시장에서 싱싱한 과일들을 살 수 있다. (buy, fresh, at a market, fruits)

→ We ______________________.

12 내 남동생은 도서관에 있는지도 모른다. (in the library, be)

→ My brother ______________________.

- Chinese 중국어
- jump 뛰다
- wall 벽, 담
- fix 고치다
- finish 끝내다, 마치다
- camp 캠프
- next weekend 다음 주말
- save 저축하다
- market 시장

can, be able to, may의 부정문과 의문문

조동사를 이용한 부정문과 의문문에서도 조동사의 형태는 주어에 따라 변하지 않으며, 동사원형이 반드시 따라옵니다.

❶ 부정문

cannot(= **can't**)+동사원형 (~할 수 없다 (능력의 부정)) (~하면 안 된다 (금지, 불허))	He **cannot play** the piano. 그는 피아노를 칠 수 없다. You **can't swim** in the river. 너는 강에서 수영하면 안 된다.
be not able to+동사원형 (~할 수 없다 (능력의 부정)) (~하지 못한다 (능력의 부정))	He **is not**(= **isn't**) **able to** play the piano. 그는 피아노를 칠 수 없다. They **are not**(= **aren't**) **able to** speak Korean. 그들은 한국어를 하지 못한다.
may not+동사원형 (~가 아닐지도 모른다 (추측)) (~하면 안 된다 (금지, 불허))	It **may not rain** tomorrow. 내일 비가 안 올지도 모른다. You **may not go** home now. 너는 지금 집에 가면 안 된다.

plus 1

금지, 불허를 의미하는 can't는 be not able to로 바꿔 쓸 수 없습니다.
You **can't** swim in the river. ≠ You are not able to swim in the river.
강에서 수영하면 안 된다.

❷ 의문문

Can+주어+동사원형 ~? (~할 수 있니? (능력), ~해도 되니? (허락))	**Can** he **play** the piano? 그는 피아노를 칠 수 있니? **Can** I **use** a bathroom? 화장실을 사용해도 되니?
be동사+주어+**able to**+동사원형 ~? (~할 수 있니?)	**Is** he **able to** play the piano? 그는 피아노를 칠 수 있니? **Are** you **able to** speak Korean? 너는 한국어를 할 수 있니?
May[**Can**]+주어+동사원형 ~? (~해도 되니? (허락))	**May** I **eat** this pie? 이 파이 먹어도 되니? **May** I **ask** a question? 질문해도 되니?

plus 2

허락을 의미하는 조동사 may는 can으로 바꿔 쓸 수 있습니다.

❸ 대답하기

Can I/we ~? **May I/we** ~?	Yes, **you can**. / No, **you can't**. Yes, **you may**. / No, **you may not**.
Can you ~? **Are you able to** ~?	Yes, **I** [**we**] **can**. No, **I** [**we**] **can't**. Yes, **I am** [**we are**]. / No, **I'm not** [**we aren't**].
Can they ~? **Are they able to** ~?	Yes, **they can**. / No, **they can't**. Yes, **they are**. / No, **they aren't**.

Warm up

● 다음 괄호 안에서 알맞은 말을 고르세요.

정답 및 해설 p.14

01 Can you (move / moves) this table?

02 May I (go / goes) to the restroom?

03 I can't (solve / solving) this problem.

04 (Is / Are) the horses able to run fast?

05 You (may not / not may) open the window.

06 Can your friends (come / comes) to the party?

07 She and Susie (isn't / aren't) able to answer that question.

08 He (is / was) not able to play with me yesterday.

09 Jane may not (know / knows) this song.

10 Can he (read /reads) and write?

11 I (cannot / not can) speak in front of many people.

12 (Can / Do) your dog jump high?

13 Jeff may not (do / be) sick.

14 Jackson is not able (use / to use) chopsticks.

15 May I (borrow / borrows) your books?

- move 움직이다
- restroom 화장실
- solve 풀다, 해결하다
- sick 아픈
- chopstick 젓가락
- borrow 빌리다

First Step

조동사의 부정문과 의문문의 쓰임 이해하기

1 보기의 말을 이용하여 빈칸에 알맞은 말을 쓰세요. (중복 사용 가능)

정답 및 해설 p.14

can	can't	may	is	are

01 ___Can___ she swim well?
그녀는 수영을 잘하니?

02 You ________ not park here.
여기에 주차하면 안 된다.

03 My father ________ not be busy today.
오늘 아버지는 바쁘지 않으실 수 있다.

04 ________ I drink this milk?
이 우유를 내가 마셔도 되니?

05 ________ she able to dance very well?
그녀는 춤을 잘 출 수 있니?

06 ________ your team win the final game?
너희 팀이 결승전에서 승리할 수 있니?

07 ________ you say that again?
다시 한 번 그것을 말해 줄 수 있니?

08 ________ you able to find his office?
너는 그의 사무실을 찾을 수 있니?

09 They ________ not sleep well at night.
그들은 밤에 잠을 잘 못 잘 수도 있다

10 You ________ change the password.
여러분은 비밀번호를 바꿀 수 없다.

- park 주차하다
- here 여기(에)
- team 팀
- final 마지막
- final game 결승전
- again 다시
- office 사무실
- sleep 자다
- at night 밤에
- password 비밀번호

2 보기의 말을 이용하여 빈칸에 알맞은 말을 쓰세요. (중복 사용 가능)

정답 및 해설 p.14

can	can't	may	is not able	is	are

01 A penguin ___can't___ fly.
펭귄은 날 수 없다.

02 I ____________ play baseball today.
나는 오늘 야구를 할 수 없다.

03 ____________ you able to help me?
너는 나를 도와 줄 수 있니?

04 ____________ the rocket fly to the moon?
그 로켓은 달까지 날아갈 수 있니?

05 Lisa ____________ to move her left leg.
Lisa는 왼쪽 다리를 움직일 수 없다.

06 They ____________ visit the museum tomorrow.
그들은 내일 박물관을 방문할 수 없다.

07 Donovan ____________ not have much money.
Donovan은 많은 돈을 가지고 있지 않을 수도 있다.

08 ____________ I turn on the fan?
내가 선풍기를 틀어도 될까요?

09 ____________ your uncle able to fix the car?
너의 삼촌은 그 자동차를 수리할 수 있니?

10 My mom ____________ go outside today.
엄마는 오늘 밖에 나갈 수 없으시다.

Words

- penguin 펭귄
- baseball 야구
- rocket 로켓
- moon 달
- left 왼쪽
- visit 방문하다
- turn on 켜다
- fan 선풍기
- fix 수리하다, 고치다
- outside 밖에

Second Step

1 다음 영어를 우리말로 완성하세요.

정답 및 해설 p.15

Words

- truck 트럭
- ride 타다
- borrow 빌리다
- umbrella 우산
- key 열쇠
- machine 기계
- during ~동안에
- class 수업
- change 바꾸다
- plan 계획

01 John can't drive a truck.

→ John은 트럭을 운전할 수 없다.

02 They are not able to ride a horse.

→ 그들은 말을 ______________.

03 May I borrow your umbrella?

→ 네 우산을 ______________?

04 You may not use my car.

→ 너는 내 자동차를 ______________.

05 I can't find my car key.

→ 나는 자동차 열쇠를 ______________.

06 Can you do it again?

→ 너는 그것을 ______________?

07 Kevin may not be at home now.

→ Kevin는 지금 집에 ______________.

08 Can they help me now?

→ 그들은 지금 나를 ______________?

09 Is Jane able to finish her homework before lunch?

→ Jane은 점심식사 전에 ______________?

10 Are you able to use this machine?

→ 너는 이 기계를 ______________?

11 You cannot eat food during class.

→ 여러분은 수업 중에 ______________.

12 We can't change our plans.

→ 우리는 우리의 ______________.

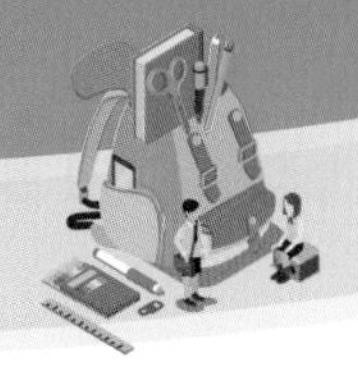

2 다음 영어를 우리말로 완성하세요.

정답 및 해설 p.15

01 She may not be tired.
→ 그녀는 피곤하지 _____ 않을 수도 있다 _____.

02 Can I ask you a question?
→ 뭐 좀 물어봐도 __________?

03 He was not able to meet his son yesterday.
→ 그는 어제 그의 아들을 __________.

04 It may not rain tomorrow.
→ 내일 비가 __________.

05 Can your friends eat raw fish?
→ 네 친구들은 생선회를 __________?

06 Mike cannot go fishing today.
→ Mike는 오늘 낚시를 __________.

07 Kevin and I weren't able to get up early.
→ Kevin과 나는 __________.

08 Can this robot walk fast?
→ 이 로봇은 빨리 __________?

09 Can I use your computer?
→ 네 컴퓨터를 __________?

10 My father can't play the piano.
→ 내 아버지는 피아노를 __________.

11 Jessie and Ted may not be at the shopping mall now.
→ Jessie와 Ted는 지금 쇼핑몰에 __________.

12 The bird can't fly.
→ 그 새는 __________.

- question 질문
- meet 만나다
- raw fish 생선회
- go fishing 낚시하러 가다
- get up 일어나다
- robot 로봇
- shopping mall 쇼핑몰
- fly 날다

Third Step

조동사의 부정문과 의문문 문장 완성하기

다음 중 잘못된 곳을 바르게 고쳐 다시 쓰세요.

정답 및 해설 p.15

01 She is not able walk fast.

→ She is not able to walk fast.

02 We aren't able to drinks coffee.

→ ______________________

03 Is she ables to sing Korean songs?

→ ______________________

04 My brother is able not to run fast. (부정문)

→ ______________________

05 Can he catches thieves?

→ ______________________

06 Is we able to find his house?

→ ______________________

07 It may not is cold tomorrow.

→ ______________________

08 Can I takes a rest for five minutes?

→ ______________________

09 Can I touches the snake?

→ ______________________

10 His mom mays not know my name.

→ ______________________

11 Cathy is not able to go on a picnic last week.

→ ______________________

12 The students can't learns science at school.

→ ______________________

- walk 걷다
- catch 잡다
- thief 도둑
- find 찾다
- take a rest 쉬다
- touch 만지다
- snake 뱀
- picnic 소풍
- learn 배우다
- science 과학

Writing Step

주어진 단어를 이용하여 문장을 완성하세요.
(필요하면 단어를 추가하거나 변형하세요.)

정답 및 해설 p.15

- bottle 병
- sleep 자다
- face 얼굴
- remember 기억하다
- tomorrow 내일
- understand 이해하다
- speech 연설
- doll 인형
- for a long time 오랫동안

01 너는 그 공을 잡을 수 있니? (catch)

→ ___Can___ you ___catch___ the ball?

02 그는 그 병을 열 수 있니? (open, able, the bottle)

→ ________ he ________________?

03 우리는 어젯밤 잘 수가 없었다. (be able to, last night, sleep)

→ We ________________.

04 그는 나의 얼굴을 기억하지 못할 수도 있다. (not, my face, remember)

→ He ________________.

05 너는 내일 나를 만날 수 있니? (meet, tomorrow, me, can)

→ ________ you ________________?

06 Jane은 지금 배가 고프지 않을 수도 있다. (not, hungry, be, now)

→ Jane ________________.

07 내가 점심으로 피자를 먹어도 될까요? (have, for lunch, pizza)

→ ________ I ________________?

08 나는 그의 연설을 이해할 수 없다. (his, understand, speech)

→ I ________________.

09 그 시험이 쉽지 않을 수도 있다. (be, not, easy)

→ The test ________________.

10 네 친구들은 파티에 올 수 있니? (to the party, come, able)

→ ________ your friends ________________?

11 너희 엄마는 인형을 만들 수 있으시니? (able, make, dolls)

→ ________ your mom ________________?

12 그 새들은 오랫동안 날 수가 없다. (fly, for a long time, can)

→ The birds ________________.

Final Step

조동사의 부정문과 의문문 만들기

1 다음 중 잘못된 곳을 바르게 고쳐 쓰세요.

정답 및 해설 p.15

01 She and I is able to play volleyball. is → are
그녀와 나는 배구를 할 수 있다.

02 My mom can fixes a washing machine. ____________
내 엄마는 세탁기를 고칠 수 있으시다.

03 The boy can answers the question. ____________
그 소년은 그 질문에 대답할 수 있다.

04 Jeff were able to stay at a hotel yesterday. ____________
Jeff는 어제 호텔에 머무를 수 있었다.

05 You can takes a taxi over there. ____________
당신은 저쪽에서 택시를 탈 수 있다.

06 He is able to gets up early. ____________
그는 일찍 일어날 수 있다.

07 You can remember their faces. ____________
너는 그들의 얼굴을 기억할지도 모른다.

08 I am able to take a train last night. ____________
나는 어젯밤 기차를 탈 수 있었다.

09 You can goes outside now. ____________
당신은 지금 밖에 나갈 수 있다.

10 They can be Koreans. ____________
그들은 한국사람일지도 모른다.

11 We can plays baseball in the park. ____________
우리는 공원에서 야구를 할 수 있다.

12 Jack is able move the boxes. ____________
Jack은 그 상자들을 옮길 수 있다.

Words

- volleyball 배구
- washing machine 세탁기
- over there 저쪽에
- get up 일어나다
- face 얼굴
- outside 외부에
- move 옮기다

② 다음 문장을 지시대로 바꿔 쓰세요.

정답 및 해설 p.15

01 The baby can walk fast.

의문문 Can the baby walk fast?

02 He was able to buy the toy.

의문문 ______________________

03 Jane is not able to move the table.

긍정문 ______________________

04 We can win the basketball game.

부정문 ______________________

05 The babies can catch a cold easily.

의문문 ______________________

06 She may be in the library now.

부정문 ______________________

07 You may not park in front of the building.

긍정문 ______________________

08 Julia is able to pass the exam.

의문문 ______________________

09 The kids are able to turn on the computer.

부정문 ______________________

10 The cat can catch a mouse.

부정문 ______________________

11 His father can buy a new car.

의문문 ______________________

12 He may not be his English teacher.

긍정문 ______________________

- toy 장난감
- basketball 농구
- catch a cold 감기에 걸리다
- cold 감기
- park 주차하다
- pass 통과하다
- exam 시험
- turn on ~을 켜다
- catch 잡다
- mouse 쥐

Exercise

15-16 Excellent 12-14 Good 9-11 Not bad 8 이하 Try Again

[1-2] 다음 중 빈칸에 들어갈 알맞은 말을 고르세요.

1

May I __________ your computer?

① to use ② to uses ③ use
④ uses ⑤ using

2

Maria is able __________ the piano very well.

① to play ② to plays ③ play
④ plays ⑤ playing

3 다음 중 밑줄 친 곳이 잘못된 것을 고르세요.

① She may is at home now.
② He can play soccer very well.
③ We can use his pencils.
④ Can you cook well?
⑤ May I drink this water?

4 다음 중 밑줄 친 말과 의미가 같은 것을 고르세요.

Sam is able to swim in the river.

① can ② may ③ could
④ may be ⑤ does

Note

1 use 사용하다

2 very well 매우 잘

3 soccer 축구
cook 요리하다

4 river 강

[5-6] 다음 중 영어를 우리말로 바르게 해석한 것을 고르세요.

5

His father may not be a lawyer.

① 그의 아버지는 변호사였다.
② 그의 아버지는 변호사가 아니다.
③ 그의 아버지는 변호사가 될 수 없다.
④ 그의 아버지는 변호사가 아닐 수도 있다.
⑤ 그의 아버지는 변호사 일리가 없다.

5 lawyer 변호사

6

I was able to meet the singer.

① 나는 그 가수를 만날 수 있다.
② 나는 그 가수를 만날 수 있었다.
③ 나는 그 가수를 만나고 있다.
④ 나는 그 가수를 만날 지도 모른다.
⑤ 나는 그 가수를 만날 것이다.

6 is able to의 과거는 was able to입니다.

[7-8] 다음 중 질문에 대한 대답으로 알맞은 것을 고르세요.

7

Can your friends go to the concert?

① Yes, he does. ② Yes, he can.
③ Yes, she can. ④ No, he can't.
⑤ No, they can't.

7 주어가 단수인지 복수인지 알아보세요.

8

Are you and Tom able to finish the homework?

① Yes, I am. ② Yes, they are.
③ Yes, she is. ④ Yes, we are.
⑤ Yes, it is.

8 주어가 단수인지 복수인지 알아보세요.

Exercise

[9-10] 다음 중 빈칸에 공통으로 들어갈 말을 고르세요.

9

• Mom, __________ I drink this milk?
• Julie __________ speak English well.

① can ② do ③ able
④ did ⑤ is

10

• The birds __________ able to fly high.
• __________ you able to play soccer?

① am – Am ② is – Is ③ are – Are
④ do – Do ⑤ be – Be

11 **다음 중 우리말을 영어로 바르게 쓴 것을 고르세요.**

당신은 이곳에 주차할 수 없다.

① You do park here. ② You may park here.
③ You can't park here. ④ You could not park here.
⑤ You were not able to park here.

12 **다음 중 밑줄 친 말과 의미가 같은 것을 고르세요.**

You <u>can</u> go home now.

① was able to ② may ③ could
④ may be ⑤ does

Note

9 허락을 나타내는 조동사를 생각해 보세요.

10 주어가 단수인지 복수인지 알아보세요.

11 park 주차하다
here 이곳에

12 can은 '허락'을 의미한다.

[13-14] 다음 빈칸에 들어갈 알맞은 말을 쓰세요. (조동사를 사용하세요.)

Note

13

The rumor ____________ be true.
그 소문은 진실이 아닐 수도 있다.

→ ____________________

13 rumor 소문

14

My sister ____________ play computer games.
내 여동생은 컴퓨터게임을 하지 못한다.

→ ____________________

15 **다음 영어를 우리말로 쓰세요.**

(1) Are they able to walk fast?

→ ____

(2) Can you help me now?

→ ____

(3) My father may be at home now.

→ ____

15 at home 집에

16 **다음 밑줄 친 곳을 바르게 고쳐 다시 쓰세요.**

(1) My mom can <u>rides</u> a bike.

→ ____

(2) She and her mother <u>is</u> able to make spaghetti.

→ ____

16 ride 타다

Review Test Chapter 1-4

1 주어진 단어를 이용하여 과거시제로 바꿔 쓰세요. Chapter 1

01 Julia is a student. (last year)

→ Julia was a student last year.

02 There are many guests in my house. (last week)

→ ______________________

03 Ted is alone. (last night)

→ ______________________

04 She is a very famous writer. (at that time)

→ ______________________

2 다음 문장을 부정문과 의문문으로 바꿔 쓰세요. Chapter 1

01 He was at the beach last weekend.

부정문 He was not(wasn't) at the beach last weekend.

의문문 Was he at the beach last weekend?

02 The dogs were very small.

부정문 ______________________

의문문 ______________________

03 There was a tree on the hill.

부정문 ______________________

의문문 ______________________

04 Sandra was in the classroom this morning.

부정문 ______________________

의문문 ______________________

Words · guest 손님 · alone 혼자, 외로운 · writer 작가 · beach 해변 · hill 언덕

정답 및 해설 p.16

3 다음 밑줄 친 단어를 과거형으로 쓰세요. Chapter 2

01 Maria <u>cuts</u> his hair with scissors. cut

02 The event <u>starts</u> ten minutes ago.

03 My uncle <u>works</u> at a library last year.

04 Emma <u>knows</u> about my plan yesterday.

05 I <u>feel</u> pretty sad at that time.

06 The factory <u>open</u> three years ago.

4 다음 우리말과 뜻이 같도록 빈칸에 알맞은 말을 쓰세요. (과거형으로 쓰세요.) Chapter 2

01 He ___visited___ Canada last month.
그는 지난달 캐나다를 방문했다.

02 The bus ____________ at the bus stop.
그 버스는 버스 정류장에서 멈췄다.

03 They ____________ spaghetti for dinner two hours ago.
그들은 두 시간 전에 저녁으로 스파게티를 먹었다.

04 Amy ____________ on a picnic three days ago.
Amy는 3일 전에 소풍을 갔었다.

05 I ____________ my watch on the sofa this morning.
나는 오늘 아침에 시계를 소파 위에 놓았다.

06 She ____________ a book in the library last night.
그녀는 어젯밤 도서관에서 책을 읽었다.

Words
· cut 자르다 · scissors 가위 · plan 계획 · pretty 꽤, 무척 · bus stop 버스 정류장
· go on a picnic 소풍 가다

Review Test

5 다음 영어를 우리말로 쓰세요. Chapter 3

01 It is Wednesday today.

→ 오늘은 수요일이다.

02 It was sunny last weekend.

→ ______

03 It is raining now.

→ ______

04 It rains a lot in August.

→ ______

05 It is nine past eight.

→ ______

06 It is five twenty-two.

→ ______

6 우리말과 의미가 같도록 빈칸에 알맞은 말을 쓰세요. Chapter 3

01 A: How's the weather today? (snowing)

B: It is snowing. 눈이 내리고 있어요.

02 A: What was the weather like this morning? (foggy)

B: ______ 안개가 끼었어.

03 A: What is the date today? (the fifth)

B: ______ 11월 5일이야.

04 A: What time is it now? (to)

B: ______ 6시 5분 전이야.

05 A: How was the weather yesterday? (cold)

B: ______ 추웠어.

06 A: How far is it from here to your school? (2km)

B: ______ 2km야.

Words · Wednesday 수요일 · sunny 맑은 · a lot 많이 · weather 날씨 · foggy 안개가 낀 · hear 여기

7 다음 영어를 우리말로 쓰세요. Chapter 4

01 He may not be hungry now.

→ 그는 지금 배가 고프지 않을 수도 있다.

02 Can I use your computer?

→ ______

03 He was not able to find the store.

→ ______

04 It may not be cold tomorrow.

→ ______

05 His mother was not able to wash the dishes.

→ ______

06 Mike can eat food with chopsticks.

→ ______

07 Kevin and I can't stay at a hotel.

→ ______

08 Can I take a rest after lunch?

→ ______

09 May I speak to Brown, please?

→ ______

10 I can't believe it.

→ ______

11 He and Ted may not come to the party.

→ ______

12 He was not able to see his family for 10 years.

→ ______

Words
· use 사용하다 · find 발견하다, 찾다 · store 상점, 가게 · wash the dishes 설거지 하다
· chopstick 젓가락 · stay 머무르다 · believe 믿다 · for ~동안

Achievement Test Chapter 1-4

1 다음 중 동사의 과거형이 잘못된 것을 고르세요.

① lose – lost ② teach – taught
③ make – made ④ buy – brought
⑤ catch – caught

[2–3] 다음 중 빈칸에 공통으로 들어갈 것을 고르세요.

2

- It _______ cold last weekend.
- She _______ in her office yesterday.

① am ② are ③ is
④ was ⑤ were

3

- I _____ my homework last night.
- Jack, _____ you watch TV yesterday?

① washed ② do ③ does
④ did ⑤ were

4 다음 중 빈칸에 didn't가 들어갈 수 없는 것을 고르세요.

① Tom ________ watch TV.
② It ________ my favorite song.
③ The girls ________ like the show.
④ She ________ work with me last night.
⑤ I ________ go to the beach yesterday.

5 다음 중 보기의 영어를 부정문으로 바르게 바꿔 쓴 것을 고르세요.

My father lost the umbrella.

① My father not the umbrella.
② My father wasn't lose the umbrella.
③ My father didn't lost the umbrella.
④ My father didn't lose the umbrella.
⑤ My father doesn't lost the umbrella.

[6–7] 다음 중 보기의 영어를 의문문으로 바르게 바꿔 쓴 것을 고르세요.

6

Jane wrote a letter.

① Do Jane writes a letter?
② Does Jane writes a letter?
③ Does Jane write a letter?
④ Did Jane write a letter?
⑤ Did Jane writes a letter?

7

He had many friends.

① Did he have many friends?
② Was he have many friends?
③ Did he has many friends?
④ Does he have many friends?
⑤ Does he had many postcards?

8 다음 중 빈칸에 알맞은 것을 고르세요.

I _______ buy the car because it's too expensive.

① can ② can't ③ did
④ be able to ⑤ may

[9-10] 다음 중 빈칸에 알맞지 않은 것을 고르세요.

9

______ were very hungry after school.

① We ② His friends
③ They ④ The student
⑤ She and I

10

Did it snow a lot _____________?

① tomorrow ② last week
③ two days ago ④ last year
⑤ last night

[11-12] 다음 중 질문에 대한 대답으로 알맞은 것을 고르세요.

11

Were those songs popular?

① Yes, they are. ② No, we aren't.
③ Yes, it is. ④ No, they are.
⑤ Yes, they were.

12

Was your sister at the park yesterday?

① Yes, she is. ② No, she wasn't.
③ Yes, she did. ④ No, she didn't.
⑤ Yes, she wasn't.

[13-14] 다음 중 보기의 밑줄 친 부분과 쓰임이 같은 것을 고르세요

13

You <u>may</u> use my car.

① You <u>may</u> park here.
② It <u>may</u> rain tomorrow.
③ She <u>may</u> be at the park.
④ You <u>may</u> know my cousin.
⑤ He <u>may</u> be late for school today.

14

It <u>may</u> be her brother's car.

① You <u>may</u> use this room.
② She <u>may</u> be a doctor.
③ <u>May</u> I call you late at night?
④ <u>May</u> I ask you a question?
⑤ You <u>may</u> go home now.

15 다음 빈칸에 들어갈 말로 바르게 짝지어진 것을 고르세요.

A: _____ she drive a car this morning?
B: Yes, she _____.

① Did - does ② Did - did
③ Does - do ④ Was - did
⑤ Do - did

16 다음 중 빈칸에 들어갈 말이 다른 것을 고르세요.

① _______ you go to the station?
② _______ you come here last night?
③ _______ you like this song last year?
④ _______ you sick yesterday?
⑤ _______ you get up early this morning?

[17-19] 다음 중 잘못된 문장을 고르세요.

17 ① She finded her bag.
② He taught English last year.
③ Jessie drank milk this morning.
④ They had a wonderful dinner.
⑤ We went to the movies yesterday.

18 ① Jack was sick last night.
② They didn't in the room then.
③ Did you learn English at school?
④ My brother was at home this morning.
⑤ Were you sad yesterday?

19 ① She didn't wants a pie.
② We didn't have pizza for lunch.
③ She didn't buy a magazine.
④ They don't make a mistake.
⑤ They didn't win the game yesterday.

20 다음 중 밑줄 친 it의 쓰임이 다른 것을 고르세요.

① It is my pencil. ② It is May 5th.
③ It is dark. ④ It is warm.
⑤ It is 3 o'clock.

21 다음 중 빈칸에 알맞은 말을 고르세요.

A: ______________________________
B: It is October the tenth.

① What time is it?
② How's the weather?
③ What day is it today?
④ What's the date today?
⑤ What's the weather like today?

22 다음 중 대화가 어색한 것을 고르세요.

① A: What time is it now?
B: It's two ten.
② A: Are you able to speak Korean?
B: Yes, I am.
③ A: Can I sit on the chair?
B: No, you can't.
④ A: Were they your classmates?
B: No, they aren't.
⑤ A: Did your mom enjoy reading?
B: No, she didn't.

23 다음 중 밑줄 친 부분과 의미가 같은 것을 고르세요.

Mike is not able to find her house.

① can't ② may not
③ mustn't ④ might not
⑤ couldn't

24 다음 중 빈칸에 들어갈 단어를 고르세요.

He ________ a book at the bookstore yesterday.

① buy ② buys ③ bought
④ buying ⑤ to buy

25 다음 문장을 부정문과 의문문으로 바꿔 쓰세요.

She taught history at a middle school.

부정문 ________________

의문문 ________________

26 다음 빈칸에 공통으로 들어갈 단어를 쓰세요.

- ________ is Wednesday.
- ________ is 10 o'clock.

→ ________

27 다음 빈칸에 들어갈 알맞은 말을 쓰세요.

A: Can your father play golf?
B: Yes, ________________.

→ ________________

28 다음 밑줄 친 부분을 바르게 고쳐 다시 쓰세요.

Julia sended a letter two days ago.

→ ________________

29 다음 빈칸에 들어갈 알맞은 말을 쓰세요.

His story ________ be true.
그의 이야기는 진실이 아닐 수도 있다.

→ ________________

30 다음 영어를 우리말로 쓰세요.

Can I close the window?

→ ________________

27-30 Excellent **22-26** Good **16-21** Not bad **15 이하** Try Again

스테이크 요리를 주문할 때 필요한 표현

여러분이 스테이크를 주문할 때 종업원들이 스테이크를 어느 정도 구울지 물어볼 것입니다. 이때 여러분이 원하는 굽기의 정도를 표현하는 방법을 알아 봅시다.

rare 표면만 구워 속이 거의 익지 않은 상태

medium rare rare보다 속을 좀 더 익히지만 여전히 붉은 상태

medium 중심부를 핑크색으로 구운 상태

medium well-done medium보다 더 구운 씹는 맛이 강한 상태

well-done 완전히 구워져 육즙이 거의 없는 상태

A: How would you like your steak? 스테이크는 어떻게 해 드릴까요?

B: Medium, please. 미디엄으로 구워 주세요.

달걀 요리를 주문할 때 필요한 표현

Sunny-side-up 이건 달걀을 깨서 그냥 한쪽만 익히고 노른자는 익히지 않은 것입니다.

Over-easy 달걀 하얀 부분이 노른자를 살짝 덮은 것입니다. 이때 노른자를 툭 건드리면 흘러나옵니다.

Over-hard 이것은 양쪽을 다 익혀서 노른자가 흘러내리지 않는 것입니다.

Scrambled eggs 달걀을 섞어서 풀어 요리하는 방법입니다.

A: How would you like your eggs, sir?
계란은 어떻게 해 드릴까요?

B: Sunny-side-up, please. 한쪽만 익혀 주세요.

조동사 II

Word Check

□ bring	□ cancel	□ culture	□ decision	□ exercise
□ follow	□ forget	□ future	□ keep	□ lock
□ machine	□ medicine	□ prepare	□ protect	□ skip
□ special	□ throw	□ tool	□ trust	□ waste

must, have to, had better

조동사는 동사가 가진 의미에 미래, 능력, 의무, 충고 등의 의미를 더하는 역할을 합니다.

1 must

조동사 must는 '~해야 한다'라는 뜻으로 의무를 나타내거나, '~임에 틀림없다'라는 추측을 나타냅니다.

must+동사원형 (~ 해야 한다 (의무))	You **must study** hard. 너는 열심히 공부해야 한다. He **must help** his mom. 그는 엄마를 도와야 한다.
must+동사원형 (~ 임에 틀림없다 (추측))	She **must be** hungry. 그녀는 배가 고픈 것이 틀림없다. He **must be** a doctor. 그는 의사임에 틀림없다.

2 have to

have to는 조동사 must와 같은 의미로 '~해야 한다'라는 뜻입니다. have는 주어와 시제에 따라 바뀝니다.

have to+동사원형 (~ 해야 한다 (의무))	You **have to study** hard. 너는 열심히 공부해야 한다. He **has to help** his mom. 그는 엄마를 도와야 한다.

must의 과거형은 had to로 '~해야 했다'라는 의미입니다.
We **had to** wait for him. 우리는 그를 기다려야 했다.

3 had better

had better는 '~하는 게 낫다'라는 뜻으로 상대방에게 충고나 권유를 할 때 사용합니다.

had better+동사원형 (~하는 게 낫다, ~하는 것이 좋겠다))	You **had better stay** at home. 너는 집에 머무는 게 낫다. You **had better take** a rest. 너는 쉬는 것이 낫겠다.

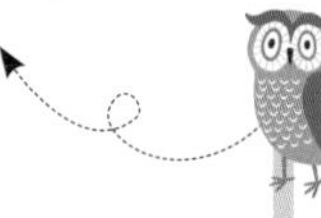

had better는 'd better로 줄여 쓸 수 있습니다.
You **had better** take a taxi.
→ You'**d better** take a taxi.
너는 택시를 타는 게 낫다.

Warm up

● 다음 괄호 안에서 알맞은 것을 고르세요.

정답 및 해설 p.18

01 You (must / have) wash the dishes.

02 They (must / have) get up early tomorrow.

03 Jessica must (go / to go) home now.

04 He (have / has) to wear a uniform.

05 I (have / has) to wait for my mom.

06 You (have / had) better see a doctor at once.

07 You (has / had) better go to bed early.

08 We have (respect / to respect) our parents.

09 The kids (have / has) to wash their hands.

10 Sam (have / has) to answer the question.

11 He had better (take / to take) a walk.

12 You had better (wear / to wear) your coat.

13 He must (be / is) a doctor.

14 We (have to / had to) get up early yesterday.

15 She must (be / being) a model.

- wash the dishes 설거지 하다
- get up 일어나다
- wear 입다
- see a doctor 진찰을 받다
- at once 즉시
- respect 존경하다
- model 모델

First Step 조동사의 기본적인 쓰임 이해하기

1 우리말과 일치하도록 빈칸에 알맞은 말을 쓰세요.

정답 및 해설 p.19

01 You ___had___ ___better___ take a taxi.
택시를 타는 게 좋겠다.

02 We __________ follow the rule.
우리는 규칙을 따라야 한다.

03 They __________ __________ lose weight.
그들은 살을 빼야 한다.

04 My mom __________ __________ do the housework.
엄마는 집안일을 하셔야 한다.

05 She __________ __________ sick.
그녀는 아픈 게 틀림없다.

06 Jim and I __________ __________ finish the work.
Jim과 나는 일을 끝내야 한다.

07 I __________ __________ take medicine.
나는 약을 먹어야 한다.

08 He __________ __________ stay in the hospital last month.
그는 지난달 병원에 입원해야 했다.

09 They __________ __________ use special tools yesterday.
그들은 어제 특별한 도구를 사용해야 했다.

10 You __________ drink milk every day.
너는 우유를 매일 마셔야 한다.

11 You __________ __________ clean your room now.
너는 네 방을 지금 청소하는 게 좋겠다.

12 The singers __________ __________ happy.
그 가수들은 행복한 게 틀림없다.

Words

- follow 따르다
- lose 잃다, 줄이다
- weight 체중
- housework 집안일
- sick 아픈
- take 섭취하다
- medicine 약
- special 특별한
- tool 도구

2 우리말과 일치하도록 다음 빈칸에 알맞은 말을 쓰세요.

정답 및 해설 p.19

01 You ___have___ ___to___ go to school today.
너는 오늘 학교에 가야 한다.

02 You ________ brush your teeth after meals.
너는 식사 후 이를 닦아야 한다.

03 Joe ________ ________ water the flowers.
Joe는 꽃에 물을 줘야 한다.

04 Those women ________ ________ singers.
저 여성들은 가수임에 틀림없다.

05 You ________ ________ go to the dentist.
너는 치과에 가는 게 좋겠다.

06 My sister ________ ________ study this weekend.
내 여동생은 이번 주말에 공부해야 한다.

07 We ________ ________ use this elevator.
우리는 이 엘리베이터를 이용해야 한다.

08 Kevin ________ ________ go to bed early last night.
Kevin은 어젯밤 일찍 자야 했다.

09 They ________ ________ Koreans.
그들은 한국사람임에 틀림없다.

10 We ________ eat fresh vegetables every day.
우리는 매일 신선한 야채를 먹어야 한다.

11 You ________ ________ use a paper bag.
너는 종이가방을 사용하는 게 좋겠다.

12 You ________ think about your future.
여러분은 여러분의 미래에 대해 생각해야 한다.

Words

- brush 닦다
- dentist 치과의사
- elevator 엘리베이터
- paper bag 종이가방
- think 생각하다
- about ~에 대해
- future 미래

Second Step 조동사 문장 제대로 완성하기

1 다음 밑줄 친 부분을 바르게 고쳐 쓰세요.

정답 및 해설 p.19

01 My sister have to take a walk in the morning.
내 여동생은 아침에 산책을 해야 한다. has to

02 You had better taking a nap now.
너는 지금 낮잠을 자는 게 좋겠다. ______

03 They must do actors.
그들은 배우들임에 틀림없다. ______

04 He must to finish his homework today.
그는 오늘 숙제를 끝내야 한다. ______

05 She and I must does this.
그녀와 나는 이 일을 해야 한다. ______

06 You must washes the car tomorrow.
너는 내일 세차를 해야 한다. ______

07 We has to wear a seatbelt every time.
우리는 항상 안전벨트를 착용해야 한다. ______

08 Sam and Susan must to pass the test.
Sam과 Susan은 시험에 통과해야 한다. ______

09 She musts prepare some food for the party.
그녀는 파티를 위해 음식을 좀 준비해야 한다. ______

10 You had better to stop smoking.
당신은 금연 하는 게 좋겠다. ______

11 William have to make a decision now.
William은 지금 결정을 해야 한다. ______

12 You must wears a swimming suit in the pool.
수영장에서는 수영복을 입어야 한다. ______

Words

- take a nap 낮잠 자다
- seatbelt 안전벨트
- every time 항상
- pass 통과하다
- prepare 준비하다
- smoking 흡연
- decision 결정
- swimming suit 수영복

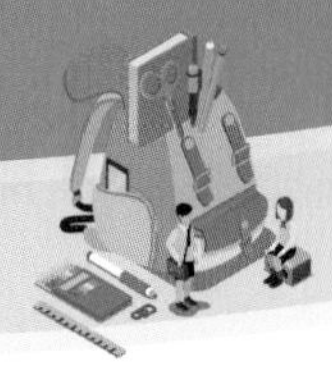

2 다음 밑줄 친 부분을 바르게 고쳐 쓰세요.

정답 및 해설 p.19

01 She has to takes care of his sister.
그녀는 여동생을 돌봐야 한다. take

02 We have to using a knife carefully.
우리는 칼을 조심스럽게 사용해야 한다. ______

03 You have better attend the meeting.
너는 그 모임에 참석하는 게 좋겠다. ______

04 The waiters has to wear black suits.
그 웨이터들은 검정색 양복을 입어야 한다. ______

05 Kevin has better buy a used car.
Kevin은 중고차를 사는 게 좋겠다. ______

06 Joe have to go back to Seoul tomorrow.
Joe는 내일 서울로 돌아가야 한다. ______

07 You has to drive a car slowly.
너는 자동차를 천천히 몰아야 한다. ______

08 My friends have to learns Chinese.
내 친구들은 중국어를 배워야 한다. ______

09 We have to do quiet in a library.
우리는 도서관에서 조용히 해야 한다. ______

10 You had better to exercise regularly.
너는 규칙적으로 운동하는 게 좋겠다. ______

11 The prince must stays in the castle all the time.
그 왕자는 항상 성에 머물러야 한다. ______

12 You had better to take off your hat in the room.
너는 방에서는 모자를 벗는 게 좋겠다. ______

Words

- take care of 돌보다
- knife 칼
- carefully 조심스럽게
- attend 참석하다
- used car 중고차
- exercise 운동하다
- regularly 규칙적으로
- castle 성
- all the time 항상
- take off ~을 벗다

Third Step 조동사의 문장 활용하기

다음 보기의 단어를 이용하여 빈칸에 알맞은 말을 쓰세요. (중복 사용 가능)

정답 및 해설 p.19

must　　have　　has　　had better

01 She sings very well.
→ She ___must___ be a singer. 그녀는 가수임에 틀림없다.

02 My sister has a fever.
→ She __________ to stay at home. 그녀는 집에 머물러야 한다.

03 He is very tired.
→ He __________ take a rest. 그는 휴식을 취하는 것이 좋겠다.

04 It's raining now.
→ You __________ take an umbrella. 너는 우산을 가져가는 것이 좋겠다.

05 We are late.
→ We __________ to hurry up. 우리는 서둘러야 한다.

06 He is very sleepy.
→ He __________ take a nap. 그는 낮잠을 자는 게 좋겠다.

07 Jack has a cold.
→ He __________ to see a doctor. 그는 진찰을 받아야 한다.

08 My car is dirty.
→ I __________ to wash my car. 나는 세차해야 한다.

09 She never gets up early.
→ She __________ be lazy. 그녀는 게으른 것이 틀림없다.

10 It's dark.
→ We __________ go home now. 우리는 지금 집에 가야 한다.

11 My brother is too fat.
→ He __________ lose weight. 그는 체중을 감소하는 게 좋겠다.

12 Jack had a car accident.
→ He __________ stay in the hospital. 그는 병원에 입원해야 한다.

Words

- stay 머무르다
- take a rest 쉬다
- umbrella 우산
- hurry 서두르다
- take a nap 낮잠 자다
- lazy 게으른
- stay in the hospital 병원에 입원하다

Writing Step

주어진 단어를 이용하여 문장을 완성하세요.
(필요하면 단어를 추가하거나 변형하세요.)

정답 및 해설 p.19

- swimming hat 수영 모자
- right now 지금 당장
- at once 즉시, 곧
- future 미래
- speak 말하다
- turn off 끄다
- practice 연습하다
- return 돌려주다, 돌아가다
- arrive 도착하다
- airport 공항

01 우리는 교실을 청소해야 한다. (the classroom, clean)

→ We ___have to[must] clean the classroom___.

02 수영장에서는 수영 모자를 써야 한다. (in the pool, a swimming hat, wear)

→ You ______________________.

03 그는 축구선수임에 틀림없다. (a soccer player)

→ He ______________________.

04 너는 지금 출발하는 게 좋겠어. (start, right now)

→ You ______________________.

05 그는 그의 부모님을 즉시 방문하는 게 좋겠다. (his parents, at once, visit)

→ He ______________________.

06 너의 미래를 위해 영어를 배우는 것이 좋겠다. (English, for your future, learn)

→ You ______________________.

07 우리는 음식을 천천히 먹어야 한다. (eat, slowly, food)

→ We ______________________.

08 그들은 학교에서 영어로 말해야 한다. (English, at school, speak)

→ They ______________________.

09 너는 잠자기 전에 라디오를 꺼야 한다. (the radio, before bed, turn off)

→ You ______________________.

10 Ellen은 매일 바이올린을 연습해야 한다. (the violin, every day, practice)

→ Ellen ______________________.

11 나는 이 책을 오늘 돌려줘야 한다. (this book, today, return)

→ I ______________________.

12 Jina는 12시 전에 공항에 도착해야 한다. (at the airport, arrive, before noon)

→ Jina ______________________.

must, have to, had better의 부정문

조동사의 부정문도 긍정문과 마찬가지로 동사원형과 함께 쓰입니다.

1 must의 부정문

조동사 must의 부정문은 「must+not+동사원형」의 형태로 '~하면 안 된다'라는 뜻입니다.

must not+동사원형 (~하면 안 된다) (= mustn't+동사원형)	You **must not eat** this mushroom. 너는 이 버섯은 먹으면 안 된다. You **must not** tell a lie. 너는 거짓말하면 안 된다.

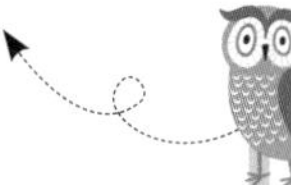

plus 1

must not과 don't have to는 의미가 서로 다르므로 해석할 때 주의하세요.
You **must not** attend the meeting. 너는 회의에 참석해서는 안 된다.
You **don't have to** attend the meeting. 너는 회의에 참석할 필요가 없다.

2 have to의 부정문

have to의 부정문은 「don't[doesn't] have to+동사원형」으로 '~할 필요가 없다', '~하지 않아도 된다'라는 뜻입니다.

don't[doesn't] have to +동사원형 (~할 필요가 없다, ~하지 않아도 된다)	You **don't have to** go to school today. 오늘 학교 가지 않아도 된다. He **doesn't have to** help his mom. 그는 엄마를 도와주지 않아도 된다.

plus 2

have to를 이용하여 의문문을 만들 때 주어에 따라 Do나 Does가 주어 앞에 옵니다.
Do I **have to return** this book? 이 책을 반납해야 하니?
Does he **have to stay** in the hospital? 그는 입원해야 하니?

3 had better의 부정문

had better의 부정문은 「had better+not+동사원형」의 형태로 '~하지 않는 것이 좋겠다'라는 의미로 상대방에게 충고나 권유를 할 때 사용합니다.

had better not+동사원형 (~하지 않는 것이 좋겠다)	You **had better not** take a taxi. 택시를 타지 않는 것이 좋겠다. You **had better not** take a rest. 너는 쉬지 않는 게 좋겠다.

Warm up

● 다음 괄호 안에서 알맞은 말을 고르세요.

정답 및 해설 p.19

01 You (don't have to / must not) tell a lie.
너는 거짓말을 하면 안 된다.

02 We (don't have to / must not) worry about him.
우리는 그를 걱정할 필요 없다.

03 He (doesn't have to / must not) take this medicine.
그는 이 약을 복용하면 안 된다.

04 We (don't have to / must not) waste time and money.
우리는 시간과 돈을 낭비해서는 안 된다.

05 He (don't / doesn't) have to water the tree.
그는 그 나무에 물을 줄 필요가 없다.

06 You (don't have to / must not) read the book.
너는 그 책을 읽을 필요가 없다.

07 Wilson (don't / doesn't) have to pay for the food.
Wilson은 그 음식 값을 지불할 필요 없다.

08 You (had better not / had not better) buy that used car.
너는 저 중고차를 사지 않는 것이 좋겠다.

09 He (don't / doesn't) have to attend the meeting.
그는 그 회의에 참석하지 않아도 된다.

10 You had better not (go / to go) out today.
오늘은 외출하지 않는 게 좋겠다.

11 You (had better / must) not be late.
너는 늦지 않는 게 좋겠다.

12 They (had better / must) not swim in the river.
그들은 강에서 수영하면 안 된다.

- lie 거짓말
- worry 걱정하다
- medicine 약
- waste 낭비하다
- water 물을 주다
- pay 지불하다
- used car 중고차
- attend 참석하다

First Step 조동사 부정문의 쓰임 확인하기

1 우리말과 의미가 같도록 빈칸에 알맞은 말을 쓰세요.

정답 및 해설 p.19

01 You ___don't have to___ get up early tomorrow.
너는 내일 일찍 일어날 필요가 없다.

02 You ________________ use a cellular phone during class.
너는 수업 중에 휴대폰을 사용하면 안 된다.

03 James ________________ meet her.
James는 그녀를 만날 필요가 없다.

04 They ________________ wear uniforms at school.
그들은 학교에서 교복을 입을 필요가 없다.

05 You ________________ go to the beach.
너는 해변에 안 가는 게 좋겠다.

06 You ________________ play the piano at night.
너는 밤에는 피아노를 치지 않는 게 좋겠다.

07 You ________________ park here.
여기에 주차하면 안 된다.

08 The students ________________ touch the paintings.
그 학생들은 그림들을 만져서는 안 된다.

09 You ________________ smoke in this room.
너는 이 방에서는 담배를 피우지 않는 게 좋겠다.

10 You ________________ cook tonight.
너는 오늘 밤 요리할 필요 없다.

11 Ellen ________________ visit her uncle.
Ellen은 삼촌을 방문할 필요가 없다.

12 You ________________ make a noise in the library.
도서관에서 소음을 내면 안 된다.

Words

- cellular phone 핸드폰
- during ~동안
- park 주차하다
  touch 만지다
- painting 그림
- smoke 연기, 담배 피우다
- noise 소음

2 우리말과 의미가 같도록 빈칸에 알맞은 말을 쓰세요.

정답 및 해설 p.19

Words

- take off 벗다
- hall 복도
- mistake 실수
- skip 건너뛰다
- forget 잊다
- trust 신뢰하다, 믿다
- fast food 패스트푸드

01 Cathy ___doesn't have to___ go to school today.
Cathy는 오늘 학교에 안 가도 된다.

02 They ______________ take off their shoes.
그들은 신발을 벗을 필요가 없다.

03 You ______________ run in the hall.
너는 복도에서 뛰면 안 된다.

04 You and Tom ______________ talk about it.
너와 Tom은 그것에 대해 얘기할 필요가 없다.

05 A doctor ______________ make a mistake.
의사는 실수를 하면 안 된다.

06 We ______________ skip breakfast.
우리는 아침식사를 거르면 안 된다.

07 You ______________ study so late at night.
너는 밤에 너무 늦게 공부하지 않는 게 좋겠다.

08 They ______________ forget his name.
그들은 그의 이름을 잊어서는 안 된다.

09 He ______________ see the movie.
그는 그 영화를 보지 않는 게 좋겠다.

10 Jake ______________ start exercising.
Jake는 운동을 시작할 필요가 없다.

11 You ______________ trust them.
너는 그들을 믿지 않는 게 좋겠다.

12 You ______________ eat fast food for lunch.
너는 점심으로 패스트푸드를 안 먹는 게 좋겠다.

조동사 부정문의 쓰임 이해하기

1 다음 영어를 우리말로 쓰세요.

정답 및 해설 p.20

01 You don't have to cook today.
→ 너는 오늘 요리할 필요가 없다.

02 You must not use this machine.
→ ______

03 James doesn't have to return these books.
→ ______

04 You must not eat too much at night.
→ ______

05 You had better not go to the beach.
→ ______

06 They don't have to lock the windows.
→ ______

07 You must not use a calculator during math class.
→ ______

08 We have to protect our culture.
→ ______

09 We don't have to finish this work.
→ ______

10 You had better go to bed early.
→ ______

11 You'd better not wear the red shirt.
→ ______

12 He doesn't have to listen to the radio.
→ ______

- cook 요리하다
- machine 기계
- return 돌려주다
- too much 너무 많이
- lock 잠그다
- calculator 계산기
- protect 보호하다
- culture 문화
- listen 듣다

2 다음 영어를 우리말로 쓰세요.

정답 및 해설 p.20

01 You don't have to speak in English.
→ 너는 영어로 말할 필요가 없다.

02 The kids must not drink coffee.
→ ______________________

03 Mike doesn't have to buy a computer.
→ ______________________

04 You must not eat food on the subway.
→ ______________________

05 We must not jump into the pool.
→ ______________________

06 He had better take a shower.
→ ______________________

07 You had better not buy a sofa.
→ ______________________

08 They have to arrive here before noon.
→ ______________________

09 Jack doesn't have to eat dinner.
→ ______________________

10 You had better move to Seoul.
→ ______________________

11 You'd better not eat chocolate.
→ ______________________

12 She and I don't have to wear glasses.
→ ______________________

- in English 영어로
- on the subway 지하철에서
- into ~안으로
- arrive 도착하다
- here 이곳에
- noon 정오, 12시
- move 이사 가다
- wear 입다, 쓰다

Third Step 조동사 부정문 문장 완성하기

다음 밑줄 친 부분을 바르게 고쳐 쓰세요.

정답 및 해설 p.20

01 I don't have fix my computer. don't have to fix

02 You must not to forget your parents' birthdays. ______

03 You not must cross the street here. ______

04 He don't have to clean the room today. ______

05 He had not better drive a car. ______

06 Jackson doesn't have answer the question. ______

07 You had better not to join the club. ______

08 Do I has to study history? ______

09 They don't have to coming here early. ______

10 You doesn't have to keep the promise. ______

11 She has to wait for him yesterday. ______

12 He must not to leave now. ______

13 You must not to close the door. ______

14 You must to stop at the red light. ______

15 You had better not to play soccer today. ______

Words

- fix 고치다
- forget 잊다
- cross 건너다
- street 거리
- join 가입하다
- history 역사
- keep 지키다, 유지하다
- promise 약속
- leave 떠나다
- red light 빨간 불

Writing Step

주어진 단어를 이용하여 문장을 완성하세요.
(필요하면 단어를 추가하거나 변형하세요.)

정답 및 해설 p.20

01 너는 밤에는 피자를 먹지 않는 게 좋겠다. (not, pizza, at night, eat)

→ You had better not eat pizza at night.

02 그는 자전거를 빌리지 않아도 된다. (borrow, a bike)

→ He ______________________________.

03 우리는 오늘 시장에 가지 않아도 된다. (the market, go to)

→ We ______________________________ today.

04 너는 파티에 가지 않는 게 좋겠다. (not, the party, go to)

→ You ______________________________.

05 Paul은 런던으로 이사 갈 필요가 없다. (move, to London)

→ Paul ______________________________.

06 우리는 밤에 커피를 마시면 안 된다. (not, coffee, drink, at night)

→ We ______________________________.

07 잔디 위를 걸어서는 안 된다. (on the grass, walk, not)

→ You ______________________________.

08 그녀는 나의 컴퓨터를 만지면 안 된다. (my computer, touch, not)

→ She ______________________________.

09 David는 오늘 나를 기다리지 않아도 된다. (me, wait for, today)

→ David ______________________________.

10 Alice는 그녀의 어머니에 대해 걱정 할 필요가 없다. (her mother, worry about)

→ Alice ______________________________.

11 그는 미래를 위해 돈을 저금할 필요가 없다. (money, save, for the future)

→ He ______________________________.

12 너는 그 모자를 쓰지 않는 게 좋겠다. (not, the cap, wear)

→ You ______________________________.

- at night 밤에
- borrow 빌리다
- move 이사 가다
- grass 잔디
- touch 만지다
- worry 걱정하다
- save 저금하다
- future 미래
- cap 모자

Final Step 조동사의 쓰임 최종 점검하기

1 다음 보기의 단어를 이용하여 빈칸에 알맞은 말을 쓰세요. (중복 사용 가능)

정답 및 해설 p.20

must not　have to　don't[doesn't] have to　had better　had to

01 We ___must not___ eat too much instant food.
우리는 인스턴트 음식을 많이 먹으면 안 된다.

02 Jane ________________ wash the dishes last night.
Jane은 어젯밤 설거지를 해야 했다.

03 You ________________ lock the door tonight.
오늘 밤 너는 문을 잠글 필요가 없다.

04 We ________________ drive carefully.
우리는 주의 깊게 운전을 해야 한다.

05 Do I ________________ bring my textbook tomorrow?
내가 내일 책을 가져가야 하나요?

06 Jessica ________________ wake him up early.
Jessica는 그를 일찍 깨울 필요가 없다.

07 You ________________ tell him about it.
너는 그것에 대해 그에게 얘기하면 안 된다.

08 You ________________ drink some water now.
너는 지금 물을 좀 마시는 것이 좋겠다.

09 We ________________ be quiet in the library.
우리는 도서관에서 조용히 해야 한다.

10 She ________________ eat pizza for lunch yesterday.
그녀는 어제 점심식사로 피자를 먹어야 했다.

11 You ________________ touch the dog.
너는 그 개를 만져서는 안 된다.

12 You ________________ cancel the order.
너는 주문을 취소하는 것이 좋겠다.

- lock 잠그다
- bring 가져오다
- textbook 교재
- wake 깨우다
- tell 얘기하다
- quiet 조용한
- cancel 취소하다
- order 주문, 주문하다

2 다음 보기의 단어를 이용하여 빈칸에 알맞은 말을 쓰세요. (중복 사용 가능)

정답 및 해설 p.20

must be   must   must not   don't[doesn't] have to
had better   had better not   had to

01 He ____must be____ hungry now.
그는 지금 배고픈 것이 틀림없다.

02 You ____________ take off your coat in the room.
너는 방에서는 코트를 벗는 게 좋겠다.

03 He ____________ a famous singer
그는 유명한 가수임에 틀림없다.

04 You ____________ order pizza today.
오늘은 피자를 주문하지 않는 것이 좋겠다.

05 Jessie ____________ look after the baby today.
Jessie는 오늘 그 아기를 돌봐야 한다.

06 You ____________ buy flowers for her.
너는 그녀를 위해 꽃을 살 필요가 없다.

07 They ____________ use the gym on Sunday.
그들은 일요일에 체육관을 사용하면 안 된다.

08 You ____________ throw a stone at the dog.
너는 개에게 돌을 던지면 안 된다.

09 Eddie ____________ buy a gift for you yesterday.
Eddie는 어제 너를 위해 선물을 사야 했다.

10 You ____________ eat something.
너는 무엇을 좀 먹는 것이 좋겠다.

11 We ____________ change the plan again.
우리는 그 계획을 다시 바꿔야 한다.

12 They ____________ be late for the meeting.
그들은 회의에 늦으면 안 된다.

- take off ~을 벗다
- look after 돌보다
- throw 던지다
- stone 돌
- gift 선물
- something 무엇, 어떤 것
- change 바꾸다
- meeting 회의

Exercise

15-16 Excellent 12-14 Good 9-11 Not bad 8 이하 Try Again

[1-3] 다음 중 빈칸에 들어갈 알맞은 말을 고르세요.

Note

1

You __________ take a rest.
너는 휴식을 해야 한다.

① must ② must be ③ must not
④ be able to ⑤ had better

1 take a rest 휴식을 취하다

2

You __________ drink a lot of water.
너는 물을 많이 마시는 것이 좋겠다.

① must ② have to ③ must not
④ don't have to ⑤ had better

2 a lot of 많은

3

He __________ climb the tree.
그는 나무에 오르면 안 된다.

① must ② have to ③ must not
④ don't have to ⑤ had better

3 climb 오르다

4 다음 중 not이 들어가기에 알맞은 곳을 고르세요.

You ① had ② better ③ use ④ the machine ⑤.

4 machine 기계

5 다음 중 두 문장의 뜻이 같도록 할 때 빈칸에 알맞은 말을 쓰세요.

He must buy the book.
= He ________________ buy the book.

① must not ② has to ③ must be
④ don't have to ⑤ had better

Note

5 주어가 3인칭 단수인 것을 생각해보세요.

[6-7] 다음 중 올바른 문장을 고르세요.

6 ① You not must stay here.
② You must to cross the street.
③ Do I have to study English?
④ You must not closed the door.
⑤ He doesn't have to buying fruits.

6 have to의 의문문 형태를 알아보세요.

7 ① We must gets up early.
② They have to go to the store.
③ I have to meet him yesterday.
④ He don't have to help her.
⑤ She had not better take a rest.

7 take a rest 쉬다

8 다음 중 빈칸에 공통으로 들어갈 말을 고르세요.

• I __________ change my pants. 나는 바지를 갈아 입어야 한다.
• You __________ not open the window. 창문을 열면 안 된다.

① must ② have to ③ must not
④ don't have to ⑤ had better

8 must not과 don't have to의 의미를 알아보세요.

Exercise

[9-10] 다음 중 빈칸에 들어갈 알맞은 것을 고르세요.

9

You have a cold. You ______________ see a doctor.

① don't have to ② can't ③ have to
④ must not ⑤ had better not

10

You are sleepy. You ___________ take a nap.

① don't have to ② can't ③ had better
④ must not ⑤ had better not

11 다음 중 우리말을 영어로 바르게 쓴 것을 고르세요.

너는 컴퓨터게임을 하지 않는 게 좋겠다.

① You can't play computer games.
② You must not play computer games.
③ You had better play computer games.
④ You don't have to play computer games.
⑤ You had better not play computer games.

12 다음 보기의 밑줄 친 것과 의미가 같은 것을 고르세요.

He must be Korean.

① You must see a doctor.
② He must buy some water.
③ She must finish the work.
④ We must be quiet in the library.
⑤ They must be singers.

Note

9 have a cold 감기 걸리다
see a doctor 진찰 받다

10 sleepy 졸린
take a nap 낮잠 자다

11 조동사의 부정형을 생각해보세요.

12 Korean 한국인
must의 쓰임을 다시 한 번 확인해보세요.

13 다음 영어를 우리말로 쓰세요.

(1) She must not drink too much coffee.

→ ______________________________

(2) He doesn't have to buy new socks.

→ ______________________________

Note

13 too much 너무 많이

[14-15] 다음 우리말과 의미가 같도록 빈칸에 알맞은 말을 쓰세요.

14

너는 파티에 가지 않는 게 좋겠다.

→ You ____________________ go to the party.

15

내가 교복을 입어야 하나요?

→ Do I ________________ wear a school uniform?

15 school uniform 교복

16 다음 빈칸에 공통으로 들어갈 말을 고르세요.

- You __________ turn off your cellular phone.
  너는 휴대전화 전원을 꺼야 한다.
- He __________ be a doctor.
  그는 의사임에 틀림없다.

→ ________________

16 turn off 전원을 끄다

미국의 landmark

Cloud Gate

Cloud Gate는 미국 시카고 밀레니엄 공원에 있는 조형물로 스테인리스 스틸로 만들어졌습니다. 이 조형물은 Anish Kapoor라는 영국 태생의 인도인 조각가가 2004년부터 2006년까지 만들었으며 콩 모양과 닮았다고 해서 The Bean이라고 불립니다. 168개의 철판을 용접했으며, 크기는 세로 10m, 가로 2m이고 무게는 약 100톤입니다.

방문객들은 이 조형물 아래를 지나다닐 수 있으며 조형물 표면에 주변 건물들과 방문객들의 모습들이 투영되어 재미있는 경험을 할 수 있습니다. 현재 Cloud Gate는 시카고에서 가장 인기 있는 조형물 중 하나입니다.

의문사 I

Word Check

□ act	□ attend	□ concert	□ country	□ favorite
□ interview	□ invite	□ language	□ laptop	□ line
□ magazine	□ necklace	□ noise	□ prefer	□ put
□ respect	□ ride	□ season	□ stage	□ street

UNIT 01 Who, What, Which

의문사는 문장 맨 앞에 위치하여 누가, 언제, 어디서, 무엇을, 왜, 어떻게 등에 대한 정보를 묻는 역할을 합니다.

❶ Who+be동사: Who는 사람에 대해 물을 때 사용하며, be동사와 함께할 때에는 「Who+be동사 ~?」 또는 「Who+be동사+ing ~?」 등의 형태가 됩니다.

Who+be동사+주어 ~? (누가, 누구)	**Who is** he? 그는 누구니? **Who are** they? 그들은 누구니? **Who is** in the room? 누가 방에 있니?
Who+be동사+진행형 ~? (누가, 누구)	**Who is playing** the piano? 누가 피아노를 치고 있니? **Who was playing** the piano? 누가 피아노를 치고 있었니?

❷ What+be동사: What은 주로 사물에 대해 물을 때 사용하며, be동사와 함께할 때에는 「What+be동사 + ~?」 또는 「What+be동사+주어+진행형 ~?」 등의 형태가 됩니다.

What+be동사+주어 ~? (무엇, 무엇을)	**What is** your hobby? 너의 취미는 무엇이니? **What is** his name? 그의 이름은 무엇이니? **What is** in the box? 상자 안에 무엇이 있니?
What+be동사+주어+진행형 ~? (무엇, 무엇을)	**What is** she **doing** now? 그녀는 지금 무엇을 하고 있니? **What was** she **doing** then? 그녀는 그때 무엇을 하고 있었니?

plus 1

의문사가 있는 의문문에서 be동사의 수는 be동사 다음에 오는 명사나 대명사의 수에 의해 결정됩니다.
Who is **they?** (x) Who are **they?** (o) What are **she** doing? (x) What is **she** doing? (o)

❸ Which+be동사 : 정해진 대상에서 무언가를 선택할 때 사용하는 표현입니다.

Which+be동사 ~? (어느 것, 어떤 것)	**Which is** your favorite dress, this one or that one? 어느 옷이 네 마음에 드니, 이것 아니면 저것? **Which is** your car? 어느 것이 네 자동차니?

❹ 대답하기

A: **Who** is he? B: He is my father.	A: **Who** is playing the piano? B: Jack is playing the piano.
A: **What** is your hobby? B: My hobby is reading.	A: **What** was she doing then? B: She was listening to the radio.
A: **Which** is yours, the blue one or the red one? B: The red one.	

plus 2

what은 정해지지 않은 것을 선택할 때 사용하고, which는 두 가지 이상 정해진 것들 중에서 하나를 선택할 때 사용합니다.

Warm up

- 다음 괄호 안에서 알맞은 것을 고르세요.

정답 및 해설 p.21

01 (Who / What) is your father?
누가 너의 아버지니?

02 (Who / What) is playing the guitar?
누가 기타를 치고 있니?

03 (Who / What) is your favorite color?
네가 좋아하는 색깔은 무엇이니?

04 Who (is / are) you?
당신은 누구인가요?

05 (Which / What) is his bag, this one or that one?
이것과 저것 중 어느 것이 그의 가방이니?

06 (Which / What) is your mother doing now?
너의 엄마는 지금 뭐하시니?

07 Who (is / are) those people?
저 사람들은 누구니?

08 (Which / What) are you looking for?
너는 무엇을 찾고 있니?

09 (Who / What) is your home telephone number?
너의 집 전화번호가 뭐니?

10 What (is / are) the men reading?
그 남자들은 무엇을 읽고 있니?

11 (Who / What) is your name?
너의 이름이 무엇이니?

12 (Which / What) is his car, the red one or the white one?
빨간색과 하얀색 중 어느 것이 그의 차니?

- favorite 좋아하는
- look for ~을 찾다
- one (앞에 언급한 것을 가리킬 때) ~것

First Step

의문사 기본적인 쓰임 이해하기

1 우리말과 일치하도록 빈칸에 알맞은 말을 쓰세요.

정답 및 해설 p.21

01 ___Who___ is the woman?
그 여성은 누구니?

02 ________ is singing a song?
누가 노래를 부르고 있니?

03 ________ is your favorite subject?
네가 좋아하는 과목은 무엇이니?

04 ________ are your friends eating now?
네 친구들은 지금 무엇을 먹고 있니?

05 ________ is your book, this one or that one?
이것과 저것 중 어느 것이 너의 책이니?

06 ________ is this?
이것은 무엇이니?

07 ________ is your father doing now?
네 아버지는 지금 뭘 하고 계시니?

08 ________ is your dog?
어느 것이 너의 개니?

09 ________ are those boys?
저 소년들은 누구니?

10 ________ is Jeff making?
Jeff는 무엇을 만들고 있니?

11 ________ is his pen?
어느 것이 그의 펜이니?

12 ________ are you having for dinner?
너는 저녁으로 무엇을 먹고 있니?

Words

- subject 과목
- make 만들다
- have 먹다
- or 또는, 혹은

2 우리말과 일치하도록 빈칸에 알맞은 말을 쓰세요.

정답 및 해설 p.21

01 ___What___ is his name?
그의 이름은 무엇이니?

02 ____________ are these boxes?
이 상자들은 무엇이니?

03 ____________ is in the room?
누가 방에 있니?

04 ____________ is she cooking?
그녀는 무엇을 요리하고 있니?

05 ____________ is his cat, this one or that one?
이것과 저것 중 어느 것이 그의 고양이니?

06 ____________ is in the box?
상자에 무엇이 있니?

07 ____________ is William drawing now?
William은 지금 뭘 그리고 있니?

08 ____________ is her sandwich?
어느 것이 그녀의 샌드위치니?

09 ____________ are those men in the room?
방에 있는 저 남자들은 누구니?

10 ____________ is your mom doing in the kitchen?
네 엄마는 부엌에서 무엇을 하고 계시니?

11 ____________ is your favorite sport?
네가 좋아하는 운동은 무엇이니?

12 ____________ is his phone number?
그의 전화번호가 무엇이니?

Words

- draw 그리다
- sandwich 샌드위치
- phone number 전화번호

Second step 의문사 의문문 쓰임 확인하기

1 다음 대화의 빈칸에 알맞은 말을 쓰세요. (괄호 안의 단어를 이용하세요.)

정답 및 해설 p.21

01 A: ___What___ is your name?
B: My name is Kevin.

02 A: What is she making?
B: She ________ ________ a chair.

03 A: ________ is she?
B: ________ is my sister.

04 A: ________ is yours, the red book or the yellow book?
B: The yellow book is ________. (my / mine)

05 A: ________ is on the table? (What / Which)
B: A ________ is on the table. (lamp / She)

06 A: ________ is in the living room?
B: Jack is in the living room.

07 A: ________ is your house? (Which / Who)
B: That is my house.

08 A: ________ are your friends doing now?
B: They ________ ________ soccer. (playing / play)

09 A: ________ was Susan doing then?
B: She ________ answering the phone.

10 A: ________ is your favorite color? (What / Who)
B: I ________ red. (like / do)

11 A: ________ are you? (Which / Who)
B: ________ are students.

12 A: ________ are you looking for? (Who / What)
B: I am looking for my mom.

Words

- living room 거실
- answer 대답하다
- favorite 좋아하는
- or 또는, 혹은
- look for ~을 찾다

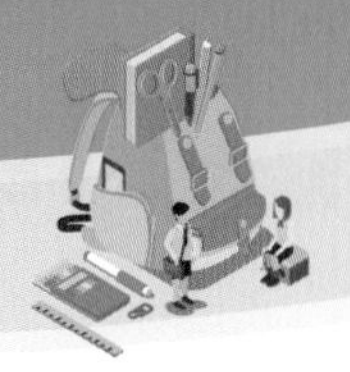

2 다음 대화의 빈칸에 알맞은 말을 쓰세요. (괄호 안의 단어를 이용하세요.)

정답 및 해설 p.22

01 A: ___Who___ is your father?
B: That man is my father.

02 A: __________ is she taking care of? (Who / What)
B: __________ is taking care of her sister.

03 A: __________ is she drawing?
B: She is drawing trees.

04 A: __________ is my bag? (Who / Which)
B: The red bag is __________. (you / yours)

05 A: __________ is in the bag?
B: A __________ is in the bag. (book / Jack)

06 A: __________ is in the kitchen?
B: A table is in the kitchen.

07 A: __________ is she wearing? (Which / What)
B: She __________ __________ short pants.

08 A: __________ is Jessica doing now?
B: She is __________ a book. (reads / reading)

09 A: __________ is your mother's car? (Which / Who)
B: The small car is __________. (her / hers)

10 A: __________ is he reading?
B: __________ is reading a magazine.

11 A: __________ is dancing on the stage?
B: Sam __________ dancing on the stage.

12 A: __________ are you looking for?
B: I am looking for my glasses.

- take care of ~을 돌보다
- draw 그리다
- wear 입다
- short pants 반바지
- magazine 잡지
- stage 무대

Third Step 의문사 의문문 제대로 완성하기

다음 밑줄 친 부분을 바르게 고쳐 쓰세요.

정답 및 해설 p.22

01 Who is your email address? What
네 이메일 주소는 무엇이니?

02 Who is your favorite fruit? ______
네가 좋아하는 과일은 무엇이니?

03 Who is your teacher doing in the classroom? ______
네 선생님은 교실에서 무엇을 하고 계시니?

04 What is dancing on the stage? ______
누가 무대에서 춤을 추고 있니?

05 Who are they watching? ______
그들은 무엇을 보고 있니?

06 Who is your dog's name? ______
네 개의 이름이 무엇이니?

07 What is your fathers' watch, this one or that one? ______ 이것과 저것 중 어느 것이 네 아빠 시계니?

08 What is she waiting for? ______
그녀는 누구를 기다리고 있니?

09 What is making a noise in the classroom? ______
누가 교실에서 떠들고 있니?

10 Which is driving a car? ______
누가 운전을 하고 있니?

11 What is your uncles doing in the garden? ______
네 삼촌들은 정원에서 무엇을 하고 계시니?

12 Who is she looking for? ______
그녀는 무엇을 찾고 있니?

Words

- address 주소
- stage 무대
- noise 소음
- garden 정원

Writing Step

주어진 단어를 이용하여 문장을 완성하세요.
(필요하면 단어를 추가하거나 변형하세요.)

정답 및 해설 p.22

- Korean food 한국음식
- cook 요리하다, 요리사
- shirt 셔츠
- wait for ~을 기다리다
- number 번호
- put 넣다

01 어느 것이 너의 연필이니? (your pencil)

→ Which is your pencil?

02 네가 좋아하는 한국음식은 무엇이니? (favorite, Korean food, your)

→ ________ is ________________?

03 누가 부엌에서 저녁을 요리하고 있니? (cook, dinner)

→ ________ is ________________ in the kitchen?

04 그 아이들은 공원에서 무엇을 하고 있니? (are, doing, the children)

→ ________ are ________________ in the park?

05 Jane은 방에서 무엇을 찾고 있니? (Jane, look for)

→ ________ is ________________ in the room?

06 하얀색과 노란색 중 어느 것이 그의 셔츠니? (shirt, his)

→ ________ is ________________, the white one or the yellow one?

07 그는 커피숍에서 누구를 기다리고 있니? (he, wait for)

→ ________ is ________________ at the coffee shop?

08 그 음식에 무엇이 들어 있니? (the food, in)

→ ________ is ________________?

09 네가 좋아하는 작가는 누구니? (favorite, your, writer)

→ ________ is ________________?

10 너의 방 번호가 어떻게 되니? (be)

→ ________________ your room number?

11 누가 방에서 자고 있니? (sleep, in the room)

→ ________ is ________________?

12 그녀는 상자에 무엇을 넣고 있니? (she, put, in the box)

→ ________ is ________________?

Who, Whose, What, Which

의문사는 문장 맨 앞에 위치하여 주어, 보어, 목적어 역할을 합니다.

1 Who: '누가', '누구를'이라는 뜻으로 사람에 대해 물을 때 사용합니다.

Who+일반동사/can+동사원형 ~? (누가)	**Who teaches** English? 누가 영어를 가르치니? **Who can** speak English? 누가 영어를 할 줄 아니?
Who+do[does]+주어+동사원형 ~? (누구를)	**Who do** you respect? 너는 누구를 존경하니? **Who did** you meet? 너는 누구를 만났니?

plus 1

who가 주어 역할을 하는 경우 3인칭 단수 취급을 합니다. 따라서 현재형 동사를 사용할 경우 3인칭 단수형을 써야 합니다.

2 Whose: '누구의'라는 뜻으로 소유를 물을 때 사용합니다.

Whose+명사 ~? (누구의)	**Whose bag** is this? 이것은 누구의 가방이니?

3 What: '무슨', '무엇을'이라는 뜻으로 사물에 대해 물을 때 사용합니다.

What+do[does]+주어+동사원형 ~? (무엇을)	**What do** you eat for lunch? 너는 점심으로 무엇을 먹니? **What did** you eat for lunch? 너는 점심으로 무엇을 먹었니?
What+명사+do[does]+주어+동사원형 ~? What+명사+be동사+주어+-ing ~? (무슨 ~)	**What sport do** you like? 무슨 운동을 좋아하니? **What size are** you looking for? 무슨 사이즈를 찾니?

4 Which: '어느', '어떤'이라는 뜻으로 정해진 대상에서 무언가를 선택하도록 물을 때 사용합니다.

Which+명사+do[does]+주어 ~? (어느 ~, 어떤 ~)	**Which car do** you like, the blue one or the red one? 너는 푸른색 자동차와 빨간색 자동차 중 어느 것이 좋아?
Which+do[does]+주어 ~? (어느 것을)	**Which do** you want to eat? 너는 어느 것을 먹고 싶니?

*which는 정해진 대상에서 무언가를 선택할 때 사용하는 표현입니다.

plus 2

「Who+do[does]+주어+동사원형 ~?」에서 Who는 Whom으로 바꿔 사용할 수 있습니다. 그러나 who를 더 많이 사용합니다.

Who do you respect?
= **Whom** do you respect?

5 대답하기

A: **Who** teaches English? B: Jessie teaches English.	A: **Whose** house is that? B: It's my house.
A: **What subject** do you like? B: I like science.	A: **Which** car do you like, the blue one or the red one? B: I like the blue one.

Warm up

● 다음 괄호 안에서 알맞은 말을 고르세요.

정답 및 해설 p.22

01 (Who / What) can ride a bike?
누가 자전거를 탈 수 있니?

02 (Who / What) visited you yesterday?
어제 누가 너를 방문했니?

03 (Which / What) do you want to drink, coffee or tea?
커피와 차 중 어느 것을 마시기를 원하니?

04 Who (learn / learns) English?
누가 영어를 배우니?

05 (Whose / What) book is this?
이 책은 누구의 것이니?

06 (Who / What) sport does he like?
그는 무슨 운동을 좋아하니?

07 What (time / clock) do you get up in the morning?
너는 아침에 몇 시에 일어나니?

08 (What / Which) movie do you want to see, *Star wars* or *Batman*? '스타워즈'와 '배트맨' 중 어느 영화를 보고 싶니?

09 What (do / is) you usually eat for dinner?
너는 보통 저녁으로 무엇을 먹니?

10 (What / Which) car is yours?
어느 자동차가 너의 것이니?

11 (Who / Whom) cleans your room every day?
누가 매일 너의 방을 청소하니?

12 (What / Who) did you meet yesterday?
너는 어제 누구를 만났니?

- ride 타다
- visit 방문하다
- usually 보통, 대체로
- clean 청소하다

First Step 의문사 의문문 쓰임 이해하기

1 우리말과 일치하도록 빈칸에 알맞은 말을 쓰세요.

정답 및 해설 p.22

Words

- take a walk 산책하다
- learn 배우다
- usually 보통
- last Sunday 지난 일요일

01 ___What___ fruit do you like?
너는 무슨 과일을 좋아하니?

02 __________ do you like, cats or dogs?
너는 고양이와 개 중 어느 것을 좋아하니?

03 __________ do you like?
너는 누구를 좋아하니?

04 __________ does he want?
그는 무엇을 원하니?

05 __________ likes Korean songs?
누가 한국 노래를 좋아하니?

06 __________ can take a walk with me?
누가 나와 함께 산책할 수 있니?

07 __________ do you want to have, a computer or a cellular phone? 컴퓨터와 휴대전화기 중 너는 어느 것을 가지고 싶니?

08 __________ do you learn at school?
너는 학교에서 무엇을 배우니?

09 __________ dog is that?
저것은 누구의 개니?

10 __________ does Sam usually do on Saturday?
Sam은 보통 토요일에 무엇을 하니?

11 __________ did you buy yesterday?
너는 어제 무엇을 샀니?

12 __________ pants did he buy, this one or that one?
이것과 저것 중 그가 산 바지가 어느 것이니?

2 우리말과 일치하도록 빈칸에 알맞은 말을 쓰세요.

정답 및 해설 p.23

01 ___What___ subject do you like?
너는 무슨 과목을 좋아하니?

02 ________ kind of food does your father like?
네 아버지는 무슨 종류의 음식을 좋아하시니?

03 ________ country do you want to visit, Canada or Mexico? 너는 캐나다와 멕시코 중 어느 나라를 방문하고 싶니?

04 Who ________ drive a bus?
누가 버스를 운전할 수 있니?

05 ________ did Sara pick up on the street?
Sara는 거리에서 무엇을 주웠니?

06 ________ do you want to talk to?
너는 누구와 얘기하고 싶니?

07 Which sport ________ you like, baseball or soccer?
야구와 축구 중 어느 운동을 좋아하니?

08 ________ kind of clothes did you wear yesterday?
너는 어제 무슨 종류의 옷을 입었니?

09 ________ food are they eating now?
그들은 지금 무슨 음식을 먹고 있니?

10 ________ needs cheese?
누가 치즈가 필요하니?

11 ________ do you prefer, rice or bread?
어떤 걸 원하니, 밥이니 빵이니?

12 ________ likes this computer game?
누가 이 컴퓨터게임을 좋아하니?

Words

- subject 과목
- kind 종류
- country 나라
- pick up 줍다
- street 거리
- clothes 옷
- prefer 원하다, 선호하다

Second Step

의문사 의문문 쓰임 확인하기

1 다음 대화의 빈칸에 알맞은 말을 쓰세요. (괄호 안의 단어를 이용하세요.)

정답 및 해설 p.23

01 A: ___Who___ cleans your room? (Who / Which)
B: My mom ___cleans___ my room.

02 A: ________ kind of music do you like? (What / Which)
B: I ________ hip-hop.

03 A: ________ teaches you English?
B: Jane ________ me English.

04 A: ________ do you want for your Christmas gift?
B: I ________ a laptop computer.

05 A: Who ________ attend the meeting today?
B: Jack can do.

06 A: ________ color does he want, red or yellow?
B: He ________ yellow.

07 A: Who ________ he invite to the party? (did / was)
B: He ________ his friends.

08 A: ________ house is that? (who / whose)
B: It is my house.

09 A: ________ do they do on Sunday?
B: ________ go to church.

10 A: ________ do you want, milk or orange juice?
B: Orange juice.

11 A: ________ subway goes to Kangnam, the red line or the orange line?
B: The orange line.

12 A: ________ wakes you up every morning?
B: My mom.

Words

- kind 종류
- gift 선물
- laptop 휴대용[노트북] 컴퓨터
- attend 참석하다
- invite 초대하다
- church 교회
- line 노선
- wake 잠에서 깨다, 깨우다

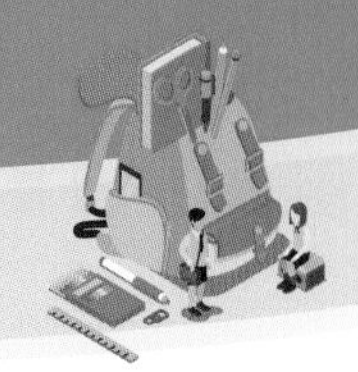

② 다음 대화의 빈칸에 알맞은 말을 쓰세요. (괄호 안의 단어를 이용하세요.)

정답 및 해설 p.23

01 A: ___What___ kind of car is she driving? (What / Which)
B: She is driving a small car.

02 A: Who ____________ a cup of tea? (want / wants)
B: I do.

03 A: ____________ does she love? (Who / Which)
B: She ____________ Jack.

04 A: __________ do you want, beef or chicken?
B: Beef, please.

05 A: ____________ can fix the copy machine?
B: William ____________ do.

06 A: ____________ kind of book are you reading? (Who / What)
B: I'm ____________ a novel.

07 A: __________ language do they use, English or French?
B: They ____________ French.

08 A: ____________ season does Ted like? (Who / Which)
B: He likes winter.

09 A: ____________ sport is your father playing? (What / Who)
B: He is playing golf now.

10 A: ____________ do you respect? (What / Who)
B: I ____________ my parents.

11 A: ____________ store is selling the boots? (Who / Which)
B: The shop on the left.

12 A: ____________ did he interview yesterday? (Who / Which)
B: He____________ a famous actor.

- beef 쇠고기
- copy machine 복사기
- language 언어
- French 프랑스어
- season 계절
- respect 존경하다
- interview 인터뷰하다

Third Step 의문사 의문문 완성하기

다음 대화의 빈칸에 알맞은 말을 보기에서 골라 쓰세요. (중복 사용 가능)

정답 및 해설 p.23

time	subject	Which	do	fruit	Who	What

01 A: ___Which___ city do you want to visit, Seoul or London?
B: I want to visit London.

02 A: What __________ do you get up?
B: I get up at 7.

03 A: __________ do you want to buy, a coat or a skirt?
B: I want to buy a coat.

04 A: What __________ the students learn on Monday?
B: They learn history and science.

05 A: What __________ does your father like?
B: He likes apples.

06 A: __________ kind of food do they eat for breakfast?
B: They eat bacon and eggs.

07 A: __________ is your mothers' car, this one or that one?
B: That one.

08 A: What __________ do you like?
B: I like science.

09 A: __________ do you do on Saturday?
B: I usually go to the park.

10 A: __________ does she want to meet?
B: She wants to meet James.

Words

- city 도시
- want 원하다
- visit 방문하다
- learn 배우다
- bacon 베이컨
- subject 과목
- usually 보통, 대체로

Writing Step

주어진 단어를 이용하여 문장을 완성하세요. (필요하면 단어를 추가하세요.)

정답 및 해설 p.24

Words

- take 탈것을 타다
- talk 말하다
- fast 빠르게
- class 반

01 너는 어느 버스를 타니? (which, you, take)

→ Which bus do you take ?

02 어느 길이 박물관 가는 길입니까? (way, the museum, which)

→ __________ is __________, please?

03 그는 무슨 색을 좋아하니? (color, like, he)

→ What __________?

04 누가 우리에게 영어를 가르칠 수 있니? (us, teach)

→ __________ can __________ English?

05 너는 누구와 얘기하고 싶니? (you, do, want to)

→ __________ talk to?

06 장갑과 양말 중 너는 어느 것을 원하니? (you, want)

→ __________, gloves or socks?

07 그들은 몇 시에 저녁을 먹니? (they, have)

→ __________ time __________ dinner?

08 Ted는 아침에 무엇을 마시니? (what, Ted, drink)

→ __________ in the morning?

09 누가 너의 반에서 빠르게 뛰니? (runs, fast)

→ __________ in your class?

10 크리스마스 때 그녀는 무엇을 원하니? (want, does, she)

→ __________ for Christmas?

11 너는 무슨 종류의 음악을 좋아하니? (kind of, do, music)

→ __________ you like?

12 하얀색과 검정색 고양이 중 어느 고양이를 원하니? (cat, you, want)

→ __________, the white one or the black one?

Final Step 의문사 의문문 최종 정검하기

1 다음 대화의 빈칸에 알맞은 질문을 쓰세요.

정답 및 해설 p.24

Words
- wear 입다
- concert 콘서트
- ticket 티켓, 표
- pocket 주머니
- lily 백합
- close 닫다

01 A: ___What___ is she wearing?
B: She is wearing pants.

02 A: ____________ is she eating?
B: She is eating pizza.

03 A: ____________ pencils are they?
B: They are my pencils.

04 A: ____________ did you do yesterday?
B: We went camping.

05 A: ____________ is she?
B: She is Cathy.

06 A: ____________ is your favorite baseball player?
B: I like Ryu.

07 A: ____________ has a concert ticket?
B: James has it.

08 A: ____________ do you have in your pocket?
B: I have some coins.

09 A: ____________ flowers do you want, roses or lilies?
B: I want roses.

10 A: ____________ is Jessica doing now?
B: She is talking on the phone.

11 A: ____________ time does he close the store?
B: At 10 pm.

12 A: ____________ computer is this?
B: It is my computer.

2 다음 영어를 우리말로 쓰세요.

정답 및 해설 p.24

01 What month do you like?

→ 너는 몇 월을 좋아하니?

02 What kind of pizza do they make?

→ ______

03 What time did the bus arrive here?

→ ______

04 Which computer is yours?

→ ______

05 What time does she open the flower shop?

→ ______

06 Whose necklace is this?

→ ______

07 Which bus do I have to take?

→ ______

08 What is your favorite animal?

→ ______

09 Who is David waiting for now?

→ ______

10 Who is acting on the stage?

→ ______

11 Who do you like?

→ ______

12 What does she do in the morning?

→ ______

- month 달
- yours 너의 것
- here 이곳에
- flower shop 꽃가게
- necklace 목걸이
- act 연기하다
- stage 무대
- do ~을 하다

Exercise

15-16 Excellent 12-14 Good 9-11 Not bad 8 이하 Try Again

[1-4] 다음 중 빈칸에 알맞은 말을 고르세요.

1 ___________ time do you go to bed?

① Who ② Whom ③ What
④ Which ⑤ Whose

2 ___________ book is that?

① Who ② Whom ③ Where
④ Which ⑤ Whose

3 ___________ sport do you like, soccer or baseball?

① Who ② Whom ③ Where
④ Which ⑤ Whose

4 ___________ are you doing now?

① Who ② Whom ③ What
④ Which ⑤ Whose

Note

1 go to bed 잠자러 가다

3 정해진 대상에서 무언가를 선택할 때 사용하는 표현을 알아보세요.

5 **다음 중 빈칸에 들어갈 말이 <u>다른</u> 것을 고르세요.**

① ________ is your name?
② ________ can speak English?
③ ________ does he love?
④ ________ are those girls?
⑤ ________ likes his paintings?

[6-8] 다음 중 보기의 대답에 대한 질문으로 알맞은 것을 고르세요.

6

They are my uncles.

① Who are they?
② Whom are you waiting for?
③ What do your uncles do?
④ Which is your favorite uncle?
⑤ Whose uncle is the man?

7

I like science.

① Who do you like? ② What subject do you like?
③ What fruit do you like? ④ What sport do you like?
⑤ What do you want?

8

It's my father's.

① Who are you?
② Whose car is this?
③ Which man is your father?
④ Which car does your father like?
⑤ What food does your father like?

Note

5 painting 그림
의문사 what과 who의 쓰임을 생각해보세요.

6 wait for ~을 기다리다

7 subject 과목

Exercise

9 **다음 중 대화가 어색한 것을 고르세요.**

① A: Who are you?
B: I'm William.

② A: Whose book is this?
B: It's mine.

③ A: Which do you want, coffee or milk?
B: Coffee, please.

④ A: What time does the movie start?
B: At ten.

⑤ A: Whose jacket is this?
B: The jacket is not big for me.

10 **다음 중 잘못된 문장을 고르세요.**

① Who learn English?
② What do you eat for lunch?
③ Which season does he like?
④ What time does the test begin?
⑤ What kind of food does Jack like?

11 **다음 중 빈칸에 알맞은 말을 고르세요.**

A: What ____________ do you like?
B: I like December.

① food ② color ③ season
④ year ⑤ month

Note

9 movie 영화

10 who는 3인칭 단수 역할을 하고, What time은 When으로 바꿔 쓸 수 있습니다.

11 season 계절
month 달, 월
year 년

12 다음 중 빈칸에 공통으로 들어갈 말을 고르세요.

- ___________ do you do on Sunday?
- ___________ is that?

① Who ② Whom ③ What
④ Which ⑤ Whose

Note

[13-14] 다음 빈칸에 알맞은 의문사를 쓰세요.

13

A: ___________ is she waiting for?
B: She is waiting for Jack.

→ ________________________

13 wait for ~을 기다리다

14

A: ___________ did you do last Saturday?
B: I went shopping.

→ ________________________

14 last Saturday 지난 토요일
go shopping
쇼핑하러 가다

15 다음 주어진 단어를 이용해 우리말을 영어로 쓰세요.

너는 무슨 동물을 좋아하니? (what, like, animal)

→ ____

16 다음 밑줄 친 부분을 바르게 고쳐 쓰세요.

What subject do you like, math or science?

→ ________________________

16 정해진 대상에서 무언가를 선택할 때 사용하는 표현을 생각해보세요.

우리가 잘못 사용하고 있는 영어표현 Ⅱ

open car vs convertible

요즈음 길거리를 걷다보면 지붕이 열리는 자동차들을 볼 있습니다. 우리는 이러한 자동차들을 오픈카(open car)라고 하는데, 정확한 표현은 컨버터블(convertible)이라고 합니다. 컨버터블(convertible)은 지붕을 접었다 폈다 또는 뗐다 붙였다 할 수 있는 승용차들을 말합니다.

I want to buy a convertible.
나는 컨버터블 자동차를 사고 싶다.

hand phone vs cellular phone / mobile phone

우리는 휴대 전화기를 hand phone이라고 하는데 cellular phone 또는 mobile phone이라고 해야 합니다. cellular phone을 줄여서 cell phone이라고 합니다. 좀 더 엄밀히 말하면 cellular phone은 미국식 영어이고, mobile phone은 영국식 영어입니다.

Don't use a mobile phone in the library.
도서관에서 휴대전화를 사용하지 마라.

의문사 II

Word Check

□ airport	□ anniversary	□ behind	□ ceremony	□ departure
□ end	□ graduate	□ gym	□ health	□ liberty
□ museum	□ need	□ often	□ staff	□ statue
□ stay	□ subway	□ twice	□ vacation	□ wedding

When, Where, Why

의문사가 있는 의문문은 각 의문사에 해당하는 구체적인 정보를 묻는 의문문으로 Yes, No로 대답하지 않습니다.

1 When: '언제'라는 의미로 시간이나 날짜 등을 물을 때 사용합니다.

When+be동사+주어 ~? (언제)	**When is** your birthday? 네 생일이 언제니? **When is** the next show? 다음 상영시간은 언제니?
When+do[does]+주어+동사원형 ~? (언제)	**When does** the store open? 가게는 언제 여니? **When did** the concert begin? 콘서트는 언제 시작했니?

plus 1

구체적인 시간을 물을 때 when 대신 what time을 쓸 수 있습니다.

When does the store open? = **What time does** the store open?

2 Where: '어디서', '어디에'라는 의미로 장소, 위치 등을 물을 때 사용합니다.

Where+be동사+주어 ~? (어디서, 어디에)	**Where is** the rest room? 화장실은 어디니? **Where are** you from? 너는 어디서 왔니? **Where are** you going? 너는 어디 가니?
Where+do[does]+주어+동사원형 ~? (어디서, 어디에)	**Where do** you want to go this summer? 너는 이번 여름 어디에 가고 싶니? **Where did** she go? 그녀는 어디 갔니?

3 Why: '왜'라는 의미로, 이유를 물을 때 사용합니다.

Why+be동사+주어 ~? (왜)	**Why is** she sad? 그녀는 왜 슬프니? **Why was** he absent yesterday? 그는 어제 왜 결석했니?
Why+do[does]+주어+동사원형 ~? (왜)	**Why did** you call me? 너는 나에게 왜 전화했니? **Why does** he need sugar? 그는 왜 설탕이 필요하니?

plus 2

why를 사용하여 질문하면 because로 대답할 수 있습니다.

4 대답하기

A: **When** is your birthday? B: My birthday is October 1st. 내 생일은 10월 1일이다.	A: **Why** is she sad? B: (Because) She lost her computer. (왜냐하면) 그녀는 컴퓨터를 잃어버렸다.
A: **Where** did she go? B: She went to the beach. 그녀는 해변에 갔다.	A: **Where** are you going? B: I'm going to the market. 나는 시장에 가고 있다.

Warm up

● 다음 괄호 안에서 알맞은 말을 고르세요.

정답 및 해설 p.25

01 (When / Where) is his birthday?
그의 생일은 언제니?

02 (When / Why) is she so happy?
그녀는 왜 그렇게 행복하니?

03 (Where / When) are you going now?
너 지금 어디 가고 있니?

04 (When / Why) is the baby crying?
그 아기가 왜 울고 있니?

05 (When / Where) is Tom?
Tom은 어디 있니?

06 (When / Where) do they live?
그들은 어디에 사니?

07 (When / Why) did you buy that shirt?
너는 저 셔츠를 언제 샀니?

08 (When / Why) did you change your plan?
왜 네 계획을 바꿨니?

09 (When / Where) is your English Test?
네 영어 시험이 언제니?

10 (When / Why) did he go to the hospital?
그는 왜 병원에 갔니?

11 (When / Why) did you call me?
너는 왜 내게 전화했니?

12 (When / Where) is the public library?
공공도서관이 어디 있니?

- cry 울다
- change 바꾸다
- plan 계획
- test 시험
- hospital 병원
- public library 공공도서관

First Step

의문부사 쓰임 이해하기

1 다음 대답에 알맞은 질문을 고르세요.

정답 및 해설 p.25

Words

- arrive 도착하다
- cry 울다
- farm 농장
- funny 재미있는
- wall 벽
- painting 그림
- behind ~뒤에

01 The train arrives at ten.
A: When does the train arrive?
B: Where is the station?

02 In the gym.
A: Where are the students?
B: When does the gym open?

03 She is in her room.
A: Where are the girls?
B: Where is your sister?

04 He got up late.
A: Why was he late for school?
B: Why does he go to school?

05 Because she's sad.
A: Why is she crying?
B: Why is she happy?

06 I visit the farm on Saturday.
A: Where is the farm?
B: When do you visit the farm?

07 It is very funny.
A: Why do you see the movie?
B: Why is it funny?

08 They are on the wall.
A: Where is the painting?
B: Where are the paintings?

09 It's behind the car.
A: Where is your cat?
B: Why do you like cats?

10 Because I passed the test.
A: Why are you happy?
B: When did you pass the test?

11 It starts at eleven.
A: When is your mom's birthday?
B: When does the show start?

12 He went to the restaurant.
A: Where did he go last night?
B: Where is he going?

2 다음 빈칸에 알맞은 말을 쓰세요.

정답 및 해설 p.25

01 ___When___ do you have breakfast?
언제 아침을 먹니?

02 ______________ didn't you come to school?
너는 왜 학교에 안 왔니?

03 ______________ did he live last year?
그는 작년에 어디서 살았니?

04 ______________ did you get it?
너는 그것을 어디서 구했니?

05 ______________ is Jack studying?
Jack은 어디서 공부하고 있니?

06 ______________ are your glasses?
네 안경은 어디에 있니?

07 ______________ is your father so busy?
네 아버지는 왜 그렇게 바쁘시니?

08 ______________ does the next bus arrive?
다음 버스가 언제 오니?

09 ______________ do you learn English?
너는 왜 영어를 배우니?

10 ______________ did Jeff get up today?
Jeff는 오늘 언제 일어났니?

11 ______________ is your office?
너의 사무실은 어디니?

12 ______________ does he graduate?
그는 언제 졸업하니?

Words

- get 얻다
- busy 바쁜
- learn 배우다
- get up 일어나다
- office 사무실
- graduate 졸업하다

Second Step 의문부사 의문문 직접 만들기

1 다음 대화의 빈칸에 알맞은 말을 쓰세요.

정답 및 해설 p.25

- library 도서관
- begin 시작하다
- zoo 동물원
- bottle 병
- need 필요하다
- parking lot 주차장
- staff 직원

01 A: ___Where___ is Wilson?
B: He is in the library.

02 A: ____________ does the baseball game begin?
B: It begins at two.

03 A: ____________ are they going?
B: They are going to the zoo.

04 A: ____________ is the store?
B: It is on the third floor.

05 A: Why is he sad?
B: ____________ his mom is sick.

06 A: ____________ do you like baseball?
B: Because it is very exciting.

07 A: ____________ did you put the bottle?
B: I ____________ it on the table.

08 A: ____________ does your sister go to bed?
B: She ____________ to bed at ten.

09 A: ____________ does he need money?
B: Because he wants to buy new shoes.

10 A: ____________ is the parking lot?
B: It is behind the park.

11 A: ____________ do you eat lunch?
B: I eat lunch at the cafeteria.

12 A: ____________ is the next staff meeting?
B: Next Monday.

2 다음 대화의 빈칸에 알맞은 말을 쓰세요.

정답 및 해설 p.26

01 A: ___When___ is the deadline?
B: It's next Friday.

02 A: __________ did you send the letter?
B: I __________ it yesterday.

03 A: __________ are you at home?
B: Because I'm tired today.

04 A: __________ is the museum?
B: It is next to the subway station.

05 A: __________ is he busy?
B: __________ he is preparing for the exam.

06 A: __________ do you eat vegetables?
B: Because they are good for health.

07 A: __________ did you find my watch?
B: It was under the table.

08 A: __________ does Jessie take a walk?
B: She takes a walk in the morning.

09 A: __________ is Andy going now?
B: He is going to the gym.

10 A: __________ do you eat turkey?
B: We eat it on Thanksgiving Day.

11 A: __________ does she go after school?
B: She goes to the library.

12 A: __________ does your music class end?
B: At ten.

Words

- deadline 마감일
- send 보내다
- museum 박물관
- prepare 준비하다
- find 발견하다
- health 건강
- turkey 칠면조
- music class 음악 수업

Third Step 의문부사 의문문의 의미 이해하기

다음 영어를 우리말로 쓰세요.

정답 및 해설 p.26

01 When does this class end?

→ 이 수업은 언제 끝나니?

02 When does the next train leave?

→ ______

03 Why do we need a boat?

→ ______

04 Where is the movie theater?

→ ______

05 When is her wedding ceremony?

→ ______

06 Where do your parents live?

→ ______

07 Why did Jeff get up early today?

→ ______

08 Where is your helmet?

→ ______

09 Why is Andrew always late for school?

→ ______

10 Where did he put the key?

→ ______

11 When does your summer vacation start?

→ ______

12 Where is a shopping mall?

→ ______

- end 끝나다
- leave 떠나다
- boat 보트
- wedding 결혼
- ceremony 식, 의식
- helmet 헬멧
- put 놓다
- vacation 휴가, 방학

Writing Step

주어진 단어를 이용하여 문장을 완성하세요.
(필요하면 단어를 추가하거나 변형하세요.)

정답 및 해설 p.26

01 서점은 어디에 있니? (a bookstore)

→ Where is a bookstore?

02 너는 왜 울고 있니? (you, crying)

→ ____________________

03 너는 가방을 어디서 잃어버렸니? (you, lose, your bag)

→ ________ did ____________________?

04 그녀는 TV를 언제 보니? (she)

→ ____________________ watch TV?

05 Jeff는 어디에 사니? (live, Jeff)

→ ____________________

06 너는 왜 잠을 늦게 자니? (go to bed, late, you)

→ ____________________

07 어버이날은 언제니? (Parents' day, be)

→ ____________________

08 너의 휴대전화기는 어디에 있니? (cellular phone, your, be)

→ ____________________

09 그는 저녁을 언제 먹니? (eat, dinner, he)

→ ____________________

10 그는 어제 왜 화가 났었니? (be, he, angry)

→ ____________________ yesterday?

11 그녀는 언제 출근하니? (go to work, she)

→ ____________________

12 너는 그녀를 왜 만나니? (you, meet)

→ ____________________ her?

- bookstore 서점
- cry 울다
- lose 잃어버리다
- Parents' day 어버이날
- angry 화가 난
- go to work 출근하다

How

의문사는 명사 이외에 형용사나 부사와 결합하여 보다 구체적인 정보를 묻는 역할을 합니다.

❶ How: '어떤', '어떻게'라는 뜻으로 상태, 방법, 수단 등을 물을 때 사용합니다.

How+be동사+주어 ~? (어떤, 상태)	**How is** the weather today? 오늘 날씨 어때? **How's** your mother? 어머니는 어떠시니?
How+do[does]+주어+동사원형 ~? (어떻게, 수단, 방법)	**How do** you go to school? 너는 학교에 어떻게 가니? **How did** you know that? 너는 어떻게 그것을 알았니?

❷ How+형용사[부사]

How old	[나이] 몇 살	**How old** are you? 너는 몇 살이니?
How tall	[키, 높이] 얼마나 큰	**How tall** is that tower? 저 타워는 얼마나 높니?
How far	[거리] 얼마나 먼	**How far** is it from here to the airport? 여기서 공항은 얼마나 머니?
How long	[길이] 얼마나 긴 [기간] 얼마나 오래	**How long** is the river? 그 강은 길이가 얼마니? **How long** did you stay in Korea? 너는 한국에 얼마나 머물렀니?
How often	[빈도] 얼마나 자주	**How often** does he go to the library? 얼마나 자주 그는 도서관에 가니?

❸ How many / How much

How many	[개수] 얼마나 많은	**How many** books do you have? 너는 얼마나 많은 책을 가지고 있니?
How much	[양] 얼마나 많은 [가격] 얼마	**How much** water is in the bottle? 그 병에는 물이 얼마나 들었니? **How much** is this car? 이 차는 가격이 얼마니?

plus

How many+복수명사 ~?
- **How many books** do you have?

How much+셀 수 없는 명사[단수] ~?
- **How much money** do you need?

❹ 대답하기

A: **How's** your mother?	B: She's fine.
A: **How tall** is that tower?	B: It's 51m tall.
A: **How long** did you stay at the hotel?	B: For three days.
A: **How often** does he go to the library?	B: Once a week.
A: **How much** water is in the bottle?	B: A little.

Warm up

● 다음 괄호 안에서 알맞은 말을 고르세요.

정답 및 해설 p.27

- tall 키가 ~인, 높은
- building 건물
- salt 소금
- often 자주

01 How (many / much) books do you have?
너는 책이 몇 권 있니?

02 How (much / big) is this car?
이 자동차는 얼마니?

03 (How / What) is your mother?
너의 어머니는 어떠시니?

04 How (long / tall) is the pencil?
그 연필이 얼마나 기니?

05 How (long / tall) is the building?
그 건물은 얼마나 높니?

06 How (much / many) water do you have?
물을 얼마나 가지고 있니?

07 How (long / far) is it from here to the school?
여기서 학교까지 얼마나 머니?

08 How (long / far) did he play the piano?
그는 얼마나 오래 피아노를 연주했니?

09 How many (flower / flowers) does she have?
그녀는 꽃을 얼마나 많이 가지고 있니?

10 How much (salt / salts) do you need?
너는 소금이 얼마나 필요하니?

11 How (far / often) does Joe eat pizza?
Joe는 얼마나 자주 피자를 먹니?

12 How (old / tall) is your brother?
네 남동생은 몇 살이니?

First Step 의문사 how 쓰임 확인하기

1 다음 빈칸에 알맞은 말을 쓰세요.

정답 및 해설 p.27

01 How many ___dogs___ do you have?
너는 개가 몇 마리 있니?

02 How ________ money does he have?
그는 돈이 얼마나 있니?

03 ________ is the weather today?
오늘 날씨 어떠니?

04 How ________ is your daughter?
너의 딸은 키가 얼마나 크니?

05 How ________ is the snake?
그 뱀은 얼마나 기니?

06 How ________ chairs are there in the kitchen?
부엌에 의자가 얼마나 많이 있니?

07 How ________ is it from here to the airport?
여기서 공항까지 얼마나 머니?

08 How ________ did he stay at the hotel?
그는 호텔에 얼마나 오래 머물렀니?

09 How many ________ does she have?
그녀는 장미꽃들을 얼마나 가지고 있니?

10 How ________ does Jack use the subway?
Jack은 얼마나 자주 지하철을 이용하니?

11 How ________ is this penguin?
이 펭귄은 몇 살이니?

12 ________ do you go to school?
너는 학교에 어떻게 가니?

Words

- daughter 딸
- snake 뱀
- gym 체육관
- airport 공항
- stay 머무르다
- often 자주
- use 이용하다
- subway 지하철

2 다음 빈칸에 알맞은 말을 쓰세요.

정답 및 해설 p.27

01 How ______old______ are you?
너는 몇 살이니?

02 How ____________ is the car?
얼마나 오래된 차니?

03 How ____________ days are there in a week?
일주일은 며칠이니?

04 How ____________ subjects do you study?
너는 몇 과목 공부하니?

05 How ____________ do you drink milk?
너는 얼마나 자주 우유를 마시니?

06 How ____________ did you wait for the taxi?
너는 택시를 얼마나 오래 기다렸니?

07 How ____________ people did she invite?
그녀는 몇 명이나 초대했니?

08 How ____________ is the Statue of Liberty?
자유의 여신상의 높이는 얼마니?

09 How ____________ does Jessica walk to school?
Jessica는 학교에 얼마나 자주 걸어가니?

10 How ____________ is this book?
이 책 얼마니?

11 ____________ do I open this bottle?
이 병을 어떻게 열어야 하니?

12 ____________ are your parents?
너의 부모님은 어떠시니?

- subject 과목
- invite 초대하다
- Statue of Liberty 자유의 여신상
- statue 조각상
- liberty 자유
- bottle 병

Second Step

의문사 how 의문문 완성하기

1 다음 질문에 대한 대답으로 알맞은 것을 고르세요.

정답 및 해설 p.27

01 How old is she?
그녀는 몇 살이니?

02 How tall is the tree?
그 나무는 얼마나 높니?

03 How much money do you need?
너는 얼마나 많은 돈이 필요하니?

04 How do you go to the beach?
너는 어떻게 해변에 가니?

05 How's your sister?
네 여동생은 어떻게 지내니?

06 How long did they take a walk?
그들은 얼마나 오래 산책했니?

07 How often does she play the guitar?
그녀는 얼마나 자주 기타를 치니?

08 How's the weather today?
오늘 날씨는 어떠니?

09 How tall is Mike?
Mike는 얼마나 크니?

10 How many hours are there in a day?
하루는 몇 시간이니?

11 How much is the computer?
그 컴퓨터는 얼마니?

12 How long is the table?
그 테이블은 길이가 얼마니?

a. She is twelve years old.

b. She's fine.

c. They took a walk for twenty minutes.

d. It is about five meters tall.

e. I need five dollars.

f. I go to the beach by bus.

g. It's sunny.

h. Once a week.

i. It's five hundred dollars.

j. There are twenty-four hours in a day.

k. It's six meters long.

l. He is 170cm.

Words

- take a walk 산책하다
- need 필요하다
- play the guitar 기타를 연주하다
- sunny 맑은
- once 한 번
- in a day 하루에

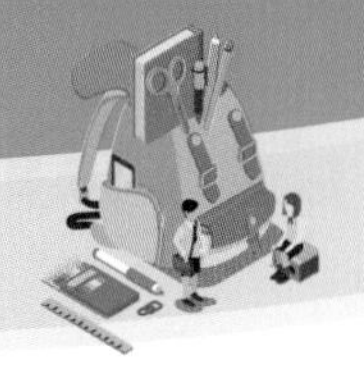

2 다음 질문에 대한 대답으로 알맞은 것을 고르세요.

정답 및 해설 p.27

01 How much is the toy?
그 장난감은 얼마니?

02 How often does she exercise?
그녀는 얼마나 자주 운동하니?

03 How old is your school?
네 학교는 얼마나 오래됐니?

04 How long did he watch TV?
그는 얼마나 오래 TV를 봤니?

05 How much coffee do you drink?
너는 커피를 얼마나 마시니?

06 How many lamps are there on the table?
얼마나 많은 램프가 테이블 위에 있니?

07 How many bags do you have?
너는 얼마나 많은 가방이 있니?

08 How much cheese does she need?
그녀는 치즈가 얼마나 필요하니?

09 How long is the rope?
그 밧줄은 얼마나 기니?

10 How old is your father?
네 아버지는 연세가 어떻게 되시니?

11 How long is your vacation?
네 방학은 며칠이나 되니?

12 How far is the shopping mall?
그 쇼핑몰은 얼마나 머니?

a. Two cups of coffee a day.

b. For two hours.

c. It's about 20 years old.

d. Every day.

e. It's five dollars.

f. There are five on the table.

g. Four pieces of cheese.

h. It's 3 meters long.

i. It's 5km from here.

j. I have four bags.

k. He's forty years old.

l. Three weeks.

Words

- toy 장난감
- often 자주
- about 약, 대략
- every day 매일
- lamps 램프, 등
- twice a week 일주일에 두 번
- twice 두 차례
- rope 밧줄
- vacation 휴가, 방학

Third Step 의문사 how 의문문 의미 이해하기

다음 대화의 빈칸에 알맞은 말을 보기에서 골라 쓰세요. (중복 사용 가능)

정답 및 해설 p.27

How much	How many	How old	How often
How long	How far	How	

01 A: ___How old___ is he?
B: He is twelve years old.

02 A: ________ people are there in the restaurant?
B: There are five people in the restaurant.

03 A: ________ money does John have?
B: He has two dollars.

04 A: ________ does he take a bath?
B: Every day.

05 A: ________ are you?
B: I'm fine.

06 A: ________ is the movie?
B: It's two hours long.

07 A: ________ does your father wash his car?
B: Once a week.

08 A: ________ is your house from here?
B: It's about 3 kilometers.

09 A: ________ days are there in a year?
B: 365 days.

10 A: ________ is your coat?
B: It's fifty dollars.

Words

- restaurant 식당
- take a bath 목욕하다
- once a week 일주일에 한 번
- coat 코트

Writing Step

주어진 단어를 이용하여 다음 대화의 대답에 맞는 질문을 쓰세요.

정답 및 해설 p.27

01 A: How old is she? (old, is)
B: She is twelve years old. 그녀는 12살이야.

02 A: ______________________ (tall, the tree)
B: It is about five meters tall. 그것은 약 5m 높이야.

03 A: ______________________ (money, need, you, do)
B: I need five dollars. 나는 5달러가 필요해.

04 A: ______________________ (how, you, go to, the beach)
B: I go to the beach by bus. 나는 버스로 해변에 가.

05 A: ______________________ (your sister)
B: She's fine. 그녀는 잘 지내.

06 A: ______________________ (long, did, they, take a walk)
B: They took a walk for twenty minutes. 그들은 20분 동안 산책했어.

07 A: ______________________ (often, does, play, she)
B: She plays the guitar once a week. 그녀는 일주일에 한 번 기타를 연주해.

08 A: ______________________ (How, the weather, today)
B: It's sunny. 날씨가 맑아.

09 A: ______________________ (far, is, the station, from here)
B: It's about 2 kilometers. 약 2km야.

10 A: ______________________ in a day? (many, there, are, hours)
B: There are twenty-four hours in a day. 하루는 24시간이야.

11 A: ______________________ (the computer, much, is)
B: It's five hundred dollars. 500달러야.

12 A: ______________________ (the table, long, is)
B: It's six meters long. 6m 길이야.

- about 약, 대략
- need 필요하다
- beach 해변
- by bus 버스로
- take a walk 산책하다
- once a week 일주일에 한 번
- in a day 하루에
- five hundred 오백

Final Step 의문부사 최종 점검하기

1 다음 대화의 빈칸에 알맞은 말을 보기에서 골라 쓰세요. (중복 사용 가능)

정답 및 해설 p.27

Where When Why Because usually on bought in

01 A: ___Where___ are you from?
B: I'm from Korea.

02 A: __________ did he buy the book?
B: He __________ it yesterday.

03 A: Why is Mike sad?
B: __________ his dog died.

04 A: __________ are you going now?
B: I'm going to the Chinese restaurant.

05 A: __________ is Andrew tired?
B: Because he worked hard today.

06 A: __________ do you go to the movies?
B: We __________ go to the movies on Saturday.

07 A: __________ did he find my book?
B: It was __________ the table.

08 A: __________ does she play basketball?
B: __________ the gym.

09 A: __________ is your parents' wedding anniversary?
B: It's September 1st.

10 A: __________ are you so happy?
B: I passed the test.

- die 죽다
- tired 피곤한
- go to the movies 영화 보러 가다
- anniversary 기념일
- pass 통과하다

2 다음 대화의 빈칸에 알맞은 말을 쓰세요.

정답 및 해설 p.28

01 A: ___When___ does the class begin?
B: It begins at 09:00.

02 A: ________ ________ students are there in the classroom?
B: Five students.

03 A: ________ is the box office?
B: It's on the second floor.

04 A: ________ ________ does James visit his aunt?
B: Once a month.

05 A: ________ is your mom angry?
B: Because I broke the window.

06 A: ________ ________ is the train?
B: It is 100 meters long.

07 A: ________ is the departure time?
B: It's 11 o'clock.

08 A: ________ ________ water do you drink a day?
B: I drink two glasses of water.

09 A: ________ ________ seasons are there in a year?
B: Four seasons.

10 A: ________ ________ is the magazine?
B: It's twenty dollars.

11 A: ________ is Children's day?
B: It's May fifth.

12 A: ________ ________ is that building?
B: It is about 200 meters tall.

Words

- begin 시작하다
- box office 매표소
- visit 방문하다
- break 부수다, 깨다
- departure 출발
- season 계절
- magazine 잡지
- children 어린이들
- Children's day 어린이날

Exercise

15-16 Excellent 12-14 Good 9-11 Not bad 8 이하 Try Again

[1-3] 다음 중 빈칸에 알맞은 말을 고르세요.

1

A: __________ is the parking lot?
B: It's behind the bakery.

① When ② Where ③ Why
④ How ⑤ What

2

A: __________ do you have lunch?
B: At noon.

① When ② Where ③ Why
④ How ⑤ What

3

A: __________ salt does she need?
B: A little.

① How long ② How many
③ How tall ④ How much
⑤ How often

4 다음 중 잘못된 문장을 고르세요.

① When is his birthday?
② Where is he going now?
③ Why did you go to the beach?
④ How do you go to school?
⑤ How many money do you need?

Note

1 parking lot 주차장
bakery 제과점
behind ~뒤에
장소와 관련된 의문사를 생각해보세요.

2 have lunch 점심 먹다

3 a little은 '조금'이라는 뜻으로 양을 표현합니다.

[5-7] 다음 중 보기의 대답에 대한 질문으로 알맞은 것을 고르세요.

Note

5

For three years.

① Where is it now?
② How much do you need?
③ Why do you like Korean food?
④ How long did he live in Canada?
⑤ When do they open the museum?

6

Once a year.

① When is the next bus?
② Where is the bathroom?
③ Why is she busy today?
④ How often does she visit Korea?
⑤ How many books do you have?

6 once a year 일 년에 한 번

7

By subway.

① When is the next train?
② Where did they go yesterday?
③ How far is the museum from here?
④ How do you go to work?
⑤ How often does he play soccer?

7 by subway 기차로
on foot 걸어서

8 다음 중 밑줄 친 부분과 바꿔 쓸 수 있는 것을 고르세요.

<u>When</u> did he arrive at the airport?

① How long ② What ③ How often
④ How much ⑤ What time

8 arrive 도착하다

Exercise

[9–10] 다음 중 빈칸에 공통으로 들어갈 말을 고르세요.

Note

9

- __________ far is the store from here?
- __________ is the weather today?

① When ② Where ③ Why
④ How ⑤ What

10

- How __________ is your laptop computer?
- How __________ water is there in the cup?

① much ② old ③ often
④ long ⑤ tall

10 lap top 노트북 컴퓨터

11 다음 중 대화가 잘못된 것을 고르세요.

① A: Why is she sad?
B: She didn't pass the test.
② A: How old is she?
B: She is ten years old.
③ A: How often do you eat hamburgers?
B: A little.
④ A: How long is the river?
B: It's 20 kilometers long.
⑤ A: How tall is Mike?
B: He is 160cm.

11 pass 통과하다

12 다음 중 질문의 대답으로 알맞지 않은 것을 고르세요.

How often does he play baseball?

① Every day. ② For three hours.
③ I don't know. ④ Once a week.
⑤ Twice a month

[13-14] 다음 우리말과 의미가 일치하도록 빈칸에 알맞은 말을 쓰세요.

13

그는 이곳에 언제 도착했니?

→ ____________ did he arrive here?

14

Brian은 이곳에 얼마나 오래 있었니?

→ ____________ did Brian stay here?

15 다음 밑줄 친 곳을 바르게 고치세요.

How much people are there on the bus?

→ ____________

16 다음 주어진 단어를 이용하여 우리말을 영어로 쓰세요.

너는 얼마나 자주 패스트푸드를 먹니? (fast food, eat, you, do)

→ ____________

Note

12 How often으로 묻는 질문에 적절한 대답을 생각해보세요.

13 시간을 나타내는 의문사를 확인해보세요.

14 기간을 나타내는 표현을 생각해보세요.

15 수와 양을 나타내는 표현을 생각해보세요.

16 빈도를 나타내는 표현을 생각해보세요.

미국의 *landmark*

Mount Rushmore National Memorial

Mount Rushmore(러시모어 산)은 미국에 위치한 산으로, 미국의 4명의 위대한 대통령을 조각한 조각상(러시모어 국립기념지, Mount Rushmore National Memorial)이 있는 곳으로 유명합니다. 4명의 대통령은 조지 워싱턴, 토머스 제퍼슨, 에이브러햄 링컨, 시어도어 루즈벨트이며 조각할 당시에는 다이너마이트로 깎아 내고 못과 망치로 다듬질을 하여 만들었다고 합니다.

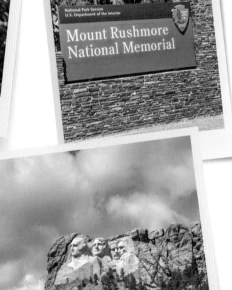

러시모어 조각상은 무려 14년(1927~1941년)이란 시간에 걸쳐 만들어졌으며, 조각가인 Gutzon Borglum와 그의 아들에 의해 조각되었습니다. 4명의 대통령의 얼굴 크기는 18m정도입니다.

접속사

Word Check

□ borrow	□ carefully	□ championship	□ college	□ diary
□ diligent	□ engineer	□ enough	□ fever	□ headache
□ heavy	□ hurt	□ lawyer	□ lend	□ message
□ nervous	□ practice	□ spicy	□ traffic	□ wallet

UNIT 01 and, but, or

접속사는 단어와 단어, 구와 구, 문장과 문장을 연결하는 역할을 합니다.

plus 1

구는 두 개 이상의 단어가 모인 것으로 주어와 동사가 포함되지 않습니다. 주어와 동사가 포함되면 문장이라고 합니다. (절에 대한 개념은 joy plus에서 배웁니다.)

1 접속사의 역할

단어+접속사+단어	you and I 너와 나　　read and write 읽고 쓰다
구+접속사+구	by bus or on foot 버스나 걸어서 play soccer and sing songs 축구하고 노래하다
문장+접속사+문장	I love him, and he loves me. 나는 그를 사랑하고 그도 나를 사랑한다. He likes apples, but she doesn't like them. 그는 사과를 좋아하지만 그녀는 좋아하지 않는다.

2 and: '그리고', '~와'라는 뜻으로 서로 비슷한 내용을 연결하는 역할을 합니다.

단어+접속사+단어	**She** and **I** are teachers. 그녀와 나는 선생님이다.
구+접속사+구	I have **two cats** and **three dogs**. 나는 고양이 두 마리와 개 세 마리가 있다.
문장+접속사+문장	**I love him**, and **he loves me**. 나는 그를 사랑하고 그도 나를 사랑한다.

3 but: '그러나', '하지만'이라는 의미로 서로 반대되는 것을 연결합니다.

단어+접속사+단어	Sam is **lazy**, but **smart**. Sam은 게으르지만 영리하다.
구+접속사+구	She is **good at math**, but **not good at English**. 그녀는 수학은 잘하지만 영어는 잘 못한다.
문장+접속사+문장	**I love him**, but **he doesn't love me**. 나는 그를 사랑하지만 그는 나를 사랑하지 않는다.

4 or: '또는', '혹은', '아니면'이라는 의미로 둘 이상에서 선택사항을 연결합니다.

단어+접속사+단어	Is it **the sun** or **the moon**? 그것은 태양이니, 달이니?
구+접속사+구	I go to school **by bus** or **on foot**. 나는 학교에 버스를 타거나 걸어간다.
문장+접속사+문장	**We can go to the movies**, or **we can stay at home**. 우리는 영화를 보러갈 수 있거나 집에 머무를 수 있다.

plus 2

and는 둘 다를 or는 둘 중 하나를 선택할 때 사용합니다.
I eat pizza **and** apples. (피자와 사과 모두)　I eat pizza **or** apples. (피자와 사과 중 하나)

Warm up

● 다음 괄호 안에서 알맞은 말을 고르세요.

정답 및 해설 p.29

01 She has a book, (but / and) she doesn't have a pencil.
그녀는 책은 있지만, 연필은 없다.

02 There are spoons (and / or) forks on the table.
식탁에 스푼과 포크들이 있다.

03 I have two pens (so / and) three notebooks.
나는 펜 두 자루와 공책 세 개가 있다.

04 She is a doctor (or / and) a nurse.
그녀는 의사이거나 간호사이다.

05 Is it a dog (or / and) a wolf?
그것은 개니 아니면 늑대니?

06 You must leave today (but / or) tomorrow.
너는 오늘이나 또는 내일 떠나야 한다.

07 Sam is lazy (but / or) smart.
Sam은 게으르지만 영리하다.

08 I can speak English, (and / but) she can't speak English.
나는 영어를 할 수 있지만 그녀는 영어를 하지 못한다.

09 My brother is strong (and / but) brave.
내 남동생은 강하고 용감하다.

10 She (and / or) I have to wash the car.
그녀 또는 나는 세차를 해야 한다.

11 My mother likes vegetables, (but / or) I don't like them.
나의 어머니는 야채를 좋아하시지만 나는 좋아하지 않는다.

12 She (and / or) I go to the museum on Saturday.
그녀와 나는 토요일에 미술관에 간다.

Words

- spoon 숟가락
- fork 포크
- nurse 간호사
- wolf 늑대
- leave 떠나다
- smart 영리한
- brave 용감한
- vegetable 야채
- museum 미술관, 박물관

First Step 기본적인 접속사 쓰임 확인하기

1 다음 빈칸에 알맞은 말을 보기에서 골라 쓰세요. (중복 사용 가능)

정답 및 해설 p.29

and	but	or

01 Jack ___and___ I go to the same school.
Jack과 나는 같은 학교에 다닌다.

02 Our teacher is kind ____________ beautiful.
우리 선생님은 친절하시고 예쁘시다.

03 He is rich, ____________ he is not happy.
그는 부자지만 행복하지는 않다.

04 She has a dog, ____________ she doesn't have a cat.
그녀는 개는 있지만 고양이는 없다.

05 She ____________ I work at the same office.
그녀와 나는 같은 사무실에서 일한다.

06 I like baseball, ____________ she doesn't like it.
나는 야구를 좋아하지만 그녀는 좋아하지 않는다.

07 Which is your car, this one ____________ that one?
이것과 저것 중 어느 것이 네 차니?

08 Is she your mother ____________ your aunt?
그녀는 너의 엄마니 아니면, 숙모니?

09 She is good at dancing ____________ poor at singing.
그녀는 춤은 잘 추지만 노래는 잘하지 못한다.

10 Is this cap yours ____________ your father's?
이 모자는 네 것이니 아니면 너의 아버지 것이니?

11 They have wings, ____________ they can't fly.
그들은 날개가 있지만 날지 못한다.

12 Henry is short, ____________ his father is very tall.
Henry는 키가 작지만 그의 아버지는 매우 크시다.

- same 같은
- rich 부유한
- office 사무실
- be good at ~을 잘하다
- be poor at ~을 못하다
- wing 날개
- fly 날다

2 다음 빈칸에 알맞은 말을 보기에서 골라 쓰세요. (중복 사용 가능)

정답 및 해설 p.29

and	but	or

01 His shoes are old ___and___ dirty.
그의 신발은 낡고 더럽다.

02 David is young __________ smart.
David은 어리지만 영리하다.

03 They are poor __________ they are happy.
그들은 가난하지만 행복하다.

04 Jeff learns math __________ science at school.
Jeff는 학교에서 수학과 과학을 배운다.

05 Jack __________ I drink a lot of water every day.
Jack과 나는 매일 많은 물을 마신다.

06 Is he a baseball player __________ a soccer player?
그는 야구선수니 아니면 축구선수니?

07 He is tall __________ handsome.
그는 키가 크고 잘생겼다.

08 Is Mike in the room __________ in the living room?
Mike는 방에 있니 아니면 거실에 있니?

09 She __________ he are students.
그녀와 그는 학생이다.

10 Which do you want, milk __________ juice?
우유와 주스 중 어느 것을 원하니?

11 I like him, __________ he doesn't like me.
나는 그를 좋아하지만 그는 나를 좋아하지 않는다.

12 Joe is diligent __________ honest.
Joe는 부지런하고 정직하다.

- dirty 더러운
- smart 영리한
- learn 배우다
- a lot of 많은
- handsome 잘생긴
- diligent 부지런한
- honest 정직한

Second Step

1 우리말과 일치하도록 빈칸에 알맞은 접속사를 쓰세요.

정답 및 해설 p.29

- actor 배우
- popular 인기 있는
- famous 유명한
- use 사용하다
- cash 현금
- card 카드
- sick 아픈

01 I like chocolate, ___but___ I don't like ice cream.
나는 초콜릿을 좋아하지만 아이스크림은 좋아하지 않는다.

02 I like chocolate ____________ ice cream.
나는 초콜릿과 아이스크림을 좋아한다.

03 He can play the guitar ____________ the violin.
그는 기타와 바이올린을 연주할 수 있다.

04 They went to Paris ____________ London.
그들은 파리와 런던에 갔다.

05 I have to clean my room ____________ wash the dishes.
나는 내 방을 청소하거나 또는 설거지를 해야 한다.

06 Sara can drive a car, ____________ John can't.
Sara는 운전할 수 있지만 John은 할 수 없다.

07 Which color do you like, yellow ____________ red?
노란색과 빨간색 중 어느 색을 좋아하니?

08 Jeff is an actor, ____________ he is very popular.
Jeff는 배우이다. 그리고 그는 매우 인기가 있다.

09 Jeff is an actor, ____________ he is not famous.
Jeff는 배우이다. 그러나 유명하지는 않다.

10 Are you using cash ____________ card?
현금인가요, 카드인가요?

11 We didn't eat lunch, ____________ we are not hungry.
우리는 점심을 먹지 않았지만 배가 고프지 않다.

12 Amy was sick, ____________ she went to school.
Amy는 아팠지만 학교에 갔다.

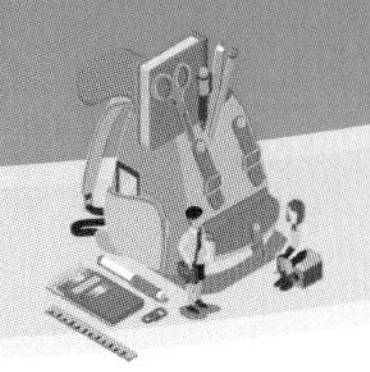

2 우리말과 일치하도록 빈칸에 알맞은 접속사를 쓰세요.

정답 및 해설 p.29

01 The car is old _____but_____ expensive.
그 차는 오래되었지만 비싸다.

02 Lucy sometimes makes cookies __________ doughnuts.
Lucy는 때때로 과자와 도넛을 만든다.

03 We can eat curry rice __________ noodles for lunch.
우리는 점심으로 카레라이스나 국수를 먹을 수 있다.

04 She knows my name, __________ she doesn't know my phone number. 그녀는 내 이름은 알지만 내 전화번호는 모른다.

05 Joe likes science __________ history.
Joe는 과학과 역사를 좋아한다.

06 I studied hard, __________ my test score was not good.
나는 공부를 열심히 했으나 점수가 좋지 않았다.

07 Which do you want, pizza __________ spaghetti?
피자와 스파게티 중 어느 것을 원하니?

08 I visited her, __________ she was not at home.
나는 그녀를 방문했지만 그녀는 집에 없었다.

09 David is very friendly, __________ he has a lot of friends.
David은 매우 다정하고 친구들이 많다.

10 I read a magazine __________ a newspaper in the morning.
나는 아침에 잡지 혹은 신문을 읽는다.

11 Alice likes dogs, __________ she doesn't have any dogs.
Alice는 개를 좋아하지만 개를 키우지는 않는다.

12 She is a famous singer in Korea, __________ we don't know her. 그녀는 한국에서 유명한 가수지만 우리는 그녀를 모른다.

- expensive 비싼
- doughnut 도넛
- phone number 전화번호
- science 과학
- score 점수
- hard 열심히
- friendly 다정한
- magazine 잡지
- newspaper 신문

Third Step 기본적인 접속사 문장 완성하기

다음 밑줄 친 부분을 바르게 고쳐 쓰세요.

정답 및 해설 p.29

01 He drives a car slowly but carefully. and

02 Jack is good at soccer and poor at baseball.

03 Is this flower a tulip but a rose?

04 She invited James and she didn't invite Paul.

05 We have pizza but bread for lunch.

06 Which do you like, beef and chicken?

07 Is it a chicken but a turkey?

08 Jessica is beautiful and lazy.

09 Jessica is beautiful but kind.

10 Do you want them and not?

11 Is your dog a male but a female?

12 Amy or James work together.

Words

- carefully 조심스럽게
- tulip 튤립
- turkey 칠면조
- kind 친절한
- male 남성, 수컷
- female 여성, 암컷
- together 함께

Writing Step

주어진 단어를 이용하여 문장을 완성하세요. (단어를 추가하거나 변형하세요.)

정답 및 해설 p.29

01 당신은 행복합니까 아니면 당신은 슬픕니까? (happy, you, are, sad)

→ Are you ___happy or are you sad___?

02 그와 나는 오랜 친구다. (He, I, be)

→ ______________________ old friends.

03 나는 어제 점심으로 빵과 우유를 먹었다. (eat, I, bread, milk)

→ ______________________ for lunch yesterday.

04 우리는 해변에 버스 또는 기차로 갈수 있다. (go, by bus, train, to the beach)

→ We can ______________________.

05 Brain은 사과는 좋아하지만 바나나는 싫어한다. (apples, he, doesn't, bananas)

→ Brain likes ______________________.

06 그들은 시장에서 과일과 야채를 팔고 있다. (sell, fruits, vegetables)

→ They are ______________________ at the market.

07 이 가방은 네 것이니 아니면 너의 엄마 것이니? (this bag, your mother's, yours)

→ Is ______________________?

08 나는 키는 크지만 나의 손은 작다. (my hands, be, small)

→ I am tall ______________________.

09 너의 친구는 일본사람이니 아니면 중국사람이니? (Japanese, Chinese)

→ Is your friend ______________________?

10 나는 과일은 싫어 하지만 Sally는 과일을 좋아한다. (Sally, them, likes)

→ I don't like fruits ______________________.

11 그 집은 네 개의 방과 두 개의 화장실이 있다. (two bathrooms, has, four rooms)

→ The house ______________________.

12 미안하지만 나는 너를 도와줄 수 없다. (I, help, can't, you)

→ I'm sorry ______________________.

- bread 빵
- by bus 버스로
- bag 가방
- small 작은
- one 그것(대명사로 앞에 나온 명사를 대신)
- bathroom 화장실
- help 도와주다

UNIT 02 before, after, so, because

접속사 before, after, so, because는 문장(주어+동사 ~)과 문장(주어+동사 ~)을 연결하는 역할을 합니다.

1 before: '~하기 전에'라는 뜻의 시간을 나타내는 접속사입니다.

문장+before+문장	I turn off the lamp before **I go to bed**. 나는 잠자기 전에 등을 끈다. She takes a shower before **she has breakfast**. 그녀는 아침을 먹기 전에 샤워를 한다.

2 after: '~ 한 후에'라는 뜻의 시간을 나타내는 접속사입니다.

문장+after+문장	She turns off the computer after **she uses it**. 그녀는 컴퓨터 사용 후 컴퓨터를 끈다. I watch TV after **I finish my homework**. 나는 숙제를 마친 후 TV를 본다.

plus 1

before와 after는 전치사로도 쓰이며 이때에는 문장이 아닌 명사(구)가 뒤에 옵니다.
We'll leave **after** lunch. 우리는 점심식사 후에 떠날 것이다.
I wash my hands **before** lunch. 나는 점심 먹기 전에 손을 씻는다.

3 because: '~때문에'라는 뜻으로 원인이나, 이유를 나타냅니다.

문장+because+문장	He was late for school because **he got up late**. 그는 늦게 일어나서 학교에 지각했다. I like him because **he is handsome**. 그가 잘생겨서 나는 그를 좋아한다.

plus 2

접속사 before, after, because가 있는 문장은 앞으로 이동하여 「접속사+문장+문장」으로 쓸 수 있습니다. 이때 「접속사+문장」 다음에 콤마(,)를 붙입니다.
Because he is handsome, I like him. 그가 잘생겼기 때문에 나는 그를 좋아한다.
After I finish my homework, I watch TV. 나는 숙제를 끝낸 후에 TV를 본다.

4 so: '그래서', '~해서'라는 뜻으로 원인과 결과에 해당하는 문장을 연결합니다. so 앞에는 원인이 뒤에는 결과가 옵니다.

문장+so+문장	It is winter, so **the weather is cold**. 겨울이다. 그래서 날씨가 춥다. I broke the window, so **my mom was angry**. 내가 창문을 깨서 엄마가 화가 나셨다.

Warm up

● 다음 괄호 안에서 알맞은 말을 고르세요.

정답 및 해설 p.30

01 Jane ran to school (because / so) she got up late.
Jane은 학교에 달려갔다. 왜냐하면 그녀는 늦게 일어났다.

02 She missed the school bus, (because / so) she was late for school. 그녀는 학교버스를 놓쳐서 학교에 지각했다.

03 Jessica is very kind, (because / so) she has many friends.
Jessica는 매우 친절해서 그녀는 친구들이 많다.

04 Jack takes a shower (before / after) he goes to bed.
Jack은 잠자기 전에 샤워를 한다.

05 What do you usually do (before / after) dinner?
너는 보통 저녁식사를 한 후에는 무엇을 하니?

06 I went to the dentist (because / so) I had a toothache.
나는 치과에 갔다. 왜냐하면 치통이 있었다.

07 I had a toothache, (because / so) I went to the dentist.
나는 치통이 있어서 치과에 갔다.

08 Jessie was sad (because / so) her test score was not good.
Jessie는 슬펐다. 왜냐하면 그녀의 시험성적이 좋지 않았다.

09 They clean the room (before / after) they go out.
그들은 나가기 전에 방을 청소한다.

10 Jane and Tom have dinner (before / after) they go to the movies. Jane과 Tom은 영화를 보기 전에 저녁을 먹는다.

11 I am hungry now (because / so) I didn't eat lunch.
나는 지금 배가 고프다. 왜냐하면 나는 점심을 안 먹었다.

12 I didn't eat lunch, (because / so) I am hungry now.
나는 점심을 먹지 않아서 지금 배가 고프다.

- miss 놓치다
- take a shower 샤워하다
- usually 대체로, 보통
- dentist 치과
- toothache 치통
- score 점수
- go out 나가다
- hungry 배고픈

First Step 접속사 쓰임 확인하기

1 우리말과 일치하도록 빈칸에 알맞은 접속사를 쓰세요.

정답 및 해설 p.30

01 She studied English hard ___before___ she went to England.
그녀는 영국에 가기 전에 영어공부를 열심히 했다.

02 Jack always washes his hands __________ he eats.
Jack은 먹기 전에 항상 손을 씻는다.

03 He became a lawyer ________ he graduated from college.
그는 대학을 졸업한 후에 변호사가 되었다.

04 Alice had a cold, __________ she saw a doctor.
Alice는 감기에 걸렸다. 그래서 의사한테 갔다.

05 He lived in Korea __________ he moved to Hongkong.
그는 홍콩에 오기 전에 한국에 살았다.

06 __________ Jake met her, he had dinner.
Jake가 그녀를 만나기 전에 저녁을 먹었다.

07 She always writes a diary __________ she goes to bed.
그녀는 잠자기 전에 항상 일기를 쓴다.

08 She is a famous singer, __________ we know her.
그녀는 유명한 가수이다. 그래서 우리는 그녀를 안다.

09 She is at home __________ it is too cold today.
그녀는 집에 있다. 왜냐하면 오늘 날씨가 너무 춥다.

10 I am poor, __________ I can't buy the car.
나는 가난하다. 그래서 그 자동차를 살 수 없다.

11 He is tired now __________ he stayed up last night.
그는 지금 피곤하다. 왜냐하면 그는 어제 늦게 잠을 잤다.

12 It rained __________ Angie came home.
Angie가 집에 도착한 후에 비가 내렸다.

Words

- lawyer 변호사
- graduate 졸업하다
- college 대학
- see 보다(과거형 saw)
- move 옮기다
- diary 일기
- stay up (평상시보다 더 늦게까지) 안 자다

2 우리말과 일치하도록 빈칸에 알맞은 말을 접속사를 쓰세요.

정답 및 해설 p.30

01 Jake drinks a cup of coffee ___after___ breakfast.
Jake는 아침식사를 한 후에 커피를 한 잔 마신다.

02 Jack hugs his mom __________ he goes to school.
Jack은 학교에 가기 전에 엄마와 포옹한다.

03 He has to come back __________ we have dinner.
그는 우리가 저녁식사를 하기 전에 돌아와야 한다.

04 I can lend the book __________ I read it.
나는 그 책을 읽은 후에 그 책을 빌려 줄 수 있다.

05 She needs an umbrella __________ it's raining.
그녀는 우산이 필요하다. 왜냐하면 비가 오고 있다.

06 You have to fasten your seatbelt ________ the car starts.
여러분은 자동차가 출발하기 전에 안전벨트를 매야 한다.

07 __________ John finishes his homework, he plays computer games. John은 숙제를 마친 후 컴퓨터게임을 한다.

08 She arrived at the party __________ we left.
그녀는 우리가 떠난 후에 파티에 도착했다.

09 She can speak English well ________ she is from Canada.
그녀는 영어를 잘 할 수 있다. 왜냐하면 그녀는 캐나다에서 왔다.

10 The computer is very expensive, ________ I can't buy it.
그 컴퓨터가 너무 비싸다. 그래서 나는 그것을 살 수 없다.

11 The museum is closed __________ today is Monday.
그 미술관은 닫혀 있다. 왜냐하면 오늘이 월요일이다.

12 She got up early, __________ she is sleepy now.
그녀는 일찍 일어나서 지금 졸리다.

Words

- hug 포옹하다
- come back 돌아오다
- lend 빌려주다
- fasten 매다, 고정시키다
- seatbelt 안전벨트
- finish 끝내다
- leave 떠나다(과거형 left)
- closed 문을 닫은

Second Step

접속사 이용해 문장 만들기

1 다음 괄호 안의 말을 이용하여 두 문장을 한 문장으로 쓰세요.

정답 및 해설 p.30

01 I didn't wash the dishes. + I was tired. (because)
→ I didn't wash the dishes because I was tired.

02 I had a headache. + I took some medicine. (so)
→ ______________________

03 She came back to the hotel. + She met her friend. (after)
→ ______________________

04 I ate dinner. (before) + I watched a movie with Jane.
→ ______________________

05 He took off his coat. + He entered the room. (after)
→ ______________________

06 I'm very happy. + Summer is my favorite season. (because)
→ ______________________

07 I couldn't sleep last night. + I am sleepy now. (so)
→ ______________________

08 Wilson doesn't like this game. + It's boring. (because)
→ ______________________

09 My brother doesn't like this food. + It's too spicy. (because)
→ ______________________

10 Mike brushes his teeth. (after) + He goes to bed.
→ ______________________

11 They were hungry. + They ordered pizza. (so)
→ ______________________

12 She opens the window. + She cleans the house. (before)
→ ______________________

- tired 피곤한
- headache 두통
- take 섭취하다
- come back 돌아오다
- take off ~을 벗다
- enter 들어가다
- season 계절
- sleepy 졸린
- boring 지루한
- spicy 매운
- brush 닦다
- open 열다

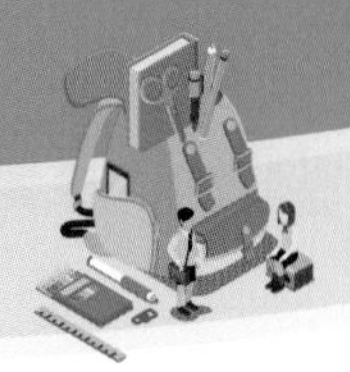

2 다음 괄호 안의 말을 이용하여 두 문장을 한 문장으로 쓰세요.

정답 및 해설 p.30

01 My mom takes a nap. + She makes dinner. (before)

→ My mom takes a nap before she makes dinner.

02 She has a fever. + She can't play the violin. (so)

→ ____________________

03 She felt tired. + She finished her homework. (after)

→ ____________________

04 We arrived at the station. (before) + The train left.

→ ____________________

05 He was watching TV. + He answered the phone. (before)

→ ____________________

06 They are very happy. + They won the championship. (because)

→ ____________________

07 He has no friend. + He feels lonely. (so)

→ ____________________

08 Alice sold her computer. + She needed money. (because)

→ ____________________

09 She opened the box. (after) + She began to laugh.

→ ____________________

10 Joe worked at the hospital. + He came here. (before)

→ ____________________

11 Susie left a message. + She left. (before)

→ ____________________

12 Mike is so busy now. + He can't play baseball. (so)

→ ____________________

- nap 낮잠
- fever 열
- station 역
- answer 대답하다
- win 이기다, 차지하다 (과거형 won)
- championship 우승
- lonely 외로운
- sell 팔다(과거형 sold)
- laugh 웃다
- hospital 병원
- become ~이 되다
- message 메시지

Third Step 접속사 문장 완성하기

다음 빈칸에 so 나 because를 쓰세요.

정답 및 해설 p.31

01 I don't like math because it's difficult.
Math is difficult, ____________ I don't like it.

02 Today is his birthday, ____________ he invited his friends.
He invited his friends ____________ today is his birthday.

03 Jenny hurt ____________ she fell off her bike.
Jenny fell off her bike, ____________ she hurt.

04 We like Jane ____________ she is honest.
Jane is honest, ____________ we like her.

05 The movie is very funny, ____________ I like it.
I like the movie ____________ it is so funny.

06 She can't drive a car now ____________ she is sleepy.
She is sleepy, ____________ she can't drive a car now.

07 I can't buy the house ________ I don't have enough money.
I don't have enough money, ________ I can't buy the house.

08 William needs a raincoat ____________ it's raining.
It's raining, ____________ William needs a raincoat.

09 His mouth is full, ____________ he can't talk.
He can't talk ____________ his mouth is full.

10 He was late ____________ the traffic was heavy.
The traffic was heavy, ____________ he was late.

11 We didn't play baseball ____________ it rained.
It rained, ____________ we didn't play baseball.

12 Jessica missed the train ____________ she got up late.
Jessica got up late, ____________ she missed the train.

- difficult 어려운
- invite 초대하다
- fall 떨어지다
- hurt 다치다
- enough 충분한
- raincoat 우비
- mouth 입
- full 가득 찬
- traffic 교통
- heavy 많은[심한], 무거운
- miss 놓치다, 그리워하다

Writing Step

주어진 단어를 이용하여 문장을 완성하세요. (단어를 추가하거나 변형하세요.)

정답 및 해설 p.31

- graduate 졸업하다
- take a rest 휴식하다
- turn off ~을 끄다
- by bus 버스로
- practice 연습하다
- spring 봄
- can ~할 수 있다
- hot 더운
- take a walk 산책하다

01 우리는 Jim이 매우 친절하기 때문에 그를 좋아한다. (he, be, very kind)

→ We likes Jim because he is very kind.

02 그녀는 너무 피곤해서 일찍 잤다. (she, early, went to bed)

She was very tired, ______________________.

03 David는 고등학교 졸업 후 은행에서 일했다. (graduated, he, from, high school)

David worked at a bank ______________________.

04 그는 벽에 페인트를 칠한 후 휴식을 취했다. (he, the, wall, painted)

He took a rest ______________________.

05 그녀는 한국에 오기 전에 도쿄에 살았다. (came, she, to Korea)

She lived in Tokyo ______________________.

06 너는 나가기 전에 불을 꺼야 한다. (turn off, the lights)

You have to ______________________ you go out.

07 학교가 집에서 멀어서 나는 버스 타고 학교에 간다. (go to school, I, by bus)

My school is far from my house, ______________________.

08 나는 잠이 들었다. 왜냐하면 영화가 지루했다. (boring, the movie, was)

I fell asleep ______________________.

09 Amy는 피아노 연습을 한 후 주스 한 잔을 마신다. (she, the piano, practices)

Amy drinks a glass of juice ______________________.

10 나는 봄을 좋아한다. 왜냐하면 많은 꽃들을 볼 수 있다. (I, can, many flowers. see)

I like spring ______________________.

11 어제 날씨가 더워서 우리는 해변에 갔다. (we, went, the beach, to)

It was hot yesterday, ______________________.

12 아버지는 출근하기 전에 산책을 하신다. (he, go, to work)

My father takes a walk ______________________.

Final Step 접속사 문장 최종 점검하기

1 다음 빈칸에 알맞은 말을 보기에서 골라 쓰세요. (중복 사용 가능)

정답 및 해설 p.31

and	or	but	so	because

01 They have a watermelon ___and___ some oranges.
그들은 수박 한 개와 오렌지가 좀 있다.

02 Jack is very tall ________ he is not good at basketball.
Jack은 키가 크지만 농구를 잘하지 못한다.

03 Which do you want, coffee ________ tea?
커피랑 홍차, 둘 중에 어느 것을 원해?

04 She is famous in China, ________ not in Korea.
그녀는 중국에서 유명하지만 한국에서는 유명하지 않다.

05 David is very handsome, ________ many girls like him.
David는 매우 잘생겨서 많은 소녀들이 그를 좋아한다.

06 Jeff didn't eat breakfast, ________ he is not hungry.
Jeff는 아침을 먹지 않았지만 배가 고프지 않다.

07 He can speak English, ________ he can't speak Japanese.
그는 영어는 할 수 있지만 일본어는 하지 못한다.

08 Is the fruit an orange ________ a mango?
그 과일이 오렌지니 아니면 망고니?

09 I borrowed some money ________ I didn't have any money. 나는 돈을 좀 빌렸다. 왜냐하면 나는 돈이 전혀 없었다.

10 It was very cold ________ windy yesterday.
어제 매우 춥고 바람이 불었다.

11 She was very nervous, ________ she didn't answer the question. 그녀는 너무 긴장해서 질문에 답을 하지 못했다.

12 My mom is a teacher, ________ my father is an engineer.
엄마는 선생님이시고 아버지는 기술자이시다.

Words

- watermelon 수박
- be good at ~을 잘하다
- famous 유명한
- handsome 잘생긴
- mango 망고
- borrow 빌리다
- nervous 불안해[초조해] 하는
- engineer 기술자

2 다음 영어를 우리말로 쓰세요.

정답 및 해설 p.31

01 Are these people nurses or doctors?

→ 이 사람들은 간호사들이니 의사들이니?

02 They bought fruits and vegetables.

→

03 Alice has a dog, but she doesn't have a cat.

→

04 He reads a newspaper before he has breakfast.

→

05 He was washing the dishes before I visited him.

→

06 He doesn't have money because he lost his wallet.

→

07 I don't like winter because it is cold in winter.

→

08 It is winter, so the weather is cold.

→

09 Amy is not tall, but she is good at basketball.

→

10 Is that the sun or the moon?

→

11 Jake didn't study hard, so he didn't pass the test.

→

12 She is smart, but her sister isn't.

→

- nurse 간호사
- buy 사다 (과거형 bought)
- newspaper 신문
- visit 방문하다
- lose 잃어버리다 (과거형 lost)
- wallet 지갑
- weather 날씨
- pass 통과하다

Exercise

15-16 Excellent 12-14 Good 9-11 Not bad 8 이하 Try Again

[1-4] 다음 중 빈칸에 알맞은 말을 고르세요.

1

Lisa is smart __________ lazy.

① and ② but ③ or
④ before ⑤ so

2

Is this car yours ____________ your father's?

① and ② but ③ or
④ before ⑤ so

3

She was late for school ____________ she got up late.

① before ② after ③ so
④ because ⑤ and

4

My mom can't drive a car, ____________ she goes to work by subway.

① before ② after ③ so
④ because ⑤ and

Note

1 and 그리고
but 그러나
or 또는
before ~전에
so 그래서

3 이유를 연결하는 접속사를 생각해보세요.

4 subway 지하철

[5-6] 다음 중 빈칸에 공통으로 들어갈 말을 고르세요.

5

- The horse is strong __________ fast.
- I like tennis __________ baseball.

① before ② after ③ so
④ because ⑤ and

6

- She takes a shower __________ she goes to bed.
- Close the windows __________ you go out.

① before ② after ③ so
④ because ⑤ and

7 다음 중 빈칸에 들어갈 말이 다른 것을 고르세요.

① Which do you want, a pen _______ a pencil?
② Cathy is kind _______ pretty.
③ He has a dog _______ two cats.
④ She _______ Jeff work together.
⑤ He can play the violin _______ the guitar.

8 다음 중 밑줄 친 곳이 잘못된 것을 고르세요.

① She is hungry because she didn't eat lunch.
② Sam was sick, but he didn't practice soccer.
③ He was sleepy, so he took a nap.
④ It was very cold, but I played baseball.
⑤ Andrew is tall and handsome.

Note

5 strong 강한

6 before ~전에
after ~후에
go out 나가다

7 접속사 or와 and의 쓰임을 생각해보세요.

8 practice 연습하다
sleepy 졸린
nap 낮잠

Exercise

[9-10] 다음 중 빈칸에 들어갈 말로 바르게 짝지어진 것을 고르세요.

9

- She told me a lie, __________ I was upset.
- Mike likes Jenny __________ she is very pretty.

① because - so ② because - because
③ so - because ④ so - or
⑤ or - so

10

- He is poor, __________ he is happy.
- Please turn off the lights __________ you go to bed.

① and - so ② because - because
③ but - because ④ so - but
⑤ but - before

[11-12] 다음 중 우리말을 영어로 바르게 쓴 것을 고르세요.

11

Ted는 축구는 잘하지만 농구는 못한다.

① Ted is good at soccer so poor at basketball.
② Ted is good at soccer and poor at basketball.
③ Ted is good at soccer or poor at basketball.
④ Ted is good at soccer but poor at basketball.
⑤ Ted is good at soccer before poor at basketball.

12

그 여성은 의사니 간호사니?

① Is the woman a doctor and a nurse?
② Is the woman a doctor or a nurse?
③ Is the woman a doctor but a nurse?
④ Is the woman a doctor so a nurse?
⑤ Is the woman a doctor before a nurse?

Note

9 tell a lie 거짓말을 하다
upset 화가 난

10 turn off ~을 끄다

[13-15] 다음 빈칸에 들어갈 알맞은 말을 쓰세요.

13

It rained heavily, ____________ I stayed at the hotel.
비가 너무 와서 나는 호텔에 있었다.

→ ____________________

14

The traffic was heavy ____________ it snowed a lot.
교통체증이 심했다. 왜냐하면 눈이 많이 내렸다.

→ ____________________

15

Please knock on the door ____________ you enter.
들어오기 전에 문을 두드려 주세요.

→ ____________________

16 주어진 단어를 이용하여 문장을 완성하세요.

그녀는 설거지를 한 후 컴퓨터게임을 했다.
(she, the dishes, washed)

→ She played computer games ____________________.

Note

13 접속사 so와 because의 쓰임을 생각해보세요.

14 traffic 교통
heavy 많은[심한], 무거운

15 knock 노크하다
enter 들어가다

Review Test Chapter 1-8

1 주어진 단어를 이용하여 과거시제로 바꿔 쓰세요. Chapter 1

01 Susie is at home. (last night)
→ Susie was at home last night.

02 There are many people in the restaurant. (yesterday)
→ ______________________

03 Tom and I are good at English. (last year)
→ ______________________

04 My uncle is a soldier. (at that time)
→ ______________________

05 Amy is a flight attendant. (two months ago)
→ ______________________

06 There is a school next to the park. (three years ago)
→ ______________________

2 다음 우리말과 뜻이 같도록 빈칸에 알맞은 말을 쓰세요. (과거형으로 쓰세요.) Chapter 2

01 Jeff ___bought___ a used car last month. (buy)
Jeff는 지난달 중고차를 샀다.

02 Jenny __________ a shower this morning. (take)
Jenny는 오늘 아침에 샤워를 했다.

03 Jack __________ pizza for lunch yesterday. (eat)
Jack은 어제 점심으로 피자를 먹었다.

04 They __________ London last week. (visit)
그들은 지난주 런던을 방문했다.

05 Ted __________ in Korea last night. (arrive)
Ted는 어젯밤 한국에 도착했다.

06 We __________ to the radio yesterday. (listen)
우리는 어제 라디오를 들었다.

Words

- be good at ~을 잘하다
- soldier 군인
- flight attendant 비행기 승무원
- used car 중고차
- take a shower 샤워하다
- radio 라디오

3 다음 우리말과 뜻이 같도록 빈칸에 알맞은 말을 쓰세요. Chapter 3

01 ____It____ is about 5 kilometers.
약 5km이다.

02 It's eight __________ nine.
9시 8분이다.

03 What's the __________ like?
날씨 어때?

04 It is very __________ today.
오늘은 매우 덥다.

05 __________ rains a lot in summer.
여름에는 비가 많이 내린다.

06 It is ten __________ five.
5시 10분 전이다.

4 다음 영어를 우리말로 쓰세요. Chapter 4

01 John can't run fast.
→ John은 빨리 달릴 수 없다.

02 They are not able to help us.
→ __________

03 May I borrow your eraser?
→ __________

04 You may not use my bed.
→ __________

05 I can't find my glasses.
→ __________

06 Can you read it again?
→ __________

Words

- about 약, 대략
- summer 여름
- fast 빠르게
- be able to 할 수 있다
- borrow 빌리다
- eraser 지우개
- use 사용하다
- bed 침대

Review Test

5 다음 보기의 단어를 이용하여 빈칸에 알맞은 말을 쓰세요. (중복 사용 가능) Chapter 5

must[not] don't[doesn't] have to had better [not] had to

01 You ______must______ not tell a lie.
너는 거짓말해서는 안 된다.

02 It ____________________ be in the box.
그것은 틀림없이 상자 안에 있을 것이다.

03 You ____________________ cook today.
너는 오늘 요리하지 않아도 된다.

04 We ____________________ drink milk every day.
우리는 매일 우유를 마셔야 한다.

05 You ____________________ go there.
너는 그곳에 가지 않는 편이 낫겠다.

06 Jessica ____________________ practice the piano.
Jessica는 피아노 연습을 할 필요가 없다.

07 You ____________________ see a doctor at once.
너는 곧 병원에 가 보는 게 좋겠다.

08 You ____________________ go to bed now.
너는 지금 자는 게 좋겠다.

09 He ____________________ finish this work before noon.
그는 이 일을 12시[정오] 전까지 끝내야 한다.

10 She ____________________ lose weight last year.
그녀는 작년에 체중을 줄여야만 했다.

11 You ____________________ touch the red button.
빨간색 버튼을 만져서는 안 된다.

12 You ____________________ worry about your future.
너는 너의 미래에 대해 걱정할 필요가 없다.

Words
· lie 거짓말 · cook 요리하다 · every day 매일 · practice 연습하다 · at once 즉시 · noon 정오
· weight 체중 · worry about ~을 걱정하다

6 다음 영어를 우리말로 쓰세요. Chapter 6

01 What are you looking for?

→ 너는 무엇을 찾고 있니?

02 What kind of food do you like?

→ ______

03 Who is your favorite actor?

→ ______

04 Who is singing in the classroom?

→ ______

05 What time does he get up?

→ ______

06 Whose car is that?

→ ______

07 Which subway goes to the zoo?

→ ______

08 What is your mother doing now?

→ ______

09 What animal does he like?

→ ______

10 Which man is your uncle?

→ ______

11 Who is she?

→ ______

12 What does he do in the afternoon?

→ ______

Words · kind 종류 · favorite 좋아하는 · actor 배우 · get up 일어나다 · subway 지하철 · zoo 동물원

Review Test

7 다음 대화의 빈칸에 알맞은 말을 쓰세요. Chapter 7

01 A: ___When___ does the concert begin?

B: It begins at 11:00.

02 A: ________ ________ money do you need?

B: Five dollars.

03 A: ________ is your office?

B: It's on the fifth floor.

04 A: ________ ________ does he eat spaghetti?

B: Twice a month.

05 A: ________ does he take the medicine?

B: Because he has a cold.

06 A: ________ ________ is your hair?

B: It is about 1 meter long.

07 A: ________ is your interview?

B: Tomorrow.

08 A: ________ ________ pants does he have?

B: He has two pants.

09 A: ________ ________ oil is there in the bottle?

B: A little.

10 A: ________ ________ is the book?

B: It's ten dollars.

11 A: ________ is the next English class?

B: Next Monday.

12 A: ________ ________ is your uncle?

B: He is 180 centimeters tall.

Words
- concert 콘서트, 연주회 · office 사무실 · floor 바닥, 층 · medicine 약 · interview 인터뷰
- pants 바지 · oil 기름 · class 수업

8 다음 빈칸에 알맞은 말을 보기에서 골라 쓰세요. (중복 사용 가능) Chapter 8

and　　or　　but　　so　　because

01 He has a wife ___and___ two sons.
그는 아내와 두 아들이 있다.

02 Jack is smart ____________ he is not good at English.
Jack은 영리하지만 영어는 못한다.

03 Which do you want, rice ____________ bread?
너는 밥과 빵 중에 어느 것을 원하니?

04 The singer is famous in China ____________ Hongkong.
그 가수는 중국과 홍콩에서 유명하다.

05 My teacher is very kind, ____________ I like him.
나의 선생님은 매우 친절하셔서 나는 그를 좋아한다.

06 Jeff ate breakfast, ____________ we didn't.
Jeff는 아침을 먹었지만 우리는 먹지 않았다.

07 He can speak English ____________ he is American.
그는 영어를 할 수 있다. 왜냐하면 그는 미국사람이다.

08 Is that man your uncle ____________ your father?
저 남자가 너의 삼촌이니 너의 아버지이시니?

09 The store sells shoes ____________ clothes.
그 상점은 신발과 옷을 판매한다.

10 It was very cold yesterday, ____________ I wore gloves.
어제 매우 추워서 나는 장갑을 꼈다.

11 She is too young, ____________ she can't go to school.
그녀는 너무 어려서 학교에 갈 수 없다.

12 Jack is brave, ____________ his brother isn't.
Jack은 용감하지만 그의 남동생은 용감하지 않다.

Words
- wife 아내
- rice 밥, 쌀
- American 미국사람
- sell 팔다
- wear 입다(과거형 wore)
- young 젊은, 어린
- brave 용감한

Achievement Test Chapter 5-8

[1-5] 다음 중 빈칸에 들어갈 알맞은 말을 고르세요.

1

You __________ lose weight.
너는 체중을 감소해야 한다.

① must ② must be
③ must not ④ be able to
⑤ had better

2

You __________ not drink coffee.
너는 커피를 마시지 않는 것이 좋겠다.

① must ② have to
③ must not ④ don't have to
⑤ had better

3

How much _________ does he need?

① chair ② pencil
③ sugar ④ shirt
⑤ spoon

4

How many ________ are there in the room?

① pepper ② people
③ bread ④ cheese
⑤ coffee

5

________ season do you like, summer or winter?

① Who ② Whom ③ What
④ Which ⑤ Whose

[6-8] 다음 중 빈칸에 공통으로 들어갈 말을 고르세요.

6

• You _________ wear a helmet.
헬멧을 착용해야 한다.
• You _________ not eat fast food.
패스트푸드를 먹으면 안 된다.

① must ② have to
③ must not ④ can
⑤ had better

7

• ________ does he go to school?
• ________ often do you eat pizza?
• ________ much money do you have now?

① Where ② When ③ Why
④ How ⑤ What

8

• James is studying math ________ history.
• He needs some cheese _______ flour.

① before ② after ③ so
④ because ⑤ and

9 다음 중 질문에 대한 대답으로 알맞은 것을 고르세요.

What does he have for lunch?

① Yes, he does.
② No, he doesn't.
③ He is very hungry.
④ He likes pizza.
⑤ He has some bread.

10 다음 중 밑줄과 바꿔 쓸 수 있는 것을 고르세요.

He must take a rest.

① must not ② has to
③ must be ④ don't have to
⑤ had better

11 다음 중 우리말을 영어로 바르게 쓴 것을 고르세요.

너는 육류를 섭취하지 않는 것이 좋겠다.

① You can't eat meat.
② You must not eat meat.
③ You had better eat meat.
④ You don't have to eat meat.
⑤ You'd better not eat meat.

12 다음 중 빈칸에 알맞지 않은 것을 고르세요.

How many _________ do you want?

① forks ② books ③ bottles
④ pens ⑤ milk

[13-14] 다음 중 대화가 어색한 것을 고르세요.

13 ① A: How much is this cake?
B: It's ten dollars.
② A: Where is his book?
B: I don't know.
③ A: Where is the school?
B: It is next to the museum.
④ A: Why did you get up late?
B: Because I don't have to go to school today.
⑤ A: How do I get to the library?
B: You can borrow books.

14 ① A: Who is she?
B: She is my sister, Sara.
② A: Whose car is this?
B: It's Mike's.
③ A: Which do you prefer, meat or fish?
B: Fish, please.
④ A: What time does she go to bed?
B: At ten.
⑤ A: Whose jacket is this?
B: The jacket is not big for me.

15 다음 중 빈칸에 들어갈 말이 다른 것을 고르세요.

① _________ is he?
② _________ can answer my question?
③ _________ is your favorite singer?
④ _________ is your English test?
⑤ _________ is your uncle?

[16-18] 다음 중 대답의 질문으로 알맞은 것을 고르세요.

16

7 hours.

① When do you go to bed?
② How many times do you sleep?
③ How often do you go to bed?
④ When do you go to bed every day?
⑤ How many hours do you sleep a day?

17

Once a week.

① How far is the school from your house?
② How often do you visit the museum?
③ How long is the new bridge?
④ What do you have for dinner?
⑤ When is your birthday?

18

I like soccer.

① Who do you like?
② What subject do you like?
③ What fruit do you like?
④ What sport do you like?
⑤ What do you want?

[19-20] 다음 중 빈칸에 들어갈 알맞은 말을 고르세요.

19

Kevin didn't do the homework _______ he was sick.
Kevin은 숙제를 못했다. 왜냐하면 아팠다.

① and ② or ③ but
④ so ⑤ because

20

She is an English teacher, _________ she can speak English well.
그녀는 영어선생님이라 영어를 잘한다.

① and ② or ③ but
④ so ⑤ because

[21-22] 다음 중 대화의 빈칸에 알맞은 말을 고르세요.

21

A: __________ are you from?
B: I'm from Korea.

① Who ② What ③ Which
④ Where ⑤ When

22

A: __________ does she do?
B: She is a nurse.

① Who ② What ③ Which
④ Where ⑤ When

[23-24] 우리말을 영어로 바르게 쓴 것을 고르세요.

23

Joe는 열심히 공부했지만 시험성적이 좋지 않다.

① Joe studied hard, but the test score is not good.
② Joe studied hard or the test score is not good.
③ Joe studied hard and the test score is not good.
④ Joe studied hard, so the test score is not good.
⑤ Joe studied hard because the test score is not good.

24

나는 배가 아파서 점심을 먹지 않았다.

① I had a stomachache and I had lunch.
② I had a stomachache, so I didn't have lunch.
③ I had a stomachache but I didn't have lunch.
④ I had a stomachache or I didn't have lunch.
⑤ I had a stomachache because I didn't have lunch.

25 빈칸에 알맞은 의문사를 쓰시오.

(1) 너는 그녀를 얼마나 자주 만나니?
→ __________ often do you meet her?

(2) 저녁식사를 언제 하니?
→ __________ do you have dinner?

(3) 그는 왜 체육관에 갔니?
→ __________ did he go to the gym?

26 다음 대화의 빈칸에 알맞은 말을 쓰세요.

A: What __________ do you want?
B: I want a medium size.

→ __________

[27-28] 우리말과 의미가 같도록 빈칸에 알맞은 말을 쓰세요.

27

너는 해변에 가지 않는 게 좋겠다.

→ You __________ go to the beach.

28

내가 그 책들을 반납해야만 하니?

→ Do I __________ return the books?

29 다음 빈칸에 공통으로 들어갈 말을 쓰세요.

• She washes her hands ______ she eats lunch.
• Turn off the radio _____ you go out.

→ __________

30 다음 빈칸에 들어갈 알맞은 말을 쓰세요.

It snowed heavily, __________ the traffic was very heavy.

→ __________

27-30 Excellent **22-26** Good **16-21** Not bad **15 이하** Try Again

16 ① Can you cook well?
② May I uses your phone?
③ We can speak Japanese.
④ They may be scientists.
⑤ Sam can play the guitar very well.

17 다음 중 대화가 어색한 것을 고르세요.

① A: Who is she?
B: She's my teacher.
② A: What date is it today?
B: It's December 5th.
③ A: How often do you play the guitar?
B: It's ten twenty.
④ A: Did you have dinner?
B: Yes, I did.
⑤ A: Were you watching TV then?
B: Yes, I was.

18 다음 중 밑줄 친 말과 의미가 같은 것을 고르세요.

Anthony is able to fix computers.

① can ② may ③ could
④ may be ⑤ does

5점

A: ________ many seasons are there in a year?
B: Four seasons.

→ ____________________

23 다음 문장을 과거진행형으로 바꿔 쓰세요.
5점

They washed the car yesterday.

→ ____________________

24 다음 빈칸에 알맞은 말을 쓰세요.
5점

A: ________ did you go last Saturday?
B: I went to the gym.

→ ____________________

25 주어진 단어를 이용하여 우리말을 영어로 쓰세요.
5점

너는 얼마나 자주 컴퓨터 게임을 하니?
(How, play, computer games)

→ ____________________

13 다음 중 빈칸에 들어갈 말이 바르게 짝지어진 것을 고르세요.

> • My father ________ a walk yesterday.
> • He ________ order pizza last night.

① takes - don't ② take - doesn't
③ took - didn't ④ took - don't
⑤ doesn't take - didn't

14 다음 중 보기의 문장을 의문문으로 바르게 바꾼 것을 고르세요.

> He bought the table yesterday.

① Do he bought the table yesterday?
② Does he buy the table yesterday?
③ Did he buys the table yesterday?
④ Did he buy the table yesterday?
⑤ Did he bought the table yesterday?

[15-16] 다음 중 잘못된 문장을 고르세요.

15 ① He teached science at school.
② She put the ball on the sofa.
③ Joe walked to school yesterday.
④ We didn't go to school last week.
⑤ Jake studied in the library yesterday.

19 다음 중 보기의 질문에 대한 대답으로 알맞은 것을 고르세요.

> Where did you find the book?

① Yes, I do.
② I found it under the table.
③ Because I like reading books.
④ No, I didn't find the book
⑤ Yes, we can find the book.

20 다음 중 두 문장의 뜻이 같도록 할 때 빈칸에 알맞은 말을 쓰세요.

> You must read the book.
> = You ________ read the book.

① must not ② have to
③ must be ④ don't have to
⑤ had better

21 **다음 문장을 의문문으로 바꿔 쓰세요.**
5점
(1) There was a bakery near the park.
→ ________________________________

(2) He had a sandwich this morning.
→ ________________________________

22 빈칸에 들어갈 알맞은 말을 쓰세요.

① They don't walked to school yesterday.
② They didn't walked to school yesterday.
③ They doesn't walked to school yesterday.
④ They didn't walk to school yesterday.
⑤ They don't walk to school yesterday.

17 다음 중 대화가 <u>어색한</u> 것을 고르세요.

① A: What did you do yesterday?
B: I went to the library.
② A: How long did you stay there?
B: For three days.
③ A: Did you hear the news?
B: No, I didn't.
④ A: How was the movie?
B: Yes, I like it.
⑤ A: What's your favorite subject?
B: English.

18 다음 중 보기의 질문에 대한 대답으로 알맞지 <u>않은</u> 것을 고르세요.

What did you do last Sunday?

① I did my homework.
② I buy shoes at the market.
③ I visited my grandparents.
④ We went to the shopping mall.
⑤ I played soccer with my friends.

22 5점

창문을 열면 안 된다.
You ________ not open the window.

→ ____________________

23 다음 빈칸에 들어갈 알맞은 접속사를 쓰세요. 5점

I like apples, _______ I don't like bananas.

→ ____________________

24 다음 빈칸에 공통으로 들어갈 단어를 쓰세요. 5점

- _________ is windy.
- _________ is seven o'clock.
- _________ is Wednesday.

→ ____________________

25 밑줄 친 부분을 바르게 고치세요. 5점

You <u>had not better</u> go to the party.

→ You ____________________ go to the party.

[13-14] 다음 중 잘못된 문장을 고르세요.

13 ① It may be true.
② Peter can speak French.
③ Can you plays the flute?
④ She is able to play the guitar.
⑤ Can I watch TV?

14 ① He went to the beach last summer.
② She put the ball in the box.
③ Amy made cookies yesterday.
④ We walked to school yesterday.
⑤ He buyed a nice leather jacket.

15 다음 중 보기의 문장을 의문문으로 바르게 바꾼 것을 고르세요.

> They went camping three days ago.

① Do they went camping three days ago?
② Do they go camping three days ago?
③ Did they go camping three days ago?
④ Does they went camping three days ago?
⑤ Did they went camping three days ago?

16 다음 중 보기의 문장을 부정문으로 바르게 바꾼 것을 고르세요.

> They walked to school yesterday.

① They don't walked to school yesterday.

19 다음 중 우리말을 영어로 바르게 쓴 것을 고르세요.

> 나는 바지를 갈아 입어야 한다.

① I can change my pants.
② I may change my pants.
③ I will change my pants.
④ I'm going to change my pants.
⑤ I have to change my pants.

20 다음 중 우리말과 의미가 같도록 빈칸에 알맞은 말을 고르세요.

> 그는 축구선수임에 틀림없다.
> He ________ a soccer player.

① may be ② must be
③ is going to be ④ will
⑤ can be

[21-22] 우리말과 의미가 같도록 빈칸에 알맞은 말을 쓰세요.

21 5점

> 너는 물을 많이 마시는 것이 좋겠다.
> You ________ ________ drink a lot of water.

→ ____________________

① have to ② has to ③ had better
④ must ⑤ had better not

18 다음 중 보기의 문장을 의문문으로 바르게 바꾼 것을 고르세요.

> They went fishing yesterday.

① Do they went fishing yesterday?
② Do they go fishing yesterday?
③ Did they go fishing yesterday?
④ Does they went fishing yesterday?
⑤ Did they went fishing yesterday?

19 다음 중 대화가 <u>어색한</u> 것을 고르세요.

① A: Where did you go yesterday?
B: I went to the shopping mall.
② A: How long did you study there?
B: For three hours.
③ A: What day is it today?
B: It is May tenth.
④ A: How was the movie?
B: It was boring.
⑤ A: How is the weather?
B: It's sunny.

23 5점

> 그는 문을 두드린 후 내 방에 들어왔다.
> He entered my room ________ he knocked on the door.

→ ____________________

24 다음 밑줄 친 부분을 바르게 고쳐 다시 쓰세요. 5점

> Judy <u>buied</u> chocolate for her friend yesterday.

→ ____________________

25 다음 영어를 우리말로 쓰세요. 5점

> Her story may not be true.

→ ____________________

14 다음 중 빈칸에 알맞은 않은 것을 고르세요.

We didn't go to school ________.

① now ② yesterday
③ then ④ this morning
⑤ last Saturday

[15-17] 다음 중 빈칸에 공통으로 들어갈 말을 고르세요.

15

• ________ often do you take a walk?
• ________ far is it from here to your school?

① How ② What ③ Where
④ Why ⑤ Who

16

• ________ is very cloudy today.
• ________ is not my notebook.

① This ② That ③ There
④ Those ⑤ It

17

• You ________ wear sunglasses.
• She ________ be a teacher.

20 다음 중 보기의 대답에 대한 질문으로 알맞은 것을 고르세요.

I like math.

① What did you like?
② What subject do you like?
③ What sport do you like?
④ What do you want?
⑤ What subject do you dislike?

21 다음 빈칸에 알맞은 접속사를 쓰세요.
5점

Jane was late for school ________ she got up late.

→ ____________________

[22-23] 우리말과 의미가 같도록 빈칸에 알맞은 말을 쓰세요.

22
5점

그들은 공항에 언제 도착했니?
________ did they arrive at the airport?

Grammar mentor joy 3

Longman

Grammar mentor joy 3

Vocabulary 미니북

be동사 과거

01	artist 예술가 [άːrtist]	Pablo Picasso was a great artist. 파블로 피카소는 위대한 예술가였다.
02	at that time 그때, 그 당시에	Sam was a student at that time. Sam은 그 당시 학생이었다.
03	bookstore 서점 [búkstɔ̀ːr]	Was your brother at the bookstore last Sunday? 네 동생은 지난 일요일 서점에 있었니?
04	dirty 더러운 [də́ːrti]	My room was dirty yesterday. 내 방은 어제 더러웠다.
05	excellent 뛰어난 [éksələnt]	The soccer players were excellent yesterday. 어제 그 축구선수들은 훌륭했다.
06	fat 뚱뚱한 [fæt]	My cat wasn't fat last year. 내 고양이는 작년에 뚱뚱하지 않았다.
07	festival 축제 [féstəvəl]	There are many tourists at the festival. 축제에 관광객들이 많다.
08	flight attendant 비행승무원	My mom was a flight attendant. 나의 엄마는 비행기 승무원이셨다.
09	freezer 냉장고 [fríːzər]	The fruits are in the freezer. 과일들이 냉장고에 있다.
10	fresh 신선한 [freʃ]	The vegetables were fresh yesterday. 그 야채들은 어제 신선했다.
11	healthy 건강한 [hélθi]	My grandparents were healthy five years ago. 내 조부모님들은 5년 전에는 건강하셨다.
12	hill 언덕 [hil]	There was a house on the hill last year. 작년에 언덕에 집이 있었다.
13	library 도서관 [láibrèri]	The library opens at 9 o'clock. 그 도서관은 9시에 문을 연다.
14	market 시장 [mάːrkit]	Did you buy any fruits at the market? 너는 시장에서 과일을 좀 샀니?
15	director 감독 [diréktər]	James was a famous movie director. James는 유명한 영화감독이었다.

16	pilot 조종사 [páilət]	He is a well-trained **pilot.** 그는 잘 훈련된 조종사다.
17	refrigerator 냉장고 [rifrídʒərèitər]	I have two bottles of juice in the **refrigerator.** 나는 냉장고에 주스 두 병이 있다.
18	remote control 리모컨	There was a **remote control** on the desk. 책상 위에 리모컨이 있었다.
19	score 점수 [skɔːr]	His math **score** wasn't good yesterday. 어제 그의 수학 점수는 좋지 않았다.
20	shopping mall 쇼핑몰	The **shopping mall** was crowded last weekend. 그 쇼핑몰은 지난 주말 붐볐다.
21	short 짧은, 키가 작은 [ʃɔːrt]	Susie is wearing **short** pants. Susie는 반바지를 입고 있다.
22	style 스타일 [stail]	This hair **style** was popular in 2014. 이 머리 스타일이 2014년에 인기 있었다.
23	terrible 형편없는 [térəbl]	The food was **terrible** yesterday. 어제 음식은 형편없었다.
24	theater 영화관 [θí(ː)ətər]	There was a **theater** near my house last year. 작년에 내 집 근처에 영화관이 있었다.
25	tourist 관광객 [tú(ː)ərist]	Many **tourists** travel to Korea every year. 매년 많은 관광객들이 한국에 여행 온다.
26	town 마을 [taun]	There was a big hotel in the **town** last summer. 작년 여름 마을에 큰 호텔이 있었다.
27	trip 여행 [trip]	Was it a nice **trip**? 그것은 즐거운 여행이었니?
28	weather 날씨 [wéðər]	The **weather** was fine last Sunday. 지난 일요일 날씨가 좋았다.
29	weekend 주말 [wíːkènd]	The museum was closed last **weekend.** 박물관이 지난 주말 문을 닫았다.
30	yesterday 어제 [jéstərdei]	It rained **yesterday.** 어제 비가 왔다.

1 다음 우리말 뜻에 해당하는 영어 단어를 쓰세요.

01 관광객

02 그때, 그 당시에

03 언덕

04 냉장고 (2개)

05 더러운

06 도서관

07 뚱뚱한

08 뛰어난

09 리모컨

10 마을

11 비행승무원

12 서점

13 쇼핑몰

14 스타일

15 시장

2 다음 영어 단어에 해당하는 우리말 뜻을 쓰세요.

01 fresh

02 yesterday

03 freezer

04 trip

05 director

06 theater

07 artist

08 pilot

09 weekend

10 short

3 다음 빈칸에 우리말과 일치하도록 알맞은 단어를 쓰세요.

01 There are many tourists at the ___________.
축제에 관광객들이 많았다.

02 The food was ___________ yesterday.
어제 음식은 형편없었다.

03 My grandparents were ___________ five years ago.
내 조부모님들은 5년 전에는 건강하셨다.

04 The _________________ was fine last Sunday.
지난 일요일 날씨가 좋았다.

05 His math _________________ wasn't good yesterday.
어제 그의 수학 점수는 좋지 않았다.

일반동사 과거

01	a lot 많은, 많이	It rains **a lot** during the rainy season in Korea. 한국에는 장마철에 비가 많이 온다.
02	all day long 하루 종일	Tom sang songs **all day long.** Tom은 하루 종일 노래를 불렀다.
03	break 깨뜨리다, 부수다 [breik]	Did he **break** the window? 그는 창문을 깨뜨렸니?
04	bridge 다리 [bridʒ]	We built a **bridge** last spring. 우리는 지난봄에 다리를 건축했다.
05	catch 잡다 [kætʃ]	Did they **catch** fish in the river last month? 그들은 지난달 강에서 고기를 잡았니?
06	enjoy 즐기다 [indʒɔ́i]	My sister **enjoys** the food at the party. 내 여동생은 파티에서 음식을 즐긴다.
07	factory 공장 [fǽktəri]	Did he work at a car **factory**? 그는 자동차 공장에서 일했니?
08	floor 층 [flɔːr]	He didn't sleep on the **floor** last night. 그는 지난밤에 바닥에서 자지 않았다.
09	furniture 가구 [fə́ːrnitʃər]	She sells **furniture** at the market. 그녀는 시장에서 가구를 판다.
10	history 역사 [hístəri]	She didn't teach **history** at school last year. 그녀는 작년에 학교에서 역사를 가르치지 않았다.
11	hospital 병원 [hάspitəl]	He had to stay in the **hospital** last month. 그는 지난달 병원에 입원해야 했다.
12	in front of ~앞에	There was a car **in front of** the house five minutes ago. 5분 전에 집 앞에 자동차가 있었다.
13	nap 낮잠 [næp]	He took a **nap** this afternoon. 그는 오늘 오후에 낮잠을 잤다.
14	order 주문하다 [ɔ́ːrdər]	They sometimes **order** pizza. 그들은 때때로 피자를 주문한다.
15	paint 칠하다 [peint]	My father **painted** the wall yesterday. 아버지가 어제 벽을 칠하셨다.

16	picture 그림 [píktʃər]	Jim was taking **pictures** at the zoo. Jim은 동물원에서 사진을 찍고 있었다.
17	pretty 꽤 [príti]	I felt **pretty** sad at that time. 나는 그 당시에 무척 슬펐다.
18	secret 비밀 [sí:krit]	William knew about our **secret** yesterday. William은 어제 우리의 비밀에 대해 알았다.
19	shelf 선반 [ʃelf]	He put these books on the **shelf** last month. 그는 지난달 선반 위에 이 책들을 놓았다.
20	soldier 군인 [sóuldʒər]	Did the **soldiers** stand in front of you? 그 군인들은 네 앞에 서 있었니?
21	strange 이상한 [streindʒ]	I heard a **strange** sound last night. 나는 지난밤에 이상한 소리를 들었다.
22	suddenly 갑자기 [sʌ́dnli]	Did the bus start **suddenly**? 그 버스는 갑자기 출발했니?
23	sunshine 햇빛, 햇살 [sʌ́nʃàin]	We enjoy the warm **sunshine** in spring. 우리는 봄에 따뜻한 햇살을 즐긴다.
24	swim 수영하다 [swim]	The woman **swam** in the river yesterday. 그 여자는 어제 강에서 수영했다.
25	take a picture 사진 찍다	I **take a picture** in the park. 나는 공원에서 사진을 찍는다.
26	twin 쌍둥이, 쌍둥이의 [twin]	The **twin** boys lived in Canada last month. 그 쌍둥이 소년들은 지난달 캐나다에서 살았다.
27	understand 이해하다 [ʌ̀ndərstǽnd]	They don't **understand** Korean culture. 그들은 한국문화를 이해하지 못한다.
28	uniform 유니폼, 교복 [jú:nəfɔ̀:rm]	The student has to wear a **uniform**. 그 학생은 유니폼을 입어야 한다.
29	voice 목소리 [vɔis]	I didn't hear his **voice** at that time. 나는 그때 그의 목소리를 듣지 못했다.
30	weather report 일기예보	Did you hear a **weather report** this morning? 너는 오늘 아침에 일기예보를 들었니?

Check Up

1 다음 우리말 뜻에 해당하는 영어 단어를 쓰세요.

01 ~앞에

02 가구

03 갑자기

04 공장

05 군인

06 그림

07 깨뜨리다, 부수다

08 꽤

09 낮잠

10 다리

11 많은, 많이

12 목소리

13 비밀

14 사진 찍다

15 수영하다

2 다음 영어 단어에 해당하는 우리말 뜻을 쓰세요.

01 twin

02 uniform

03 understand

04 weather report

05 catch

06 order

07 enjoy

08 floor

09 paint

10 all day long

3 다음 빈칸에 우리말과 일치하도록 알맞은 단어를 쓰세요.

01 We enjoy the warm ____________ in spring.
우리는 봄에 따뜻한 햇살을 즐긴다.

02 She didn't teach ____________ at school last year.
그녀는 작년에 학교에서 역사를 가르치지 않았다.

03 He put these books on the ____________ last month.
그는 지난달 선반 위에 이 책들을 놓았다.

04 I heard a ____________ sound last night.
나는 지난밤에 이상한 소리를 들었다.

05 He had to stay in the ____________ last month.
그는 지난달 병원에 입원해야 했다.

과거진행형과 비인칭주어 It

01	accident 사고 [ǽksidənt]	We talked about the car **accident**. 우리는 그 자동차 사고에 대해 얘기했다.
02	autumn 가을 [ɔ́:təm]	It is cool in **autumn**. 가을에는 시원하다.
03	bake 굽다 [beik]	My mom didn't **bake** cookies last night. 엄마는 어젯밤 쿠키를 굽지 않았다.
04	cool 시원한 [ku:l]	It's **cool** today. 오늘은 날씨가 시원하다.
05	cross 건너다 [krɔ(:)s]	You must not **cross** the street here. 너는 여기에서 길을 건너면 안 된다.
06	date 날짜 [deit]	What's the **date** today? 오늘 며칠이니?
07	deliver 배달하다 [dilívə*r*]	The man **delivered** the pizza yesterday. 그 남자는 어제 피자를 배달했다.
08	dream (장래의) 꿈 [dri:m]	My **dream** is to become a teacher. 내 꿈은 선생님이 되는 것이다.
09	enter 들어가다 [éntə*r*]	Her mom was **entering** the store. 그녀의 엄마는 가게에 들어가는 중이셨다.
10	expensive 비싼 [ikspénsiv]	The car is very **expensive**. 그 차는 매우 비싸다.
11	far 먼 [fɑ:*r*]	How **far** is it from here? 여기서 얼마나 머니?
12	garage 차고 [gərɑ́:dʒ]	The cat was running to the **garage**. 그 고양이가 차고로 달려가고 있었다.
13	hit 치다, 때리다 [hit]	Lee **hit** four home runs. Lee는 홈런 4개를 쳤다.
14	knock 두드리다 [nɑk]	Please, **knock** on the door before you enter. 들어오기 전에 문을 두드려 주세요.
15	past (…분) 지나서 [pæst]	It's eight **past** nine. 9시 8분이다.

16	problem 문제 [prάbləm]	We were solving math **problems**. 우리는 수학 문제를 풀고 있었다.
17	rainy 비가 오는 [réini]	It was **rainy** last night. 어젯밤 비가 왔다.
18	raise 올리다 [reiz]	The students are **raising** their hands. 학생들이 그들의 손을 올리고 있다.
19	rest 휴식 [rest]	Can I take a **rest** for five minutes? 5분 동안 휴식해도 되나요?
20	rise 오르다, 올라가다 [raiz]	Was the sun **rising** from the east? 태양이 동쪽에서 떠오르고 있었니?
21	snowman 눈사람 [snóumæ̀n]	Those boys made a **snowman**. 저 소년들은 눈사람을 만들었다.
22	speech 연설 [spiːtʃ]	The women were listening to his **speech**. 그 여성들은 그의 연설을 듣고 있는 중이었다.
23	spend (시간 등) 보내다 [spend]	He **spent** three days in Korea. 그는 한국에서 3일을 보냈다.
24	station 역 [stéiʃən]	The train was arriving at the **station**. 기차가 역에 도착하고 있었다.
25	store 가게 [stɔːr]	John was not able to find the **store**. John은 그 상점을 찾을 수 없었다.
26	then 그때 [ðen]	We were doing our homework **then**. 우리는 그때 숙제를 하고 있었다.
27	traffic sign 교통 표지판	Jack is looking at a **traffic sign**. Jack은 교통 표지판을 보고 있다.
28	travel 여행하다 [trǽvəl]	He was **traveling** with his parents then. 그는 그때 부모님과 여행을 하고 있었다.
29	wash 닦다 [wɑʃ]	James **washed** his car last Friday James는 지난 금요일 세차했다.
30	yell 소리치다 [jel]	Sam was **yelling** at the dog. Sam은 그 개에게 소리를 지르고 있었다.

Check Up

1 다음 우리말 뜻에 해당하는 영어 단어를 쓰세요.

01 (…분) 지나서

02 (시간 등) 보내다

03 가게

04 가을

05 교통 표지판

06 굽다

07 그때

08 (장래의) 꿈

09 날짜

10 눈사람

11 닦다

12 들어가다

13 먼

14 문제

15 배달하다

② 다음 영어 단어에 해당하는 우리말 뜻을 쓰세요.

01 rainy

02 expensive

03 yell

04 hit

05 cool

06 travel

07 station

08 speech

09 rise

10 raise

③ 다음 빈칸에 우리말과 일치하도록 알맞은 단어를 쓰세요.

01 The cat was running to the __________.
그 고양이가 차고로 달려가고 있었다.

02 Can I take a __________ for five minutes?
5분 동안 휴식해도 되나요?

03 You must not __________ the street here.
너는 여기에서 길을 건너면 안 된다.

04 We talked about the car __________.
우리는 그 자동차 사고에 대해 얘기했다.

05 Please, __________ on the door before you enter.
들어오기 전에 문을 두드려 주세요.

조동사 I

01	again 다시 [əgén]	Ted is able to walk again. Ted는 다시 걸을 수 있다.
02	bottle 병 [bátl]	Is the boy able to open the bottle? 그 소년은 그 병을 열 수 있니?
03	catch a cold 감기에 걸리다	The babies can catch a cold easily. 그 아기들은 쉽게 감기에 걸릴 수 있다.
04	chopstick 젓가락 [tʃápstik]	Mike can eat food with chopsticks. Mike는 젓가락으로 음식을 먹을 수 있다.
05	club 모임 [klʌb]	You had better not join the club. 너는 그 모임에 가입하지 않는 게 좋겠다.
06	exam 시험 [igzǽm]	Tom is preparing for the exam. Tom은 시험을 준비하고 있다.
07	fan 선풍기 [fæn]	May I turn on the fan? 내가 선풍기를 틀어도 될까요?
08	female 암컷 [fíːmèil]	Is your dog a male or a female? 너의 개가 수컷이니 암컷이니?
09	final game 결승전	Can your team win the final game? 너희 팀이 결승전에서 승리할 수 있니?
10	fix 고치다 [fiks]	My uncle is able to fix the car. 나의 삼촌은 그 자동차를 수리할 수 있다.
11	in time (~에) 시간 맞춰[늦지 않게]	We can arrive at the airport in time. 우리는 공항에 제시간에 도착할 수 있다.
12	join 가입하다 [dʒɔin]	The students can join the book club. 그 학생들은 독서 모임에 가입할 수 있다.
13	meal 음식 [miːl]	You must brush your teeth after meals. 너는 식사 후 이를 닦아야 한다.
14	outside 외부에 [àutsáid]	My mom can't go outside today. 엄마는 오늘 밖에 나갈 수 없으시다.
15	password 비밀번호 [pǽswəːrd]	You can't change the password. 여러분은 비밀번호를 바꿀 수 없다.

16	question 질문 [kwéstʃən]	Can I ask you a **question**? 뭐 좀 물어봐도 될까요?
17	remember 기억하다 [rimémbər]	He may not **remember** my face. 그는 나의 얼굴을 기억하지 못할 수도 있다.
18	report 보고서 [ripɔ́ːrt]	Did you finish your **report**? 너는 보고서를 끝냈니?
19	restroom 화장실 [réstrùm]	May I go to the **restroom**? 화장실에 가도 되나요?
20	rocket 로켓 [rɑ́kit]	The **rocket** can fly to the moon. 그 로켓은 달까지 날아갈 수 있다.
21	save 저축하다 [seiv]	They were able to **save** a lot of money last year. 그들은 작년에 많은 돈을 저축할 수 있었다.
22	sick 아픈 [sik]	Jeff may not be **sick**. Jeff는 아프지 않을 수도 있다.
23	slowly 천천히 [slóuli]	You have to drive a car **slowly**. 너는 자동차를 천천히 몰아야 한다.
24	snake 뱀 [sneik]	How long is the **snake**? 그 뱀은 얼마나 기니?
25	solve 풀다, 해결하다 [sɑlv]	I tried to **solve** the problem, but it was too hard for me. 나는 문제를 풀려고 했지만 내겐 너무 어려웠다.
26	team 팀 [tiːm]	People cheer for the soccer **team**. 사람들은 축구팀을 응원한다.
27	thief 도둑 [θiːf]	Did you catch a **thief** yesterday? 너는 어제 도둑을 잡았니?
28	touch 만지다 [tʌtʃ]	Can I **touch** the snake? 뱀을 만져도 되나요?
29	turn on 켜다	The kids are able to **turn on** the computer. 그 아이들은 컴퓨터를 켤 수 있다.
30	washing machine 세탁기	My mom can fix a **washing machine**. 내 엄마는 세탁기를 고칠 수 있으시다.

1 다음 우리말 뜻에 해당하는 영어 단어를 쓰세요.

01 가입하다

02 감기에 걸리다

03 결승전

04 고치다

05 기억하다

06 다시

07 도둑

08 로켓

09 만지다

10 모임

11 뱀

12 병

13 보고서

14 선풍기

15 세탁기

2 다음 영어 단어에 해당하는 우리말 뜻을 쓰세요.

01 exam

02 team

03 sick

04 female

05 outside

06 restroom

07 meal

08 question

09 slowly

10 turn on

3 다음 빈칸에 우리말과 일치하도록 알맞은 단어를 쓰세요.

01 I tried to ________ the problem, but it was too hard for me.
나는 문제를 풀려고 했지만 내겐 너무 어려웠다.

02 We can arrive at the airport ________ ________.
우리는 공항에 제시간에 도착할 수 있다.

03 They were able to ________ a lot of money last year.
그들은 작년에 많은 돈을 저축할 수 있었다.

04 Mike can eat food with ________.
Mike는 젓가락으로 음식을 먹을 수 있다.

05 You can't change the ________.
여러분은 비밀번호를 바꿀 수 없다.

조동사 II

01	at once 즉시, 곧	You had better see a doctor **at once**. 너는 곧 진찰을 받는 게 좋겠다.
02	bring 가져오다 [briŋ]	Do I have to **bring** my textbook? 내가 책을 가져와야 하나요?
03	brush 닦다 [brʌʃ]	After Mike **brushes** his teeth, he goes to bed. Mike는 양치를 한 후에 잠자러 간다.
04	cancel 취소하다 [kǽnsəl]	You had better **cancel** the order. 너는 주문을 취소하는 것이 좋겠다.
05	culture 문화 [kʌ́ltʃər]	We like Korean **culture**. 우리는 한국문화를 좋아한다.
06	decision 결정 [disíʒən]	William has to make a **decision** now. William은 지금 결정을 해야 한다.
07	exercise 운동하다 [éksərsàiz]	You had better **exercise** regularly. 너는 규칙적으로 운동하는 게 좋겠다.
08	fast food 패스트푸드	They have **fast food** for lunch. 그들은 점심으로 패스트푸드를 먹는다.
09	follow 따르다 [fálou]	We must **follow** the rule. 우리는 규칙을 따라야 한다.
10	forget 잊다 [fərgét]	They must not **forget** his name. 그들은 그의 이름을 잊어서는 안 된다.
11	future 미래 [fjúːtʃər]	He doesn't have to save money for the **future**. 그는 미래를 위해 돈을 저금할 필요가 없다.
12	keep 지키다, 유지하다 [kiːp]	**Keep** smiling! 계속 웃어라!
13	lock 잠그다 [lɑk]	You have to **lock** the door tonight. 오늘 밤 너는 문을 잠가야 한다.
14	machine 기계 [məʃíːn]	Was this copy **machine** cheap two years ago? 이 복사기는 2년 전에 저렴했니?
15	medicine 약 [médisin]	I have to take **medicine**. 나는 약을 먹어야 한다.

16	pay 지불하다 [pei]	Wilson has to **pay** for the food. Wilson은 그 음식 값을 지불해야 한다.
17	prepare 준비하다 [pripέər]	She must **prepare** some food for the party. 그녀는 파티를 위해 음식을 좀 준비해야 한다.
18	promise 약속 [prάmis]	You have to keep a **promise**. 너는 약속을 지켜야 한다.
19	protect 보호하다 [prətékt]	We have to **protect** our culture. 우리는 우리 문화를 보호해야 한다.
20	regularly 규칙적으로 [régjələrli]	We meet him **regularly**. 우리는 그를 규칙적으로 만난다.
21	return 돌려주다 [ritə́ːrn]	I have to **return** this book today. 나는 이 책을 오늘 돌려줘야 한다.
22	skip 건너뛰다 [skip]	We must not **skip** breakfast. 우리는 아침식사를 거르면 안 된다.
23	smoking 흡연 [smóukiŋ]	You had better stop **smoking**. 당신은 금연 하는 게 좋겠다.
24	special 특별한 [spéʃəl]	They had to use **special** tools yesterday. 그들은 어제 특별한 도구를 사용해야 했다.
25	take a nap 낮잠 자다	You had better **take a nap**. 너는 낮잠을 자는 게 좋겠다.
26	take off ~을 벗다	They don't have to **take off** their shoes. 그들은 신발을 벗을 필요가 없다.
27	throw 던지다 [θrou]	You must not **throw** a stone at the dog. 너는 개에게 돌을 던지면 안 된다.
28	tool 도구 [tuːl]	A monkey can use **tools**. 원숭이는 도구를 사용할 수 있다.
29	trust 신뢰하다, 믿다 [trʌst]	Don't **trust** them. 그들을 믿지 마라.
30	waste 낭비하다 [weist]	We must not **waste** time and money. 우리는 시간과 돈을 낭비해서는 안 된다.

1 다음 우리말 뜻에 해당하는 영어 단어를 쓰세요.

01 가져오다

02 건너뛰다

03 결정

04 규칙적으로

05 기계

06 낮잠 자다

07 닦다

08 던지다

09 도구

10 따르다

11 문화

12 미래

13 보호하다

14 신뢰하다, 믿다

15 약

❷ 다음 영어 단어에 해당하는 우리말 뜻을 쓰세요.

01 promise

02 exercise

03 forget

04 lock

05 at once

06 pay

07 keep

08 cancel

09 special

10 fast food

❸ 다음 빈칸에 우리말과 일치하도록 알맞은 단어를 쓰세요.

01 You had better stop ____________.
당신은 금연 하는 게 좋겠다.

02 They don't have to ____________ ____________ their shoes.
그들은 신발을 벗을 필요가 없다.

03 I have to ____________ this book today.
나는 이 책을 오늘 돌려줘야 한다.

04 She must ____________ some food for the party.
그녀는 파티를 위해 음식을 좀 준비해야 한다.

05 We must not ____________ time and money.
우리는 시간과 돈을 낭비해서는 안 된다.

의문사 I

01	act 연기하다, 행동하다 [ækt]	She acts like a teacher. 그녀는 선생님처럼 행동한다.
02	address 주소 [ədrés]	What is your home address? 너의 집주소가 어떻게 되니?
03	attend 참석하다 [əténd]	You had better attend the meeting. 너는 그 모임에 참석하는 게 좋겠다.
04	bacon 베이컨 [béikən]	They eat bacon and eggs for breakfast. 그들은 아침식사로 베이컨하고 계란을 먹는다.
05	close 닫다 [klouz]	What time does he close the store? 몇 시에 그는 가게 문을 닫니?
06	clothes 옷 [klouðz]	The store sells shoes and clothes. 그 상점은 신발과 옷을 판매한다.
07	concert 콘서트 [kánsə(:)rt]	When does the concert begin? 음악회는 언제 시작하니?
08	copy machine 복사기	Do you think we can fix this copy machine? 우리가 이 복사기를 고칠 수 있다고 생각하나요?
09	country 나라 [kʌ́ntri]	Which country do you want to visit, Canada or Mexico? 너는 캐나다와 멕시코 중 어느 나라를 방문하고 싶니?
10	favorite 좋아하는 [féivərit]	What is your favorite animal? 네가 좋아하는 동물을 무엇이니?
11	gift 선물 [gift]	Eddie had to buy a gift for her yesterday. Eddie는 어제 그녀를 위해 선물을 사야 했다.
12	interview 인터뷰하다 [íntərvjùː]	He interviewed a famous actor. 그는 유명한 배우와 인터뷰했다.
13	invite 초대하다 [inváit]	Who did he invite to the party? 그가 누구를 그 파티에 초대했니?
14	language 언어 [lǽŋgwidʒ]	Which language they use, English or French? 그들은 어떤 언어를 사용하니, 영어 아니면 프랑스어?
15	laptop 노트북 컴퓨터 [lǽptɑp]	I want a laptop computer. 나는 노트북컴퓨터를 원한다.

16	line 노선 [lain]	The green **line** goes to Kangnam. 초록 노선이 강남에 간다.
17	magazine 잡지 [mæ̀gəzíːn]	How much is the **magazine**? 그 잡지 얼마니?
18	necklace 목걸이 [néklis]	Whose **necklace** is this? 이것은 누구의 목걸이니?
19	noise 소음 [nɔiz]	I could hear the **noise** last night. 나는 어젯밤 그 소음을 들을 수 있었다.
20	pick up ~을 줍다	What did Sara **pick up** on the street? Sara는 거리에서 무엇을 주웠니?
21	prefer 원하다, 선호하다 [prifə́ːr]	Which do you **prefer**, rice or bread? 어떤 걸 원하니, 빵이니 밥이니?
22	put 넣다 [put]	I **put** the bottle on the table. 나는 식탁 위에 그 병을 놓았다.
23	respect 존경하다 [rispékt]	We have to **respect** our parents. 우리는 부모님을 존경해야 한다.
24	ride 타다 [raid]	Who can **ride** a bike? 누가 자전거를 탈 수 있니?
25	season 계절 [síːzən]	Which **season** does Ted like? Ted는 어떤 계절을 좋아하니?
26	stage 무대 [steidʒ]	A boy is acting on the **stage**. 한 소년이 무대에서 연기를 하고 있다.
27	street 거리 [striːt]	There were many cars on the **street** last night. 지난밤 거리에는 많은 차들이 있었다.
28	subject 과목 [sʌ́bdʒikt]	What is your favorite **subject**? 네가 좋아하는 과목은 무엇이니?
29	ticket 티켓, 표 [tíkit]	Who has a concert **ticket**? 누가 콘서트 티켓을 가지고 있니?
30	wake 잠에서 깨다, 깨우다 [weik]	Jessica has to **wake** him up early. Jessica는 그를 일찍 깨워야 한다.

Check Up

1 다음 우리말 뜻에 해당하는 영어 단어를 쓰세요.

01 계절

02 과목

03 나라

04 넓다

05 노선

06 닫다

07 목걸이

08 무대

09 베이컨

10 복사기

11 언어

12 연기하다, 행동하다

13 옷

14 원하다, 선호하다

15 인터뷰하다

❷ 다음 영어 단어에 해당하는 우리말 뜻을 쓰세요.

01 wake

02 magazine

03 favorite

04 address

05 pick up

06 invite

07 concert

08 ride

09 ticket

10 laptop

❸ 다음 빈칸에 우리말과 일치하도록 알맞은 단어를 쓰세요.

01 There were many cars on the ___________ last night.
지난밤 거리에는 많은 차들이 있었다.

02 Eddie had to buy a ___________ for her yesterday.
Eddie는 어제 그녀를 위해 선물을 사야 했다.

03 We have to ___________ our parents.
우리는 부모님을 존경해야 한다.

04 You had better ________________ the meeting.
너는 그 모임에 참석하는 게 좋겠다.

05 I could hear the ________________ last night.
나는 어젯밤 그 소음을 들을 수 있었다.

의문사 II

01	airport 공항 [έərpɔ̀ːrt]	How far is it from here to the airport? 여기서 공항까지 얼마나 머니?
02	anniversary 기념일 [æ̀nəvə́ːrsəri]	Today is my parents' wedding anniversary. 오늘은 부모님 결혼기념일이다.
03	behind ~뒤에 [biháind]	There are many books behind the woman. 그 여성 뒤에는 많은 책들이 있다.
04	box office 매표소 [ɔ́(ː)fis]	Where is the box office? 매표소가 어디니?
05	ceremony 식, 의식 [sérəmòuni]	When is her wedding ceremony? 그녀의 결혼식은 언제니?
06	departure 출발 [dipάːrtʃər]	Our departure time is 12:30. 우리 출발시간은 12시 30분이다.
07	end 끝나다 [end]	The rainy season ends in October. 장마철은 10월에 끝난다.
08	graduate 졸업하다 [grǽdʒuweit]	He became a lawyer after he graduated from college. 그는 대학을 졸업한 후에 변호사가 되었다.
09	gym 체육관 [dʒim]	She and I are in the gym now. 그녀와 나는 지금 체육관에 있다.
10	health 건강 [helθ]	The most important thing is your health. 가장 중요한 것은 너의 건강이다.
11	helmet 헬멧 [hélmit]	He was not wearing a helmet. 그는 헬멧을 쓰고 있지 않았다.
12	in a day 하루에	There are 24 hours in a day. 하루는 24시간이다.
13	liberty 자유 [líbərti]	How tall is the Statue of Liberty? 자유의 여신상의 높이는 얼마니?
14	museum 박물관 [mju(ː)zí(ː)əm]	When do they open the museum? 그들이 미술관을 언제 여니?
15	need 필요하다 [niːd]	She needs an umbrella because it's raining. 비가 오고 있어서 그녀는 우산이 필요하다.

16	often 자주 [ɔ́(:)fən]	How **often** does he eat spaghetti? 그는 스파게티를 얼마나 자주 먹니?
17	parking lot 주차장	She parked her car in the **parking lot**. 그녀는 자신의 차를 주차장에 주차했다.
18	plan 계획 [plæn]	We need a new **plan**. 우리는 새로운 계획이 필요하다.
19	public library 공공도서관	Where is the **public library**? 공공도서관이 어디 있니?
20	restaurant 식당 [réstərənt]	We entered a Korean **restaurant**. 우리는 한국식당에 들어갔다.
21	rope 밧줄 [roup]	How long is the **rope**? 그 밧줄은 얼마나 기니?
22	send 보내다 [send]	Julia **sent** a letter two days ago. Julia는 이틀 전에 편지를 보냈다.
23	staff 직원 [stæf]	When is the next **staff** meeting? 다음 번 직원 회의는 언제죠?
24	statue 조각상 [stǽtʃu:]	This **statue** is 5m tall. 이 조각상의 높이는 5m이다.
25	stay 머무르다 [stei]	How long did he **stay** at the hotel? 그는 호텔에 얼마나 오래 머물렀니?
26	subway 지하철 [sʌ́bwèi]	Jack always uses the **subway**. Jack은 항상 지하철을 이용한다.
27	turkey 칠면조 [tə́:rki]	Is it a chicken or a **turkey**? 그것은 닭이니 칠면조니?
28	twice 두 차례 [twais]	I take care of the twin boys **twice** a week. 나는 일주일에 두 번 쌍둥이 아기들을 돌본다.
29	vacation 휴가, 방학 [veikéiʃən]	My family visited Busan during the summer **vacation**. 내 가족은 여름 휴가 기간 동안 부산을 방문했다.
30	wedding 결혼 [wédiŋ]	They invited him to the **wedding**. 그들은 그를 결혼식에 초대했다.

1 다음 우리말 뜻에 해당하는 영어 단어를 쓰세요.

01 ~뒤에

02 결혼

03 계획

04 공공도서관

05 공항

06 기념일

07 끝나다

08 매표소

09 머무르다

10 박물관

11 밧줄

12 보내다

13 식, 의식

14 식당

15 자유

② 다음 영어 단어에 해당하는 우리말 뜻을 쓰세요.

01 often

02 graduate

03 parking lot

04 subway

05 staff

06 gym

07 turkey

08 need

09 in a day

10 helmet

③ 다음 빈칸에 우리말과 일치하도록 알맞은 단어를 쓰세요.

01 My family visited Busan during the summer ____________.
내 가족은 여름 휴가 기간 동안 부산을 방문했다.

02 The most important thing is your ____________.
가장 중요한 것은 너의 건강이다.

03 Our ____________ time is 12:30.
우리 출발시간은 12시 30분이다.

04 This ____________ is 5m tall.
이 조각상의 높이는 5m이다.

05 I take care of the twin boys ____________ a week.
나는 일주일에 두 번 쌍둥이 아기들을 돌본다.

접속사

01	**be good at** ~을 잘하다	Jack is very short but he **is good at** basketball. Jack은 키가 작지만 농구를 잘한다.
02	**be poor at** ~을 못하다	She **is poor at** dancing. 그녀는 춤을 못 춘다.
03	**borrow** 빌리다 [bάrou]	I **borrowed** some money because I didn't have any money. 나는 돈이 전혀 없어서 돈을 좀 빌렸다.
04	**carefully** 조심스럽게 [kέərfəli]	We have to use a knife **carefully**. 우리는 칼을 조심스럽게 사용해야 한다.
05	**championship** 우승 [tʃǽmpiənʃìp]	They are very happy because they won the **championship**. 그들은 우승해서 매우 기쁘다.
06	**college** 대학 [kάlidʒ]	He entered **college** last year. 그는 지난해에 대학에 입학했다.
07	**diary** 일기 [dáiəri]	She always writes a **diary** before she goes to bed. 그녀는 잠자기 전에 항상 일기를 쓴다.
08	**diligent** 부지런한 [dílidʒənt]	Jane was **diligent** at that time. 그 당시 Jane은 부지런했다.
09	**engineer** 기술자 [èndʒəníər]	My mom is a teacher, and my father is an **engineer**. 엄마는 선생님이시고 아버지는 기술자이시다.
10	**enough** 충분한 [inʌ́f]	We can have **enough** water in summer. 우리는 여름에 충분한 물을 얻을 수 있다.
11	**fever** 열 [fíːvər]	My sister has a **fever**. 내 여동생은 열이 있다.
12	**fasten** 매다, 고정시키다 [fǽsən]	You have to **fasten** your seatbelt before the car starts. 여러분은 자동차가 출발하기 전에 안전벨트를 매야 한다.
13	**headache** 두통 [hédèik]	I had a **headache**, so I took some medicine. 나는 두통이 있어서 약을 좀 먹었다.
14	**heavy** 많은[심한], 무거운 [hévi]	He was late because the traffic was **heavy**. 그는 교통이 막혀서 늦었다.
15	**hurt** 다치다 [həːrt]	Jenny **hurt** because she fell off her bike. 자전거에서 넘어져서 Jenny는 다쳤다.

16	**lawyer** 변호사 [lɔ́ːjər]	These students want to become **lawyers.** 이 학생들은 변호사가 되고 싶어 한다.
17	**leave** 떠나다 [liːv]	The bus didn't **leave** at 9 o'clock this morning. 버스는 오늘 아침 9시에 출발하지 않았다.
18	**lend** 빌려주다 [lend]	I can **lend** the book after I read it. 나는 그 책을 읽은 후에 그 책을 빌려줄 수 있다.
19	**male** 남성, 수컷 [meil]	The cat may be a **male.** 그 고양이는 아마 수컷일 것이다.
20	**message** 메시지 [mésidʒ]	Susie left a **message.** Susie는 메시지를 남겼다.
21	**nervous** 불안해[초조해] 하는 [nə́ːrvəs]	She was very **nervous,** so she didn't answer the question. 그녀는 너무 긴장해서 질문에 답을 하지 못했다.
22	**practice** 연습하다 [prǽktis]	Sam was sick, but he **practiced** soccer. Sam은 아팠지만 축구 연습을 했다.
23	**seatbelt** 안전벨트 [siːtbelt]	We have to wear a **seatbelt** every time. 우리는 항상 안전벨트를 착용해야 한다.
24	**spicy** 매운 [spáisi]	My brother doesn't like this food because it's too **spicy.** 내 남동생은 너무 매워서 이 음식을 좋아하지 않는다.
25	**stay up** (평상시보다 더 늦게까지) 안 자다	He is tired now because he **stayed up** last night. 그는 어제 늦게 잠을 자서 지금 피곤하다.
26	**toothache** 치통 [túːθèik]	I went to the dentist because I had a **toothache.** 나는 치통이 있어서 치과에 갔다.
27	**traffic** 교통 [trǽfik]	There are many **traffic** signs on the street. 거리에 많은 교통 표지판들이 있다.
28	**turn off** ~을 끄다	You have to **turn off** the lights before you go out. 너는 나가기 전에 불을 꺼야 한다.
29	**vegetable** 야채 [védʒitəbl]	They bought fruits and **vegetables.** 그들은 과일과 야채를 샀다.
30	**wallet** 지갑 [wálit]	He doesn't have money because he lost his **wallet.** 그는 지갑을 잃어버려서 돈이 없다.

Check Up

1 다음 우리말 뜻에 해당하는 영어 단어를 쓰세요.

01 (늦게까지) 안 자다

02 ~을 못하다

03 ~을 잘하다

04 교통

05 기술자

06 남성, 수컷

07 다치다

08 대학

09 두통

10 떠나다

11 많은[심한], 무거운

12 매운

13 메시지

14 변호사

15 부지런한

2 다음 영어 단어에 해당하는 우리말 뜻을 쓰세요.

01 nervous
02 borrow
03 seatbelt
04 vegetable
05 practice
06 fever
07 championship
08 diary
09 carefully
10 wallet

3 다음 빈칸에 우리말과 일치하도록 알맞은 단어를 쓰세요.

01 We can have ____________ water in summer.
우리는 여름에 충분한 물을 얻을 수 있다.

02 I went to the dentist because I had a ____________.
나는 치통이 있어서 치과에 갔다.

03 You have to ____________ ____________ the lights before you go out. 너는 나가기 전에 불을 꺼야 한다.

04 I can ____________ the book after I read it.
나는 그 책을 읽은 후에 그 책을 빌려 줄 수 있다.

05 You have to ____________ your seatbelt before the car starts.
여러분은 자동차가 출발하기 전에 안전벨트를 매야 한다.

단어장 해답

Chapter 01. be동사 과거

❶ 01. tourist 02. at that time 03. hill 04. refrigerator, freezer
05. dirty 06. library 07. fat 08. excellent
09. remote control 10. town 11. flight attendant
12. bookstore 13. shopping mall 14. style 15. market

❷ 01. 신선한 02. 어제 03. 냉장고 04. 여행 05. 감독
06. 영화관 07. 예술가 08. 조종사 09. 주말 10. 짧은, 키가 작은

❸ 01. festival 02. terrible 03. healthy 04. weather 05. score

Chapter 02. 일반동사 과거

❶ 01. in front of 02. furniture 03. suddenly 04. factory 05. soldier
06. picture 07. break 08. pretty 09. nap 10. bridge
11. a lot 12. voice 13. secret 14. take a picture 15. swim

❷ 01. 쌍둥이, 쌍둥이의 02. 유니폼, 교복 03. 이해하다 04. 일기예보 05. 잡다
06. 주문하다 07. 즐기다 08. 층 09. 칠하다 10. 하루 종일

❸ 01. sunshine 02. history 03. shelf 04. strange 05. hospital

Chapter 03. 과거진행형과 비인칭주어 It

❶ 01. past 02. spend 03. store 04. autumn 05. traffic sign
06. bake 07. then 08. dream 09. date 10. snowman
11. wash 12. enter 13. far 14. problem 15. deliver

❷ 01. 비가 오는 02. 비싼 03. 소리치다 04. 치다, 때리다 05. 시원한
06. 여행하다 07. 역 08. 연설 09. 오르다, 올라가다 10. 올리다

❸ 01. garage 02. rest 03. cross 04. accident 05. knock

Chapter 04. 조동사 I

❶ 01. join 02. catch a cold 03. final game 04. fix
05. remember 06. again 07. thief 08. rocket
09. touch 10. club 11. snake 12. bottle
13. report 14. fan 15. washing machine

❷ 01. 시험 02. 팀 03. 아픈 04. 암컷 05. 외부에
06. 화장실 07. 음식 08. 질문 09. 천천히 10. 켜다

❸ 01. solve 02. in time 03. save 04. chopsticks 05. password

Chapter 05. 조동사 II

❶ 01. bring 02. skip 03. decision 04. regularly 05. machine
06. take a nap 07. brush 08. throw 09. tool 10. follow
11. culture 12. future 13. protect 14. trust 15. medicine

❷ 01. 약속 02. 운동하다 03. 잊다 04. 잠그다 05. 즉시, 곧
06. 지불하다 07. 지키다, 유지하다 08. 취소하다 09. 특별한 10. 패스트푸드

❸ 01. smoking 02. take off 03. return 04. prepare 05. waste

Chapter 06. 의문사 I

❶ 01. season 02. subject 03. country 04. put 05. line
06. close 07. necklace 08. stage 09. bacon 10. copy machine
11. language 12. act 13. clothes 14. prefer 15. interview

❷ 01. 깨우다 02. 잡지 03. 좋아하는 04. 주소 05. ~을 줍다
06. 초대하다 07. 콘서트 08. 타다 09. 티켓, 표 10. 휴대용[노트북] 컴퓨터

❸ 01. street 02. gift 03. respect 04. attend 05. noise

Chapter 07. 의문사 II

❶ 01. behind 02. wedding 03. plan 04. public library
05. airport 06. anniversary 07. end 08. box office
09. stay 10. museum 11. rope 12. send
13. ceremony 14. restaurant 15. liberty

❷ 01. 자주 02. 졸업하다 03. 주차장 04. 지하철 05. 직원
06. 체육관 07. 칠면조 08. 필요하다 09. 하루에 10. 헬멧

❸ 001. vacation 02. health 03. departure 04. statue 05. twice

Chapter 08. 접속사

❶ 01. stay up 02. be poor at 03. be good at 04. traffic 05. engineer
06. male 07. hurt 08. college 09. headache 10. leave
11. heavy 12. spicy 13. message 14. lawyer 15. diligent

❷ 01. 불안해[초조해] 하는 02. 빌리다 03. 안전벨트 04. 야채 05. 연습하다
06. 열 07. 우승 08. 일기 09. 조심스럽게 10. 지갑

❸ 01. enough 02. toothache 03. turn off 04. lend 05. fasten

Grammar mentor joy

Longman

Grammar Mentor Joy 시리즈

Grammar Mentor Joy Pre

Grammar Mentor Joy Early Start 1
Grammar Mentor Joy Early Start 2

Grammar Mentor Joy Start 1
Grammar Mentor Joy Start 2

Grammar Mentor Joy 1
Grammar Mentor Joy 2
Grammar Mentor Joy 3
Grammar Mentor Joy 4

Grammar Mentor Joy Plus 1
Grammar Mentor Joy Plus 2
Grammar Mentor Joy Plus 3
Grammar Mentor Joy Plus 4

Grammar mentor joy 3

정답 및 해설

Longman

Grammar mentor joy 3

정답 및 해설

Chapter 01. be동사 과거

Unit 01. be동사 과거 I

Warm up

01. was 02. was 03. were
04. weren't 05. Were 06. wasn't
07. Were 08. Was 09. wasn't
10. am 11. weren't 12. Was
13. Was 14. wasn't 15. Was

[해석]

01. 나는 어제 행복했다.
02. 그녀는 병원에 있었다.
03. 그들은 영화배우였다.
04. 그녀와 나는 지난주에 해변에 있지 않았다.
05. 너는 어제 화가 났었니?
06. 그것은 재미없었다.
07. 그들은 지난주에 바빴니?
08. 그녀는 비행기 승무원이었니?
09. 어제 날씨가 맑지 않았다.
10. 나는 지금 버스에 있다.
11. 그들은 지난주에 콘서트에 있지 않았다.
12. 그녀는 지난밤에 집에 있었니?
13. 그것은 즐거운 여행이었니?
14. 나는 어제 행복하지 않았다.
15. 그는 2010년에 의사였니?

First Step

❶ 01. was not(wasn't) 02. were 03. were
04. are 05. were 06. Was
07. Was 08. Are 09. were
10. Is 11. were not(weren't)
12. was

[해설]

02. 과거를 표현하는 말 last year가 있으므로 were가 온다.
04. 현재를 표현하는 말 now가 있으므로 are가 온다.
05. 과거를 표현하는 말 2015가 있으므로 were가 온다.
06. 과거를 표현하는 말 yesterday가 있으므로 was가 온다.
07. 과거를 표현하는 말이 있으므로 was가 온다.
10. 현재의 일상을 물어보는 것이므로 is가 온다.

❷ 01. was not(wasn't) 02. was not(wasn't)
03. Were 04. was 05. were
06. Were 07. Were 08. Are
09. were not(weren't) 10. Were
11. were not(weren't) 12. was not(wasn't)

[해설]

02. 과거를 표현하는 말 last year가 있으므로 was not이 온다.
05. 과거를 표현하는 말 2011이 있으므로 were가 온다.
06. 과거를 표현하는 말 last Sunday가 있으므로 were가 온다.
07. 과거를 표현하는 말이 있으므로 were가 온다.
08. 현재를 표현하는 말 now가 있으므로 are가 온다.
12. 과거를 표현하는 말이 있으므로 was not이 온다.

Second Step

❶ 01. Were, I wasn't / we weren't
02. Were, we were 03. Were, they weren't
04. Are, they aren't 05. Were, they were
06. Was, it was 07. Were, we were
08. Were, they were 09. Was, he was
10. Are, I am / we are 11. Were, they weren't
12. Was, it was

[해석 및 해설]

01. 너는 어제 도서관에 있었니?
02. 너와 그는 어젯밤 피곤했니?
03. 그들은 지난해 10살이었니?
04. 그들은 지금 배가 고프니?
*now는 현재 또는 현재진행형과 함께한다.
05. 그들은 2010년에 유명한 가수였니?
06. 어제 날씨가 맑았니?
07. 여러분은 작년에 선생님이었나요?
*복수 teachers가 왔으므로 we가 와야 한다.
08. 그들은 그 당시 영어를 잘했니?
09. 그는 지난 토요일 공항에 있었니?
10. 너는 지금 한가하니?
11. 그와 그녀는 어젯밤 해변에 있었니? *he and she는 3인칭 복수이므로 they로 대답한다.
12. 그것은 어제 신선했니?

② 01. I wasn't(was not) tired last night.
02. He and I weren't(were not) in the room two hours ago.
03. Were they in London yesterday?
04. Was it very funny?
05. He wasn't(was not) a pilot at that time.
06. Was she kind to Jessica?
07. Was it in the freezer yesterday?
08. They were not(weren't) lazy last year.
09. Were he and she great artists?
10. It wasn't(was not) windy last weekend.
11. He wasn't(was not) young at that time.
12. Were she and Sara sick last night?

[해석]
01. 나는 어젯밤 피곤했다.
02. 그와 나는 두 시간 전에 방에 있었다.
03. 그들은 어제 런던에 있었다.
04. 그것은 매우 재미있었다.
05. 그는 그 당시 조종사였다.
06. 그녀는 Jessica에게 친절했다.
07. 그것은 어제 냉장고에 있었다.
08. 그들은 작년에 게을렀다.
09. 그와 그녀는 위대한 예술가였다.
10. 지난 주말에 바람이 불었다.
11. 그는 그 당시에 어렸다.
12. 그녀와 Sara는 어젯밤 아팠다.

Third Step

01. was	02. was	03. were	04. is
05. Were	06. Was	07. Were	08. were
09. were not	10. Are	11. Were	12. Were

Writing Step

01. Were, very busy yesterday
02. was not(wasn't) at home yesterday
03. Were, at the beach last Monday
04. was very boring at that time
05. were not(weren't) hungry this morning
06. Are, on the bus now
07. was on the shelf yesterday
08. were not(weren't) doctors in 2014
09. were not(weren't) lazy last year
10. were in Seoul last week
11. Are, with them now
12. was not(wasn't) busy last weekend

Unit 02. be동사 과거 II

Warm up

01. wasn't	02. were	03. were	04. was
05. wasn't	06. Were	07. weren't	08. Was
09. were	10. were not	11. Were	12. was
13. weren't	14. Were	15. was	

[해석]
01. Jessica는 지난 주말에 시장에 있지 않았다.
02. 그 야채들은 어제 신선했다.
03. 냉장고에 주스 두 병이 있었다.
04. Sam은 지난밤 매우 피곤했다.
05. Mike는 2006년에 댄서가 아니었다.
06. 지난밤 거리에는 많은 차들이 있었니?
07. 공원에는 아이들이 조금도 없었다.
08. 책상 위에 리모컨이 있었니?
09. 내 조부모님들은 5년 전에는 건강하셨다.
10. 그 게임들은 흥미롭지 않았다.
11. 그 책들은 재미있었니?
12. James는 유명한 영화감독이었다.
13. 그 상자들은 어제 무겁지 않았다.
14. 너와 Tom은 너는 10분 전에 시장에 있었니?
15. 그의 셔츠는 어제 깨끗했다.

First Step

① 01. were	02. was	03. were	04. was
05. were not(weren't)		06. Was	07. Was
08. were not(weren't)		09. Was	10. was
11. were	12. was		

[해설]
02. yesterday는 과거를 표현하는 말이므로 was가 온다.
06. 과거를 표현하는 말 yesterday가 있으므로 was가 온다.
07. 과거를 표현하는 말이 있으므로 was가 온다.

❷ 01. were 02. was 03. Were
04. wasn't(was not) 05. was
06. Was 07. Were 08. were
09. was 10. Was 11. Were
12. wasn't(was not)

[해설]
02. 과거를 표현하는 말 two months ago가 있으므로 was가 온다.
05. 과거를 표현하는 말이 있으므로 was가 온다.
07. 과거를 표현하는 말이 있으므로 were가 온다.
12. 과거를 표현하는 말이 있으므로 was not이 온다.

Second Step

❶ 01. Was / it wasn't(was not)
02. Were / they were 03. Was / it was
04. Were / they weren't(were not)
05. Was / there was 06. Were / they were
07. Was / it wasn't(was not)
08. Were / there were 09. Was / it was
10. Was / it was
11. Were / we weren't(were not)
12. Were / they were

[해석]
01. 어제 그의 생일파티는 훌륭했니?
02. 너의 자녀들은 어젯밤 학교에 있었니?
03. 그 박물관이 지난 주말 문을 닫았니?
04. 너의 친구들은 어제 바빴니?
05. 2011년에 너의 집 근처에 공원이 있었니?
06. 그 당시 Jane과 Jessica는 부지런했니?
07. 2년 전에 이 복사기는 저렴했니?
08. 어젯밤 축제에 관광객들이 많았니?
09. 작년 가을 그 산은 아름다웠니?
10. 그 방은 어제 더러웠니?
11. 여러분은 그때 유명한 배우였나요?
12. 2010년에 이 노래들은 인기가 있었니?

❷ 01. Samuel was not(wasn't) very sad last night.
02. Five students were not(weren't) in the classroom two minutes ago.
03. Was Joe hungry this morning?
04. Were there three cars in the parking lot yesterday?
05. There was not(wasn't) a Korean restaurant in the building last month.
06. Was his sister a member of the book club last year?
07. Were the watermelons very sweet yesterday?
08. Erica was not(wasn't) short last year.
09. There were not(weren't) many parks in the city at that time.
10. Her hair was not(wasn't) long last summer.
11. Was his wife at home ten minutes ago?
12. The shirt was not(wasn't) small for me last year.

[해석]
01. Samuel은 지난밤 매우 슬펐다.
02. 2분 전에 교실에 다섯 명의 학생들이 있었다.
03. Joe는 오늘 아침 배가 고팠다.
04. 어제 주차장에 세 대의 자동차가 있었다.
05. 지난달 그 건물에 한국식당이 있었다.
06. 그의 여동생은 지난해 그 독서모임 회원이었다.
07. 그 수박들은 어제 매우 달콤했다.
08. Erica는 작년에 키가 작았다.
09. 그 당시에 그 도시에 많은 공원들이 있었다.
10. 지난 여름에 그녀의 머리카락은 길었다.
11. 그의 부인은 10분 전에 집에 있었다.
12. 그 셔츠는 지난해 내게 작았다.

Third Step

01. was 02. was 03. were not
04. was 05. Were 06. was
07. is 08. was 09. were
10. was not 11. Were 12. Was

Writing Step

01. was very tired yesterday
02. were small last month
03. was not clean last year
04. was a car in front of the house five minutes
05. were in the drawer yesterday
06. were not expensive last month
07. Was, a famous writer

08. was not crowed last weekend
09. was a lot of traffic this morning
10. Were, at the party yesterday
11. were very poor in 2001
12. is lonely now

Final Step

❶ 01. She was a teacher last year.
02. There were many people in the zoo last Sunday.
03. Tom and Sam were good at sports last year.
04. She was one hundred years old at that time.
05. Amy was nice to everyone yesterday.
06. There was a station next to the museum three months ago.
07. There was not much water in the lake last winter.
08. Jim and my brother were in the same class last year.
09. He was always late for school in 2014.
10. The cheese cake was so soft and delicious yesterday.
11. Those actors were not in China last week.
12. My grandmother was very healthy last month.

[해석]
01. 그녀는 작년에 선생님이었다.
02. 지난 일요일 동물원에는 많은 사람들이 있었다.
03. Tom과 Sam은 작년에 운동을 잘했다.
04. 그녀는 그 당시 100살이었다.
05. Amy는 어제 모두에게 상냥했다.
06. 3달 전에 박물관 옆에 역이 있었다.
07. 작년 겨울에 호수에 물이 많지 않았다.
08. Jim과 내 남동생은 지난해에 같은 반이었다.
09. 그는 2014년에 항상 지각했다.
10. 그 치즈케이크는 어제 무척 부드럽고 맛있었다.
11. 저 배우들은 지난주 중국에 없었다.
12. 나의 할머니는 지난달 매우 건강하셨다.

❷ 01. 부정문 She was not(wasn't) at the beach yesterday.
의문문 Was she at the beach yesterday?
02. 부정문 They were not(weren't) famous singers.
의문문 Were they famous singers?
03. 부정문 The school was not(wasn't) near the airport.
의문문 Was the school near the airport?
04. 부정문 There were not(weren't) many books behind the woman.
의문문 Were there many books behind the woman?
05. 부정문 Sandra was not(wasn't) in the office this morning.
의문문 Was Sandra in the office this morning?
06. 부정문 The weather was not(wasn't) good last week.
의문문 Was the weather good last week?
07. 부정문 Baseball was not(wasn't) his favorite sport.
의문문 Was baseball his favorite sport?
08. 부정문 The science class was not(wasn't) boring.
의문문 Was the science class boring?

[해석]
01. 그녀는 어제 해변에 있었다.
02. 그들은 유명한 가수였다.
03. 그 학교는 공항 근처에 있었다.
04. 그 여자 뒤에는 많은 책이 있었다.
05. Sandra는 오늘 아침 사무실에 있었다.
06. 지난주 날씨가 좋았다.
07. 야구는 그가 좋아하는 스포츠였다.
08. 그 과학수업은 지루했다.

Exercise

01. ③ 02. ④ 03. ③ 04. ⑤ 05. ②
06. ① 07. ⑤ 08. ④ 09. ④ 10. ①
11. ③ 12. ④
13. Was there a bookstore near the bus stop?
14. The singers were not[weren't] in London last month. 15. Were, last 16. we were

[해석 및 해설]

01. 지난 주말 날씨가 매우 좋았다.

02. 그들은 어젯밤 해변에 있지 않았다.
*they는 복수이므로 were not이 필요하다.

03. 지난달 연못에 물이 많았다.
*water는 셀 수 없는 명사이므로 단수 취급한다.

04. A: 그 야채들은 어제 신선했니?
B: 그래, 신선했어.

05. 나는 _____ 매우 배고팠다.
*now는 과거형과 함께하지 못한다.

08. ① 음악회에 많은 사람들이 있었니?
② 그는 어제 피곤했니?
③ 당근들이 바구니에 있었다.
④ 그 아이들은 어젯밤 공원에 있었니?
⑤ 그 영화들은 재미있었니?

10. A: _____ 콘서트에 있었니? B: 아니, 그렇지 않아.
*were가 왔으므로 단수형인 the woman은 올 수가 없다.

11. A: 가방에 _____ 있었니? B: 응, 그래.

12. 어제 상자에 치즈가 많이 있었니? / 지난 일요일에 날씨가 맑았니? *cheese는 셀 수 없는 명사로 단수 취급한다. *it은 단수이므로 was와 함께 쓴다.

13. 버스 정류장 근처에 서점이 있었다.

14. 그 가수들은 지난달 런던에 있었다.

15. *many people이 주어이므로 were가 온다.

16. A: 너희는 유명한 가수였니? B: 응, 그래.
*복수 singers가 왔으므로 1인칭 복수형 we가 와야 한다.

Chapter 02. 일반동사 과거

Unit 01. 일반동사 과거형

Warm up

01	work	worked	16	see	saw
02	have	had	17	sing	sang
03	open	opened	18	stop	stopped
04	study	studied	19	enjoy	enjoyed
05	live	lived	20	move	moved
06	buy	bought	21	cut	cut
07	hit	hit	22	build	built
08	come	came	23	sleep	slept
09	do	did	24	drink	drank
10	eat	ate	25	pay	paid
11	feel	felt	26	speak	spoke
12	know	knew	27	think	thought
13	make	made	28	teach	taught
14	meet	met	29	put	put
15	read	read	30	swim	swam

First Step

❶ **01.** played **02.** ate **03.** worked
04. stopped **05.** came **06.** went
07. drank **08.** had **09.** bought
10. put **11.** cleaned **12.** started
13. lived **14.** met **15.** saw

[해석]

01. 나는 어제 야구를 했다.
02. Jessica는 30분 전에 아침식사를 했다.
03. 그들은 작년에 은행에서 일했다.
04. 어제 그 버스가 내 집 앞에 멈췄다.
05. 내 여동생은 지난 월요일 집에 늦게 왔다.
06. 내 친구들은 지난 주말 해변에 갔다.
07. 그는 오늘 아침 우유 한 잔을 마셨다.
08. 우리는 음악회에서 좋은 시간을 보냈다.
09. Mike와 나는 어제 책을 좀 샀다.
10. 그녀는 가방을 탁자 위에 올려놓았다.
11. 그녀는 어젯밤 그녀의 방을 청소했다.
12. 음악회는 10시 30분에 시작했다.
13. 그녀와 나는 2년 전 시카고에 살았다.
14. 나는 쇼핑몰에서 나의 친구들을 만났다.
15. Alice는 미술관에서 아름다운 그림들을 보았다.

❷ **01.** took **02.** studied **03.** walked
04. planned **05.** used **06.** finished
07. got up **08.** wrote **09.** stood
10. arrived **11.** helped **12.** liked
13. drank **14.** taught **15.** called

[해석]

01. 나는 공원에서 사진을 찍었다.
02. Susan은 지난주 열심히 공부했다.
03. 우리는 어제 학교에 걸어갔다.
04. 그녀는 여름방학 계획을 짰다.
05. Jack은 오늘 아침 내 스마트폰을 사용했다.
06. 나는 10분 전에 숙제를 마쳤다.
07. 아버지는 어제 일찍 일어나셨다.
08. 그는 친구에게 가끔 편지를 썼다.
09. 우리는 지하철 승강장에 서 있었다.
10. 그 기차는 8시에 도착했다.
11. 그들은 2013년에 많은 가난한 사람들을 도와줬다.
12. 우리는 작년에 이 노래들을 좋아했다.
13. Jane은 아침식사 후 항상 커피 한 잔을 마셨다.
14. 나는 중학교에서 한국역사를 가르쳤다.
15. 엄마는 지난달 내게 매일 전화를 하셨다.

Second Step

❶ 01. went 02. danced 03. wanted
04. paid 05. enjoyed 06. sang
07. listened 08. opened 09. moved
10. put

❷ 01. played 02. told 03. needed
04. bought 05. had 06. ran
07. stopped 08. closed 09. hit
10. started

Third Step

01. swam 02. cut 03. started
04. slept 05. worked 06. cried
07. came 08. knew 09. felt
10. closed 11. drove 12. snowed
13. sold 14. opened 15. built

[해석]
01. 그 여자는 어제 강에서 수영했다.
02. 그녀는 칼로 당근을 썰었다.
03. 그 TV 쇼는 10분 전에 시작했다.
04. Jason은 어제 10시간 동안 잤다.
05. 엄마는 지난달 병원에서 일하셨다.
06. 그 소년은 어젯밤 한 시간 동안 울었다.
07. 그 관광객들은 지난달 여기에 왔다.
08. William은 어제 우리의 비밀에 대해 알았다.
09. 나는 그 당시에 기분이 무척 좋았다.
10. 그 공장은 3년 전에 문 닫았다.
11. 그녀는 오늘 아침 차를 운전했다.
12. 지난 주말에 눈이 많이 왔다.
13. 그녀는 2년 전에 가구를 팔았다.
14. 그 도서관은 지난여름 9시에 열었다.
15. 우리는 지난봄 다리를 건설했다.

Writing Step

01. did her homework thirty minutes
02. taught music last year
03. learned Japanese at school yesterday
04. talked about the final exam
05. went shopping last Sunday
06. drank a lot of milk this morning
07. danced on the stage last week
08. washed his car last Friday
09. opened a flower shop two months
10. rained all day yesterday
11. jogged together last week
12. took a shower two hours ago

Unit 02. 일반동사 과거형의 부정문과 의문문

Warm up

01. didn't 02. didn't 03. clean
04. have 05. Did 06. wait
07. stop 08. Did 09. Did
10. doesn't 11. didn't 12. Did
13. Did 14. know 15. didn't

[해석]
01. 나는 어제 컴퓨터를 사용하지 않았다.
02. 그들은 지난주 쇼핑을 가지 않았다.
03. 그녀는 오늘 아침 방을 청소하지 않았다.
04. 우리는 어제 저녁을 먹지 않았다.
05. 너는 어젯밤 한국음식을 먹었니?
06. Jane이 내 동생을 기다렸니?
07. 택시가 은행에서 멈췄니?
08. 네 아버지는 작년에 도서관에서 일하셨니?
09. 그 소녀들이 어제 교복을 입었니?
10. Cathy는 지금 돈이 많이 없다.
11. 버스는 오늘 아침 9시에 출발하지 않았다.

12. Sam과 Kathy는 연을 만들었니?
13. 그 쌍둥이 소년들은 지난달 캐나다에서 살았니?
14. 나는 정답을 몰랐다.
15. 그녀는 어젯밤 나에게 질문을 하지 않았다.

First Step

❶ 01. didn't 02. didn't 03. didn't 04. Did
05. Did 06. didn't 07. Did 08. Did
09. Did 10. didn't 11. didn't 12. Did

❷ 01. he didn't 02. we did 03. they did
04. she didn't 05. he did 06. they did
07. he didn't 08. it did 09. I did
10. they did 11. she didn't 12. he didn't

[해석]
01. 그는 창문을 깨뜨렸니?
02. 너와 Jack은 아픈 사람들을 도와줬니?
03. 그들은 어제 치마를 입었니?
04. 너의 여동생은 파티에서 그 음식을 즐겼니?
05. 그는 오늘 아침에 양치질을 했니?
06. 그와 그녀는 자동차 공장에서 일했니?
07. 너의 아버지는 지난밤에 책을 읽으셨니?
08. 그 버스는 갑자기 출발했니?
09. 너는 오늘 아침에 일기예보를 들었니?
10. 그 나뭇잎들은 색깔이 변했니?
11. 너의 엄마는 중국음식을 좋아하셨니?
12. 네 아들은 어제 야구를 했니?

Second Step

❶ 01. Did she like classical music?
02. My mother didn't(did not) wear glasses last year.
03. Did Brian play computer games?
04. It didn't(did not) snow a lot last winter.
05. She didn't(did not) want two glasses of milk.
06. Did she buy a nice car?
07. I taught math last year.
08. Did the train arrive at 10 o'clock?
09. He didn't(did not) take a nap this afternoon.
10. Tom and I stayed at home last week.
11. Did David want a new computer?
12. I didn't(did not) go to my uncle's farm last weekend.

[해석]
01. 그녀는 고전음악을 좋아했다.
02. 내 어머니는 작년에 안경을 쓰셨다.
03. Brian은 컴퓨터게임을 했다.
04. 지난 겨울 눈이 많이 내렸다.
05. 그녀는 우유 두 잔을 원했다.
06. 그녀는 좋은 자동차를 샀다.
07. 나는 작년에 수학을 가르치지 않았다.
08. 그 기차는 10시에 도착했다.
09. 그는 오늘 오후에 낮잠을 잤다.
10. Tom과 나는 지난주 집에 없었다.
11. David는 새로운 컴퓨터를 원했다.
12. 나는 지난 주말 삼촌 농장에 갔다.

❷ 01. Did Sam enjoy reading?
02. Did his friends like animals?
03. She studied English yesterday.
04. My father didn't(did not) paint the wall.
05. Did Jessica drink a cup of tea?
06. Did the baby smile at him?
07. I heard his voice at that time.
08. Did the students talk about their future?
09. She and Jane didn't(did not) take a bath this morning.
10. Did they sometimes order pizza?
11. Did David read a newspaper this morning?
12. It didn't(did not) rain a lot last summer.

[해석]
01. Sam은 독서를 즐겼다.
02. 그의 친구들을 동물들을 좋아했다.
03. 그녀는 어제 영어를 공부하지 않았다.
04. 아버지가 벽을 칠하셨다.
05. Jessica는 차 한 잔을 마셨다.
06. 그 아기는 그에게 미소를 지었다.
07. 나는 그 당시 그의 목소리를 듣지 못했다.
08. 그 학생들은 그들의 미래에 대해 얘기했다.
09. 그녀와 Jane은 오늘 아침에 목욕을 했다.
10. 그들은 때때로 피자를 주문했다.
11. David는 오늘 아침에 신문을 읽었다.
12. 지난 여름에 비가 많이 왔다.

Third Step

01. makes → make
02. Do → Did
03. sleeped → sleep
04. felt → feel
05. puts → put
06. called → call
07. stayed → stay
08. doesn't → didn't
09. ate → eat
10. stood → stand
11. taught → teach
12. Do → Did

Writing Step

01. didn't have a car at that time
02. Did you find gold in the cave
03. Did the movie begin
04. Did Jane go to the movies
05. didn't meet him last night
06. didn't sit on the bench
07. Did she clean the bathroom
08. didn't eat breakfast this morning
09. didn't feel tired last night
10. Did Julie visit her uncle
11. Did you stay at home
12. didn't have this computer last year

Final Step

❶ 01. bought 02. came 03. found
04. visited 05. stopped 06. ate
07. went 08. put 09. studied
10. saw 11. arrived 12. swam

❷ 01. didn't love 02. didn't do 03. didn't go
04. didn't live 05. Did, buy 06. Did, take
07. Did, catch 08. didn't drink
09. didn't wash 10. Did, run
11. Did, make 12. didn't order

Exercise

01. ① 02. ① 03. ② 04. ③ 05. ③
06. ① 07. ③ 08. ⑤ 09. ④ 10. ④
11. ② 12. ⑤ 13. she did
14. Did he have a math class yesterday?
15. Kevin wrote a letter two days ago.
16. Cathy didn't(did not) miss her parents.

[해석 및 해설]

01. *「자음+y」로 끝나는 동사 y를 i로 고치고 ed를 붙인다.
02. *cut의 과거형 cut이다.
03. 우리는 어젯밤 파티를 즐겼다.
*과거를 나타내는 last night이 있으므로 enjoyed가 온다.
04. 그들은 어제 커피를 마시지 않았다.
*과거를 나타내는 yesterday가 있으므로 didn't가 온다.
05. 아버지는 어제 집에 늦게 오셨다.
그는 쿠키를 어젯밤 굽지 않았다.
06. 나는 책을 식탁 위에 놓았다.
그녀는 음식에 소금을 넣지 않았다.
07. 너는 어제 그녀를 만났니? / 그는 아침을 먹었니?
*과거를 나타내는 yesterday가 있으므로 Did가 온다.
08. ① 우리는 지난주 공원에 갔다.
② 그녀는 방망이로 공을 쳤다.
③ Amy는 작년에 런던에 살았다.
④ Joe는 어제 학교에 걸어갔다.
⑤ 그는 학교에서 영어를 가르쳤다.
*teach의 과거형은 taught이다.
09. ① 너는 해변에 갔니?
② 그는 야채를 좋아하지 않았다.
③ Julie는 TV를 시청하지 않았다.
④ 그와 David은 저녁식사를 했니?
⑤ Jane이 너와 같이 일을 했니?
*「Did+주어+동사원형 ~?」의 형태가 되어야 한다.
10. Jonathan은 지난달 서울로 이사했다.
11. 그 택시가 지하철역에 멈췄다.
13. A: 네 여동생은 오늘 일찍 일어났니?
*your sister는 she로 답한다.
14. 그는 어제 수학 수업이 있었다.
15. Kevin은 이틀 전에 편지를 썼다.
16. Cathy는 부모님을 그리워한다.

Chapter 03. 과거진행형과 비인칭주어 It

Unit 01. 과거진행형

Warm up

01. going 02. singing 03. was
04. doing 05. wasn't 06. didn't
07. were 08. Were 09. Is
10. weren't 11. Were 12. taking
13. Did 14. entering 15. was

[해석]

01. 그는 버스 정류장에 가는 중이었다.
02. Kevin은 그때 노래를 부르고 있었다.
03. 그의 선생님은 그에게 질문을 하고 있었다.
04. 우리는 그때 숙제를 하고 있었다.
05. 그녀는 방을 청소하고 있지 않았다.
06. Ted는 그의 꿈에 대해 얘기하지 않았다.
07. 그와 나는 함께 일하는 중이었다.
08. 너는 어제 전화로 얘기 중이었니?
09. 그녀는 지금 아이들에게 얘기 중인가요?
10. 그들은 방에서 울고 있지 않았다.
11. 너와 네 여동생은 피자를 만들고 있었니?
12. Jim은 동물원에서 사진을 찍고 있었니?
13. 너의 삼촌은 작년에 서울에 살았니?
14. 그녀의 엄마는 가게에 들어가는 중이었다.
15. Jack은 어젯밤에 운전을 하는 중이셨다.

First Step

❶ 01. was waiting 02. was listening
03. was raining
04. was not[wasn't] wearing
05. was crying 06. were drinking
07. were watching
08. was not[wasn't] running
09. was answering 10. was entering
11. were[weren't] not taking
12. was riding

❷ 01. Were, eating 02. Was, flying
03. Was, snowing 04. Were, going
05. Were, drawing 06. Was, rising
07. Was, breaking 08. Were, building
09. Were, sitting 10. Was, putting
11. Were, cutting 12. Were, jumping

Second Step

❶ 01. I was doing my homework.
02. The man was delivering the pizza yesterday.
03. Those boys were making a snowman.
04. Jennifer was dancing in front of the students.
05. She and her father weren't(were not) living in Hongkong.
06. Amy wasn't(was not) closing the window.
07. We were talking about the car accident.
08. The woman wasn't(was not) cutting the tree.
09. Was Jake using the copy machine at that time?
10. Was Julie knocking on the door?
11. They weren't(were not) listening to music at that time.
12. Joe was reading a newspaper.

[해석]

01. 나는 숙제를 했다.
02. 그 남자는 어제 피자를 배달했다.
03. 저 소년들은 눈사람을 만들었다.
04. Jennifer는 학생들 앞에서 춤을 췄다.
05. 그녀와 그녀 아버지는 홍콩에 살지 않았다.
06. Amy는 창문을 닫지 않았다.
07. 우리는 그 자동차 사고에 대해 얘기했다.
08. 그 여성은 나무를 자르지 않았다.
09. Jake는 그때 복사기를 사용했니?
10. Julie는 문을 두드렸니?
11. 그들은 그때 음악을 듣지 않았다.
12. Joe는 신문을 읽었다.

❷ 01. Was he washing his car?
02. The boy was swimming in the pool yesterday.
03. They were eating cookies at that time.
04. Amy was buying a skirt at the shopping mall.
05. Kevin and I weren't(were not) visiting his office.
06. Sam wasn't(was not) playing the piano.
07. They were taking an English test.
08. It wasn't(was not) raining then.

09. He was spending three days in Korea.
10. Was Smith fixing the computer?
11. Was she writing a letter to her mom?
12. Were they staying at a hotel?

[해석]

01. 그는 그의 차를 세차했니.
02. 그 소년은 어제 수영장에서 수영했다.
03. 그들은 그때 쿠키를 먹었다.
04. Amy는 쇼핑몰에서 치마를 샀다.
05. Kevin과 나는 그의 사무실을 방문하지 않았다.
06. Sam은 피아노를 치지 않았다.
07. 그들은 영어시험을 봤다.
08. 그때 비가 오지 않았다.
09. 그는 한국에서 3일을 보냈다.
10. Smith는 컴퓨터를 고쳤니?
11. 그녀는 엄마에게 편지를 썼니?
12. 그들은 호텔에 머물렀니?

Third Step

01. were sitting
02. was crossing
03. were listening
04. were swimming
05. was taking
06. was traveling
07. wasn't(was not) playing
08. was running
09. wasn't(was not) sleeping
10. were solving

Writing Step

01. was watching TV yesterday
02. was arriving at the station
03. were raising their hands
04. was putting his books on the desk
05. was buying some fruits
06. were looking at the picture
07. was baking cookies in the oven
08. were practicing basketball in the gym
09. was parking a car
10. were waiting for Jack
11. was yelling at the dog
12. were sleeping behind the sofa

Unit 02. 비인칭주어 It

Warm up

01. It 02. it 03. It 04. X 05. It
06. It 07. It 08. X 09. X 10. It
11. X 12. It 13. It 14. it 15. X

[해석 및 해설]

01. 오늘은 따뜻하다.
02. 몇 시니?
03. 어제는 흐렸다.
04. 그것은 내 시계이다. (대명사 it)
05. 오늘은 화요일이다.
06. 지난밤은 매우 추웠다.
07. 4시 5분이다.
08. 그것은 매우 맛있었다. (대명사 it)
09. 그것은 매우 지루하다. (대명사 it)
10. 11월 10일이다.
11. 그것은 내 아버지의 차이다. (대명사 it)
12. 어제는 일요일이었다.
13. 10시 20분이다.
14. 오늘은 무슨 요일이니?
15. 그것은 매우 비싸다. (대명사 it)

First Step

❶ 01. it 02. It 03. day 04. It
05. date 06. It 07. it 08. It
09. weather 10. sunny 11. to 12. It

❷ 01. today 02. It 03. It 04. far
05. It 06. Tuesday 07. time
08. past[after] 09. weather
10. windy 11. It 12. It

Second Step

❶ 01. 9시 5분이다. 02. 지금 몇 시니?
03. 10월 5일이다. 04. 토요일이다.
05. 약 5km이다. 06. 가을에는 시원하다.
07. 어젯밤은 매우 더웠다. 08. 6시 10분 전이다.
09. 오늘은 무슨 요일이니?
10. 여기서 너의 집까지 얼마나 머니?
11. 오늘은 며칠이니? 12. 오늘 날씨 어떠니?

❷ 01. 오늘 춥다. 02. 오늘 날씨가 어떠니?
03. 오늘은 수요일이다. 04. 어젯밤 비가 왔다.

05. 지금 눈이 오고 있다. 06. 겨울에는 눈이 많이 온다.
07. 10시 8분이다. 08. 4시 25분이다.
09. 6월 5일이다.
10. 너의 학교까지 얼마나 머니?
11. 오늘은 금요일이다. 12. 10시 7분 전이다.

Third Step

01. weather, It 02. date, It 03. weather, It
04. day, It 05. like, It 06. far, It
07. time, It 08. the time 09. far, It
10. weather, It

[해석]
01. 오늘 날씨가 어떠니? / 춥다.
02. 오늘은 며칠이니? / 6월 15일이다.
03. 어제 날씨는 어땠니? / 매우 더웠다.
04. 오늘은 무슨 요일이니? / 화요일이다.
05. 오늘 날씨는 어떠니? / 비가 오고 있다.
06. 얼마나 머니? / 약 10km이다.
07. 지금 몇 시니? / 2시 15분이다.
08. 몇 시니? / 11시 9분이다.
09. 여기에서 역까지 얼마나 머니? / 3km이다.
10. 오늘 아침 날씨가 어땠니? / 매우 따뜻했다.

Writing Step

01. It is three twenty.
02. How is the weather today? / What's the weather like today?
03. It is snowing now.
04. day is it today
05. time is it now
06. is March (the) seventeenth[the seventeenth of March]
07. is ten to seven
08. was very hot yesterday
09. you have the time
10. What's(What is) the date today?
11. It's(It is) windy.
12. It's(It is) Sunday.

Final Step

❶ 01. We were taking a walk this morning.
02. Jack was looking at a traffic sign.
03. They were drinking milk in the kitchen.
04. Ellen was meeting his uncle at the station.
05. Were you wearing glasses at that time?
06. It was not raining at that time.
07. Jina and her sister were playing with the dogs.
08. He was not talking with his friends.
09. Were the students cleaning the classroom?
10. She was not selling vegetables yesterday.
11. The woman was cutting the tree.
12. He was not traveling with his parents.

[해석]
01. 우리는 아침에 산책하고 있었다.
02. Jack은 교통 표지판을 보고 있었다.
03. 그들은 부엌에서 우유를 마시고 있었다.
04. Ellen은 역에서 삼촌을 만나고 있었다.
05. 너는 그때 안경을 쓰고 있었니?
06. 그때는 비가 내리고 있지 않았다.
07. Jina와 여동생은 개들과 놀고 있었다.
08. 그는 친구들과 얘기하고 있지 않았다.
09. 그 학생들이 교실을 청소하고 있었니?
10. 그녀는 어제 채소를 팔고 있지 않았다.
11. 그 여자는 나무를 자르고 있었다.
12. 그는 부모님과 여행을 하고 있지 않았다.

❷ 01. It was sunny.
02. It is snowing.
03. It is February (the) fifteenth[the fifteenth of February].
04. It is five to two.
05. It was windy.
06. It is Thursday.
07. It is cloudy.
08. It is five kilometers.
09. It is ten after nine.
10. It is about seven kilometers.

[해석]
01. 오늘 오후 날씨가 어땠니? 02. 오늘 날씨가 어떠니?
03. 오늘 며칠이니? 04. 몇 시니?
05. 어제 날씨가 어땠니? 06. 오늘 무슨 요일이니?
07. 오늘 날씨가 어떠니?
08. 네 학교까지 얼마나 머니?

09. 지금 몇 시니?
10. 여기서 공항까지 얼마나 머니?

Exercise

01. ③ 02. ④ 03. ④ 04. ⑤ 05. ⑤
06. ① 07. ② 08. ③ 09. ① 10. ⑤
11. ④
12. I was washing the dishes yesterday.
13. Were they catching fish in the river?
14. it 15. date
16. It was not raining at that time.

[해석 및 해설]
01. 오늘은 매우 맑다. / 그것은 내 차가 아니다.
*첫 번째 it은 비인칭주어, 두 번째 it은 대명사이다.
02. 그녀는 신문을 읽고 있었다.
Jack은 어제 TV를 보고 있었다.
*둘 다 주어가 단수이며, 과거를 나타내는 yesterday 가 있으므로 was가 온다.
03. ① 일요일이다. ② 6월 9일이다.
③ 7시 10분 전이다. ④ 그것은 맛있다.
⑤ 오늘은 흐리다.
*④의 it은 대명사 나머지 it은 비인칭주어이다.
04. ① 어제는 바람이 불었다.
② 그는 피자를 먹고 있지 않았다.
③ 약 4km이다.
④ 그들은 선생님과 얘기를 하고 있었다.
⑤ 그들은 어젯밤 수영장에서 수영을 하고 있었다.
*⑤의 are가 were가 되어야 한다.
07. ① 오늘 날씨 어때? / 추워.
② 무슨 요일이니? / 5월 5일이야.
③ 지금 몇 시니? / 10시 20분이야.
④ 그들은 집에 머물고 있었니? / 아니, 없었어.
⑤ 너희들은 TV를 보고 있었니? / 응, 그래.
*②는 What's the date today?로 바꿔야 한다.
08. 그 학생들은 숙제를 하고 있었니?
*Were로 묻고 있으므로 were나 weren't로 답한다.
09. 오늘은 며칠이니?
① 10월 10일이다. ② 화요일이다. ③ 매우 덥다.
④ 약 1km이다. ⑤ 2시 6분이다.
10. 여기서 너희 집까지 얼마나 머니?
① 그것은 5층에 있다. ② 그것은 나의 집이 아니다.
③ 그것은 여기에 없다. ④ 그것은 너의 집이다.
⑤ 약 3km이다.
12. 나는 어제 설거지를 했다.
13. 그들은 강에서 고기를 잡고 있었다.
14. A: 오늘은 무슨 요일이니? B: 오늘은 화요일이야.
15. A: 오늘은 며칠이니? B: 6월 8일이야.

Chapter 04. 조동사 I

Unit 01. can, may

Warm up

01. play 02. ride 03. remember
04. write 05. speak 06. are
07. use 08. be 09. am
10. are 11. is 12. was
13. swims 14. to help 15. go

[해석 및 해설]
01. 그는 기타를 칠 수 있다.
02. 그녀는 방과 후 자전거를 탈 수 있다.
03. 나는 그의 전화번호를 기억할 수 있다.
04. Ellen은 자신의 이름을 쓸 수 있다.
05. 그는 3개 국어를 할 수 있다.
06. 그 소년들은 노래를 잘할 수 있다.
07. 당신은 이 방을 3일 동안 사용해도 좋다. (허락)
08. 그 여자는 의사일지 모른다. (추측)
09. 나는 저 아픈 사람들을 도울 수 있다.
10. 그녀와 나는 강에서 수영을 할 수 있다.
11. Ted는 다시 걸을 수 있다.
12. 나는 어제 질문에 답할 수 있었다.
13. Jessie는 매일 수영장에서 수영을 한다.
14. 나는 어젯밤 그를 도울 수 있었다.
15. 너는 지금 가도 좋다. (허락)

First Step

❶ 01. is able 02. may 03. can
04. may 05. are able 06. was able
07. can 08. were able 09. may/can
10. may 11. is able 12. may

❷ 01. can 02. can 03. may
04. were able 05. are able 06. is able
07. can 08. may 09. was able

10. may 11. was able 12. may/can

Second Step

❶ 01. Jane은 자동차를 운전할 수 있다.
02. 그들은 한국어를 읽을 수 있다.
03. 그들은 의사일지 모른다.
04. 너는 내 컴퓨터를 사용해도 된다.
05. 그는 영어를 잘할 수 있다.
06. 너는 지금 집에 가도 된다.
07. 우리는 학교에 지각할지도 모른다.
08. 그녀와 나는 그 수학 문제를 풀 수 있다.
09. Tom과 Jane은 저녁식사 전에 숙제를 마칠 수 있다.
10. 나는 빨리 달릴 수 있었다.
11. 우리는 그 경기에서 승리할 수 있었다.
12. 그 아이는 영어 알파벳을 쓸 수 있다.

❷ 01. 내 개는 바다에서 수영할 수 있다.
02. 내 아버지는 트럭을 운전할 수 있으시다.
03. 여러분은 책을 펼쳐보아도 된다.
04. 우리는 인터넷에서 피자를 주문할 수 있다.
05. 그는 어제 그들을 만날 수 있었다.
06. 나는 지금 너에게 돈을 좀 줄 수 있다.
07. 그 남자는 이 집을 살 수 있다.
08. 그녀는 맛있는 음식을 만들 수 있다.
09. 저 원숭이는 그림을 그릴 수 있다.
10. 너는 오늘밤 내 침대를 사용해도 된다.
11. 이 로봇은 천천히 뛸 수 있다.
12. Judy는 학교로 돌아갈 수 있었다.

Third Step

01. is → are 02. makes → make
03. joins → join 04. visiting → visit
05. are → be 06. is → was
07. to forget → forget 08. can → could
09. has → have 10. eats → eat
11. watching → watch 12. is able → is able to

Writing Step

01. can[am able to] speak Chinese well
02. could[was able to] watch TV last night
03. may snow tomorrow
04. may[can] eat the apple on the table
05. My dog can[is able to] jump over the wall.
06. was able to fix the bike yesterday
07. may[can] use my cell phone
08. can[are able to] finish it before lunch
09. can[is able to] go camping next weekend
10. may save a lot of money
11. can[are able to] buy fresh fruits at a market
12. may be in the library

Unit 02. can, be able to, may의 부정문과 의문문

Warm up

01. move 02. go 03. solve
04. Are 05. may not 06. come
07. aren't 08. was 09. know
10. read 11. can not 12. Can
13. be 14. to use 15. borrow

[해석]
01. 너는 이 식탁을 움직일 수 있니?
02. 화장실에 가도 되요?
03. 나는 이 문제를 풀 수 없다.
04. 그 말들은 빨리 달릴 수 있니?
05. 너는 창문을 열어서는 안 된다.
06. 네 친구들은 파티에 올 수 있니?
07. 그녀와 Susie는 저 질문에 대답할 수 없다.
08. 그는 어제 나와 같이 놀 수 없었다.
09. Jane은 이 노래를 모를 수도 있다.
10. 그는 읽고 쓸 수 있니?
11. 나는 많은 사람들 앞에서 말할 수 없다.
12. 네 개는 높이 뛸 수 있니?
13. Jeff는 아프지 않을 수도 있다.
14. Jackson은 젓가락을 사용하지 못한다.
15. 네 책을 빌려도 되니?

First Step

❶ 01. Can 02. may/can 03. may
04. May/Can 05. Is 06. Can
07. Can 08. Are 09. may
10. can't

❷ 01. can't 02. can't 03. Are
04. Can 05. is not able 06. can't
07. may 08. May/Can 09. Is
10. can't

Second Step

❶ 01. 운전할 수 없다
02. 탈 수 없다 / 타지 못한다
03. 빌려도 되니
04. 사용하면 안 된다
05. 찾을 수가 없다
06. 다시 할 수 있니
07. 없을지도 모른다
08.도와줄 수 있니
09. 숙제를 마칠 수 있니
10. 사용할 수 있니
11. 음식을 먹으면 안 된다[먹을 수 없다]
12. 계획을 바꿀 수 없다

❷ 01. 않을 수도 있다
02. 될까요
03. 만날 수 없었다
04. 안 올 수도 있다
05. 먹을 수 있니
06. 갈 수 없다
07. 일찍 일어날 수 없었다
08. 걸을 수 있니
09. 사용해도 되니
10. 치지 못하신다
11. 없을 수도 있다
12. 날 수 없다

Third Step

01. She is not able to walk fast.
02. We aren't able to drink coffee.
03. Is she able to sing Korean songs?
04. My brother is not able to run fast.
05. Can he catch thieves?
06. Are we able to find his house?
07. It may not be cold tomorrow.
08. Can I take a rest for five minutes?
09. Can I touch the snake?
10. His mom may not know my name.
11. Cathy was not able to go on a picnic last week.
12. The students can't learn science at school.

[해석]
01. 그녀는 빨리 걸을 수 없다.
02. 우리는 커피를 마실 수 없다.
03. 그녀는 한국노래를 부를 수 있니?
04. 내 남동생은 빨리 달릴 수 없다.
05. 그가 도둑들을 잡을 수 있니?
06. 우리가 그의 집을 찾을 수 있니?
07. 내일은 춥지 않을 수도 있다.
08. 5분 동안 휴식해도 되나요?
09. 뱀을 만져도 되나요?
10. 그의 엄마는 나의 이름을 모르실 수도 있다.
11. Cathy는 지난주 소풍을 갈 수 없었다.
12. 그 학생들은 학교에서 과학을 배울 수 없다.

Writing Step

01. Can, catch
02. Is, able to open the bottle
03. were not able to sleep last night
04. may not remember my face
05. Can, meet me tomorrow
06. may not be hungry now
07. May/Can, have pizza for lunch
08. can't[can not / am not able to] understand his speech
09. may not be easy
10. Are, able to come to the party
11. Is, able to make dolls
12. can't[can not / are not able to] fly for a long time

Final Step

❶ 01. is → are
02. fixes → fix
03. answers → answer
04. were → was
05. takes → take
06. gets → get
07. can → may
08. am → was
09. goes → go
10. can → may
11. plays → play
12. move → to move

❷ 01. Can the baby walk fast?
02. Was he able to buy the toy?
03. Jane is able to move the table.
04. We can't(can not) win the basketball game.
05. Can the babies catch a cold easily?
06. She may not be in the library now.
07. You may park in front of the building.
08. Is Julia able to pass the exam?
09. The kids aren't(are not) able to turn on the computer.
10. The cat can't(can not) catch a mouse.
11. Can his father buy a new car?
12. He may be his English teacher.

[해석]
01. 그 아기는 빨리 걸을 수 있다.
02. 그는 그 장난감을 살 수 있었다.
03. Jane은 그 탁자를 옮길 수 없다.
04. 우리는 그 농구경기를 이길 수 있다.

05. 아기들은 감기에 쉽게 걸릴 수 있다.
06. 그녀는 지금 도서관에 있을지도 모른다.
07. 너는 그 건물 앞에 주차하면 안 된다.
08. Julia는 그 시험을 통과할 수 있다.
09. 그 아이들은 컴퓨터를 켤 수 있다.
10. 그 고양이는 쥐를 잡을 수 있다.
11. 그의 아버지는 새 차를 살 수 있다.
12. 그는 그의 영어선생님이 아닐 수도 있다.

Exercise

01. ③ 02. ① 03. ① 04. ① 05. ④
06. ② 07. ⑤ 08. ④ 09. ① 10. ③
11. ③ 12. ② 13. may not
14. can't(can not) / is not able to
15. (1) 그들은 빨리 걸을 수 있니?
(2) 너(희)는 지금 나를 도와줄 수 있니?
(3) 내 아버지는 지금 집에 계실지도 모른다.
16. (1) My mom can ride a bike.
(2) She and her mother are able to make spaghetti.

[해석 및 해설]

01. 네 컴퓨터를 사용해도 되니?
*조동사+주어+동사원형 ~?
02. Maria는 피아노를 매우 잘 칠 수 있다.
*be able to+동사원형
03. ① 그녀는 지금 집에 있을지 모른다.
② 그는 축구를 매우 잘할 수 있다.
③ 우리는 그의 연필들을 사용할 수 있다[사용해도 된다].
④ 너는 요리를 잘하니?
⑤ 이 물을 마셔도 되나요?
*조동사 may 다음에는 동사원형이 온다.
04. Sam은 강에서 수영할 수 있다.
*be able to = can
05. *may not be ~가 아닐 수도 있다
07. 너의 친구들은 음악회에 갈 수 있니?
*your friends는 복수이므로 they로 대답해야 한다.
08. *you and Tom은 1인칭 복수인 we로 대답해야 한다.
09. 엄마, 이 우유 마셔도 되요? / Julie는 영어를 잘할 수 있다.
10. 그 새들은 높이 날 수 있다. / 너는 축구를 할 수 있니?
*주어가 복수이고 2인칭이므로 모두 are가 와야 한다.
11. *can의 현재 부정형을 써야 한다.
12. 너는 지금 집에 가도 된다.
16. 엄마는 자전거를 탈 수 있으시다.
그녀와 그녀 어머니는 스파게티를 만들 수 있다.
*can 다음에 동사원형이 온다.
*주어가 She and her mother 복수이므로 is는 are가 되어야 한다.

Review Test (Chapter 1-4)

❶ 01. Julia was a student last year.
02. There were many guests in my house last week.
03. Ted was alone last night.
04. She was a very famous writer at that time.

[해석]

01. Julia는 작년에 학생이었다.
02. 지난주 우리 집에는 많은 손님들이 있었다.
03. Ted는 어젯밤 혼자였다.
04. 그녀는 그 당시 유명한 작가였다.

❷ 01. 부정문 He was not(wasn't) at the beach last weekend.
의문문 Was he at the beach last weekend?
02. 부정문 The dogs were not(weren't) very small.
의문문 Were the dogs very small?
03. 부정문 There was not(wasn't) a tree on the hill.
의문문 Was there a tree on the hill?
04. 부정문 Sandra was not(wasn't) in the classroom this morning.
의문문 Was Sandra in the classroom this morning?

[해석]

01. 그는 지난 주말 해변에 있었다.
02. 그 개들은 매우 작았다.
03. 언덕에는 나무 한 그루가 있었다.
04. Sandra는 오늘 아침 교실에 있었다.

❸ 01. cut 02. started 03. worked
04. knew 05. felt 06. opened

[해석]

01. Maria는 가위로 그의 머리카락을 잘랐다.

02. 그 사건은 10분 전에 시작했다.
03. 내 삼촌은 작년에 도서관에서 일했다.
04. Emma는 어제 내 계획에 대해 알았다.
05. 나는 그 당시에 무척 슬펐다.
06. 그 공장은 3년 전에 열었다.

❹ 01. visited 02. stopped 03. ate
04. went 05. put 06. read

❺ 01. 오늘은 수요일이다. 02. 지난 주말은 맑았다.
03. 지금 비가 오고 있다. 04. 8월에는 비가 많이 온다.
05. 8시 9분이다. 06. 5시 22분이다.

❻ 01. It is snowing. 02. It was foggy.
03. It is November (the) fifth[the fifth of November].
04. It is five to six. 05. It was cold.
06. It's two kilometers.

[해석]
01. 오늘 날씨가 어때?
02. 오늘 아침에 날씨가 어땠니?
03. 오늘 며칠이니?
04. 지금 몇 시니?
05. 어제 날씨가 어땠니?
06. 여기서 네 학교까지 얼마나 머니?

❼ 01. 그는 지금 배가 고프지 않을 수도 있다 .
02. 네 컴퓨터를 사용해도 되니?
03. 그는 그 상점을 찾을 수 없었다.
04. 내일 춥지 않을 수도 있다.
05. 그의 어머니는 설거지를 할 수 없으셨다.
06. Mike는 젓가락으로 음식을 먹을 수 있다.
07. Kevin과 나는 호텔에 체류할 수 없다.
08. 점심 먹고 휴식을 취해도 되니?
09. Brown과 통화할 수 있을까요?
10. 나는 그것을 믿을 수가 없다.
11. 그와 Ted는 파티에 오지 않을 수도 있다.
12. 그는 10년 동안 그의 가족을 볼 수 없었다.

Achievement Test (Chapter 1-4)

01. ④ 02. ④ 03. ④ 04. ② 05. ④
06. ④ 07. ① 08. ② 09. ④ 10. ①
11. ⑤ 12. ② 13. ① 14. ② 15. ②
16. ④ 17. ① 18. ② 19. ① 20. ①
21. ④ 22. ④ 23. ① 24. ③

25. 부정문 She didn't teach history at a middle school.
의문문 Did she teach history at a middle school?
26. It 27. he can
28. Julia sent a letter two days ago.
29. may not 30. 내가 창문을 닫아도 될까요?

[해석 및 해설]
01. *buy의 과거형은 bought이다.
02. 지난 주말은 추웠다. / 그녀는 어제 그녀 사무실에 있었다.
*과거를 나타내는 last weekend와 yesterday가 있으므로 과거시제가 와야 하며, 주어는 단수이다.
03. 나는 지난밤에 숙제를 했다. / Jack, 어제 TV를 봤니?
*과거를 나타내는 last night과 yesterday가 있으므로 과거시제가 와야 한다. *do homework 숙제하다
04. ① Tom은 TV를 보지 않았다.
② 그것은 내가 좋아하는 노래가 아니다.
③ 그 소녀들은 그 쇼를 좋아하지 않았다.
④ 그녀는 지난밤에 나와 함께 일하지 않았다.
⑤ 나는 어제 해변에 가지 않았다.
*②의 빈칸에는 be동사가 필요하고 나머지는 모두 didn't가 들어간다. didn't 다음에는 동사원형이 오고, be동사 다음에는 형용사, 명사 등이 온다.
05. 아버지는 우산을 잃어버리셨다.
*didn't 다음에는 동사원형이 온다.
06. Jane은 편지를 썼다.
*「Did+주어+동사원형 ~?」의 형태가 되어야 한다.
07. 그는 많은 친구들이 있었다.
*「Did+주어+동사원형 ~?」의 형태가 되어야 한다.
08. 나는 그 차가 너무 비싸서 살 수가 없다.
*너무 비싸서 살 수 없다는 내용이므로 ②가 정답이다.
09. ______ 방과 후에 무척 배가 고팠다.
*be동사 were로 보아 주어는 복수여야 한다.
10. 눈이 ______ 많이 왔니?
*Did로 보아 미래를 나타내는 말은 올 수 없다.
11. 저 노래들은 인기 있었니?
*주어가 복수 those songs이므로 대답은 they로 한다.
12. 네 여동생은 어제 공원에 있었니?
*주어가 단수 your sister이므로 대답은 she로 한다.
13. 내 자동차를 사용해도 돼. – 허락
① 여기에 주차해도 된다. – 허락

② 내일 비가 올지 모른다. – 추측
③ 그녀는 공원에 있을지 모른다 – 추측
④ 너는 내 사촌을 알지 모른다 – 추측
⑤ 그는 오늘 학교에 늦을지 모른다 – 추측

14. 그것은 그녀의 오빠의 차일지 모른다. – 추측
① 이 방을 사용해도 된다. – 허락
② 그녀는 의사일지 모른다. –추측
③ 내가 밤에 늦게 전화해도 되니? – 허락
④ 질문을 해도 되나요? – 허락
⑤ 너는 지금 집에 가도 된다. – 허락

15. *this morning으로 보아 과거시제임을 알 수 있다.

16. ① 너는 역에 갔었니?
② 너는 어젯밤에 여기 왔었니?
③ 너는 지난해에 이 노래를 좋아했니?
④ 어제 너는 아팠니?
⑤ 너는 오늘 아침 일찍 일어났니?
*⑤에는 형용사 sick이 있으므로 be동사 의문문이고, 나머지는 일반동사 의문문으로 Did가 필요하다.

17. ① 그녀는 가방을 발견했다.
② 그는 작년에 영어를 가르쳤다.
③ Jessie는 오늘 아침에 우유를 마셨다.
④ 그들은 훌륭한 저녁식사를 했다.
⑤ 우리는 어제 영화를 보러 갔다.
*find의 과거는 found이다.

18. ① Jack은 지난밤에 아팠다.
② 그들은 그때 방에 없었다.
③ 너는 학교에서 영어를 배웠니?
④ 내 남동생은 오늘 아침 집에 있었다.
⑤ 너는 어제 슬펐니?
*② didn't 다음에는 동사원형이 온다. didn't → wasn't

19. ① 그녀는 파이를 원하지 않았다.
② 우리는 점심으로 피자를 먹지 않았다.
③ 그녀는 잡지를 사지 않았다.
④ 그들은 실수를 하지 않는다.
⑤ 그들은 어제 경기에서 이기지 못했다.
*didn't 다음에는 동사원형이 온다. wants → want

20. ① 그것은 나의 연필이다. ② 5월 5일이다.
③ 어둡다. ④ 따뜻하다.
⑤ 3시 정각이다.
*①은 대명사, 나머지는 비인칭주어이다.

21. ① 몇 시니? ② 날씨가 어떠니?
③ 오늘 무슨 요일이니? ④ 오늘 며칠이니?
⑤ 오늘 날씨 어때?

22. ① 지금 몇 시니? 2시 10분이야.
② 너는 한국말을 할 수 있니? 응, 그래.
③ 의자에 앉아도 되나요? 아니요. 안 돼요.
④ 그들이 너와 같은 반 학생들이었니? 아니, 그렇지 않아.
⑤ 네 엄마는 독서를 즐기셨니? 아니, 그렇지 않아.
*④ were로 물어보기 때문에 weren't로 답해야 한다.

23. Mike는 그녀의 집을 찾을 수가 없다.
*is not able to = can't

24. 그는 어제 서점에서 책을 샀다.

25. 그녀는 중학교에서 역사를 가르쳤다.
*시제가 과거이므로 didn't와 Did를 사용해야 한다.

26. *비인칭주어 It이 필요하다.

27. 네 아버지는 골프를 치실 수 있니?
*your father는 he로 답한다. can으로 물으면 can 또는 can't로 답한다.

28. Julia는 이틀 전에 편지를 보냈다.
*send의 과거형은 sent이다.

29. *추측을 나타내는 may를 사용해야 한다.

30. *여기서 can은 허락의 의미이다.

Chapter 05. 조동사 II

Unit 01. must, have to, had better

Warm up

01. must	02. must	03. go	04. has
05. have	06. had	07. had	
08. to respect		09. have	10. has
11. take	12. wear	13. be	14. had to
15. be			

[해석]

01. 너는 설거지를 해야 한다.
02. 그들은 내일 일찍 일어나야 한다.
03. Jessica는 지금 집에 가야 한다.
04. 그는 유니폼을 입어야 한다.
05. 나는 엄마를 기다려야 한다.
06. 너는 바로 진찰을 받는 게 낫겠다.
07. 너는 일찍 자는 게 좋겠다.
08. 우리는 부모님을 존경해야 한다.

09. 그 아이들은 손을 닦아야 한다.
10. Sam은 그 질문에 답해야 한다.
11. 그는 산책하는 것이 좋겠다.
12. 너는 코트를 입는 게 좋겠다.
13. 그는 의사임에 틀림없다.
14. 우리는 어제 일찍 일어나야 했다.
15. 그녀는 모델임에 틀림없다.

First Step

❶ 01. had better 02. must 03. have to
04. has to 05. must be 06. have to
07. have to 08. had to 09. had to
10. must 11. had better 12. must be

❷ 01. have to 02. must 03. has to
04. must be 05. had better 06. has to
07. have to 08. had to 09. must be
10. must 11. had better 12. must

Second Step

❶ 01. has to 02. take 03. be
04. finish 05. do 06. wash
07. have to 08. pass 09. must
10. stop 11. has to 12. wear

❷ 01. take 02. use 03. had better
04. have to 05. had better 06. has to
07. have to 08. learn 09. be
10. exercise 11. stay 12. take off

Third Step

01. must 02. has 03. had better
04. had better 05. have 06. had better
07. has 08. have 09. must
10. must 11. had better 12. must

[해석]
01. 그녀는 노래를 매우 잘한다.
02. 내 여동생은 열이 있다.
03. 그는 매우 피곤하다.
04. 지금 비가 오고 있다.
05. 우리는 늦었다.
06. 그는 매우 졸리다.
07. Jack은 감기에 걸렸다.
08. 내 차는 더럽다.
09. 그녀는 결코 일찍 일어나지 않는다.
10. 어둡다.
11. 내 남동생은 너무 뚱뚱하다.
12. Jack은 자동차 사고가 났다.

Writing Step

01. have to[must] clean the classroom
02. have to[must] wear a swimming hat in the pool
03. must be a soccer player
04. had better start right now
05. had better visit his parents at once
06. had better learn English for your future
07. have to[must] eat food slowly
08. have to[must] speak English at school
09. have to[must] turn off the radio before bed
10. has to[must] practice the violin every day
11. have to[must] return this book today
12. has to[must] arrive at the airport before noon

Unit 02. must, have to, had better의 부정문

Warm up

01. must not 02. don't have to
03. must not 04. must not
05. doesn't 06. don't have to
07. doesn't 08. had better not
09. doesn't 10. go
11. had better 12. must

First Step

❶ 01. don't have to 02. must not
03. doesn't have to 04. don't have to
05. had better not 06. had better not
07. must not 08. must not
09. had better not 10. don't have to
11. doesn't have to 12. must not

❷ 01. doesn't have to 02. don't have to
03. must not 04. don't have to
05. must not 06. must not
07. had better not 08. must not
09. had better not 10. doesn't have to
11. had better not 12. had better not

Second Step

❶ 01. 너는 오늘 요리할 필요가 없다.
02. 너는 이 기계를 사용하면 안 된다.
03. James는 이 책들을 돌려줄 필요가 없다.
04. 너는 밤에 음식을 너무 많이 먹으면 안 된다.
05. 너는 해변에 안 가는 게 좋겠다.
06. 그들은 창문을 잠글 필요가 없다.
07. 너는 수학시간에 계산기를 사용하면 안 된다.
08. 우리는 우리 문화를 보호해야 한다.
09. 우리는 이 일을 끝내지 않아도 된다.
10. 너는 일찍 자는 게 좋겠다.
11. 너는 빨간색 셔츠를 입지 않는 게 좋겠다.
12. 그는 라디오를 듣지 않아도 된다.

❷ 01. 너는 영어로 말할 필요가 없다.
02. 그 아이들은 커피를 마시면 안 된다.
03. Mike는 컴퓨터를 살 필요가 없다.
04. 지하철에서 음식을 먹으면 안 된다.
05. 우리는 수영장으로 뛰어 들어가면 안 된다.
06. 그는 샤워를 하는 게 좋겠다.
07. 너는 소파를 사지 않는 게 좋겠다.
08. 그들은 이곳에 12시(정오) 전에 도착해야 한다.
09. Jack은 저녁을 먹지 않아도 된다.
10. 너는 서울로 이사 가는 게 좋겠다.
11. 너는 초콜릿을 먹지 않는 게 좋겠다.
12. 그녀와 나는 안경을 쓸 필요가 없다.

Third Step

01. don't have to fix
02. forget
03. must not
04. doesn't have to
05. had better not
06. to answer
07. join
08. have to
09. to come
10. don't have to
11. had to
12. leave
13. close
14. stop
15. play

[해석]
01. 나는 내 컴퓨터를 고칠 필요가 없다.
02. 너는 부모님의 생일을 잊어서는 안 된다.
03. 너는 여기에서 길을 건너면 안 된다.
04. 그는 오늘 방을 청소하지 않아도 된다.
05. 그는 운전하지 않는 게 좋겠다.
06. Jackson은 그 질문에 대답을 하지 않아도 된다.
07. 너는 그 모임에 가입하지 않는 게 좋겠다.
08. 내가 역사를 공부해야 하나요?
09. 그들은 여기에 일찍 올 필요가 없다.
10. 너는 그 약속을 지킬 필요가 없다.
11. 그녀는 어제 그를 기다려야 했다.
12. 그는 지금 떠나면 안 된다.
13. 너는 문을 닫지 말아야 한다.
14. 너는 빨간 불에 서야 한다.
15. 너는 오늘 축구를 하지 않는 게 좋겠다.

Writing Step

01. had better not eat pizza at night
02. doesn't have to borrow a bike
03. don't have to go to the market
04. had better not go to the party
05. doesn't have to move to London
06. must not drink coffee at night
07. must not walk on the grass
08. must not touch my computer
09. doesn't have to wait for me today
10. doesn't have to worry about her mother
11. doesn't have to save money for the future
12. had better not wear the cap

Final Step

❶ 01. must not
02. had to
03. don't have to
04. have to
05. have to
06. doesn't have to
07. must not
08. had better
09. have to
10. had to
11. must not
12. had better

❷ 01. must be
02. had better
03. must be
04. had better not
05. must
06. don't have to
07. must not
08. must not
09. had to
10. had better
11. must
12. must not

Exercise

01. ① 02. ⑤ 03. ③ 04. ③ 05. ②
06. ③ 07. ② 08. ① 09. ③ 10. ③
11. ⑤ 12. ⑤

13. (1) 그녀는 커피를 너무 많이 마시면 안 된다.
(2) 그는 새 양말을 살 필요가 없다[사지 않아도 된다].
14. had better not 15. have to 16. must

[해석 및 해설]

01. *must ~해야 한다 / must be ~임에 틀림없다 / must not ~하면 안 된다 / be able to ~할 수 있다 / had better ~하는 게 좋겠다
02. *must[have to] ~해야 한다 / must not ~하면 안 된다 / had better ~하는 게 좋겠다 / don't have to ~할 필요가 없다
04. *had better not+동사원형: ~하지 않는 게 좋겠다
05. 그는 그 책을 사야 한다. *must = have to / has to
06. ① 너는 이곳에 있으면 안 된다.
② 너는 길을 건너야 한다.
③ 내가 영어공부를 해야 하니?
④ 문을 닫으면 안 된다.
⑤ 그는 과일을 살 필요가 없다.
*must의 부정은 must not이다. *must+동사원형 / must not+동사원형 / don't have to+동사원형
07. ① 우리는 일찍 일어나야 한다.
② 그들은 상점에 가야 한다.
③ 나는 어제 그를 만나야 했다.
④ 그는 그녀를 도울 필요가 없다.
⑤ 그녀는 휴식을 취하지 않는 게 좋겠다.
*③ have to는 had to가 되어야 한다.
*④ don't는 주어가 3인칭 단수로 doesn't가 되어야 한다.
09. 너는 감기에 걸렸다. 진찰을 받아야 한다.
*must[have to] ~해야 한다 / must be ~임에 틀림없다 / must not ~하면 안 된다 / had better ~하는 게 좋겠다 / had better not ~하지 않는 게 좋겠다
10. 너는 졸리다. 낮잠을 자는 게 좋겠다.
*had better+동사원형: ~하는 게 좋겠다
11. *had better not+동사원형: ~하지 않는 게 좋겠다
12. 그는 한국사람임에 틀림없다.
① 너는 진찰을 받아야 한다.
② 그는 물을 좀 사야 한다.
③ 그녀는 그 일을 끝내야 한다.
④ 우리는 도서관에서 조용히 해야 한다.
⑤ 그들은 가수임에 틀림없다.

Chapter 06. 의문사 I

Unit 01. Who, What, Which

Warm up

01. Who 02. Who 03. What 04. are
05. Which 06. What 07. are 08. What
09. What 10. are 11. What 12. Which

[해설]

05. one은 앞에 이미 언급했거나 상대방이 알고 있는 사람·사물을 가리킬 때 명사의 반복을 피하기 위해 쓴다.

First Step

❶ 01. Who 02. Who 03. What 04. What
05. Which 06. What 07. What 08. Which
09. Who 10. What 11. Which 12. What

[해설]

05. or는 '또는', '혹은'이라는 의미로 둘 이상에서 선택 사항을 연결한다.

❷ 01. What 02. What 03. Who 04. What
05. Which 06. What 07. What 08. Which
09. Who 10. What 11. What 12. What

Second Step

❶ 01. What 02. is making
03. Who, She 04. Which, mine
05. What, lamp 06. Who
07. Which 08. What, playing
09. What, was 10. What, like
11. Who, We 12. Who

[해석 및 해설]

01. 이름이 무엇이니? / 내 이름은 Kevin이야.
02. 그녀는 무엇을 만들고 있니? / 그녀는 의자를 만들고 있어.
*진행형으로 물으면, 진행형으로 대답해야 한다.
03. 그녀는 누구니? / 그녀는 내 여동생이야.
*who는 사람의 이름, 관계, 신분 등을 물을 때 사용한다. what은 사물을 나타낸다.
04. 빨간색과 노란색 책 중 어느 것이 네 것이니?
노란색 책이 내 거야.
*which는 두 가지 이상 정해진 것들 중에서 하나를 선택할 때 사용한다.

05. 책상 위에 무엇이 있니? / 등이 있어.
*what은 사물을 나타낸다.
06. 거실에 누가 있니? / Jack이 있어.
07. 어느 것이 너의 집이니? / 저것이 나의 집이야.
08. 네 친구들은 지금 무엇을 하고 있니? / 그들은 축구를 하고 있어.
09. Susan은 그때 무엇을 하고 있었니? / 전화를 받고 있었어.
10. 네가 좋아하는 색은 무엇이니? / 나는 빨간색을 좋아해.
*what은 정해지지 않은 것을 선택할 때 사용한다.
11. 당신들은 누구입니까? / 우리는 변호사입니다.
*who는 사람의 이름, 관계, 신분 등을 물을 때 사용한다.
12. 너는 누구를 찾고 있니? / 나는 엄마를 찾고 있어.
*찾고 있는 사람이 엄마이므로 who가 온다.

❷ 01. Who 02. Who, She
03. What 04. Which, yours
05. What, book 06. What
07. What, is wearing 08. What, reading
09. Which, hers 10. What, He
11. Who, is 12. What

[해석 및 해설]
01. 누가 너의 아버지니? / 저 남자가 나의 아버지야.
02. 그녀는 누구를 돌보고 있니? / 그녀는 여동생을 돌보고 있어. *who는 사람을 나타내고, what은 사물을 나타낸다.
03. 그녀는 무엇을 그리고 있니? / 그녀는 나무들을 그리고 있어. *who는 사람을 나타내고, what은 사물을 나타낸다.
04. 어느 것이 나의 가방이니? / 빨간색 가방이 너의 것이야. *which는 두 가지 이상 정해진 것들 중에서 하나를 선택할 때 사용한다.
05. 가방 안에 무엇이 있니? / 책이 있어. *who는 사람을 나타내고, what은 사물을 나타낸다.
06. 부엌에 무엇이 있니? / 식탁이 있어. *who는 사람을 나타내고, what은 사물을 나타낸다.
07. 그녀는 무엇을 입고 있니? / 반바지를 입고 있어.
*who는 사람을 나타내고, what은 사물을 나타낸다.
08. Jessica는 지금 무엇을 하고 있니? / 그녀는 책을 읽고 있어.
09. 어느 것이 너의 엄마 자동차이니? / 저 작은 차가 엄마차야.
10. 그는 무엇을 읽고 있니? / 잡지를 읽고 있어.
*who는 사람을 나타내고, what은 사물을 나타낸다. *잡지를 읽고 있으므로 what이 온다.
11. 누가 무대에서 춤을 추고 있니? / Sam이 춤추고 있어. *who는 사람의 이름, 관계, 신분 등을 물을 때 사용한다.
12. 너는 무엇을 찾고 있니? / 나는 안경을 찾고 있어.

Third Step

01. What 02. What 03. What 04. Who
05. What 06. What 07. Which 08. Who
09. Who 10. Who 11. are 12. What

Writing Step

01. Which, your pencil
02. What, your favorite Korean food
03. Who, cooking dinner
04. What, the children doing
05. What, Jane looking for
06. Which, his shirt
07. Who, he waiting for
08. What, in the food
09. Who, your favorite writer
10. What is
11. Who, sleeping in the room
12. What, she putting in the box

Unit 02. Who, Whose, What, Which

Warm up

01. Who 02. Who 03. Which
04. learns 05. Whose 06. What
07. time 08. Which 09. do
10. Which 11. Who 12. Who

First Step

❶ 01. What 02. Which 03. Who[Whom]
04. What 05. Who 06. Who
07. Which 08. What 09. Whose
10. What 11. What 12. Which

❷ 01. What　02. What　03. Which
04. can　05. What　06. Who[Whom]
07. do　08. What　09. What
10. Who　11. Which　12. Who

Second Step

❶ 01. Who, cleans　02. What, like
03. Who, teaches　04. What, want
05. can　06. Which, wants
07. did, invited　08. Whose
09. What, They　10. Which
11. Which　12. Who

[해석]

01. 누가 네 방을 청소하니? / 엄마가 방을 청소하셔.
02. 너는 무슨 종류의 음악을 좋아하니? / 나는 힙합을 좋아해.
03. 누가 너에게 영어를 가르치니? / Jane이 나에게 영어를 가르쳐.
04. 크리스마스선물로 무엇을 원하니? / 나는 노트북 컴퓨터를 원해.
05. 누가 오늘 미팅에 참석할 수 있니? / Jack이 할 수 있어.
06. 그는 어떤 색을 원하니, 빨간색 아니면 노란색? / 그는 노란색을 원해.
07. 그가 누구를 그 파티에 초대했니? / 그가 친구들을 초대했어.
08. 저것은 누구의 집이니? / 그것은 내 집이야.
09. 일요일에 그들은 무엇을 하니? / 그들은 교회에 가.
10. 어떤 것을 마시길 원하니, 우유 아니면 오렌지주스? / 오렌지 주스.
11. 어떤 지하철이 강남에 가니, 붉은 노선 아니면 오렌지 노선? / 오렌지 노선이야.
12. 누가 매일 아침 너를 깨우니? / 엄마야.

❷ 01. What　02. wants
03. Who, loves　04. Which
05. Who, can　06. What, reading
07. Which, use　08. Which
09. What　10. Who, respect
11. Which　12. Who, interviewed

[해석]

01. 무슨 종류의 차를 그녀는 운전하고 있니? / 그녀는 작은 차를 운전하고 있어.
02. 누가 차 한 잔을 원하니? / 내가 원해.
03. 그녀는 누구를 사랑하니? / 그녀는 Jack을 사랑해.
04. 어느 것을 원하니, 소고기 아니면 닭고기? / 소고기 주세요.
05. 누가 그 복사기를 고칠 수 있니? / William이 할 수 있어.
06. 너는 무슨 종류의 책을 읽고 있니? / 나는 그 소설책을 읽고 있어.
07. 그들은 어떤 언어를 사용하니, 영어 아니면 프랑스어? / 그들은 프랑스어를 사용해.
08. Ted는 어떤 계절을 좋아하니? / 그는 겨울을 좋아해.
09. 너의 아버지는 무슨 스포츠를 하고 계시니? / 그는 지금 골프를 치고 계셔.
10. 너는 누구를 존경하니? / 나는 내 부모님들을 존경해.
11. 어떤 가게가 그 부츠를 팔고 있니? / 왼쪽에 있는 가게야.
12. 그는 어제 누구를 인터뷰했니? / 그는 유명한 배우를 인터뷰했어.

Third Step

01. Which　02. time　03. Which
04. do　05. fruit　06. What
07. Which　08. subject　09. What
10. Who

[해석 및 해설]

01. 어떤 도시를 방문하고 싶니, 서울 아니면 런던? / 나는 런던을 방문하고 싶어.
*둘 중에 하나를 선택하므로 which가 필요하다.
02. 너는 몇 시에 일어나니? / 나는 7시에 일어나.
03. 코트와 치마 중 어느 것을 사길 원하니? / 나는 코트를 원해.
*둘 중에 하나를 선택하므로 which가 필요하다.
04. 학생들은 월요일에 무엇을 배우니? / 그들은 역사와 과학을 배워. *주어가 복수 the students이므로 do가 온다.
05. 네 아버지는 무슨 과일을 좋아하시니? / 그는 사과를 좋아해.
06. 그들은 무슨 음식을 아침으로 먹니? / 그들은 베이컨하고 계란을 먹어.

07. 어떤 것이 네 엄마의 차니, 이거 아니면 저거? / 저것이야. *둘 중에 하나를 선택하므로 which가 필요하다.
08. 무슨 과목을 좋아하니? / 나는 과학을 좋아해. *과학이란 과목이 등장하므로 subject가 와야 한다.
09. 토요일에 무엇을 하니? / 나는 보통 공원에 가. *무엇을 하냐고 묻는 질문이므로 what이 온다.
10. 그녀는 누구를 만나고 싶어 하니? / 그녀는 James를 만나기 원해. *James가 사람이므로 who가 온다.

Writing Step

01. Which, do you take
02. Which way, the museum
03. color does he like
04. Who, teach us
05. Who[Whom] do you want to
06. Which do you want
07. What, do they have
08. What does Ted drink
09. Who runs fast
10. What does she want
11. What kind of music do
12. Which cat do you want

Final Step

❶

01. What	02. What	03. Whose
04. What	05. Who	06. Who
07. Who	08. What	09. Which
10. What	11. What	12. Whose

[해석]

01. 그녀는 무엇을 입고 있니? / 그녀는 바지를 입고 있어.
02. 그녀는 무엇을 먹고 있니? / 그녀는 피자를 먹고 있어.
03. 그것들은 누구의 연필이니? / 그것들은 내 연필이야.
04. 어제 너희는 무엇을 했니? / 우리는 캠핑을 갔어.
05. 그녀는 누구니? / 그녀는 Cathy야.
06. 네가 좋아하는 야구선수는 누구니? / 나는 Ryu를 좋아해.
07. 누가 콘서트 티켓을 가지고 있니? / James가 가지고 있어.
08. 너는 주머니에 무엇을 가지고 있니? / 나는 동전이 조금 있어.
09. 어떤 꽃을 원하니, 장미 아니면 백합? / 나는 장미를 원해.
10. Jessica는 지금 무엇을 하고 있니? / 그녀는 전화로 얘기하고 있어.
11. 몇 시에 그는 가게 문을 닫니? / 오후 10시야.
12. 이것은 누구의 컴퓨터니? / 내 컴퓨터야.

❷ 01. 너는 몇 월을 좋아하니?
02. 그들은 무슨 종류의 피자를 만드니?
03. 그 버스가 몇 시에 이곳에 도착했니?
04. 어느 컴퓨터가 네 것이니?
05. 그녀는 꽃가게를 몇 시에 여니?
06. 이것은 누구의 목걸이니?
07. 어느 버스를 내가 타야 하니?
08. 네가 좋아하는 동물은 무엇이니?
09. David는 지금 누구를 기다리고 있니?
10. 누가 무대에서 연기를 하고 있니?
11. 너는 누구를 좋아하니?
12. 그녀는 아침에 무엇을 하니?

Exercise

01. ③	02. ⑤	03. ④	04. ③	05. ①
06. ①	07. ②	08. ②	09. ⑤	10. ①
11. ⑤	12. ③	13. Who[Whom]	14. What	

15. What animal do you like? 16. Which

[해석 및 해설]

01. 몇 시에 자니?
02. 저것은 누구의 책이니?
03. 축구와 야구 중 어느 스포츠를 좋아하니? *which는 정해진 대상에서 무언가를 선택할 때 사용하는 표현이다.
04. 너는 지금 뭐하고 있니?
05. ① 너의 이름이 무엇이니?
② 누가 영어를 할 수 있니?
③ 그는 누구를 사랑하니?
④ 저 소녀들은 누구니?
⑤ 누가 그의 그림을 좋아하니?
*①은 What, 나머지는 Who가 들어간다.
06. 그들은 내 삼촌들이다.
① 그들은 누구니?
② 너는 누구를 기다리니?
③ 삼촌들의 직업은 뭐니?
④ 어느 분이 네가 좋아하는 삼촌이니?

⑤ 그 남자는 누구의 삼촌이니?

07. 나는 과학을 좋아한다.
① 너는 누구를 좋아하니?
② 너는 무슨 과목을 좋아하니?
③ 너는 무슨 과일을 좋아하니?
④ 너는 무슨 스포츠를 좋아하니?
⑤ 너는 무엇을 원하니?
*좋아하는 과목을 묻는 질문이 와야 한다.

08. 그것은 나의 아버지 것이다.
① 너는 누구니?
② 이것은 누구의 자동차니?
③ 어느 분이 네 아버지시니?
④ 너의 아버지가 어느 자동차를 좋아하시니?
⑤ 너의 아버지는 무슨 음식을 좋아하시니?
*소유를 물어보는 질문이 와야 한다.

09. ① 너는 누구니? / 나는 William이야.
② 이것은 누구의 책이니? / 내 것이야.
③ 커피와 우유 중 어느 것을 원하니? / 커피 주세요.
④ 영화가 몇 시에 시작하니? / 10시.
⑤ 이것은 누구의 재킷이니? / 재킷이 나에게 크지 않아.

10. ① 누가 영어를 배우니?
② 너는 점심으로 무엇을 먹니?
③ 그는 어떤 계절을 좋아하니?
④ 그 시험은 몇 시에 시작하니?
⑤ Jack은 무슨 종류의 음식을 좋아하니?
*① who는 3인칭 단수 역할을 하므로 learn은 learns 가 되어야 한다.

11. 몇 월을 좋아하니? / 12월을 좋아해.
*대답이 December이므로 month가 와야 한다.

12. 너는 일요일에 무엇을 하니? / 저것은 무엇이니?

13. 그녀는 누구를 기다리고 있니? / Jack을 기다리고 있어.

14. 지난 토요일에 무엇을 했니? / 쇼핑 갔어.

16. 수학과 과학 중 무슨 과목을 좋아하니?
*which는 정해진 대상에서 무언가를 선택할 때 사용하는 표현이다.

Chapter 07. 의문사 II

Unit 01. When, Where, Why

Warm up

01. When	02. Why	03. Where
04. Why	05. Where	06. Where
07. When	08. Why	09. When
10. Why	11. Why	12. Where

First Step

❶

01. A	02. A	03. B	04. A
05. A	06. B	07. A	08. B
09. A	10. A	11. B	12. A

[해석]
01. 그 기차는 10시에 도착한다.
02. 체육관에
03. 그녀는 방에 있다.
04. 그는 늦게 일어났다.
05. 그녀는 슬프기 때문이다.
06. 나는 토요일에 농장을 방문한다.
07. 그것은 매우 재미있다.
08. 그것들은 벽에 있다.
09. 그것은 차 뒤에 있다.
10. 나는 테스트에 통과했기 때문이다.
11. 그것은 11시에 시작한다.
12. 그는 레스토랑에 갔다.

❷

01. When	02. Why	03. Where
04. Where	05. Where	06. Where
07. Why	08. When	09. Why
10. When	11. Where	12. When

Second Step

❶ 01. Where 02. When[What time]
03. Where 04. Where 05. Because
06. Why 07. Where, put
08. When[What time], goes 09. Why
10. Where 11. Where 12. When

[해석 및 해설]
01. Wilson은 어디에 있니? / 그는 도서관에 있어.
02. 언제[몇 시에] 그 야구경기는 시작하니? / 2시에 시작해.

*시간을 물어 보기 때문에 when[what time]이 온다.
03. 그들은 어디에 가고 있니? / 그들은 동물원에 가고 있어. *장소를 물어 보기 때문에 where이 온다.
04. 그 가게는 어디에 있니? / 3층에 있어.
*장소를 물어 보기 때문에 where이 온다. 층은 서수를 사용한다.
05. 왜 그는 슬프니? /왜냐하면 그의 엄마가 아프셔.
*이유를 물어 보기 때문에 why가 온다.
06. 왜 너는 야구를 좋아하니? / 왜냐하면 매우 재미있어.
07. 너는 어디에 그 병을 놓았니? / 식탁 위에 놓았어.
*장소를 물어 보기 때문에 where이 온다.
08. 언제[몇 시에] 네 여동생은 자러 가니? / 그녀는 10시에 자. *시간을 물어 보기 때문에 when[what time]이 온다.
09. 왜 그는 돈이 필요하니? / 왜냐하면 그는 새로운 신발을 사기를 원해.
10. 주차장은 어디에 있니? / 공원 뒤에 있어.
*장소를 물어 보기 때문에 where이 온다.
11. 어디에서 너는 점심을 먹니? / 구내식당에서 먹어.
*장소를 물어 보기 때문에 where이 온다.
12. 다음 직원회의는 언제죠? / 다음 주 월요일이야.

❷ 01. When 02. When, sent 03. Why
04. Where 05. Why, Because 06. Why
07. Where 08. When 09. Where
10. When 11. Where
12. When[What time]

[해석 및 해설]
01. 마감일이 언제니? / 다음 주 금요일이야.
02. 너는 언제 그 편지를 보냈니? / 어제 보냈어.
*시간을 물어 보기 때문에 when이 온다.
03. 왜 너는 집에 있니? / 왜냐하면 나는 오늘 피곤해.
04. 그 박물관은 어디에 있니? / 지하철역 옆에 있어.
05. 왜 그는 바쁘니? / 왜냐하면 그는 시험을 준비하고 있어. *이유를 물어 보기 때문에 why가 온다.
06. 왜 너는 야채를 먹니? / 왜냐하면 건강에 좋기 때문이야.
07. 어디서 내 시계를 찾았니? / 식탁 아래에 있었어.
*장소를 물어 보기 때문에 where이 온다.
08. Jessie는 언제 산책을 하니? / 그녀는 아침에 산책해. *시간을 물어 보기 때문에 when이 온다.
09. Andy는 어디 가고 있니? / 그는 체육관에 가는 중이야. *장소를 물어 보기 때문에 where이 온다.
10. 너희는 칠면조를 언제 먹니? / 추수감사절에 먹어.
*시간을 물어 보기 때문에 when이 온다.
11. 그녀는 방과 후에 어디로 가니? / 그녀는 도서관에 가. *장소를 물어 보기 때문에 where이 온다.
12. 언제[몇 시에] 네 음악수업이 끝나니? / 10시에 끝나. *시간을 물어 보기 때문에 when[what time]이 온다.

Third Step

01. 이 수업은 언제 끝나니?
02. 다음 열차는 언제 떠나니?
03. 왜 우리가 보트가 필요하니?
04. 영화관은 어디에 있니?
05. 그녀의 결혼식은 언제니?
06. 네 부모님은 어디에 사시니?
07. Jeff는 오늘 왜 일찍 일어났니?
08. 네 헬멧은 어디에 있니?
09. 왜 Andrew는 항상 학교에 지각하니?
10. 그가 열쇠를 어디에 두었니?
11. 네 여름 휴가는[방학은] 언제 시작하니?
12. 쇼핑몰은 어디에 있니?

Writing Step

01. Where is a bookstore?
02. Why are you crying?
02. Where, you lose your bag
04. When does she
05. Where does Jeff live?
06. Why do you go to bed late?
07. When is Parents' day?
08. Where is your cellular phone?
09. When does he eat dinner?
10. Why was he angry
11. When does she go to work?
12. Why do you meet

Unit 02. How

Warm up

01. many 02. much 03. How
04. long 05. tall 06. much
07. far 08. long 09. flowers
10. salt 11. often 12. old

First Step

❶ 01. dogs 02. much 03. How 04. tall
05. long 06. many 07. far 08. long
09. roses 10. often 11. old 12. How

❷ 01. old 02. old 03. many 04. many
05. often 06. long 07. many 08. tall
09. often 10. much 11. How 12. How

Second Step

❶ 01. a 02. d 03. e 04. f
05. b 06. c 07. h 08. g
09. l 10. j 11. i 12. k

[해석]

a 그녀는 12살이야. b 그녀는 매우 잘 지내.
c 그들은 20분 동안 산책했어. d 5m 높이야.
e 나는 5달러가 필요해. f 나는 버스로 해변에 가.
g 맑아. h 일주일에 한 번.
i 500달러야. j 하루는 24시간이야.
k 6m 길이야. l 그는 170cm야.

❷ 01. e 02. d 03. c 04. b
05. a 06. f 07. j 08. g
09. h 10. k 11. l 12. i

[해석]

a 하루에 커피 두 잔. b 2시간 동안.
c 대략 20년이야. d 매일.
e 5달러야. f 테이블 위에 5개가 있어.
g 치즈 4조각. h 3m 길이야.
i 여기서 5km야. j 가방이 4개 있어.
k 그는 40세이셔. l 3주.

Third Step

01. How old 02. How many 03. How mch
04. How often 05. How 06. How long
07. How often 08. How far 09. How many
10. How much

[해석 및 해설]

01. 그는 몇 살이니? / 그는 12살이야.
02. 그 식당에는 사람이 얼마나 있니? / 그 식당에는 다섯 명이 있어. *수를 물어보기 때문에 How many가 와야 한다.
03. John은 돈을 얼마나 가지고 있니? / 그는 2달러가 있어. *양을 물어보기 때문에 How much가 와야 한다.
04. 그는 얼마나 자주 목욕하니? / 매일. *빈도를 대답하고 있으므로 How often을 이용해야 한다.
05. 너는 어떻게 지내니? / 나는 잘 지내.
*안부를 물을 때에는 How가 와야 한다.
06. 그 영화는 얼마나 기니? / 두 시간이야.
*길이나 기간에는 How long이 와야 한다.
07. 네 아버지는 차를 얼마나 자주 세차하시니? / 일주일에 한 번. *빈도를 대답하고 있으므로 How often을 이용해야 한다.
08. 네 집은 여기서 얼마나 머니? / 약 3km야.
*거리를 대답하고 있으므로 How far를 이용해야 한다.
09. 일 년에는 며칠이 있니? / 365일.
*수를 물어보기 때문에 How many가 와야 한다.
10. 네 코트는 얼마니? / 50달러야. *가격을 대답하고 있으므로 How much를 이용해야 한다.

Writing Step

01. How old is she?
02. How tall is the tree?
03. How much money do you need?
04. How do you go to the beach?
05. How's your sister?
06. How long did they take a walk?
07. How often does she play the guitar?
08. How's the weather today?
09. How far is the station from here? /
How far is it from here to the station?
10. How many hours are there
11. How much is the computer?
12. How long is the table?

Final Step

❶ 01. Where 02. When, bought

03. Because
04. Where
05. Why
06. When, usually
07. Where, on
08. Where, In
09. When
10. Why

[해석]

01. 너는 어디에서 왔니? / 나는 한국에서 왔어.

02. 언제 그가 그 책을 샀니? / 그는 어제 그것을 샀어.

03. 왜 Mike는 슬프니? / 그의 개가 죽었기 때문이야.

04. 너는 지금 어디에 가고 있니? / 나는 중국음식점에 가고 있어.

05. Andrew는 왜 피곤하니? / 오늘 일을 열심히 했기 때문이야.

06. 언제 너희는 영화 보러 가니? / 우리는 대체로 토요일에 영화 보러 가.

07. 그는 내 책을 어디에서 찾았니? / 테이블 위에 있었어.

08. 그녀는 어디에서 야구를 하니? / 체육관에서.

09. 너의 부모님 결혼기념일은 언제니? / 9월 1일이야.

10. 너는 왜 그렇게 행복하니? / 시험에 통과했어.

❷ 01. When
02. How many
03. Where
04. How often
05. Why
06. How long
07. When
08. How much
09. How many
10. How much
11. When
12. How tall

[해석]

01. 수업은 언제 시작하니? / 9시에 시작해.

02. 교실에 학생이 몇 명이니?/ 5명이야.

03. 매표소가 어디니? / 2층에 있어.

04. James는 고모를 얼마나 자주 방문하니? / 한 달에 한 번.

05. 너의 엄마는 왜 화가 나셨니? / 왜냐하면 내가 창문을 깼어.

06. 그 기차는 얼마나 기니? / 길이가 100m야.

07. 출발시간이 언제니? / 11시야.

08. 하루에 물을 얼마나 마시니? / 두 잔 마셔.

09. 일 년에 계절이 몇 개 있니? / 4계절이야.

10. 그 잡지 얼마니? / 20달러야.

11. 어린이날이 언제니? / 5월 5일이야.

12. 저 건물은 얼마나 높니? / 약 200m야.

Exercise

01. ② 02. ① 03. ④ 04. ⑤ 05. ④
06. ④ 07. ④ 08. ⑤ 09. ④ 10. ①
11. ③ 12. ② 13. When[What time]
14. How long 15. many
16. How often do you eat fast food?

[해석 및 해설]

01. A: 주차장이 어디니? B: 제과점 뒤에 있어.

02. A: 너는 점심을 언제 먹니? B: 정오에 먹어.
*대답이 시간을 말하고 있으므로 When이 와야 한다.

03. A: 그녀는 소금이 얼마나 필요하니? B: 조금 필요해.
*대답이 양과 관련해 말하고 있으므로 How much가 와야 한다.

04. ① 그의 생일이 언제니? ② 그는 지금 어디 가고 있니?
③ 너는 해변에 왜 갔니? ④ 너는 학교에 어떻게 가니?
⑤ 너는 돈이 얼마나 필요하니?
*money는 셀 수 없는 명사이므로 much와 함께 와야 한다.

05. 3년 동안.
① 그것은 지금 어디 있니?
② 너는 얼마나 필요하니?
③ 너는 왜 한국음식을 좋아하니?
④ 그는 캐나다에 얼마나 살았니?
⑤ 그들은 미술관을 언제 여니?
*'3년 동안'이라는 기간을 대답하고 있으므로 ④가 정답이다.

06. ① 다음 버스는 언제 오니?
② 화장실이 어디니?
③ 그녀는 오늘 왜 바쁘니?
④ 그녀는 얼마나 자주 한국을 방문하니?
⑤ 너는 책을 얼마나 많이 가지고 있니?
*빈도를 나타내는 질문이 와야 한다.

07. ① 다음 기차는 언제 오니?
② 그들은 어제 어디에 갔니?
③ 박물관은 여기서 얼마나 머니?
④ 너는 어떻게 출근하니?
⑤ 그는 얼마나 자주 축구를 하니?
*수단을 나타내는 표현이 와야 한다.

08. 그는 언제[몇 시에] 공항에 도착했니?

09. 여기서 상점까지 거리가 얼마나 머니? / 오늘 날씨 어때?

10. 네 노트북 컴퓨터 얼마니? / 컵에 물이 얼마나 있니?
*How much는 양을 묻거나 가격을 물을 때 사용한다.

11. ① 왜 그녀는 슬프니? / 그녀는 시험에 통과하지 못했어.
② 그녀는 몇 살이니? / 10살이야.
③ 얼마나 자주 너는 햄버거를 먹니? / 약간.
④ 그 강은 길이가 얼마니? / 20km 길이야.
⑤ Mike는 키가 얼마니? / 160cm야.
*A little은 how much로 묻는 질문에 적합하다.

12. 그는 야구를 얼마나 자주하니?
① 매일. ② 세 시간 동안.
③ 나는 몰라. ④ 일주일에 한 번.
⑤ 한 달에 두 번.
*빈도를 묻고 있으므로 ②는 답이 될 수 없다. ②는 How long으로 묻는 질문에 적합하다.

15. 버스에 얼마나 많은 사람이 있니?
*many+셀 수 있는 명사 / much+셀 수 없는 명사

Chapter 08. 접속사

Unit 01. and, but, or

Warm up

01. but	02. and	03. and	04. or
05. or	06. or	07. but	08. but
09. and	10. or	11. but	12. and

[해설]

01. 대조되는 내용을 연결할 때는 but을 사용한다.
02. 비슷한 내용을 연결할 때는 and를 사용한다.
03. 비슷한 내용을 연결할 때는 and를 사용한다.
04. 선택 가능한 내용을 연결할 때는 or를 사용한다.
05. 선택 가능한 내용을 연결할 때는 or를 사용한다.
07. 대조되는 내용을 연결할 때는 but을 사용한다.
08. 대조되는 내용을 연결할 때는 but을 사용한다.
09. 비슷한 내용을 연결할 때는 and를 사용한다.
11. 대조되는 내용을 연결할 때는 but을 사용한다.

First Step

❶ 01. and	02. and	03. but	04. but
05. and	06. but	07. or	08. or
09. but	10. or	11. but	12. but

[해설]

01. 비슷한 내용을 연결할 때는 and를 사용한다.
02. 비슷한 내용을 연결할 때는 and를 사용한다.
03. 대조되는 내용을 연결할 때는 but을 사용한다.
04. 대조되는 내용을 연결할 때는 but을 사용한다.
06. 대조되는 내용을 연결할 때는 but을 사용한다.
07. 선택 가능한 내용을 연결할 때는 or를 사용한다.
08. 선택 가능한 내용을 연결할 때는 or를 사용한다.
10. 선택 가능한 내용을 연결할 때는 or를 사용한다.
11. 대조되는 내용을 연결할 때는 but을 사용한다.
12. 대조되는 내용을 연결할 때는 but을 사용한다.

❷ 01. and	02. but	03. but	04. and
05. and	06. or	07. and	08. or
09. and	10. or	11. but	12. and

Second Step

❶ 01. but	02. and	03. and	04. and
05. or	06. but	07. or	08. and
09. but	10. or	11. but	12. but

❷ 01. but	02. and	03. or	04. but
05. and	06. but	07. or	08. but
09. and	10. or	11. but	12. but

Third Step

01. and	02. but	03. or	04. but
05. and[or]	06. or	07. or	08. but
09. and	10. or	11. or	12. and

[해석]

01. 그는 운전을 천천히 조심스럽게 한다.
02. Jack은 축구는 잘하지만 야구는 잘 못한다.
03. 이 꽃은 튤립이니 아니면 장미니?
04. 그녀는 James는 초대했지만 Paul은 초대하지 않았다.
05. 우리는 점심으로 피자와[또는] 빵을 먹는다.
06. 소고기와 닭고기 중 어느 것이 좋으니?
07. 그것은 닭이니 아니면 칠면조니?
08. Jessica는 아름답지만 게으르다.
09. Jessica는 아름답고 친절하다.
10. 너는 그것들을 원하니 아니면 원하지 않니?
11. 너의 개가 수컷이니 아니면 암컷이니?
12. Amy와 James는 함께 일한다.

Writing Step

01. happy or are you sad
02. He and I are

03. I ate bread and milk
04. go to the beach by bus or train
05. apples but he doesn't like bananas
06. selling fruits and vegetables
07. this bag yours or your mother's
08. but my hands are small
09. Japanese or Chinese
10. but Sally likes them
11. has four rooms and two bathrooms
12. but I can't help you

Unit 02. before, after, so, because

Warm up

01. because	02. so	03. so
04. before	05. after	06. because
07. so	08. because	09. before
10. before	11. because	12. so

First Step

❶

01. before	02. before	03. after
04. so	05. before	06. Before
07. before	08. so	09. because
10. so	11. because	12. after

❷

01. after	02. before	03. before
04. after	05. because	06. before
07. After	08. after	09. because
10. so	11. because	12. so

Second Step

❶ 01. I didn't wash the dishes because I was tired.
02. I had a headache, so I took some medicine.
03. She came back to the hotel after she met her friend.
04. Before I ate dinner, I watched a movie with Jane.
05. He took off his coat after he entered the room.
06. I'm very happy because summer is my favorite season.
07. I couldn't sleep last night, so I am sleepy now.
08. Wilson doesn't like this game because it's boring.
09. My brother doesn't like this food because it's too spicy.
10. After Mike brushes his teeth, he goes to bed.
11. They were hungry, so they ordered pizza.
12. She opens the window before she cleans the house.

[해석]
01. 나는 설거지를 하지 않았다. 왜냐하면 피곤했다.
02. 나는 두통이 좀 있어 약을 먹었다.
03. 그녀는 친구를 만난 후 호텔로 돌아왔다.
04. 나는 저녁을 먹기 전에 Jane하고 영화를 보았다.
05. 그는 방에 들어간 후 코트를 벗었다.
06. 나는 행복하다. 왜냐하면 여름이 내가 좋아하는 계절이다.
07. 나는 어젯밤 자지 못해서 지금 졸리다.
08. Wilson은 이 게임을 좋아하지 않는다. 왜냐하면 지루하다.
09. 내 남동생은 이 음식을 좋아하지 않는다. 왜냐하면 너무 맵다.
10. Mike는 양치를 한 후 잠을 잔다.
11. 그들은 배가 고파서 피자를 주문했다.
12. 그녀는 집 청소를 하기 전에 창문을 연다.

❷ 01. My mom takes a nap before she makes dinner.
02. She has a fever, so she can't play the violin.
03. She felt tired after she finished her homework.
04. Before we arrived at the station, the train left.
05. He was watching TV before he answered the phone.
06. They are very happy because they won the championship.
07. He has no friend, so he feels lonely.
08. Alice sold her computer because she needed money.
09. After she opened the box, she began to

laugh.
10. Joe worked at the hospital before he came here.
11. Susie left a message before she left.
12. Mike is so busy now, so he can't play baseball.

[해석]
01. 엄마는 저녁을 하기 전에 낮잠을 주무신다.
02. 그녀는 열이 있어 바이올린을 연주할 수 없다.
03. 그녀는 숙제를 한 후 피곤함을 느꼈다.
04. 우리가 역에 도착하기 전에 기차가 떠났다.
05. 그는 전화 받기 전에 TV를 보고 있었다.
06. 그들은 매우 기쁘다. 왜냐하면 그들은 우승을 했다.
07. 그는 친구가 없어서 외로움을 느낀다.
08. Alice는 그녀의 컴퓨터를 팔았다. 왜냐하면 돈이 필요했다.
09. 상자를 열어본 후, 그녀는 웃기 시작했다.
10. Joe는 여기 오기 전에 병원에서 일했다.
11. Susie는 떠나기 전에 메시지를 남겼다.
12. Mike는 지금 너무 바빠서 야구를 할 수 없다.

Third Step

01. because, so	02. so, because
03. because, so	04. because, so
05. so, because	06. because, so
07. because, so	08. because, so
09. so, because	10. because, so
11. because, so	12. because, so

[해석 및 해설]
01. 나는 수학을 좋아하지 않는다. 왜냐하면 수학은 어렵기 때문이다. / 수학이 어려워서 나는 수학을 좋아하지 않는다.
02. 오늘은 그의 생일이어서 그는 친구들을 초대했다. / 그는 친구들을 초대했다. 왜냐하면 오늘이 그의 생일이다.
03. Jenny는 다쳤다. 왜냐하면 그녀는 자전거에서 떨어졌다. / Jenny는 자전거에서 떨어져서 다쳤다.
*hurt는 과거형으로 s를 붙이지 않는다.
04. 우리는 Jane을 좋아한다. 왜냐하면 그녀는 정직하다. / Jane은 정직해서 우리는 그녀를 좋아한다.
05. 그 영화는 매우 재미있어서 나는 그 영화를 좋아한다. / 나는 그 영화를 좋아한다. 왜냐하면 무척 재미있다.
06. 그녀는 지금 운전을 할 수 없다. 왜냐하면 졸리다. / 그녀는 졸려서 지금 운전을 할 수 없다.
07. 나는 그 집을 살 수 없다. 왜냐하면 충분한 돈이 없다. / 나는 충분한 돈이 없어서 그 집을 살 수 없다.
08. William은 우비가 필요하다. 왜냐하면 비가 오고 있다. / 비가 오고 있어서 William은 우비가 필요하다.
09. 그는 입이 음식으로 가득 차서 말을 할 수 없다. / 그는 말할 수 없다. 왜냐하면 입이 음식으로 가득 찼다.
10. 그는 지각했다. 왜냐하면 교통체증이 심했다. / 교통체증이 심해서 그는 지각했다.
11. 우리는 야구를 못했다. 왜냐하면 비가 왔다. / 비가 와서 우리는 야구를 못했다.
12. Jessica는 기차를 놓쳤다. 왜냐하면 그녀는 늦게 일어났다. / Jessica는 늦게 일어나서 기차를 놓쳤다.

Writing Step

01. because he is very kind
02. so she went to bed early
03. after he graduated from high school
04. after he painted the wall
05. before she came to Korea
06. turn off the lights before
07. so I go to school by bus
08. because the movie was boring
09. after she practices the piano
10. because I can see many flowers
11. so we went to the beach
12. before he goes to work

Final Step

❶

01. and	02. but	03. or
04. but	05. so	06. but
07. but	08. or	09. because
10. and	11. so	12. and

❷ 01. 이 사람들은 간호사들이니 의사들이니?
02. 그들은 과일과 야채를 샀다.
03. Alice는 개는 있지만 고양이는 없다.
04. 그는 아침을 먹기 전에 신문을 읽는다.
05. 내가 그를 방문하기 전에 그는 설거지를 하고 있었다.
06. 그는 돈이 없다. 왜냐하면 그는 지갑을 잃어버렸다.
07. 나는 겨울을 싫어한다. 왜냐하면 겨울은 춥다.
08. 겨울이라서 날씨가 춥다.

09. Amy는 키가 크지 않지만 (그녀는) 농구를 잘한다.
10. 저것이 해니 아니면 달이니?
11. Jake는 열심히 공부하지 않아서 그는 시험에 통과하지 못했다.
12. 그녀는 영리하지만 그녀의 여동생은 영리하지 못하다.

Exercise

01. ② 02. ③ 03. ④ 04. ③ 05. ⑤
06. ① 07. ① 08. ② 09. ③ 10. ⑤
11. ④ 12. ② 13. so 14. because
15. before 16. after she washed the dishes

[해석 및 해설]

01. Lisa는 영리하지만 게으르다.
*대조되는 내용을 연결할 때는 but을 사용한다.
02. 이 자동차는 네 것이니, 너의 아버지 것이니?
*선택 가능한 내용을 연결할 때는 or를 사용한다.
03. 그녀는 학교에 지각했다. 왜냐하면 그녀는 늦게 일어났다.
04. 엄마는 운전을 못하셔서 지하철로 출근하신다.
05. 그 말은 강하고 빠르다. / 나는 테니스와 야구를 좋아한다. *비슷한 내용을 연결할 때는 and를 사용한다.
06. 그녀는 잠자기 전에 샤워를 한다. / 나가기 전에 창문을 닫으세요.
07. ① 어느 것을 원하니, 펜 아니면 연필?
② Cathy는 친절하고 예쁘다.
③ 그는 개 한 마리와 고양이 두 마리가 있다.
④ 그녀와 Jeff는 함께 일한다.
⑤ 그는 바이올린과 기타를 연주할 수 있다.
*①은 or가 오고 나머지는 and가 온다.
08. ① 그녀는 배가 고프다. 왜냐하면 그녀는 점심을 먹지 않았다.
② Sam은 아파서 축구연습을 하지 않았다.
③ 그는 졸려서 낮잠을 잤다.
④ 날씨가 추웠지만 나는 야구를 했다.
⑤ Andrew는 키가 크고 잘생겼다.
*②는 but 대신 so가 와야 한다.
09. 그녀가 거짓말을 해서 내가 화가 났다. / Mike는 Jenny를 좋아한다. 왜냐하면 그녀는 매우 예쁘다.
*so 다음에는 결과가 오고 because 다음에는 이유가 온다.
10. 그는 가난하지만 행복하다. / 잠자기 전에 불을 끄세요.
13. *so 다음에는 결과가 오고 because 다음에는 이유가 온다.

Review Test (Chapter 1-8)

❶ 01. Susie was at home last night.
02. There were many people in the restaurant yesterday.
03. Tom and I were good at English last year.
04. My uncle was a soldier at that time.
05. Amy was a flight attendant two months ago.
06. There was a school next to the park three years ago.

[해석]

01. Susie는 어젯밤에 집에 있었다.
02. 어제 식당에는 많은 사람들이 있었다.
03. Tom과 나는 작년에 영어를 잘했다.
04. 삼촌은 그 당시 군인이었다.
05. Amy는 두 달 전에 비행기 승무원이었다.
06. 3년 전에 공원 옆에 학교가 있었다.

❷ 01. bought 02. took 03. ate
04. visited 05. arrived 06. listened

❸ 01. It 02. past[after] 03. weather
04. hot 05. It 06. to

❹ 01. John은 빨리 달릴 수 없다.
02. 그들은 우리를 도울 수 없다.
03. 네 지우개를 빌려도 되니?
04. 너는 내 침대를 사용하면 안 된다.
05. 나는 내 안경을 찾을 수가 없다.
06. 너는 그것을 다시 읽을 수 있니?

❺ 01. must 02. must
03. don't have to 04. must
05. had better not 06. doesn't have to
07. had better 08. had better
09. must 10. had to
11. must not 12. don't have to

❻ 01. 너는 무엇을 찾고 있니?
02. 너는 무슨 종류의 음식을 좋아하니?
03. 네가 좋아하는 배우는 누구니?
04. 누가 교실에서 노래를 부르고 있니?
05. 그는 몇 시에 일어나니?

06. 저것은 누구의 자동차니?
07. 어느 지하철이 동물원에 가니?
08. 너의 어머니는 지금 뭐하시니?
09. 그는 무슨 동물을 좋아하니?
10. 어느 남자가 너의 삼촌이니?
11. 그녀는 누구니?
12. 그는 오후에 무엇을 하니?

❼

01. When	02. How much
03. Where	04. How often
05. Why	06. How long
07. When	08. How many
09. How much	10. How much
11. When	12. How tall

[해석]

01. 음악회는 언제 시작하니? / 그것은 11시에 시작해.
02. 너는 돈이 얼마나 필요하니? / 5달러야.
03. 네 사무실이 어디니? / 5층에 있어.
04. 그는 스파게티를 얼마나 자주 먹니? / 한 달에 두 번.
05. 그는 왜 약을 먹니? / 왜냐하면 그는 감기에 걸렸어.
06. 네 머리카락은 얼마나 기니? / 길이가 약 1m야.
07. 너의 인터뷰는 언제니? / 내일이야.
08. 그는 바지가 몇 개 있니? / 그는 2개 있어.
09. 병에 기름이 얼마나 있니? / 조금 있어.
10. 그 책은 얼마니? / 그것은 10달러야.
11. 다음 영어수업은 언제니? / 다음 월요일에.
12. 너의 삼촌은 키가 얼마니? / 180cm야.

❽

01. and	02. but	03. or	04. and
05. so	06. but	07. because	08. or
09. and	10. so	11. so	12. but

Achievement Test(Chapter 5-8)

01. ①	02. ⑤	03. ③	04. ②	05. ④
06. ①	07. ④	08. ⑤	09. ⑤	10. ②
11. ⑤	12. ⑤	13. ⑤	14. ⑤	15. ④
16. ⑤	17. ②	18. ④	19. ⑤	20. ④
20. ④	22. ②	23. ①	24. ②	

25. (1) How (2) When (3) Why
26. size 27. had better not
28. have to 29. before 30. so

[해석 및 해설]

01. *must ~해야 한다 / must be ~임에 틀림없다 / must not ~하면 안 된다 / be able to ~할 수 있다 / had better ~하는 게 좋겠다
02. *must[have to] ~해야 한다 / must not ~하면 안 된다 / had better ~하는 게 좋겠다
03. 그는 설탕이 얼마나 많이 필요하니?
*How much+셀 수 없는 명사(단수)가 온다.
04. 방에는 얼마나 많은 사람들이 있니?
*How many+셀 수 있는 명사(복수)가 온다.
05. 여름과 겨울 중 어느 계절을 좋아하니? *which는 정해진 대상에서 무언가를 선택할 때 사용하는 표현이다.
07. 그는 학교에 어떻게 가니? / 너는 얼마나 자주 피자를 먹니? / 너는 지금 돈이 얼마 있니?
08. James는 수학과 역사를 공부하고 있다. / 그는 치즈와 밀가루가 필요하다.
09. 그는 점심으로 무엇을 먹니?
10. 그는 휴식을 해야 한다. *must = have to / has to
11. *had better not+동사원형: ~하지 않는 게 좋겠다
12. *How many+셀 수 있는 명사(복수)가 온다.
13. ① 이 케이크는 얼마예요? / 10달러야.
② 그의 책이 어디에 있니? / 나는 몰라.
③ 그 학교가 어디에 있니? / 미술관 옆에 있어.
④ 너는 왜 늦게 일어났니? / 왜냐하면 오늘 학교에 안 가도 돼.
⑤ 도서관에 어떻게 가나요? / 너는 책을 빌릴 수 있다.
*⑤는 도서관에 어떻게 가야 하는지 묻고 있으므로 대답이 잘못되었다. 교통수단이 답이 되어야 한다.
14. ① 그녀는 누구니? / 내 여동생 Sara야.
② 이것은 누구의 자동차니? / Mike 것이야.
③ 고기와 생선 중 어느 것을 원하니? / 생선 주세요.
④ 그녀는 몇 시에 자니? / 10시.
⑤ 이것은 누구의 재킷이니? / 그 재킷은 내게 크지 않다.
15. ① 그는 누구니?
② 누가 내 질문에 답할 수 있니?
③ 네가 좋아하는 가수는 누구니?
④ 영어시험은 언제니?
⑤ 누가 너의 삼촌이니?
*④은 When, 나머지는 Who가 들어간다.
16. ① 너는 언제 잠을 자니?
② 너는 몇 번 잠을 자니?
③ 너는 얼마나 자주 잠을 자니?

④ 너는 매일 언제 잠을 자니?
⑤ 너는 하루에 몇 시간 자니?

17. 일주일에 한 번.
① 그 학교는 너의 집에서 얼마나 머니? (거리)
② 너는 얼마나 자주 그 박물관을 방문하니? (빈도)
③ 그 새 다리는 얼마나 기니? (길이)
④ 저녁에 너는 무엇을 먹니? (물건)
⑤ 언제가 네 생일이니? (시간)
*빈도를 묻는 질문이 나와야 하므로 ②가 정답이다.

18. 나는 축구를 좋아한다.
① 너는 누구를 좋아하니?
② 너는 좋아하는 과목은 뭐니?
③ 너는 좋아하는 과일은 뭐니?
④ 너는 좋아하는 운동은 뭐니?
⑤ 너는 무엇을 원하니?
*좋아하는 운동을 묻는 질문이 와야 한다.

19. *because 다음에는 이유가 온다.

20. *so 다음에는 결과가 온다.

21. A: 어디서 왔나요? B: 한국에서 왔어요.

22. A: 그녀는 무엇을 하나요? B: 그녀는 간호사예요.
*What does she do?는 '그녀는 무엇을 하니?'라는 의미로 직업을 물을 때 사용한다.

23. *내용이 상반되므로 but을 사용해야 한다.

24. *결과를 나타내는 so가 와야 한다.

26. A: 무슨 사이즈를 원해? B: 중간 사이즈를 원해.

29. 그녀는 점심 먹기 전에 손을 씻는다. / 나가기 전에 라디오를 꺼라.

30. 눈이 너무 와서 교통체증이 매우 심했다.
*so 다음에는 결과가 오고 because 다음에는 이유가 온다.

실전모의고사 ❶

01. ①	**02.** ③	**03.** ③	**04.** ①	**05.** ⑤
06. ①	**07.** ⑤	**08.** ④	**09.** ①	**10.** ①
11. ③	**12.** ③	**13.** ③	**14.** ④	**15.** ①
16. ②	**17.** ③	**18.** ①	**19.** ②	**20.** ②

21. (1) Was there a bakery near the park?
(2) Did he have a sandwich this morning?

22. How

23. They were washing the car yesterday.

24. Where

25. How often do you play computer games?

[해석 및 해설]

01. *「모음+y」로 끝나는 동사에는 ed를 붙인다.

02. 어제 상자에 돈이 많이 있었다.
*money는 셀 수 없는 명사이므로 단수 취급한다.

03. 이 펜은 네 것이니, 너의 여동생 것이니?
*선택 가능한 내용을 연결할 때는 or를 사용한다.

04. Sam은 기타를 잘 칠 수 있다.
*be able to+동사원형

05. *비인칭주어 it과 대명사 it을 구분해야 한다.

06. *대답이 시간을 말하고 있으므로 When이 와야 한다.

09. *were가 왔으므로 단수형인 the man은 올 수가 없다.

10. 나는 책을 책상 위에 놓았다. / 그는 커피에 설탕을 넣지 않는다.

11. 너는 작년에 서울에 살았니? / 그녀는 숙제를 끝냈니?
*과거를 나타내는 last year가 있으므로 Did가 온다.

12. *비인칭주어 it과 대명사 it이 필요하다.

13. 아버지는 어제 산책을 했다. / 그는 지난밤 피자를 주문하지 않았다.

15. *teach의 과거형은 taught이다.

17. ② 무슨 요일이니? / 12월 5일이야.
③ 10시 20분이야.
④ 그들은 집에 있었니?
⑤ 너는 그때 TV를 보고 있었니? / 그래.

21. (2) 그는 오늘 아침 샌드위치를 먹었다.

22. 일 년에 계절이 몇 개 있니? / 4계절이야.

24. *장소를 대답하고 있으므로 where이 와야 한다.

실전모의고사 ❷

01. ② 02. ③ 03. ④ 04. ① 05. ④
06. ① 07. ② 08. ⑤ 09. ① 10. ③
11. ④ 12. ① 13. ③ 14. ⑤ 15. ③
16. ④ 17. ④ 18. ② 19. ⑤ 20. ②
21. had better 22. must 23. but 24. It
25. had better not

[해석 및 해설]

02. 우리는 어제 그들을 방문하지 않았다. *과거를 나타내는 yesterday가 있으므로 didn't가 온다.
03. *앞 문장과 반대의 내용이 오면 접속사 but을 사용한다.
04. *둘 중 하나를 선택할 때에는 which를 사용한다.
05. 누가 자전거를 탈수 있니? / Jake가 자전거를 탈 수 있어.
06. 오늘이 며칠이니? / 11월 1일이야.
07. *장소를 나타내는 Where이 와야 한다.
08. 내일 전화해도 되요? / 아니, 안 돼요.
*may는 승낙이나 허가를 얻을 때 사용한다.
09. 너는 어디서 왔니? / 우체국은 어디니?
10. *과거로 물으면 과거로 답한다.
11. *Why로 물으면 Because로 대답할 수 있다.
12. *빈칸에는 과거를 나타내는 부사가 와야 한다.
13. *조동사+동사원형
14. *buy의 과거형은 bought이다.
16. 그들은 어제 학교에 걸어가지 않았다.
*didn't+동사원형
17. *의문사로 시작하는 의문문을 Yes/No 대답을 하지 않는다.

실전모의고사 ❸

01. ① 02. ③ 03. ① 04. ⑤ 05. ③
06. ② 07. ① 08. ⑤ 09. ① 10. ③
11. ⑤ 12. ④ 13. ⑤ 14. ① 15. ①
16. ⑤ 17. ④ 18. ③ 19. ③ 20. ②
21. because 22. When[What time]
23. after 24. Judy bought chocolate for her friend yesterday.
25. 그녀의 이야기는 진실이 아닐 수도 있다.

[해석 및 해설]

01. *pay의 과거형은 paid이다.
02. 지금 몇시니?
03. Susie는 아름답고 영리하다. *앞 문장과 비슷한 내용이 오면 접속사 and를 사용한다.
04. 우리는 지난밤 파티에서 즐거운 시간을 보냈다.
*last night이 있으므로 과거형이 와야 한다.
05. *③은 대명사 it이고, 나머지는 비인칭주어 It이다.
06. *동사가 were이므로 주어는 복수형이 와야 한다.
07. 오늘은 며칠이니?
08. 요리사는 설탕이 얼마나 필요하니?
10. *must not 동사원형: ~하면 안 된다
12. *④는 or가 들어가고, 나머지는 and이다.
13. *⑤는 원인을 말하고 있으므로 because가 와야 한다.
14. *빈칸에는 과거를 나타내는 부사가 와야 한다.
15. *How often 얼마나 자주 / How far 얼마나 멀리
19. *What day is it today?는 요일을 물어보는 질문이다.
20. *좋아하는 과목을 묻는 질문이 와야 한다.
24. *buy의 과거형은 bought이다.

Grammar
mentor
joy

Grammar mentor joy

Longman

Grammar Mentor Joy 시리즈

Grammar Mentor Joy Pre

Grammar Mentor Joy Early Start 1
Grammar Mentor Joy Early Start 2

Grammar Mentor Joy Start 1
Grammar Mentor Joy Start 2

Grammar Mentor Joy 1
Grammar Mentor Joy 2
Grammar Mentor Joy 3
Grammar Mentor Joy 4

Grammar Mentor Joy Plus 1
Grammar Mentor Joy Plus 2
Grammar Mentor Joy Plus 3
Grammar Mentor Joy Plus 4

명사

□ student	□ girl	□ bear	□ pencil	□ chair
□ house	□ school	□ river	□ water	□ snow
□ pretty	□ know	□ table	□ banana	□ city
□ flower	□ friend	□ lion	□ mother	□ rain

명사의 종류

명사는 사람 · 사물 · 장소 등 우리 주위에 있는 모든 것들의 이름을 나타내는 말입니다. 영어의 명사는 하나, 둘, … 하며 '셀 수 있는 명사'와 숫자와 함께 쓸 수 없는 '셀 수 없는 명사', 두 종류로 나뉩니다.

1 셀 수 있는 명사

사람을 나타내는 말	student 학생, girl 소녀, grandfather 할아버지 ...
동물을 나타내는 말	cat 고양이, dog 개, bear 곰 ...
물체를 나타내는 말	pencil 연필, apple 사과, chair 의자 ...
장소를 나타내는 말	house 집, school 학교, river 강 ...

plus 1

① 셀 수 있는 명사가 '하나'일 때는 '단수'라 부르고, 앞에 a 또는 an을 써서 하나임을 나타낼 수 있어요.

② 셀 수 있는 명사가 '둘 이상'일 때는 '복수'라 부르고, 앞에 숫자를 붙여 개수를 나타낼 수 있어요.
이때 여럿임을 표시하기 위해 단어의 끝에 s 또는 es를 붙여야 해요.

2 셀 수 없는 명사

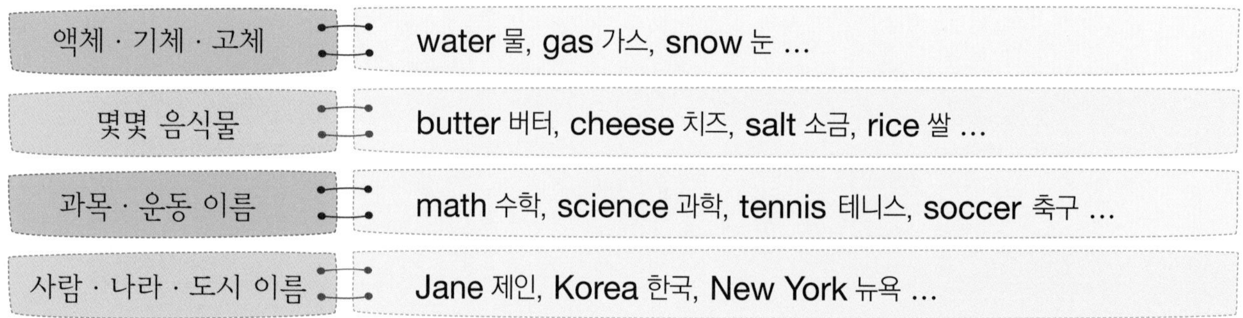

액체 · 기체 · 고체	water 물, gas 가스, snow 눈 ...
몇몇 음식물	butter 버터, cheese 치즈, salt 소금, rice 쌀 ...
과목 · 운동 이름	math 수학, science 과학, tennis 테니스, soccer 축구 ...
사람 · 나라 · 도시 이름	Jane 제인, Korea 한국, New York 뉴욕 ...

꼭 기억하기!

① 셀 수 없는 명사는 개수로 나타낼 수 없기 때문에 앞에 a 또는 an을 쓰거나, 단어의 끝에 s 또는 es를 붙일 수 없어요.

② 사람 · 나라 · 도시 이름 등은 세상에 하나뿐인 특별한 이름이기 때문에 항상 첫 글자는 대문자로 써야 해요.

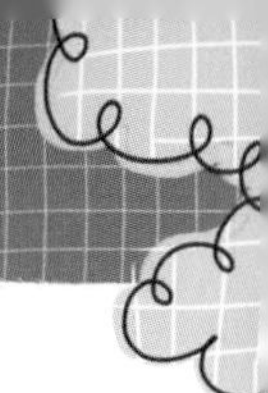

Warm up

정답 및 해설 p.2

1 다음 중 명사를 찾아 동그라미 하세요.

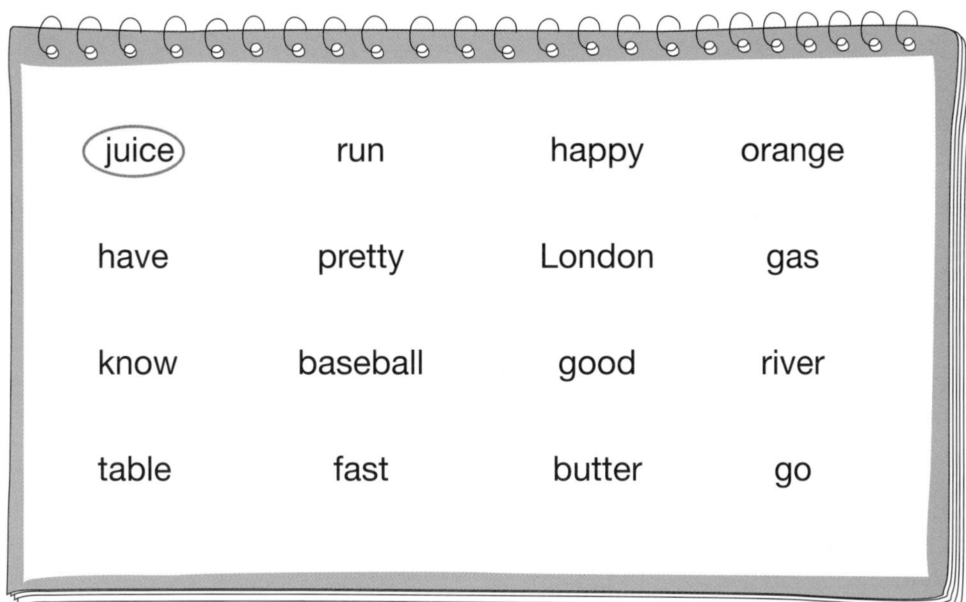

juice	run	happy	orange
have	pretty	London	gas
know	baseball	good	river
table	fast	butter	go

Words

- juice 주스
- run 달리다
- orange 오렌지
- have 가지다, 있다
- pretty 예쁜
- London 런던
- know 알다
- baseball 야구
- table 탁자, 테이블
- fast 빠른; 빨리
- drink 마시다
- coffee 커피
- need 필요하다
- sugar 설탕
- brother 형 · 오빠, 남동생
- study 공부하다
- Canada 캐나다

2 다음 문장에서 명사를 찾아 동그라미 하세요.

01 I have a cat. 나는 고양이를 길러요.

02 We like books. 우리는 책을 좋아해요.

03 James plays tennis. 제임스는 테니스를 쳐요.

04 They drink coffee. 그들은 커피를 마셔요.

05 I need sugar and cheese. 나는 설탕과 치즈가 필요해요.

06 My brother studies in Canada. 우리 형은 캐나다에서 공부해요.

Step up
명사를 종류에 따라 분류하기

1 다음 명사의 종류로 알맞은 것을 골라 빈칸에 쓰세요.

정답 및 해설 p.3

banana	bookstore	city	flower
friend	lion	monkey	mother
pen	pig	school	teacher

사람을 나타내는 말	friend		
동물을 나타내는 말	lion		
물체를 나타내는 말	banana		
장소를 나타내는 말	bookstore		

Seoul	cheese	math	Japan
juice	air	rice	Mary
sugar	ice	music	tennis

액체 · 기체 · 고체	juice		
몇몇 음식물	cheese		
과목 · 운동 이름	math		
사람 · 나라 · 도시 이름	Seoul		

- banana 바나나
- bookstore 서점
- city 도시
- flower 꽃
- friend 친구
- lion 사자
- monkey 원숭이
- mother 어머니
- pen 펜
- pig 돼지
- teacher 선생님
- Seoul 서울
- Japan 일본
- air 공기
- ice 얼음
- music 음악

2 다음 명사의 종류로 알맞은 것을 골라 빈칸에 순서대로 쓰세요.

정답 및 해설 p.3

girl	basketball	fish	sofa
bank	English	snow	wind
tree	bread	car	France
Susan	tomato	ice cream	lake
egg	milk	science	Mike
star	bird	Hong Kong	doctor

Words

- girl 소녀
- basketball 농구
- fish 물고기
- sofa 소파
- bank 은행
- wind 바람
- bread 빵
- France 프랑스
- tomato 토마토
- ice cream 아이스크림
- lake 호수
- egg 계란
- science 과학
- star 별
- bird 새
- Hong Kong 홍콩

01 셀 수 있는 명사

girl

02 셀 수 없는 명사

basketball		

Jump up 문장에서 명사를 찾고 구분하기

다음 문장에서 명사를 찾고 셀 수 있는 명사에 ○, 셀 수 없는 명사에 △ 표시하세요.

정답 및 해설 p.3

01 We eat rice. 우리는 쌀을 먹어요.
△

02 I like science. 나는 과학을 좋아해요.

03 They drink water. 그들은 물을 마셔요.

04 Tom lives in Paris. 톰은 파리에서 살아요.

05 Oranges are delicious. 오렌지는 맛있어요.

06 My father walks fast. 우리 아버지는 빨리 걸으세요.

07 The boy throws a ball. 그 소년은 공을 던져요.

08 My sister is a student. 나의 여동생은 학생이에요.

09 Monkeys eat bananas. 원숭이들은 바나나를 먹어요.

10 The teacher is in the classroom. 그 선생님은 교실에 있어요.

Words

- drink 마시다
- live in ~에 살다
- Paris 파리
- delicious 맛있는
- walk 걷다
- boy 소년
- throw 던지다
- ball 공
- sister 언니 · 누나, 여동생
- classroom 교실

Build up – Writing

다음 우리말과 일치하도록, 빈칸에 알맞은 단어를 <보기>에서 골라 문장을 완성하세요.

정답 및 해설 p.3

보기

China	soccer	math	snow	air	cheese	Mary
water	neck	golf	city	bread	New York	milk

01 그는 중국 출신이에요.
He is from ___China___.

02 그녀는 수학을 좋아해요.
She likes ______________.

03 그들은 축구를 해요.
They play ______________.

04 우리 아버지는 골프를 치세요.
My father plays ______________.

05 기린은 목이 길어요.
A giraffe has a long ______________.

06 뉴욕은 큰 도시예요.
______________ is a big ______________.

07 우리는 물과 공기가 필요해요.
We need ______________ and ______________.

08 우리는 겨울에 눈이 내려요.
We have ______________ in winter.

09 메리는 그 가게에서 치즈를 사요.
______________ buys ______________ at the store.

10 그들은 아침밥으로 우유와 빵을 먹어요.
They have ______________ and ______________ for breakfast.

Words

- China 중국
- neck 목
- golf 골프
- be동사+from ~ 출신이다
- giraffe 기린
- long 긴
- big 큰
- winter 겨울
- buy 사다
- store 가게
- breakfast 아침 식사

셀 수 있는 명사의 복수형

셀 수 있는 명사의 수가 둘 이상임을 나타내려면 복수형으로 써야 합니다. 복수형을 만드는 방법은 여러 가지가 있습니다.

규칙 변화	대부분의 명사	명사+s	desk 책상 → desk**s** tiger 호랑이 → tiger**s**
	x, s, sh, ch로 끝나는 명사	명사+es	fox 여우 → fox**es** dish 접시 → dish**es**
	「자음+o」로 끝나는 명사	명사+es	potato 감자 → potato**es** tomato 토마토 → tomato**es**
	「모음+o」로 끝나는 명사	명사+s	zoo 동물원 → zoo**s** radio 라디오 → radio**s**
	「자음+y」로 끝나는 명사	y를 i로 바꾸고+es	story 이야기 → stor**ies** baby 아기 → bab**ies**
	「모음+y」로 끝나는 명사	명사+s	toy 장난감 → toy**s** day 날, 낮 → day**s**
	f 또는 fe로 끝나는 명사	f 또는 fe를 v로 바꾸고+es	wolf 늑대 → wol**ves** knife 칼 → kni**ves**
불규칙 변화	man 남자 → men child 어린이 → children foot 발 → feet	woman 여자 → women mouse 쥐 → mice tooth 이 → teeth	

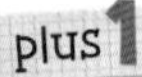

단수형과 복수형의 형태가 같은 명사가 있어요.

fish 물고기 – fish　　sheep 양 – sheep　　deer 사슴 – deer

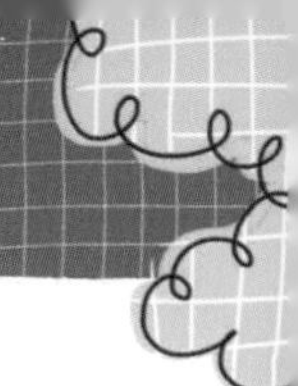

Warm up

1 **다음은 명사의 복수형을 만드는 방법입니다. 빈칸에 알맞은 말을 〈보기〉에서 골라 쓰세요.**

정답 및 해설 p.3

보기

box	hero	bus	cat	child	doll
foot	tomato	lady	party	wife	thief

01
대부분의 명사:
명사+s

cat → cats
________ → ________

02
x, s, sh, ch로 끝나는 명사:
명사+es

________ → ________
________ → ________

03
「자음+o」로 끝나는 명사:
명사+es

________ → ________
________ → ________

04
「자음+y」로 끝나는 명사:
y를 i로 바꾸고+es

________ → ________
________ → ________

05
f 또는 fe로 끝나는 명사:
f 또는 fe를 v로 바꾸고+es

________ → ________
________ → ________

06
불규칙 변화 명사

________ → ________
________ → ________

Words

- box 상자
- hero 영웅
- doll 인형
- lady 숙녀
- party 파티
- wife 아내
- thief 도둑

Step up 명사의 복수형 익히기

1 다음 명사의 복수형을 쓰세요.

정답 및 해설 p.4

01	bird	birds	16	bed	
02	hobby		17	glass	
03	leaf		18	brother	
04	eraser		19	child	
05	tomato		20	holiday	
06	shoe		21	church	
07	class		22	cup	
08	month		23	life	
09	woman		24	monkey	
10	body		25	brush	
11	movie		26	party	
12	mouse		27	shirt	
13	foot		28	thief	
14	key		29	potato	
15	box		30	camera	

- hobby 취미
- leaf 나뭇잎
- eraser 지우개
- shoe 신발
- class 수업
- month 달, 월(月)
- body 몸
- movie 영화
- bed 침대
- glass 유리잔
- holiday 휴일
- church 교회
- life 삶
- brush 솔, 붓
- shirt 셔츠
- camera 사진기, 카메라

2 다음 <보기>의 단어를 이용하여 빈칸에 알맞은 말을 쓰세요.

정답 및 해설 p.4

보기

숫자	two (2) five (5)	three (3) six (6)	four (4) seven (7)	
명사	boy mouse	bus pencil	candy star	leaf tomato

Words

- candy 사탕

01

two boys

02

____

03

____

04

____

05

____

06

____

07

____

08

____

Jump up

문장에서 명사의 복수형 학습하기

다음 괄호 안에서 복수형으로 알맞은 것을 고르세요.

정답 및 해설 p.4

01 I know the (childs / children).
나는 그 어린이들을 알아요.

02 These (toies / toys) are new.
이 장난감들은 새것이에요.

03 The (stories / storys) are funny.
그 이야기들은 재미있어요.

04 (Knives / Knifes) are dangerous.
칼은 위험해요.

05 She has three (dolls / dolles).
그녀는 인형이 3개 있어요.

06 He has five (class / classes) today.
그는 오늘 5개의 수업이 있어요.

07 My sister has two (friends / friendes).
우리 언니는 친구가 두 명 있어요.

08 The baby's (teeth / tooths) are small.
그 아기의 이들은 작아요.

09 My brother has three (watchs / watches).
우리 형은 3개의 손목시계가 있어요.

10 Two (potatos / potatoes) are on the dish.
두 개의 감자가 접시 위에 있어요.

- new 새로운
- funny 재미있는
- dangerous 위험한
- small 작은
- watch 손목시계

Build up – Writing

다음 우리말과 일치하도록, <보기>의 단어를 이용하여 문장을 완성하세요.

정답 및 해설 p.4

보기

숫자	two (2) six (6)	three (3) seven (7)	four (4) eight (8)	five (5) nine (9)
명사	child cookie	dish apple	dress baby	man wolf

01 동물원에는 여섯 마리의 늑대가 있어요.

Six wolves are in the zoo.

02 그녀는 두 명의 아기가 있어요.

She has ____________ ____________.

03 세 벌의 드레스가 노란색입니다.

____________ ____________ are yellow.

04 여덟 명의 어린이들이 축구를 해요.

____________ ____________ play soccer.

05 아홉 명의 남자들이 함께 일합니다.

____________ ____________ work together.

06 다섯 개의 사과가 테이블 위에 있어요.

____________ ____________ are on the table.

07 우리 숙모는 일곱 개의 접시를 닦아요.

My aunt washes ____________ ____________.

08 바구니에 네 개의 쿠키가 있어요.

____________ ____________ are in the basket.

Words

- dress 드레스
- cookie 쿠키
- zoo 동물원
- yellow 노란색
- work 일하다
- together 함께
- aunt 숙모, 이모, 고모
- wash 닦다, 씻다
- basket 바구니

Wrap up unit 1- unit 2 명사 최종 점검하기

1 다음 괄호 안에서 알맞은 것을 고르세요.

정답 및 해설 p.4

- catch 잡다
- year 해, 년
- clover 클로버
- Monday 월요일

01 I like (snow / snows).
나는 눈을 좋아해요.

02 He needs two (box / boxes).
그는 상자 두 개가 필요해요.

03 Cats catch (mouses / mice).
고양이들은 쥐들을 잡아요.

04 A year has 365 (days / daies).
일 년은 365일이에요.

05 We study (an English / English).
우리는 영어를 공부해요.

06 Monica is a (teacher / teachers).
모니카는 선생님이에요.

07 The clover has four (leafs / leaves).
그 클로버는 잎이 네 개예요.

08 The girl has eight (flower / flowers).
그 소녀에게 꽃 여덟 송이가 있어요.

09 I have five (class / classes) on Monday.
나는 월요일에 다섯 개의 수업이 있어요.

10 My baby sister has three (tooths / teeth).
내 어린 여동생은 이가 세 개예요.

② 다음 우리말과 일치하도록, 밑줄 친 부분을 바르게 고쳐 쓰세요.

정답 및 해설 p.4

01 I know jane. — Jane
나는 제인을 알아요.

02 I need three chair.
나는 의자 세 개가 필요해요.

03 She has four childs.
그녀에게는 네 명의 아이가 있어요.

04 My father has five key.
우리 아버지는 열쇠가 다섯 개예요.

05 Dogs have four foots.
개는 발이 네 개예요.

06 The boy has three rabbit.
그 소년은 세 마리의 토끼가 있어요.

07 Two thiefs are in the house.
집 안에 두 명의 도둑이 있어요.

08 I drink milks in the morning.
나는 아침에 우유를 마셔요.

09 Three bus are at the bus stop.
버스 세 대가 버스 정류장에 있어요.

10 Seven tomatos are on the table.
토마토 일곱 개가 탁자 위에 있어요.

Words

- chair 의자
- rabbit 토끼
- morning 아침
- bus stop 버스 정류장

Exercise 정답 및 해설 p.5

1 다음 밑줄 친 부분이 명사가 아닌 것은?

① He is a teacher.
② She feels happy.
③ The baby is cute.
④ I love my family.
⑤ My brother is kind.

2 다음 중 셀 수 없는 명사끼리 짝지어진 것은?

① sugar - rice
② water - class
③ box - animal
④ snow - candy
⑤ school - pencil

3 다음 중 명사의 복수형이 바르게 짝지어진 것은?

① fox - foxs
② parent - parentes
③ wolf - wolfs
④ foot - foots
⑤ toy - toys

4 다음 빈칸에 들어갈 말로 알맞지 않은 것은?

I need two ________________.

① computers ② book ③ bags
④ friends ⑤ apples

1 feel 느끼다
cute 귀여운
family 가족
kind 친절한
명사는 사람, 사물, 장소 등의 이름을 나타내는 말이에요.

2 animal 동물
몇몇 음식물, 액체·고체는 셀 수 없는 명사예요.

3 parent 부모

4 computer 컴퓨터
앞에 two가 있으므로 복수 명사 필요해요.

5 다음 중 **s** 또는 **es**를 붙여 복수형을 만들 수 없는 것은?

① movie ② name ③ flower
④ woman ⑤ dish

6 다음 밑줄 친 복수형이 바르지 않은 것은?

① These are tigers.
② My sisteres are pretty.
③ The keys are in my pocket.
④ The tomatoes are fresh.
⑤ It has five rooms.

7 다음 단어의 복수형을 쓰세요.

1) chair → ____________

2) leaf → ____________

3) party → ____________

[8-10] 다음 우리말과 일치하도록, 주어진 단어를 이용하여 문장을 완성하세요.

8
나는 다섯 개의 감자가 필요해요.
→ I need five ______________. (potato)

9
일주일은 7일이에요.
→ A week has seven ______________. (day)

10
두 어린이가 피아노를 쳐요.
→ Two ______________ play the piano. (child)

Note

5 name 이름
불규칙 변화 명사를 찾는 문제예요.

6 tiger 호랑이
pocket 주머니
fresh 신선한
room 방

8 potato는 「자음+o」로 끝나는 명사예요.

9 week 주, 1주일
day는 「모음+y」로 끝나는 명사예요.

10 play 연주하다
piano 피아노
child는 불규칙 변화 명사예요.

숫자를 영어로 어떻게 말하는지 알아보자!

1	one
2	two
3	three
4	four
5	five
6	six
7	seven
8	eight
9	nine
10	ten
11	eleven
12	twelve
13	thirteen
14	fourteen
15	fifteen
16	sixteen
17	seventeen
18	eighteen
19	nineteen
20	twenty
21	twenty-one
22	twenty-two
	⋮
30	thirty
40	forty
50	fifty
60	sixty
70	seventy
80	eighty
90	ninety
100	one hundred
101	one hundred-one
	⋮
1000	one thousand

관사

□ prince	□ artist	□ bike	□ angel	□ eagle
□ want	□ actress	□ nurse	□ test	□ write
□ letter	□ clean	□ watch	□ read	□ fly
□ drive	□ store	□ work	□ cello	□ violin

관사 a와 an

관사는 명사 앞에 써서 명사의 정보를 알려주는 말로 관사에는 a, an, the가 있습니다. 셀 수 있는 명사의 단수형 앞에는 a 또는 an을 씁니다.

❶ a와 an의 쓰임

관사	쓰임	예	
a	자음 소리로 시작하는 명사 앞	**a** bag 가방 **a** rabbit 토끼	**a** child 어린이 **a** table 탁자
	「자음 소리로 시작하는 형용사+명사」 앞	**a** nice car 멋진 자동차 **a** beautiful girl 아름다운 소녀	
an	모음 소리로 시작하는 명사 앞	**an** apple 사과 **an** onion 양파	**an** egg 계란 **an** umbrella 우산
	「모음 소리로 시작하는 형용사+명사」 앞	**an** interesting game 흥미로운 게임 **an** old house 오래된 집	
	맨 앞의 'h'가 발음되지 않아 모음 소리로 시작하는 명사 또는 「형용사+명사」 앞	**an** hour 시간 **an** honest man 정직한 남자	

꼭 기억하기!

복수(둘 이상) 명사와 셀 수 없는 명사 앞에는 a 또는 an을 쓸 수 없어요.

~~a~~ books ~~a~~ milk ~~an~~ Anne ~~a~~ Korea

❷ a와 an의 의미

1) 정해지지 않은 막연한 '하나'임을 나타내며, 셀 수 있는 명사의 단수형 앞에 쓰고 보통은 '하나의' 라고 해석하지 않습니다.

   I have **a** sister. 나는 (한 명의) 여동생이 있어요.

2) 듣는 사람이 누구인지 또는 어떤 것인지 정확히 알 수 없는 사람이나 사물에 대해 처음 이야기를 꺼낼 때 사용합니다.

   She has **a** watch. 그녀는 시계가 있어요.

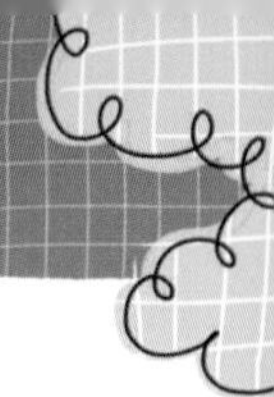

Warm up

1 다음 괄호 안에서 알맞은 것을 고르세요.

정답 및 해설 p.5

01 (ⓐ / an) story

02 (a / an) apple

03 (a / an) friend

04 (a / an) tree

05 (a / an) idea

06 (a / an) egg

07 (a / an) table

08 (a / an) dog

09 (a / an) uncle

10 (a / an) cat

11 (a / an) prince

12 (a / an) artist

13 (a / an) hour

14 (a / an) key

15 (a / an) girl

16 (a / an) baby

17 (a / an) house

18 (a / an) bike

19 (a / an) car

20 (a / an) doctor

- tree 나무
- idea 아이디어, 생각
- uncle 삼촌
- prince 왕자
- artist 예술가
- bike 자전거

관사 a와 an 쓰임 구별하기

1 다음 괄호 안에서 알맞은 것을 고르세요. (× = 필요 없음)

정답 및 해설 p.5

01 (a / an / ⓧ) water

02 (a / an / ×) ball

03 (a / an / ×) onion

04 (a / an / ×) teacher

05 (a / an / ×) movie

06 (a / an / ×) milk

07 (a / an / ×) angel

08 (a / an / ×) salt

09 (a / an / ×) eagle

10 (a / an / ×) Korea

11 (a / an / ×) child

12 (a / an / ×) children

13 (a / an / ×) book

14 (a / an / ×) books

15 (a / an / ×) foot

16 (a / an / ×) feet

17 (a / an / ×) tomato

18 (a / an / ×) tomatoes

19 (a / an / ×) knife

20 (a / an / ×) knives

- angel 천사
- eagle 독수리

2 다음 빈칸에 a 또는 an 중 알맞은 것을 쓰고, 필요 없으면 × 하세요.

정답 및 해설 p.5

01 Sam wants ___a___ toy.
샘은 장난감을 원해요.

02 Jane is ______ actress.
제인은 여배우예요.

03 My sister is ______ nurse.
우리 언니는 간호사예요.

04 I have ______ test today.
나는 오늘 시험이 있어요.

05 Tommy writes ______ letters.
토미는 편지를 써요.

06 Brian cleans ______ big room.
브라이언은 커다란 방을 청소해요.

07 She is ______ English teacher.
그녀는 영어 선생님이에요.

08 He lives in ______ old house.
그는 오래된 집에 살아요.

09 Mike watches ______ movie on Sundays.
마이크는 일요일마다 영화를 봐요.

10 My brother drinks ______ milk every night.
내 남동생은 매일 밤 우유를 마셔요.

Words

- want 원하다
- actress (여자) 배우
- nurse 간호사
- test 시험
- today 오늘
- write 쓰다
- letter 편지
- clean 청소하다
- watch 보다
- Sunday 일요일
- every night 매일 밤

Jump up 문장에서 관사 a와 an 학습하기

다음 우리말과 일치하도록, a 또는 an과 주어진 말을 이용하여 문장을 완성하세요.

정답 및 해설 p.6

- read 읽다
- fly 날다
- high 높이
- drive 운전하다
- writer 작가
- red 빨간(색의)
- umbrella 우산
- walk 산책하다, 걷다

01 그녀는 책을 읽어요. (book)

She reads ___a book___.

02 나는 지우개가 하나 필요해요. (eraser)

I need ______________.

03 독수리는 높이 날아요. (eagle)

______________ flies high.

04 그는 연필 한 자루를 원해요. (pencil)

He wants ______________.

05 그는 낡은 차를 운전해요. (old car)

He drives ______________.

06 우리 어머니는 작가예요. (writer)

My mother is ______________.

07 나는 토끼를 정말 좋아해요. (rabbit)

I like ______________ very much.

08 그녀는 빨간색 우산이 있어요. (red umbrella)

She has ______________.

09 맥스는 매일 한 시간 동안 산책해요. (hour)

Max walks ______________ every day.

10 나는 삼촌 한 명과 이모 한 명 있어요. (uncle, aunt)

I have ______________ and ______________.

Build up - Writing

다음 우리말과 일치하도록, <보기>에서 알맞은 단어를 고르고 a 또는 an을 써서 문장을 완성하세요.

정답 및 해설 p.6

보기

actor	apple	doctor	egg
orange	party	store	elephant

01 존은 의사입니다.

John is ___a doctor___.

02 우리 형은 배우예요.

My brother is ________________.

03 테이블 위에 사과 하나가 있어요.

________________ is on the table.

04 나는 아침으로 달걀 하나를 먹어요.

I eat ________________ for breakfast.

05 우리 아버지는 가게에서 일하세요.

My father works at ________________.

06 내 남동생은 코끼리를 좋아해요.

My brother likes ________________.

07 우리는 내일 파티가 있어요.

We have ________________ tomorrow.

08 그 소년은 매일 오렌지 하나를 사요.

The boy buys ________________ every day.

Words

- store 가게
- elephant 코끼리
- work 일하다
- tomorrow 내일

관사 the

이미 언급했거나 알고 있는 특정한 사람, 사물 앞에는 the를 씁니다. 식사 이름, 운동 경기 앞에는 관사를 쓰지 않습니다.

1 the의 쓰임과 의미

1) 듣는 사람도 알고 있는 특정한 사람이나 사물에 대해 말할 때 쓰고, 주로 '그 ~'라고 해석합니다.

I know **the** boy. 나 그 소년을 알아요.
The bike is mine. 그 자전거는 내 것이야.

2) 앞서 언급된 a 또는 an과 함께 쓰인 명사를 다시 말할 때 the를 씁니다.

I have **a** book. **The** book is interesting. 나는 책이 있어요. 그 책은 흥미로워요.
Tim likes **a** girl. **The** girl is kind. 팀은 한 소녀를 좋아해요. 그 소녀는 친절해요.

3) the를 꼭 써야 하는 경우

play 뒤 악기 이름	play **the** piano 피아노를 연주해요 play **the** guitar 기타를 연주해요		
세상에 하나밖에 없는 것	**the** sun 태양 **the** sky 하늘	**the** moon 달 **the** sea 바다	**the** earth 지구 **the** world 세상 ...
하루의 시간 구분	in **the** morning 아침에 in **the** evening 저녁에	in **the** afternoon 오후에	

4) a 또는 an, the를 모두 쓰지 않는 경우

play 뒤 운동 경기	play soccer 축구를 하다	play tennis 테니스를 치다	
식사 이름	breakfast 아침 식사	lunch 점심 식사	dinner 저녁 식사

plus 1

뒤에 있는 단어가 자음 소리로 시작할 때 the를 [ðə/더]로 발음해요. 하지만 뒤에 있는 단어가 모음 소리로 시작할 때 the를 [ði/디]로 발음해요.

ex) the book: [ðə bʊk / 더 북] the apple: [ði ǽpl / 디 애플]

Warm up

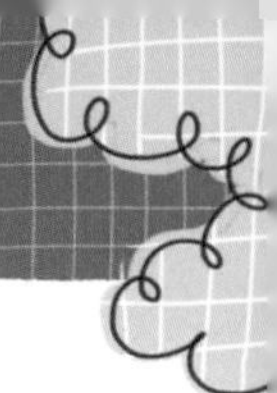

1 다음 괄호 안에서 알맞은 것을 고르세요. (× = 필요 없음)

정답 및 해설 p.6

01 play (a / the / ×) piano

02 in (an / the / ×) sky

03 (an / the / ×) earth

04 eat (a / the / ×) lunch

05 in (a / the / ×) afternoon

06 play (a / the / ×) soccer

07 cook (a / the / ×) dinner

08 (an / the / ×) sun

09 play (a / the / ×) guitar

10 in (a / the / ×) world

11 in (a / the / ×) morning

12 play (a / the / ×) baseball

13 have (a / the / ×) breakfast

14 (a / the / ×) moon

15 play (a / the / ×) cello

16 in (a / the / ×) sea

17 play (a / the / ×) violin

18 play (a / the / ×) tennis

19 in (a / the / ×) evening

20 play (a / the / ×) volleyball

Words

- cook 요리하다
- baseball 야구
- cello 첼로
- violin 바이올린
- volleyball 배구

Step up 관사 the 쓰임 익히기

1 다음 빈칸에 필요하면 the를 쓰고, 필요 없으면 × 하세요.

정답 및 해설 p.6

01 She plays ___the___ violin.
그녀는 바이올린을 연주해요.

02 Jason swims in ________ sea.
제이슨은 바다에서 수영해요.

03 ________ sun rises in the east.
태양은 동쪽에서 떠요.

04 He plays ________ piano at night.
그는 밤에 피아노를 연주해요.

05 My sister eats ________ lunch at 12.
나의 여동생은 12시에 점심을 먹어요.

06 I get up early in ________ morning.
나는 아침에 일찍 일어나요.

07 We watch TV in ________ evening.
우리는 저녁에 TV를 시청해요.

08 Tom plays ________ soccer after school.
톰은 방과 후에 축구를 해요.

09 They play ________ baseball every Saturday.
그들은 매주 토요일에 야구를 해요.

10 There are a lot of people in ________ world.
세상에는 많은 사람들이 있어요.

- swim 수영하다
- rise 뜨다
- east 동쪽
- at night 밤에
- get up 일어나다
- early 일찍
- after school 방과 후에
- every 모든; 매
- Saturday 토요일
- a lot of 많은
- people 사람들

2 다음 괄호 안에서 알맞은 것을 고르세요.

정답 및 해설 p.6

01 He has an apple. 그는 사과 하나를 가지고 있어요.
(A / An / The) apple is red. 그 사과는 빨개요.

02 We live on an island. 우리는 섬에 살아요.
(A / An / The) island is small. 그 섬은 작아요.

03 Mary sings a song. 메리는 노래를 불러요.
(A / An / The) song is beautiful. 그 노래는 아름다워요.

04 My aunt has a baby. 우리 숙모는 아기가 있어요.
(A / An / The) baby is cute. 그 아기는 귀여워요.

05 Alex eats an orange. 알렉스는 오렌지 하나를 먹어요.
(A / An / The) orange looks delicious. 그 오렌지는 맛있어 보여요.

06 I play a game. 나는 게임을 해요.
(A / An / The) game is interesting. 그 게임은 흥미로워요.

07 I know a singer. 나는 가수를 알아요.
(A / An / The) singer is famous. 그 가수는 유명해요.

08 Jenny has a friend. 제니는 친구가 있어요.
(A / An / The) friend is from Japan. 그 친구는 일본 출신이에요.

- island 섬
- small 작은
- sing 노래하다
- song 노래
- beautiful 아름다운
- look ~하게 보이다
- delicious 맛있는
- game 게임
- interesting 재미있는, 흥미로운
- singer 가수
- famous 유명한

Jump up 문장에서 관사 the 학습하기

다음 우리말과 일치하도록, 주어진 단어를 이용하여 the를 붙이거나, 그냥 써서 문장을 완성하세요.

정답 및 해설 p.6

01 지구는 둥글어요. (earth)
The earth is round.

02 그녀는 플루트를 연주해요. (flute)
She plays ______________.

03 하늘에 무지개가 떠 있어요. (sky)
A rainbow hangs in ______________.

04 우리는 일곱 시에 저녁을 먹어요. (dinner)
We have ______________ at seven.

05 나는 친구들과 축구를 해요. (soccer)
I play ______________ with my friends.

06 나는 저녁에 숙제해요. (evening)
I do my homework in ______________.

07 우리 아빠는 매일 아침 식사를 요리해요. (breakfast)
My dad cooks ______________ every day.

08 우리 아버지는 자동차가 있어요. 그 차는 새것이에요. (car)
My father has a car. ______________ is new.

09 개가 의자 위에 있어요. 그 개는 귀여워요. (dog)
A dog is on a chair. ______________ is cute.

10 우리 할머니는 아침에 차를 마셔요. (morning)
My grandmother has tea in ______________.

Words

- round 둥근
- flute 플루트
- rainbow 무지개
- hang 걸리다, 매달리다
- with ~와 함께
- do 하다
- homework 숙제
- grandmother 할머니
- tea 차

Build up - Writing

다음 우리말과 일치하도록, <보기>에서 알맞은 단어를 고르고 the를 붙이거나, 그냥 써서 문장을 완성하세요.

정답 및 해설 p.7

보기

afternoon	cap	guitar	lunch
moon	piano	baseball	tennis

01 달이 하늘에 있어요.

The moon is in the sky.

02 내 친구는 기타를 잘 쳐요.

My friend plays ________________ well.

03 그는 무대 위에서 피아노를 연주해요.

He plays ________________ on the stage.

04 나는 오후에 수업이 2개 있어요.

I have two classes in ________________.

05 제인은 그녀의 친구들과 점심을 먹어요.

Jane eats ________________ with her friends.

06 제임스는 매주 일요일에 테니스를 쳐요.

James plays ________________ every Sunday.

07 내 친구들은 방과 후에 야구를 해요.

My friends play ________________ after school.

08 존은 모자를 써요. 그 모자는 오래되었어요.

John wears a cap. ________________ is old.

Words

- cap 모자
- well 잘
- stage 무대
- wear 입다, 쓰다, 착용하다

Wrap up unit 1- unit 2 관사 최종 점검하기

1 다음 빈칸에 a 또는 an, the 중 알맞은 것을 쓰고, 필요 없으면 × 하세요.

정답 및 해설 p.7

01 I have ___an___ old bike.
나는 낡은 자전거가 있어요.

02 Stars are in _______ sky.
별들이 하늘에 있어요.

03 Mrs. Smith is _______ teacher.
스미스 부인은 선생님이에요.

04 My father works in _______ bank.
우리 아버지는 은행에서 일해요.

05 She often cooks _______ breakfast.
그녀는 자주 아침 식사를 요리해요.

06 I have _______ apple in the morning.
나는 아침에 사과를 하나 먹어요.

07 Kelly plays _______ guitar in a band.
켈리는 밴드에서 기타를 쳐요.

08 I know a girl. _______ girl is from Brazil.
나는 한 소녀를 알아요. 그 소녀는 브라질 출신이에요.

09 Peter and Susan have _______ lunch together.
피터와 수잔은 점심을 같이 먹어요.

10 My brother and I play _______ tennis on Friday.
우리 형과 나는 금요일에 테니스를 쳐요.

- star 별
- Mrs. ~부인
- bank 은행
- often 자주, 종종
- band 밴드
- Brazil 브라질
- together 함께, 같이
- Friday 금요일

② 다음 우리말과 일치하도록, 밑줄 친 부분을 바르게 고쳐 쓰세요.

정답 및 해설 p.7

01 A moon is bright. The
달이 밝아요.

02 My sister likes a cats.
내 여동생은 고양이들을 좋아해요.

03 Jacob is a honest boy.
제이콥은 정직한 소년이에요.

04 A orange is on the table.
탁자 위에 오렌지가 하나 있어요.

05 We have the dinner at six.
우리는 여섯 시에 저녁을 먹어요.

06 She drinks a milk for breakfast.
그녀는 아침으로 우유를 마셔요.

07 I need an onion and an potato.
나는 양파 하나와 감자 하나가 필요해요.

08 Rachel plays piano after school.
레이첼은 방과 후에 피아노를 쳐요.

09 He wears a sweater. A sweater is red.
그는 스웨터를 입어요. 그 스웨터는 빨간색이에요.

10 My friends play the baseball on Saturday.
내 친구들은 토요일에 야구를 해요.

Words

- bright 밝은
- honest 정직한
- sweater 스웨터
- Saturday 토요일

정답 및 해설 p.7

1 다음 중 밑줄 친 부분이 바른 것은?

① <u>an</u> fox ② <u>an</u> table ③ <u>a</u> onion
④ <u>an</u> orange ⑤ <u>an</u> rabbit

2 다음 밑줄 친 부분이 <u>잘못된</u> 것은?

① <u>an</u> apple ② <u>a</u> table ③ <u>a</u> books
④ <u>a</u> pencil ⑤ <u>an</u> hour

3 다음 빈칸에 들어갈 말로 알맞지 <u>않은</u> 것은?

I have a ________.

① sister ② bag ③ water
④ friend ⑤ kite

4 다음 빈칸에 **a**를 쓸 수 <u>없는</u> 것은?

① I am _____ student.
② My father is _____ pilot.
③ My mother is _____ teacher.
④ My brother is _____ actor.
⑤ My uncle is _____ police officer.

5 다음 빈칸에 **a** 또는 **an**을 쓸 수 <u>없는</u> 것은?

① This is _____ interesting book.
② They are _____ kind children.
③ She is _____ famous singer.
④ Her baby has _____ tooth.
⑤ I am _____ waiter.

Note

1 fox 여우
명사가 어떤 소리로 시작하는지 생각해 보세요.

3 kite 연
명사의 종류가 다른 하나를 찾아보세요.

4 pilot 비행기 조종사
police officer 경찰관
명사가 어떤 소리로 시작하는지 생각해 보세요.

5 kind 친절한
waiter 종업원, 웨이터
셀 수 없는 명사, 복수 명사 앞에서 a 또는 an을 쓸 수 없어요.

6 다음 빈칸에 **the**를 쓸 수 없는 것은?

① They swim in _____ sea.
② My sister plays _____ guitar.
③ We watch TV in _____ evening.
④ Many animals live in _____ world.
⑤ They play _____ tennis in the afternoon.

7 다음 밑줄 친 부분이 잘못된 것은?

① I play piano.
② He plays soccer.
③ My father cooks dinner.
④ The moon shines at night.
⑤ We study English in the morning.

8 다음 빈칸에 공통으로 들어갈 관사를 쓰세요.

• _________ sun rises in the east.
• _________ earth is round.

9 다음 빈칸에 알맞은 관사를 쓰세요.

I know ______ boy. ______ boy is very smart.

10 다음 우리말과 일치하도록, 주어진 단어와 관사를 이용하여 문장을 완성하세요.

1) 새들이 하늘을 날아요.
→ Birds fly in __________. (sky)

2) 1시간은 60분이에요.
→ __________ has sixty minutes. (hour)

Note

6 관사를 쓰지 않는 경우를 생각해 보세요.

7 shine 빛나다

8 sun과 earth는 세상에 하나밖에 없는 대상이에요.

9 very 매우
smart 똑똑한

10 fly 날다
sixty 60
minute 분

Take a break !

가족 구성원을 영어로 어떻게 말하는지 알아보자!

FAMILY TREE

grandfather

grandmother

father

mother

uncle

aunt

brother

me

sister

cousins

대명사 I

□ rabbit	□ ball	□ run	□ boring	□ puppy
□ nice	□ interesting	□ fireman	□ tail	□ name
□ teach	□ help	□ shoes	□ use	□ meet
□ photo	□ here	□ visit	□ son	□ rose

주격 인칭대명사

대명사는 앞서 말한 사람 · 사물 · 동물 등을 대신하는 말로, 말하는 사람과 듣는 사람이 서로 알고 있는 명사에 대해 말할 때 사용합니다. 주격 인칭대명사는 문장의 주인공으로 쓰인 대명사입니다.

1 인칭대명사: 사람 또는 사물 · 동물을 가리키는 대명사

1인칭	단수	나 (말하는 사람)
	복수	'나'를 포함한 여러 명 = 우리
2인칭	단수	너, 당신 (듣는 사람)
	복수	'너'를 포함한 여러 명 = 너희들, 여러분
3인칭	단수	'나'와 '너'를 제외한 남자 1명, 여자 1명, 사물이나 동물 하나
	복수	'나'와 '너'를 제외한 사람 여러 명, 사물이나 동물 여럿

2 주격 인칭대명사

문장의 주인공(주어)로 쓰인 인칭대명사로 '~이/가', '~은/는'을 붙여 해석합니다.

I am Tom. 나는 톰입니다.

You are tall. 당신은 키가 커요.

		주격 (~은, 는, 이, 가)
1인칭	단수	I (나는)
	복수	we (우리는)
2인칭	단수	you (너는)
	복수	you (너희들은)
3인칭	단수	he (그는)
		she (그녀는)
		it (그것은)
	복수	they (그들은, 그것들은)

plus 1

주어로 쓰인 명사를 주격 인칭대명사로 바꿔 쓸 수 있어요.

1) 남자 1명 = he / 여자 1명 = she / 동물 1마리 또는 물건 1개 = it
the boy = he (그는) my sister = she (그녀는) my dog = it (그것은)

2) 나(I)를 포함한 여러 명 = we / 너(you)를 포함한 여러 명 = you
Linda and I = we (우리는) You and Tom = you (너희들은)

3) I와 you를 빼고 여러 명, 물건 여러 개, 동물 여러 마리 = they
Tom and Jane = they (그들은) the books = they (그것들은)

Warm up

1 다음 인칭대명사의 뜻을 쓰고, 알맞은 인칭과 수를 고르세요.

정답 및 해설 p.8

01 we 우리는 (1 / 2 / 3)인칭 (단수 / 복수)

02 he ________ (1 / 2 / 3)인칭 (단수 / 복수)

03 you (1명) ________ (1 / 2 / 3)인칭 (단수 / 복수)

04 it ________ (1 / 2 / 3)인칭 (단수 / 복수)

05 she ________ (1 / 2 / 3)인칭 (단수 / 복수)

06 they ________ (1 / 2 / 3)인칭 (단수 / 복수)

07 I ________ (1 / 2 / 3)인칭 (단수 / 복수)

08 you (2명 이상) ________ (1 / 2 / 3)인칭 (단수 / 복수)

Step up 주격 인칭대명사 이해하기

1 다음 주어진 명사를 대명사 we, you, he, she, it, they 중 하나로 바꿔 쓰세요.

정답 및 해설 p.8

01	my father	he
02	my brother and I	
03	her mother	
04	you and your sister	
05	his brother	
06	my dogs	
07	the house	
08	Tom	
09	Jane	
10	John and Betty	
11	Jenny and I	
12	your sister	
13	you and Greg	
14	the rabbit	
15	the balls	

- rabbit 토끼
- ball 공

2 다음 밑줄 친 부분을 인칭대명사로 바꿔 쓰세요.

정답 및 해설 p.8

01 Dave runs fast. 데이브는 빨리 달려요.
= He

02 Mary is at home. 메리는 집에 있어요.
= ______________

03 John and I are happy. 존과 나는 행복해요.
= ______________

04 The movie is boring. 그 영화는 지루해요.
= ______________

05 You and I play soccer. 너와 나는 축구를 해.
= ______________

06 My mother is a dancer. 우리 어머니는 무용수예요.
= ______________

07 You and Jane are pretty. 당신과 제인은 예뻐요.
= ______________

08 He and she are friends. 그와 그녀는 친구예요.
= ______________

09 The puppy is very cute. 그 강아지는 정말 귀여워요.
= ______________

10 My brother is a middle school student. 우리 형은 중학생이에요.
= ______________

- run 달리다
- boring 지루한, 재미없는
- dancer 무용수, 댄서
- puppy 강아지
- middle school 중학교

Jump up 문장에서 주격 인칭대명사 쓰임 파악하기

다음 우리말과 일치하도록, <보기>에서 알맞은 인칭대명사를 골라 문장을 완성하세요.

정답 및 해설 p.8

보기

I	we	you	she
he	it	they	you

01 너희들은 친절하구나.
You are kind.

02 그는 멋진 자동차를 가지고 있어요.
__________ has a nice car.

03 그들은 공원에 있어요.
__________ are in the park.

04 우리는 종종 테니스를 쳐요.
__________ often play tennis.

05 그녀는 빨간 드레스를 원해요.
__________ wants a red dress.

06 당신은 좋은 선생님이세요.
__________ are a good teacher.

07 그것은 재미있는 책이에요.
__________ is an interesting book.

08 나는 바나나와 수박을 좋아해요.
__________ like bananas and watermelons.

Words

- nice 멋진; 친절한
- often 종종, 자주
- interesting 재미있는, 흥미로운
- watermelon 수박

Build up-Writing

다음 우리말과 일치하도록, 문장의 빈칸에 알맞은 인칭대명사를 쓰세요.

정답 및 해설 p.8

- fireman 소방관
- tail 꼬리
- look ~처럼 보인다
- delicious 맛있는
- basketball player 농구 선수
- tall 키가 큰
- a lot 많이

01 나는 그 남자를 알아요. 그는 소방관이에요.

I know the man. ___He___ is a fireman.

02 조는 고양이 한 마리를 키워요. 그것은 꼬리가 길어요.

Joe has a cat. ________ has a long tail.

03 루스는 컴퓨터를 가지고 있어요. 그것은 새것이에요.

Ruth has a computer. ________ is new.

04 케이트는 내 친구예요. 그녀는 런던에 살아요.

Kate is my friend. ________ lives in London.

05 켈리는 내 여동생이에요. 그녀는 열 살이에요.

Kelly is my sister. ________ is ten years old.

06 나는 남동생이 있어요. 그는 컴퓨터 게임을 좋아해요.

I have a brother. ________ likes computer games.

07 나는 앤과 제니퍼를 좋아해요. 그들은 내 친구들이에요.

I like Anne and Jennifer. ________ are my friends.

08 사과가 바구니에 있어요. 그것들은 맛있어 보여요.

Apples are in the basket. ________ look delicious.

09 닉과 나는 농구 선수예요. 우리는 키가 커요.

Nick and I are basketball players. ________ are tall.

10 너와 수잔은 독서를 많이 하는구나. 너희들은 정말 책을 좋아하는 구나.

You and Susan read a lot. ________ really like books.

소유격 · 목적격 인칭대명사

소유격 인칭대명사는 명사 앞에 쓰여 소유의 의미를 나타내고, 목적격 인칭대명사는 주로 동사 뒤에 쓰여 동작의 대상이 됩니다.

		소유격 (~의)	목적격 (~을, 를)
1인칭	단수	my (나의)	me (나를)
	복수	our (우리의)	us (우리를)
2인칭	단수	your (너의)	you (너를)
	복수	your (너희들의)	you (너희들을)
3인칭	단수	his (그의) her (그녀의) its (그것의)	him (그를) her (그녀를) it (그것을)
	복수	their (그들의, 그것들의)	them (그들을, 그것들을)

1 소유격 인칭대명사

명사의 앞에 쓰여 명사와의 소유 관계를 나타내는 인칭대명사로 '~의'로 해석합니다.

This is **my** sister. 이 사람이 내 언니예요.
What is **your** name? 너의 이름은 뭐니?
That is **his** house. 저것이 그의 집이에요.

2 목적격 인칭대명사

문장의 동사 뒤 목적어로 쓰인 인칭대명사로 '~을/를'을 붙여 해석합니다.

They like **me**. 그들은 나를 좋아해요.
I know **them**. 나는 그들을 알아요.
Sam loves **her**. 샘은 그녀를 사랑합니다.

plus 1

목적어로 쓰인 명사를 목적격 인칭대명사로 바꿔 쓸 수 있어요.

1) 남자 1명 = him / 여자 1명 = her / 동물 1마리, 물건 1개 = it
the boy = him (그를)　　Susan = her (그녀를)　　a beautiful dress = it (그것을)

2) 나(I)를 포함한 여러 명 = us / 너(you)를 포함한 여러 명 = you
me and my brother = us (우리를)　　you and Tom = you (너희들을)

3) I와 you를 빼고 여러 명, 물건 여러 개, 동물 여러 마리 = them
Jake and Tom = them (그들을)　　cats and dogs = them (그것들을)

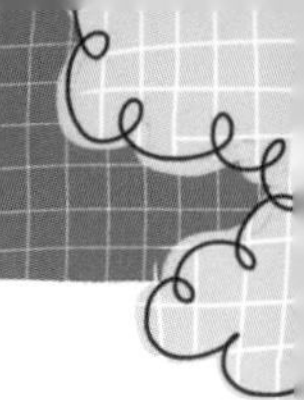

Warm up

1 다음 빈칸에 알맞은 말을 써서 표를 완성하세요.

정답 및 해설 p.8

		소유격	목적격
1인칭	단수	my	me
		나의	
	복수	our	
			우리를
2인칭	단수		you
		너의	
	복수	your	
			너희들을
3인칭	단수		him
		그의	
		her	
			그녀를
			it
		그것의	
	복수	their	
			그들을, 그것들을

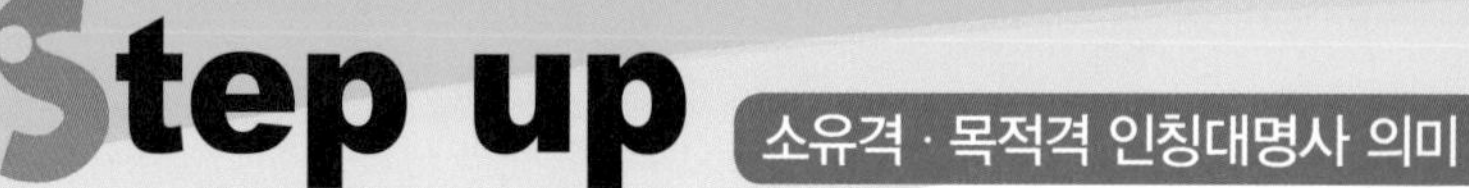

Step up 소유격 · 목적격 인칭대명사 의미 이해하기

1 다음 빈칸에 알맞은 말을 쓰세요.

정답 및 해설 p.9

01	그를	him	11	her	
02	우리의		12	his	
03	그들의		13	my	
04	너의		14	your	
05	그것을		15	him	
06	그녀의		16	their	
07	너를		17	us	
08	너희들을		18	its	
09	그것의		19	me	
10	그들을		20	our	

2 다음 우리말과 일치하도록, 빈칸에 알맞은 인칭대명사를 쓰세요.

정답 및 해설 p.9

Words

- name 이름
- teach 가르치다

01 나는 너를 알아. 너의 이름은 제인이야.

I know ___you___. ___Your___ name is Jane.

02 나는 그를 알아요. 그의 이름은 톰이에요.

I know ________. ________ name is Tom.

03 나는 그녀를 알아요. 그녀의 이름은 메리예요.

I know ________. ________ name is Mary.

04 나는 그것을 알아요. 그것의 이름은 뽀로로예요.

I know ________. ________ name is Pororo.

05 나는 그들을 알아요. 그들의 이름은 톰과 제리예요.

I know ________. ________ names are Tom and Jerry.

06 당신은 우리를 가르쳐요. 당신은 우리의 선생님이에요.

You teach ________. You are ________ teacher.

07 그녀는 너희들을 가르쳐. 그녀는 너희들의 선생님이야.

She teaches ________. She is ________ teacher.

08 그는 그들을 가르쳐요. 그는 그들의 선생님이에요.

He teaches ________. He is ________ teacher.

09 그녀는 나를 가르쳐요. 그녀는 나의 선생님이에요.

She teaches ________. She is ________ teacher.

10 그들은 그를 가르쳐요. 그들은 그의 선생님이에요.

They teach ________. They are ________ teachers.

Jump up 소유격 · 목적격 인칭대명사 쓰임 파악하기

다음 괄호 안에서 알맞은 인칭대명사를 고르세요.

정답 및 해설 p.9

Words

- nose 코
- help 도와주다
- shoes 신발
- cook 요리사
- clean 청소하다

01 I know (your / you).
나는 너희들을 알아.

02 I love (their / them).
나는 그들을 사랑해요.

03 (Its / It) nose is long.
그것의 코는 길어요.

04 They are (our / us) dolls.
그것들은 우리의 인형이에요.

05 I like (its / it) very much.
나는 그것을 매우 좋아해요.

06 Mr. Brown helps (our / us).
브라운 씨는 우리를 도와주세요.

07 My parents love (my / me).
우리 부모님은 나를 사랑해요.

08 They are (your / you) shoes.
그것들이 너의 신발이야.

09 (His / Him) mother is a cook.
그의 어머니는 요리사예요.

10 I see (his / him) every day.
나는 그를 매일 봐요.

11 Cindy is (my / me) best friend.
신디는 나의 가장 친한 친구예요.

12 They clean (their / them) house on Sunday.
그들은 일요일에 그들의 집을 청소해요.

Build up - Writing

다음 우리말과 일치하도록, 빈칸에 알맞은 인칭대명사를 쓰세요.

정답 및 해설 p.9

01 그것은 그들의 가게예요.

It is ___their___ store.

02 그는 그것을 매일 사용해요.

He uses ________ every day.

03 나는 그들을 금요일에 만나요.

I meet ________ on Friday.

04 그들은 우리의 사진을 원해요.

They want ________ photo.

05 스미스 선생님이 우리를 가르쳐요.

Mr. Smith teaches ________.

06 그의 삼촌은 나를 알아요.

________ uncle knows ________.

07 내 부모님이 너를 그리워하셔.

________ parents miss ________.

08 너의 가방은 그녀의 방 안에 있어.

________ bag is in ________ room.

09 그는 그녀를 사랑하고, 그녀는 그를 사랑해요.

He loves ________, and she loves ________.

10 너의 여동생과 나의 여동생이 여기에 있어.

________ sister and ________ sister are here.

- store 가게
- use 사용하다
- meet 만나다
- photo 사진
- miss 그리워하다
- here 여기

Wrap up unit 1- unit 2 인칭대명사 최종 점검하기

1 다음 괄호 안에서 알맞은 인칭대명사를 고르세요.

정답 및 해설 p.9

- visit 방문하다
- son 아들
- desk 책상

01 (We / Our / Us) like (it / its).
우리는 그것을 좋아해요.

02 (It / Its) is (she / her) puppy.
그것은 그녀의 강아지야.

03 (You / Your) know (we / our / us).
당신은 우리를 알아요.

04 (We / Our / Us) like (he / his / him).
우리는 그를 좋아해요.

05 (She / Her) is (he / his / him) sister.
그녀는 그의 누나입니다.

06 (They / Their / Them) visit (she / her).
그들은 그녀를 방문합니다.

07 (He / His / Him) is (I / my / me) teacher.
그는 나의 선생님입니다.

08 (I / My / Me) am (they / their / them) son.
나는 그들의 아들입니다.

09 (I / My / Me) book is on (you / your) desk.
나의 책은 너의 책상 위에 있어.

10 (You / Your) brother is (they / their / them) friend.
너의 형은 그들의 친구야.

2 다음 우리말과 일치하도록, 밑줄 친 부분을 바르게 고쳐 쓰세요.

정답 및 해설 p.9

01 <u>They</u> is a koala. It
그것은 코알라야.

02 <u>Her</u> likes roses.
그녀는 장미를 좋아해요.

03 Kevin loves <u>our</u>.
케빈은 우리를 사랑해요.

04 I know <u>she</u> well.
나는 그녀를 잘 알아요.

05 <u>It</u> legs are strong.
그것의 다리는 튼튼해요.

06 <u>Me</u> often drink water.
나는 물을 자주 마셔요.

07 <u>You</u> hands are dirty.
너의 손은 더러워.

08 <u>He</u> car is old and slow.
그의 자동차는 낡고 느려요.

09 We help <u>they</u> every day.
우리는 매일 그들을 도와줘요.

10 <u>Them</u> parents are very kind.
그들의 부모님은 매우 친절해요.

Words

- koala 코알라
- rose 장미
- well 잘
- leg 다리
- strong 튼튼한, 힘이 센
- hand 손
- dirty 더러운
- slow 느린

Exercise 정답 및 해설 p.10

Note

1 다음 중 대명사의 격이 다른 하나는?

① he ② she ③ them
④ I ⑤ you

1 대명사의 쓰임이 다른 것을 찾아보세요.

2 다음 짝지어진 대명사와 뜻이 바르지 않은 것은?

① she - 그녀는 ② his - 그의 ③ it - 그것을
④ our - 우리를 ⑤ their - 그들의

3 다음 중 두 단어의 관계가 다른 하나는?

① I - me ② he - him
③ we - us ④ they - their
⑤ you - you

[4-6] 다음 빈칸에 들어갈 말로 알맞지 않은 것을 고르세요.

4 문장의 주인공 자리에 쓰이지 않는 대명사를 찾아보세요.

4

__________ is a student.

① My sister ② Jane ③ His
④ She ⑤ He

5

This is __________ pencil.

① my ② us ③ his
④ her ⑤ your

5 pencil의 소유 관계를 나타내지 못하는 대명사를 찾아보세요.

6

I like __________.

① its ② them ③ him
④ her ⑤ you

6 목적어 자리에 쓰이지 않는 대명사를 찾아보세요.

7 다음 빈칸에 공통으로 들어갈 말로 알맞은 것은?

- Tom is __________ brother.
- He loves __________.

① our ② your ③ him
④ her ⑤ it

8 다음 밑줄 친 부분이 잘못된 것은?

① Your are very busy.
② Its mouth is very big.
③ His sister is an actress.
④ I visit them every weekend.
⑤ Sandy and Kelly need our help.

9 다음 문장의 빈칸에 알맞은 인칭대명사를 쓰세요.

1) Jenny and I like movies. ________ are in a movie club.

2) I know Bill and Sue. ________ are my classmates.

3) Children like a giraffe. ________ neck is long.

4) Amy is kind. We like ________.

10 다음 우리말과 일치하도록, 빈칸에 알맞은 인칭대명사를 쓰세요.

1) 그는 그들을 매일 봐요.
→ ________ sees ________ every day.

2) 나는 그를 알아요. 그의 이름은 존이에요.
→ ________ know ________. ________ name is John.

Note

7 명사의 소유 관계를 나타내고, 목적어 자리에 쓰이는 인칭대명사를 찾아보세요.

8 busy 바쁜
mouth 입
weekend 주말
help 도움

9 club 동호회, 클럽
classmate 급우, 반 친구
1), 2) 문장의 주인공 자리
3) 명사의 소유 관계
4) 목적어 자리

신체 부위를 영어로
어떻게 말하는지 알아보자!

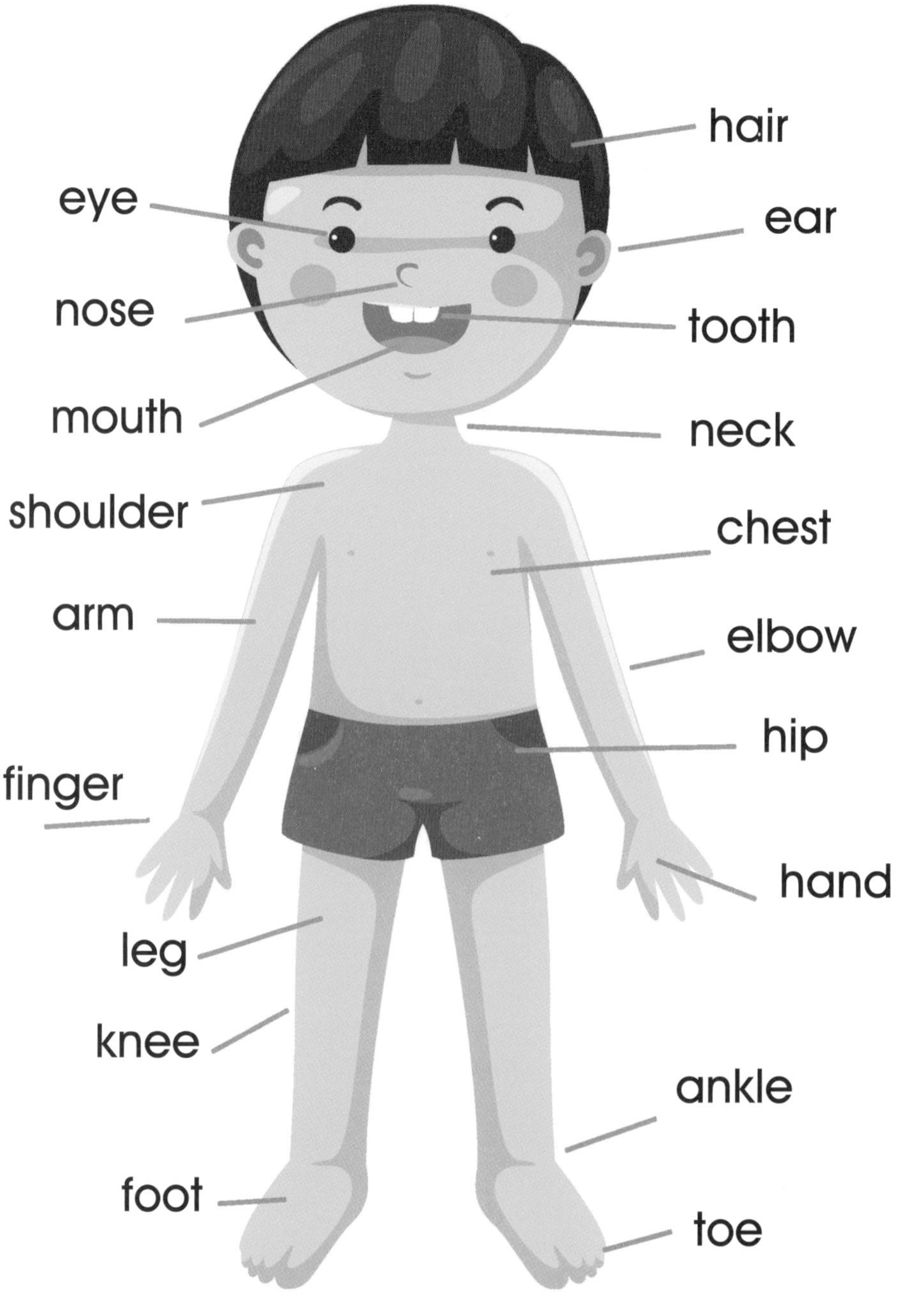

대명사 II

☐ socks	☐ cap	☐ sweater	☐ smell	☐ long
☐ expensive	☐ shirt	☐ cousin	☐ fresh	☐ color
☐ gloves	☐ cookie	☐ picture	☐ today	☐ movie
☐ notebook	☐ hour	☐ dark	☐ weather	☐ spider

지시대명사

지시대명사는 특정한 사람, 사물, 동물을 지시하는 대명사로 this, that, these, those가 있습니다.

❶ 지시대명사

가까이 또는 멀리에 있는 사람 · 사물 · 동물 등을 가리킬 때 사용하는 말입니다.

❷ 지시대명사의 종류

	단수 (하나)	복수 (둘 이상)
가까이 있는 사람 · 사물 · 동물	**this** (이것, 이 사람)	**these** (이것들, 이 사람들)
멀리 있는 사람 · 사물 · 동물	**that** (저것, 저 사람)	**those** (저것들, 저 사람들)

This is my brother. 이 사람은 우리 오빠예요.
These are your pens. 이것들은 너의 펜이야.

That is a bicycle. 저것은 자전거예요.
Those are my friends. 저 아이들이 나의 친구들이야.

❸ 지시형용사

this, these, that, those는 명사 앞에 써서 명사를 꾸며주는 '지시형용사'로도 쓰입니다.

- **this / that** + 단수 명사 : 이 ~, 저 ~ (하나)
- **these / those** + 복수 명사 : 이 ~들, 저 ~들 (여럿)

This book is interesting. 이 책은 재미있어요.
These books are interesting. 이 책들은 재미있어요.

That girl is my sister. 저 소녀가 내 여동생이에요.
Those girls are my sisters. 저 소녀들이 내 여동생들이에요.

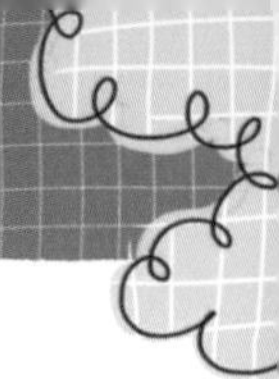

Warm up

1 다음 그림을 보고, 괄호 안에서 알맞은 것을 고르세요.

정답 및 해설 p.10

- bike 자전거
- socks 양말
- cap 모자

01

(This / That) is a bike.
저것은 자전거야.

(This / That) is a car.
이것이 자동차야.

02

(This / That) is a dog.
이것은 개야.

(This / That) is a cat.
저것은 고양이야.

03

(This / That) is my sister, Tina.
저 아이가 내 여동생 티나야.

(This / That) is my brother, Tim.
이 아이가 내 남동생 팀이야.

04

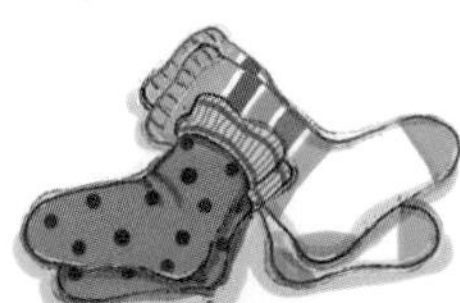

(These / Those) are socks.
이것들은 양말이야.

(These / Those) are caps.
저것들은 모자야.

05

(These / Those) are oranges.
저것들은 오렌지야.

(These / Those) are apples.
이것들은 사과야.

06

(These / Those) are my parents.
이분들이 우리 부모님이셔.

(These / Those) are my sisters.
저 사람들이 우리 언니들이야.

지시대명사 의미 이해하기

1 다음 우리말과 일치하도록, 괄호 안에서 알맞은 것을 고르세요.

정답 및 해설 p.11

- aunt 이모, 고모, 숙모
- sweater 스웨터
- umbrella 우산
- penguin 펭귄
- smell 냄새[향]가 나다

01 (This / That) is my aunt.
이분이 제 이모세요.

02 I like (this / these) book.
나는 이 책이 좋아요.

03 I want (this / that) sweater.
나는 저 스웨터를 원해요.

04 Jack needs (this / these).
잭에게 이것이 필요해요.

05 (That / Those) is his house.
저것이 그의 집이에요.

06 (That / Those) are her shoes.
저것들이 그녀의 신발이에요.

07 (This / That) is your umbrella.
저것이 너의 우산이야.

08 (These / Those) are penguins.
이것들은 펭귄이에요.

09 (These / Those) flowers smell good.
이 꽃들은 향기가 좋아요.

10 (These / Those) boys are my friends.
저 소년들이 제 친구들이에요.

2 다음 그림을 보고, 빈칸에 This, These, That, Those 중 알맞은 것을 쓰세요.

정답 및 해설 p.11

Words

- long 긴
- expensive 비싼

01 

Those are lions.

02 

__________ is my friend.

03 

__________ pencil is long.

04 

__________ chair is expensive.

05 

__________ students are kind.

06 

__________ are beautiful flowers.

Jump up 문장에서 지시대명사의 쓰임 학습하기

다음 우리말과 일치하도록, 괄호 안에서 알맞은 것을 고르세요.

정답 및 해설 p.11

- shirt 셔츠
- cousin 사촌
- carrot 당근
- fresh 신선한

01 (This / That / These / Those) is Jane.
저 사람은 제인입니다.

02 I want (this / that / these / those) table.
나는 저 탁자를 원해요.

03 (This / That / These / Those) is your room.
이것은 네 방이야.

04 (This / That / These / Those) is their son.
저 사람은 그들의 아들이에요.

05 (This / That / These / Those) are my keys.
이것들은 내 열쇠예요.

06 (This / That / These / Those) shirt is small.
이 셔츠는 작아요.

07 (This / That / These / Those) are his parents.
이분들은 그의 부모님이셔.

08 (This / That / These / Those) are our cousins.
저 사람들은 우리의 사촌들이에요.

09 (This / That / These / Those) carrots are fresh.
이 당근들은 싱싱해요.

10 Children like (this / that / these / those) toys.
어린이들은 저 장난감들을 좋아해요.

Build up - Writing

 다음 우리말과 일치하도록, 지시대명사 또는 지시형용사와 주어진 단어를 이용하여 문장을 완성하세요.

정답 및 해설 p.11

01 이 색깔은 분홍색입니다. (color)

This color is pink.

02 나는 저 장갑을 원해요. (gloves)

I want ________________.

03 이 개들은 귀여워요. (dogs)

________________ are cute.

04 저 쿠키들은 맛있어요. (cookies)

________________ are delicious.

05 김 선생님은 이 학생들을 가르칩니다. (students)

Mr. Kim teaches ________________.

06 우리 삼촌은 저 차를 운전해요. (car)

My uncle drives ________________.

07 이 아이가 내 남동생이야. (my brother)

________________ is ________________.

08 저것은 코알라예요. (a koala)

________________ is ________________.

09 이것들은 내 사진들이에요. (my pictures)

________________ are ________________.

10 저것들은 그에게 온 편지들이에요. (the letters)

________________ are ________________ from him.

- color 색깔
- pink 분홍색
- gloves 장갑
- cookie 쿠키
- drive 운전하다
- koala 코알라
- picture 사진
- letter 편지
- from ~에게서 온

비인칭 주어 it

비인칭 주어 it은 날씨, 날짜, 시간, 요일, 달 등을 나타내는 문장에서 주어로 쓰는 말로 '그것'이라고 해석하지 않습니다.

1 비인칭 주어 it

1) 날씨 · 날짜 · 요일 · 시각 · 달 · 계절 · 거리 · 명암을 나타내는 문장에서 주어로 쓰인 it으로, 이때 it은 '비인칭 주어'라 부르고, '그것은'으로 해석하지 않습니다.

It is rainy. (날씨) 비가 옵니다.

It is three o'clock. (시각) 세 시예요.

It is Monday today. (요일) 오늘은 월요일이에요.

꼭 기억하기!

사물 또는 동물을 나타내는 인칭대명사 it은 '그것'으로 해석을 합니다.

It is my pencil. 그것은 나의 연필이야.

It is a tiger. 그것은 호랑이에요.

2) 비인칭 주어 it은 주로 아래 단어들과 함께 쓰입니다.

날씨 표현	sunny 화창한 windy 바람이 부는	cloudy 흐린, 구름 낀 hot 더운	rainy 비 오는 cold 추운	snowy 눈 오는 warm 따뜻한
요일 표현	Monday 월요일 Friday 금요일	Tuesday 화요일 Saturday 토요일	Wednesday 수요일 Sunday 일요일	Thursday 목요일
달 이름	January 1월 May 5월 September 9월	February 2월 June 6월 October 10월	March 3월 July 7월 November 11월	April 4월 August 8월 December 12월
계절 이름	spring 봄	summer 여름	fall 가을(=autumn)	winter 겨울

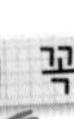

꼭 기억하기!

다음 질문은 비인칭 주어 it을 사용하여 대답합니다.

What time is it (now)? (지금) 몇 시인가요?
It is 5 o'clock. 5시입니다.

What day is it today? 오늘은 무슨 요일인가요?
It is Tuesday (today). 오늘은 화요일입니다.

What is the date today? 오늘 며칠인가요?
It is November 1st. 오늘은 11월 1일입니다.

How is the weather? 날씨가 어떤가요?
It is cloudy. 흐려요.

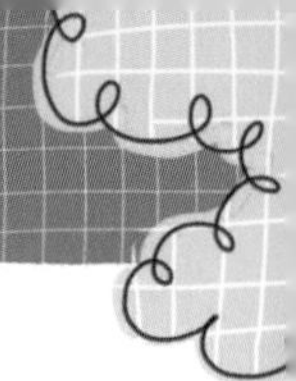

Warm up

1 다음 밑줄 친 It이 쓰임으로 알맞은 것을 고르세요.

정답 및 해설 p.11

01 It is his bike. (인칭대명사 / 비인칭 주어)
그것은 그의 자전거예요.

02 It is June. (인칭대명사 / 비인칭 주어)
6월이에요.

03 It is summer. (인칭대명사 / 비인칭 주어)
여름입니다.

04 It is a big box. (인칭대명사 / 비인칭 주어)
그것은 큰 상자예요.

05 It is July 30th. (인칭대명사 / 비인칭 주어)
7월 30일입니다.

06 It is windy today. (인칭대명사 / 비인칭 주어)
오늘은 바람이 불어요.

07 It is 5 o'clock now. (인칭대명사 / 비인칭 주어)
지금은 5시입니다.

08 It is a good movie. (인칭대명사 / 비인칭 주어)
그것은 좋은 영화예요.

09 It is a small cat. (인칭대명사 / 비인칭 주어)
그것은 작은 고양이에요.

10 It is Sunday today. (인칭대명사 / 비인칭 주어)
오늘은 일요일입니다.

11 It is my notebook. (인칭대명사 / 비인칭 주어)
그것은 내 공책이에요.

12 It takes an hour by car. (인칭대명사 / 비인칭 주어)
차로 한 시간 걸려요.

- today 오늘
- movie 영화
- notebook 공책
- take 걸리다
- hour 시간
- by ~로

Step up 비인칭 주어 it의 쓰임 이해하기

1 다음 우리말과 일치하도록, <보기>에서 알맞은 단어를 골라 문장을 완성하세요.

정답 및 해설 p.11

보기

3 o'clock	Thursday	August	10 miles
November 10th	autumn	cloudy	dark

01 8월이에요.
It's ___August___.

02 흐려요.
It's ______________.

03 3시예요.
It's ______________.

04 목요일이에요.
It's ______________.

05 11월 10일이에요.
It's ______________.

06 시내까지는 10마일이에요.
It's ______________ to town.

07 밖이 어두워요.
It's ______________ outside.

08 호주는 지금 가을이에요.
It's ______________ in Australia.

- mile 마일(거리 단위: 약 1603 미터)
- dark 어두운
- town 시내
- outside 밖에, 밖으로
- Australia 오스트레일리아, 호주

2 다음 괄호 안에서 알맞은 것을 고르세요.

정답 및 해설 p.12

- weather 날씨
- date 날짜

01 A: What time is it now?
B: It is (3:20 / windy).

02 A: How is the weather?
B: It is (hot / January).

03 A: What day is it today?
B: It is (5:40 / Friday).

04 A: What is the date today?
B: It is (April 5th / snowy).

05 A: How is the weather?
B: It is (sunny / Monday).

06 A: What is the date today?
B: It is (spring / October 3rd).

07 A: What time is it now?
B: It is (Wednesday / 7 o'clock).

08 A: What day is it today?
B: It is (September 10th / Tuesday).

Jump up 비인칭 주어 it으로 시작하는 문장 쓰기

다음 우리말과 일치하도록, 비인칭 주어 it과 주어진 단어를 이용하여 문장을 완성하세요.

정답 및 해설 p.12

- bright 밝은
- airport 공항

01 추워요. (cold)

It is cold.

02 2월이에요. (February)

______________________________.

03 금요일이에요. (Friday)

______________________________.

04 6월 20일이에요. (June 20th)

______________________________.

05 지금 9시 25분이에요. (9:25)

______________________________ now.

06 오늘은 토요일이에요. (Saturday)

______________________________ today.

07 오늘은 따뜻해요. (warm)

______________________________ today.

08 밖이 밝아요. (bright)

______________________________ outside.

09 한국은 겨울이에요. (winter)

______________________________ in Korea.

10 공항까지 5마일이에요. (5 miles)

______________________________ to the airport.

Build up – Writing

 다음 우리말과 일치하도록, <보기>에서 알맞은 단어를 고르고 비인칭 주어 it을 이용하여 대화를 완성하세요.

정답 및 해설 p.12

• meter 미터

보기

11 o'clock	May 1st	5:30	dark
July 3rd	Wednesday	500 meters	hot

01 5월 1일이에요.

It is May 1st ________.

02 더워요.

________.

03 수요일이에요.

________.

04 11시예요.

________.

05 어두워요.

________.

06 5시 30이에요.

________.

07 7월 3일이에요.

________.

08 500 미터예요.

________.

Wrap up unit 1- unit 2 지시대명사, 비인칭 주어 it 최종 점검하기

1 다음 우리말과 일치하도록, 밑줄 친 부분을 바르게 고쳐 쓰세요.

정답 및 해설 p.12

01 This is Sunday. — It
일요일이에요.

02 Those is a spider.
저것은 거미예요.

03 I know these boys.
나는 저 소년들을 알아요.

04 That is snowy today.
오늘은 눈이 와요.

05 Those pant are dirty.
저 바지들은 더러워요.

06 This are my pictures.
이것들은 내 사진들이에요.

07 That are your glasses.
저것들이 너의 안경이야.

08 That is three o'clock now.
지금 세 시예요.

09 This books is interesting.
이 책은 재미있어요.

10 It is my sister, Rachel.
이 사람이 우리 언니, 레이첼이야.

Words

- spider 거미
- pants 바지
- glasses 안경

❷ 다음 우리말과 일치하도록, 주어진 단어를 이용하여 문장을 완성하세요.

정답 및 해설 p.12

- jacket 외투, 재킷
- boring 지루한

01 12월이에요. (December)

It is December ____________________.

02 저것은 내 외투야. (my jacket)

____.

03 이것이 그녀의 집이야. (her house)

____.

04 이 아이들은 제 친구들이에요. (my friends)

____.

05 여기는 여름이에요. (summer)

____ here.

06 오늘은 5월 5일이에요. (May 5th)

____ today.

07 밖이 추워요. (cold)

____ outside.

08 이 영화는 지루해요. (movie)

____ is boring.

09 저 꽃들은 장미에요. (flowers)

____ are roses.

10 저 드레스가 예뻐요. (dress)

____ is beautiful.

Exercise

정답 및 해설 p.12

1 다음 빈칸에 들어갈 말로 알맞은 것은?

________ is cold and rainy.

① These ② Those ③ That
④ This ⑤ It

2 다음 우리말을 영어로 옮길 때, 빈칸에 들어갈 말로 알맞은 것은?

이 이야기들은 재미있어요. ________ stories are funny.

① These ② Those ③ That
④ This ⑤ It

3 다음 빈칸에 **this**를 쓸 수 없는 것은?

① My sister likes ____ movie.
② Peter goes to ____ school.
③ I play ____ game every day.
④ She makes ____ cookies.
⑤ He wants ____ cap.

4 다음 밑줄 친 **It**의 쓰임이 다른 하나는?

① It is spring.
② It is Sunday.
③ It is my album.
④ It is October 10th.
⑤ It is 10 miles to the station.

5 다음 우리말과 일치하도록, 빈칸에 알맞은 말을 쓰세요.

이것은 내 방이야. 저것은 너의 방이야. _______ is my room. _______ is your room.

Note

1 날씨를 나타내는 문장으로 주어가 필요해요.

2 story 이야기
funny 재미있는
'이 ~들'이라는 의미이고, 뒤에 복수 명사가 있어요.

3 this는 '이~'라는 의미의 지시형용사예요.

4 album 앨범
station 역
It은 비인칭 주어와 인칭대명사로 쓰여요.

5 '이것', '저것'에 해당하는 지시대명사를 쓰세요.

6 다음 밑줄 친 부분이 잘못된 것은?

① I want that shoes.
② These are great books.
③ This is my friend, Dave.
④ She needs those scissors.
⑤ He lives in that house.

6 scissors 가위
지시대명사와 지시형용사가 가리키는 명사의 수에 주의하세요.

7 다음 밑줄 친 부분을 단수형으로 바꿔 쓰세요.

Those pencils are short.
→ ___________ ___________ is short.

7 short 짧은

8 다음 밑줄 친 부분을 복수형으로 바꿔 쓰세요.

This potato is big.
→ ___________ ___________ are big.

9 다음 빈칸에 공통으로 들어갈 대명사를 쓰세요.

• _________ is 10 o'clock.
• _________ is January 1st.

9 시간과 날짜를 나타내는 문장이에요.

10 다음 우리말과 일치하도록, 빈칸에 알맞은 단어를 쓰세요.

1) 나는 이 사진들을 좋아해요.
→ I like ___________ photos.

2) 저분이 제 선생님이에요.
→ ___________ is my teacher.

Take a break !

그림에 해당하는 **단어**를 찾고,
빈칸에 알맞은 말을 쓰세요.

X	B	S	W	E	A	T	E	R	B
H	E	I	P	A	N	T	S	W	K
S	G	S	O	E	E	S	H	S	G
H	Z	L	J	X	J	S	O	O	L
I	N	I	A	U	B	C	E	C	O
R	M	H	C	S	C	A	S	K	V
T	Y	J	K	C	S	P	Q	S	E
A	B	B	E	B	K	E	J	W	S
U	D	S	T	I	D	G	S	B	V
I	S	M	D	R	E	S	S	V	M

1. s _ _ at _ r
2. p _ _ _ s
3. s _ i _ _
4. g _ _ _ _ es
5. _ _ c _ e _
6. c _ _
7. _ _ _ _ _ s
8. s _ _ _ s
9. g _ _ _ _ s
10. d _ _ _ _

be동사

□ library	□ busy	□ brave	□ smart	□ scientist
□ kitchen	□ sick	□ healthy	□ classroom	□ angry
□ tired	□ hungry	□ famous	□ painter	□ duck
□ pianist	□ wallet	□ short	□ round	□ sad

현재형 be동사 1

be동사는 am, are, is, was, were의 형태로 사용되는 동사를 통틀어 부르는 말입니다.

1 be동사의 뜻

「be동사 + 장소를 나타내는 말」	(~에) 있다	I **am** in my room. 나는 내 방에 있어요.
「be동사 + 명사」	~이다	You **are** a student. 너는 학생이야.
「be동사 + 형용사」	~하다	She **is** kind. 그녀는 친절해요.

2 현재형 be동사의 종류

am	주어가 1인칭 단수, 즉 'I'일 때만 사용합니다.
are	주어가 2인칭 단수 · 복수, 3인칭 복수일 때 사용합니다.
is	주어가 3인칭 단수일 때 사용합니다. └→ 남자 1명, 여자 1명, 사물 1개, 동물 1마리

3 「인칭대명사 주어 + 현재형 be동사」

I	**am**	I **am** a boy. 나는 소년이에요.
You, We, They	**are**	You **are** brave. 너는 용감해. We **are** strong. 우리는 강해요. They **are** my friends. 그들은 내 친구들이에요.
He, She, It	**is**	He **is** in Seoul. 그는 서울에 있어요. She **is** pretty. 그녀는 예뻐요. It **is** his car. 그것은 그의 자동차예요.

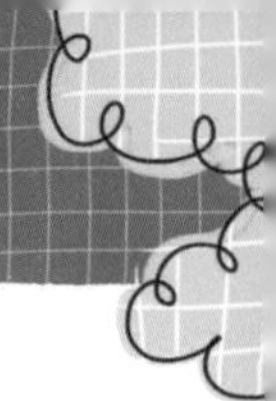

Warm up

1 다음 문장에서 be동사를 찾아 동그라미 하세요.

정답 및 해설 p.13

Words

- Rome 로마
- nurse 간호사
- tall 키가 큰, 높은
- library 도서관

01 I (am) Nancy.
나는 낸시예요.

02 You are kind.
너는 친절하구나.

03 It is my dog.
그것은 내 개예요.

04 We are friends.
우리는 친구예요.

05 He is in Rome.
그는 로마에 있어요.

06 She is a nurse.
그녀는 간호사예요.

07 They are tall.
그들은 키가 커요.

08 I am at home.
나는 집에 있어요.

09 We are in the library.
우리는 도서관에 있어요.

10 You are a good student.
너는 좋은 학생이야.

Step up

be동사의 형태와 의미 이해하기

1 다음 주어진 주어에 알맞은 be동사의 현재형(am, are, is)을 쓰세요.

정답 및 해설 p.13

01	I	am
02	you (너)	
03	we	
04	you (너희들)	
05	he	
06	she	
07	they	
08	it	

Words

- artist 예술가
- Canada 캐나다
- butterfly 나비
- park 공원

2 다음 밑줄 친 be동사의 의미로 알맞은 것을 <보기>에서 골라 쓰세요.

보기

있다　　이다　　하다

01	I <u>am</u> an artist.	나는 예술가 ___이다___.
02	You <u>are</u> happy.	너는 행복_______.
03	She <u>is</u> in Canada.	그녀는 캐나다에 _______.
04	We <u>are</u> strong.	우리는 튼튼_______.
05	It <u>is</u> a butterfly.	그것은 나비_______.
06	They <u>are</u> in the park.	그들은 공원에 _______.

3 다음 괄호 안에서 알맞은 be동사를 고르세요.

정답 및 해설 p.13

01 She (am / are / is) pretty.
그녀는 예뻐요.

02 They (am / are / is) busy.
그들은 바빠요.

03 It (am / are / is) a pencil.
그것은 연필이에요.

04 You (am / are / is) brave.
너희들은 용감하구나.

05 You (am / are / is) smart.
너는 똑똑하구나.

06 We (am / are / is) scientists.
우리는 과학자예요.

07 I (am / are / is) from Korea.
나는 한국에서 왔어요.

08 We (am / are / is) 11 years old.
우리는 열한 살이에요.

09 He (am / are / is) in the kitchen.
그는 부엌에 있어요.

10 I (am / are / is) at the bus stop.
나는 버스 정류장에 있어요.

- pretty 예쁜
- busy 바쁜
- brave 용감한
- smart 똑똑한
- scientist 과학자
- kitchen 부엌
- bus stop 버스 정류장

Jump up 문장에서 be동사의 형태와 쓰임 학습하기

다음 빈칸에 알맞은 be동사의 현재형을 쓰세요.

정답 및 해설 p.13

01 I ___am___ sick.

02 They __________ small.

03 We __________ healthy.

04 He __________ Mr. Green.

05 It __________ on the table.

06 She __________ from India.

07 It __________ a good movie.

08 You __________ soccer players.

09 You __________ my best friend.

10 We __________ in the classroom.

11 They __________ in the museum.

12 I __________ an elementary school student.

Words

- sick 아픈
- healthy 건강한
- India 인도
- soccer player 축구선수
- best 최고의, 제일 좋은
- classroom 교실
- museum 박물관
- elementary 초보의, 초급의
- elementary school 초등학교

Build up - Writing

다음 우리말과 일치하도록, <보기>에서 알맞은 인칭대명사를 고르고 be동사의 현재형을 이용하여 문장을 완성하세요.

정답 및 해설 p.14

보기			
I	you	we	it
she	they	he	you

01 그는 피곤해요.
He is tired.

02 나는 배가 고파요.
________ ________ hungry.

03 우리는 집에 있어요.
________ ________ at home.

04 오늘은 추워요.
________ ________ cold today.

05 너는 학교에 늦었어.
________ ________ late for school.

06 그녀는 유명한 화가예요.
________ ________ a famous painter.

07 너희들은 수영을 잘해.
________ ________ good swimmers.

08 그들은 운동장에 있어요.
________ ________ in the playground.

- tired 피곤한
- hungry 배고픈
- late for ~에 늦은
- famous 유명한
- painter 화가
- swimmer 수영할 수 있는 사람
- playground 운동장

현재형 be동사 2

주어로 쓰인 명사 또는 대명사에 따라 현재형 be동사의 형태가 달라집니다. I와 you(너)를 제외한 단수 명사 또는 단수 대명사가 주어로 오는 경우 is를, 복수 명사 또는 복수 대명사가 오는 경우 are를 씁니다.

1 「지시대명사/지시형용사 + 현재형 be동사」

지시대명사	this, that	is
	these, those	are
지시형용사	this / that + 단수 명사	is
	these / those + 복수 명사	are

This is my brother. 이 아이가 내 남동생이야.
Those are her pictures. 저것들이 그녀의 사진이에요.
That bike is mine. 저 자전거는 내 것이야.
These shoes are comfortable. 이 신발은 편해요.

2 「명사 주어 + 현재형 be동사」

1명, 1개	단수 명사 / 셀 수 없는 명사	is
2명, 2개 이상	복수 명사 (-(e)s가 붙은 형태)	are

My friend is tall. 내 친구는 키가 커요.
My friends are kind. 내 친구들은 친절해요.

3 「대명사 주어 + 현재형 be동사」 줄여 쓰기

I am = I'm	He is = He's	This is = ~~This's~~ ×
We are = We're	She is = She's	These are = ~~These're~~ ×
You are = You're	It is = It's	Those are = ~~Those're~~ ×
They are = They're	That is = That's	This is와 These/Those are는 줄여 쓸 수 없어요.

I'm happy. 나는 행복해요.
They're smart. 그들은 똑똑해요.
He's a writer. 그는 작가예요.

꼭 기억하기!

its와 it's는 발음이 같지만, its(그것의)는 소유격 인칭대명사이고, it's(그것은 ~이다)는 it is의 줄임말이에요.

Warm up

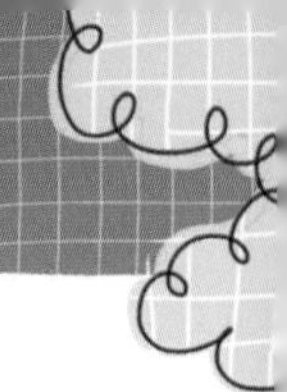

1 다음 주어진 주어에 알맞은 be동사의 현재형을 쓰세요.

정답 및 해설 p.14

01	this	is
02	that	
03	these	
04	those	
05	snow	
06	a duck	
07	this girl	
08	that table	
09	my pants	
10	Peter	
11	his parents	
12	her father	
13	those trees	
14	these cameras	
15	Amy and Chris	

- duck 오리
- camera 카메라

Step up

be동사의 형태와 쓰임 이해하기

1 다음 밑줄 친 부분을 줄인 것으로 알맞은 것을 고르세요. (줄일 수 없는 경우 ×)

정답 및 해설 p.14

Words

- black 검은
- pianist 피아니스트
- shirt 티셔츠
- lily 백합
- California 캘리포니아
- cousin 사촌
- living room 거실

01 I am your teacher. (I'm / I'am / ×)
나는 너희 선생님이야.

02 It is a black cat. (Its' / It's / ×)
그것은 검은 고양이에요.

03 She is a pianist. (She's / She'is / ×)
그녀는 피아니스트예요.

04 That is his shirt. (That's / That'is / ×)
저것은 그의 셔츠예요.

05 This is a toy car. (This'is / This's / ×)
이것은 장난감 자동차예요.

06 These are lilies. (These're / Those'r / ×)
이것들은 백합이에요.

07 He is from California. (He's / He'is / ×)
그는 캘리포니아에서 왔어요.

08 You are a good boy. (Your' / You're / ×)
너는 착한 소년이구나.

09 Those are my glasses. (Those're / Those'r / ×)
저것들은 내 안경이야.

10 They are my cousins. (They'r / They're / ×)
그들은 내 사촌이에요.

11 We are in the living room. (Wer'e / We're / ×)
우리는 거실에 있어요.

2 다음 빈칸에 알맞은 be동사의 현재형을 쓰세요.

정답 및 해설 p.14

01 The sky ___is___ blue.

02 The river ________ long.

03 This ________ my wallet.

04 His brother ________ short.

05 Ladybugs ________ cute.

06 The bread ________ delicious.

07 Her mother ________ beautiful.

08 These dishes ________ round.

09 Those bags ________ expensive.

10 The books ________ on the table.

11 Those ________ my favorite dolls.

12 Jane and Mary ________ good singers.

- blue 파란
- river 강
- long 긴
- wallet 지갑
- short 키가 작은, 짧은
- ladybug 무당벌레
- round 둥근
- favorite 좋아하는
- doll 인형
- singer 가수

Jump up 문장에서 be동사의 형태와 쓰임 학습하기

다음 문장의 밑줄 친 부분을 줄여 문장을 다시 쓰세요.

정답 및 해설 p.14

- sad 슬픈
- snowy 눈이 내리는
- angry 화가 난
- skirt 치마
- kangaroo 캥거루
- bathroom 욕실, 화장실
- cook 요리사

01 I am sad.
= I'm sad.

02 It is snowy.
= ______________.

03 He is my uncle.
= ______________.

04 They are angry.
= ______________.

05 That is my skirt.
= ______________.

06 We are in Canada.
= ______________.

07 They are kangaroos.
= ______________.

08 She is a good doctor.
= ______________.

09 I am in the bathroom.
= ______________.

10 You are a great cook.
= ______________.

Build up – Writing

 다음 단수 주어를 복수 주어로, 복수 주어를 단수 주어로 바꿔 문장을 다시 쓰세요. (밑줄 친 단어에 변화가 생겨요.)

정답 및 해설 p.15

- on sale 할인 중인
- fat 뚱뚱한
- clever 영리한
- noisy 시끄러운
- boring 지루한
- bedroom 침실

01 The man is kind.
→ The men are kind.

02 This is on sale.
→ ______________________.

03 His brother is fat.
→ ______________________.

04 These are my friends.
→ ______________________.

05 That student is clever.
→ ______________________.

06 The cup is on the table.
→ ______________________.

07 His toys are in the box.
→ ______________________.

08 The children are noisy.
→ ______________________.

09 Those books are boring.
→ ______________________.

10 My sister is in the bedroom.
→ ______________________.

Wrap up unit 1- unit 2 be동사 최종 점검하기

1 다음 우리말과 일치하도록, 밑줄 친 부분을 바르게 고쳐 쓰세요.

정답 및 해설 p.15

01 I <u>are</u> thirsty. — am
나는 목이 말라요.

02 You <u>am</u> beautiful.
당신은 아름다워요.

03 <u>He'is</u> a good father.
그는 좋은 아버지예요.

04 We <u>is</u> from Italy.
우리는 이탈리아 출신이에요.

05 <u>This's</u> my umbrella.
이것은 내 우산이에요.

06 That box <u>are</u> heavy.
저 상자는 무거워요

07 <u>Its'</u> a new computer.
그것은 새 컴퓨터예요.

08 Tom and Greg <u>is</u> lazy.
톰과 그레그는 게을러요.

09 The mountain <u>am</u> high.
그 산은 높아요.

10 The leaves <u>is</u> yellow.
그 잎들은 노란색이에요.

- thirsty 목마른
- beautiful 아름다운
- Italy 이탈리아
- heavy 무거운
- lazy 게으른
- mountain 산
- high 높은
- leaf 나뭇잎

2 다음 우리말과 일치하도록, <보기>에서 알맞은 단어를 고르고 현재형 be동사를 이용해서 문장을 완성하세요.

정답 및 해설 p.15

보기

I	they	you	these pants	the cake
John	Seoul	his sisters	she	it

01 너는 운이 좋아.

➜ You are lucky.

02 이 바지는 짧아요.

➜ ______________ short.

03 그 케이크는 달콤해요.

➜ ______________ sweet.

04 그의 누나들은 쌍둥이예요.

➜ ______________ twins.

05 존은 소방관이에요.

➜ ______________ a fireman.

06 그들은 집에 있어요.

➜ ______________ at home.

07 서울은 한국에 있어요.

➜ ______________ in Korea.

08 나는 미국인이에요.

➜ ______________ American.

09 그녀는 내 사촌이에요.

➜ ______________ my cousin.

10 그것은 서랍 안에 있어요.

➜ ______________ in the drawer.

Words

- lucky 운이 좋은
- sweet 달콤한
- twins 쌍둥이
- fireman 소방관
- American 미국인
- drawer 서랍

정답 및 해설 p.15

1 다음 중 현재형 **be**동사가 아닌 것을 두 개 고르면?

① is ② was ③ are
④ am ⑤ were

2 다음 빈칸에 들어갈 말이 바르게 짝지어진 것은?

• Her sister _____ a student.
• Kevin and Mary ______ nice.

① am - is ② is - are ③ are - are
④ is - am ⑤ is - is

3 다음 밑줄 친 부분 중 줄여 쓸 수 없는 것은?

① I am tired.
② He is lazy.
③ You are pretty.
④ This is my cap.
⑤ They are my sisters.

[4-5] 다음 빈칸에 들어갈 말이 나머지 넷과 다른 하나를 고르세요.

4 ① That ________ a lion.
② It ________ a world map.
③ The girls ________ lovely.
④ Jane ________ from America.
⑤ He ________ a famous movie star.

5 ① The water ________ cold.
② My dogs ________ sick.
③ The rooms ________ clean.
④ Those buses ________ old.
⑤ Her gloves ________ warm.

Note

1 현재형 be동사가 아닌 것을 찾아보세요.

2 nice 좋은, 친절한
주어가 단수 명사와 복수 명사예요.

3 tired 피곤한

4 map 지도
lovely 사랑스러운
America 미국
movie star 영화배우
주어의 수를 확인하세요.

5 clean 깨끗한
old 오래된, 낡은
warm 따뜻한
주어의 수를 확인하세요.

9-10 Excellent 7-8 Good 5-6 Not bad 5 이하 Try Again

[6-7] 다음 밑줄 친 부분이 잘못된 것을 고르세요.

6 ① We are happy.
② It is on the table.
③ You is a policeman.
④ I am a tennis player.
⑤ These puppies are cute.

7 ① That's his car.
② Its' sunny today.
③ We're in London.
④ She's in the kitchen.
⑤ I'm twelve years old.

8 다음 빈칸에 공통으로 들어갈 현재형 **be**동사로 알맞은 것을 쓰세요.

- He __________ my father.
- It __________ my pet dog.

9 다음 문장에서 잘못된 부분을 찾아 바르게 고치세요.

These men is singers.

10 다음 밑줄 친 부분을 줄여 쓰세요.

1) It is December. __________
2) I am a pilot. __________
3) They are fresh. __________

Note

6 policeman 경찰관
player 선수

7 sunny 화창한
줄임말이 잘못된 것을 찾아보세요.

8 pet dog 애완견
주어가 3인칭 단수인 경우 사용하는 be동사를 쓰세요.

9 주어가 「지시형용사+복수 명사」예요.

10 December 12월
pilot 파일럿, 조종사
fresh 신선한

Review Test Chapter 1-5

1 다음 명사의 복수형을 써 보세요. (단, 셀 수 없는 명사인 경우 그대로 쓰세요.) Chapter 1

01	cup	cups	16	singer	
02	tree		17	wolf	
03	bus		18	Mike	
04	tomato		19	class	
05	man		20	window	
06	city		21	key	
07	water		22	baby	
08	house		23	rice	
09	box		24	leaf	
10	child		25	potato	
11	sugar		26	air	
12	monkey		27	mouse	
13	music		28	toy	
14	dish		29	radio	
15	tennis		30	foot	

1 다음 빈칸에 a, an, the 중 알맞은 것을 쓰고, 필요 없으면 × 표시하세요. (대·소문자에 유의하세요.)

01 She is ___an___ angel. 그녀는 천사예요.

02 I have ______ turtle. 나에게는 거북 한 마리가 있어요.

03 ______ Jacob wants ______ new bicycle. 제이콥은 새 자전거를 원해요.

04 ______ moon shines brightly in ______ sky. 하늘에서 달이 밝게 빛나요.

05 She has ______ car. ______ car is very old. 그녀는 차가 한 대 있어요. 그 차는 정말 낡았어요.

06 They play ______ soccer after ______ lunch. 그들은 점심을 먹고 나서 축구를 해요.

07 He reads ______ newspaper in ______ evening. 그는 저녁에 신문을 읽어요.

08 I have ______ milk and ______ apple every morning.
나는 매일 아침 우유와 사과를 하나 먹어요.

2 다음 괄호 안에서 알맞은 인칭대명사를 고르세요.

01 (It / (Its)) color is green. 그것의 색깔은 녹색이에요.

02 Brian knows (I / my / me) well. 브라이언은 나를 잘 알아요.

03 (She / Her) lives in a big house. 그녀는 큰 집에 살아요.

04 Our parents love (we / our / us). 우리의 부모님은 우리를 사랑해요.

05 I see (he / his / him) every day. 나는 그를 매일 봐요.

06 This is (you / your) new teacher. 이분이 너희들의 새로 오신 선생님이셔.

07 People like (he / his / him) songs. 사람들은 그의 노래들을 좋아해요.

08 (They / Their / Them) are my heroes. 그들은 나의 영웅이에요.

Review Test

Chapter 4-5

1 다음 우리말과 일치하도록, <보기>에서 알맞은 단어를 골라 문장을 완성하세요. (중복 가능)

보기

this　　that　　these　　those

01 이것들은 개미야. ___These___ are ants.

02 그녀는 저것을 원해요. She wants _________.

03 이분이 그의 삼촌이에요. _________ is his uncle.

04 저것들이 내 인형들이야. _________ are my dolls.

05 이 방은 더러워요. _________ room is dirty.

06 나는 저 의자들이 필요해요. I need _________ chairs.

07 저 영화는 재미있어요. _________ movie is interesting.

08 이 꽃들은 냄새가 좋아요. _________ flowers smell good.

2 다음 빈칸에 알맞은 현재형 be동사를 쓰세요.

01 I ___am___ excited. 나는 신나요.

02 It _________ Sunday today. 오늘은 일요일이에요.

03 He _________ in the garden. 그는 정원에 있어요.

04 We _________ best friends. 우리는 가장 친한 친구예요.

05 You _________ a brave boy. 너는 용감한 소년이야.

06 The children _________ in bed. 아이들은 침대에 있어요.

07 Sandra _________ an honest girl. 산드라는 정직한 소녀예요.

08 This _________ my twin brother. 이 아이가 내 쌍둥이 동생이야.

1 다음 우리말과 일치하도록, 주어진 단어를 이용해서 문장을 완성하세요.

Chapter 1-5

01 비가 와요. (rainy)

→ It is rainy.

02 10월이에요. (October)

→ ________ ________ ________.

03 그들은 작가들이에요. (writer)

→ ________ ________ ________.

04 그는 기타를 연주해요. (guitar)

→ ________ plays ________ ________.

05 수지는 피아니스트예요. (pianist)

→ Susie ________ ________ ________.

06 우리는 방과 후에 농구를 해요. (basketball)

→ ________ play ________ after school.

07 나는 그의 형들을 알아요. (brother)

→ ________ know ________ ________.

08 이 시계들은 비싸요. (watch)

→ ________ ________ ________ expensive.

09 저것이 그녀의 학교예요. (school)

→ ________ ________ ________ ________.

10 제이크는 고양이 한 마리가 있어요. 그 고양이는 귀여워요. (cat)

→ Jake has ________ ________. ________ ________ is cute.

Achievement Test Chapter 1-5

[1-2] 다음 중 명사의 복수형이 잘못 짝지어진 것을 고르세요.

1
① cup - cups
② day - days
③ man - men
④ bench - benchs
⑤ tomato - tomatoes

2
① key - keys
② city - cities
③ foot - feet
④ wolf - wolfs
⑤ dish - dishes

[3-8] 다음 빈칸에 가장 알맞은 것을 고르세요.

3

I love ____________.

① English
② a English
③ an English
④ Englishes
⑤ the Englishes

4

He has two ____________.

① puppy
② puppys
③ puppyes
④ puppies
⑤ puppis

5

She needs ____________.

① water　② waters
③ a water　④ an water
⑤ the waters

6

Stars are in ____________ sky.

① a　② an
③ the　④ three
⑤ 필요 없음

7

____________ am a writer.

① I　② You
③ She　④ They
⑤ We

8

____________ are my parents.

① It　② She
③ This　④ That
⑤ These

[9-10] 다음 빈칸에 들어갈 말이 바르게 짝지어진 것을 고르세요.

9

• She eats ______ apple.
• She plays ______ piano.

① a - a　② an - the
③ an - a　④ the - an
⑤ an - an

27-30 Excellent 22-26 Good 16-21 Not bad 15 이하 Try Again

10

> • The boy __________ kind.
> • We __________ in the library.

① am - are ② are - is
③ is - are ④ am - is
⑤ are - am

[11-12] 다음 빈칸에 들어갈 말이 나머지 넷과 다른 하나를 고르세요.

11 ① The boy likes ______ elephant.
② I want ______ umbrella.
③ She eats ______ egg.
④ He needs ______ hat.
⑤ I have ______ orange.

12 ① You ______ good students.
② The movie ______ boring.
③ My parents ______ busy.
④ We ______ twin sisters.
⑤ Those ______ my classmates.

[13-14] 다음 중 밑줄 친 부분이 올바른 것을 고르세요.

13 ① We study a math.
② She cooks potatos.
③ The boy has a bike.
④ Sam lives in korea.
⑤ I have a cats.

14 ① That is spring.
② They are my sisters.
③ This puzzles is easy.
④ This are my old friends.
⑤ Those book are interesting.

[15-18] 다음 중 밑줄 친 부분이 잘못된 것을 고르세요.

15 ① I need an onion.
② They play baseball.
③ Mom cooks dinner.
④ She is a honest girl.
⑤ I go jogging in the morning.

16 ① Mr. Brown has three buses.
② They are from England.
③ The childs are happy.
④ Foxes are smart.
⑤ Ben is a nurse.

17 ① That's a snake.
② Its' my textbook.
③ I'm in the bathroom.
④ They're angry at me.
⑤ He's from Switzerland.

18 ① I see them every day.
② You know his sister.
③ They love our.
④ He helps me.
⑤ I like its color.

[19-21] 다음 우리말과 의미가 같은 것을 고르세요.

19

우리는 공기가 필요하다.

① We need the airs.
② We need an air.
③ We need a air.
④ We need airs.
⑤ We need air.

20

오늘은 9월 2일이다.

① It is September 2nd today.
② This is September 2nd today.
③ That is September 2nd today.
④ Those are September 2nd today
⑤ These are September 2nd today.

21

저것이 그들의 집이다.

① This is them house.
② This are their house.
③ That is them house.
④ That is their house.
⑤ That are their house.

[22-23] 다음 빈칸에 들어갈 알맞은 관사를 쓰세요.

22

I have ________ dog. ________ dog likes me very much.

23

They see ________ moon in ________ sky.

[24-25] 다음 우리말과 일치하도록, 주어진 단어를 이용하여 문장을 완성하세요.

24

그 아기는 이가 세 개에요. (tooth) → The baby has three __________.

25

그것들은 그의 낡은 신발이에요. (he) → They are __________ old shoes.

26 다음 우리말과 일치하도록, 밑줄 친 부분을 바르게 고치세요.

1) 이것들이 내가 좋아하는 장난감들이야.
→ These are my favorite <u>toies</u>.

2) 우리는 토요일에 야구를 해요.
→ We play <u>a baseball</u> on Saturday.

3) 그것은 그녀의 피아노야.
→ It is <u>she</u> piano.

[27-28] 다음 문장을 복수형 문장으로 바꿀 때 빈칸에 알맞은 말을 쓰세요. (밑줄 친 부분에 변화가 생겨요.)

27

She <u>is</u> <u>a teacher</u>.

→ They __________ __________.

28

<u>This</u> <u>knife</u> <u>is</u> dangerous.

→ __________ __________ __________ dangerous.

[29-30] 다음 우리말과 일치하도록, 주어진 단어를 바르게 배열하세요.

29

나는 의사예요. (am, a, I, doctor)

→ ________________________________.

30

바람이 불어요. (is, windy, it)

→ ________________________________.

Take a break !

색깔을 영어로 어떻게 말하는지 알아보고,
빈칸에 알맞은 단어를 쓰세요.

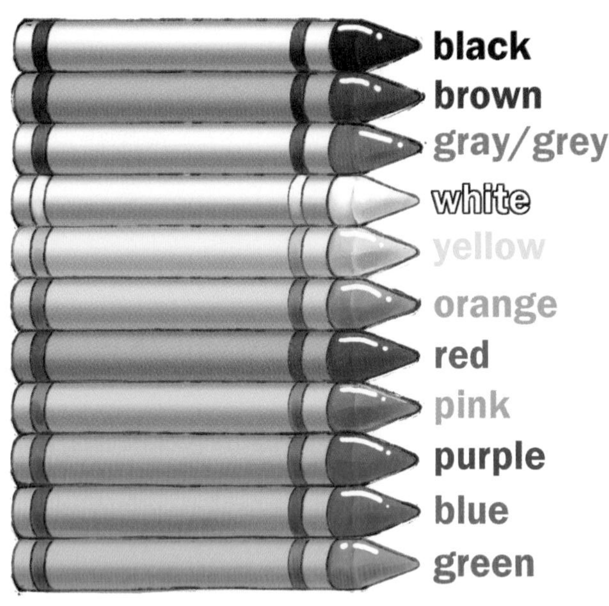

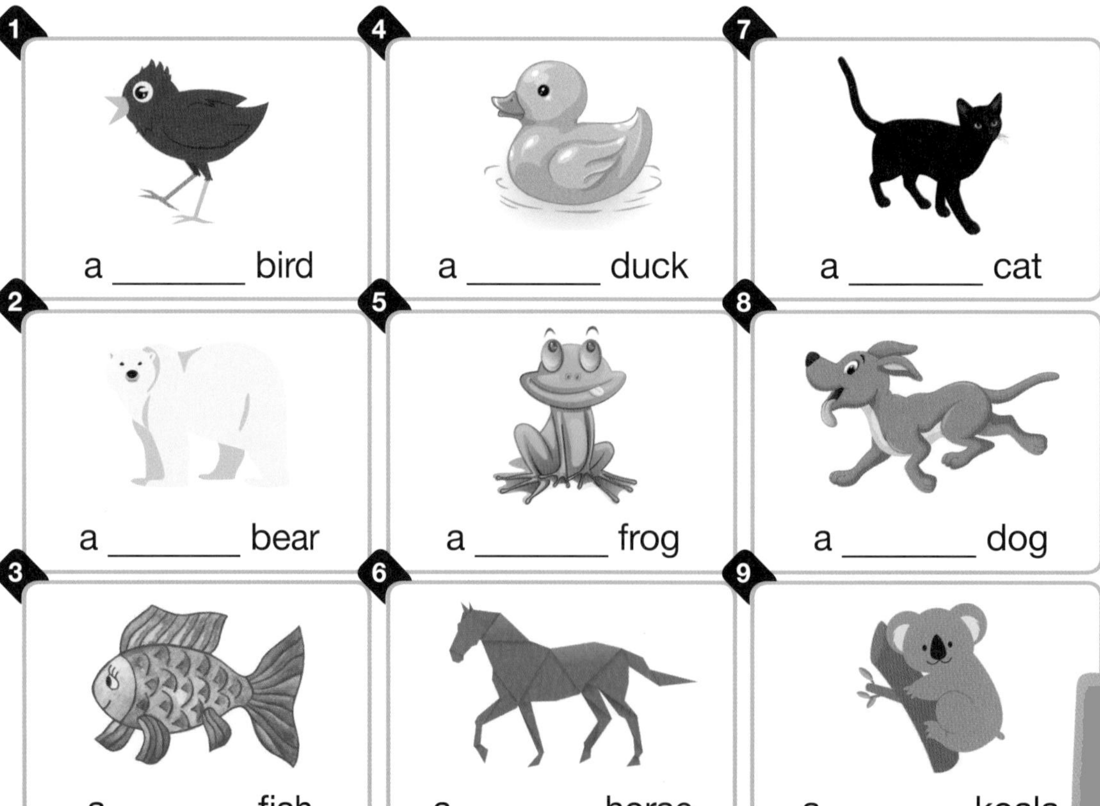

be동사의 부정문과 의문문

□ new	□ shy	□ insect	□ farmer	□ mine
□ fat	□ hot	□ tower	□ high	□ difficult
□ ugly	□ third	□ grade	□ heavy	□ reporter
□ rainy	□ ready	□ twins	□ sleepy	□ easy

현재형 be동사 부정문

be동사 현재형 부정문은 '~가 아니다', '(~에) 없다', '~하지 않다' 등의 부정의 의미를 갖는 문장이며, be동사 뒤에 not을 붙여 만듭니다.

1 be동사의 부정문 만드는 방법

be동사(am, are, is)의 뒤에 not을 붙입니다.

주어	be동사+not	be동사+not 줄임말	주어+be동사 줄임말
I	**am not**	I ~~amn't~~ (×)	I'm not (○)
You	**are not**	You aren't	You're not
He / She / It	**is not**	He / She / It isn't	He's / She's / It's not
We / You / They	**are not**	We / You / They aren't	We're / You're / They're not

I **am** tall. 나는 키가 커요.
→ I **am not** tall. 나는 키가 크지 않아요.

You **are** pretty. 너는 예뻐.
→ You **are not** (=**aren't**) pretty. 너는 예쁘지 않아.

He **is** a prince. 그는 왕자예요.
→ He **is not** (=**isn't**) a prince. 그는 왕자가 아니에요.

These **are** my parents. 그분들은 내 부모님이에요.
→ These **are not** (=**aren't**) my parents. 그분들은 내 부모님이 아니에요.

Judy **is** a teacher. 주디는 선생님이에요.
→ Judy **is not** (=**isn't**) a teacher. 주디는 선생님이 아니에요.

꼭 기억하기!

am not은 줄여 쓸 수 없어요.

I am not tall.
→ I ~~amn't~~ tall. (×) I'm not tall. (o)

Warm up

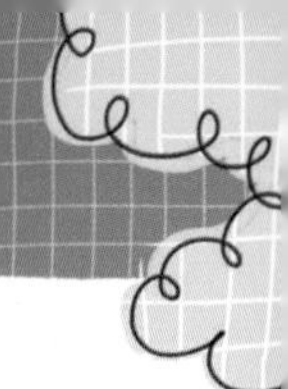

1 다음 문장을 부정문으로 바꿀 때, 빈칸에 알맞은 말을 쓰세요.

정답 및 해설 p.19

Words

- new 새것의, 새로운
- shy 수줍음을 많이 타는

01 I am busy.
→ I ___am___ ___not___ busy.

02 It is new.
→ It ________ ________ new.

03 He is lazy.
→ He ________ ________ lazy.

04 We are late.
→ We ________ ________ late.

05 You are kind.
→ You ________ ________ kind.

06 This is big.
→ This ________ ________ big.

07 She is shy.
→ She ________ ________ shy.

08 That is old.
→ That ________ ________ old.

09 They are happy.
→ They ________ ________ happy.

10 These are expensive.
→ These ________ ________ expensive.

Step up be동사 부정문 형태 익히기

1 다음 괄호 안에서 알맞은 것을 고르세요.

정답 및 해설 p.19

- insect 곤충
- farmer 농부
- photo 사진
- mine 나의 것

01 It (not is / is not) my bag.
그것은 내 가방이 아니에요.

02 I (am not / isn't / aren't) sick.
나는 아프지 않아요.

03 We (are not / is not) brothers.
우리는 형제가 아니에요.

04 The dress (is not / are not) blue.
그 드레스는 파란색이 아니에요.

05 I (not am / am not) 10 years old.
나는 열 살이 아니에요.

06 Those (are not / not are) insects.
저것들은 곤충이 아니에요.

07 She (are not / is not) in her room.
그녀는 자기 방에 없어요.

08 Julie (am not / isn't / aren't) at home.
줄리는 집에 없어요.

09 Mike (am not / isn't / aren't) a farmer.
마이크는 농부가 아니에요.

10 My father (am not / isn't / aren't) tall.
우리 아버지는 키가 크지 않아요.

11 The boys (am not / isn't / aren't) at school.
그 소년들은 학교에 없어요.

12 These photos (am not / isn't / aren't) mine.
이 사진들은 내 것이 아니에요.

2 다음 우리말과 일치하도록, 빈칸에 알맞은 말을 쓰세요.

정답 및 해설 p.19

Words
- fat 뚱뚱한
- coffee 커피
- hot 뜨거운; 더운
- tulip 튤립
- player 선수

01 나는 키가 작지 않아요.
I ___am not___ short.

02 너는 뚱뚱하지 않아.
You ________________ fat.

03 저것은 내 자전거가 아니에요.
That ________________ my bike.

04 이 커피는 뜨겁지 않아요.
This coffee ________________ hot.

05 날씨가 좋지 않아요.
The weather ________________ good.

06 그녀는 수학 선생님이 아니에요.
She ________________ a math teacher.

07 우리는 박물관에 없어요.
We ________________ in the museum.

08 이 꽃들은 튤립이 아니에요.
These flowers ________________ tulips.

09 그들은 우리 반 친구가 아니에요.
They ________________ my classmates.

10 라이언과 폴은 테니스선수가 아니에요.
Ryan and Paul ________________ tennis players.

Jump up be동사 부정문 쓰기

다음 문장을 부정문으로 바꿀 때, 빈칸에 알맞은 표현을 쓰세요.

정답 및 해설 p.20

Words

- tower 탑
- high 높은
- difficult 어려운
- lawyer 변호사

01 Ann is beautiful.
→ Ann ___is___ ___not___ beautiful.

02 I am in my room.
→ I ________ ________ in my room.

03 This tower is high.
→ This tower ________ ________ high.

04 Those trees are tall.
→ Those trees ________ ________ tall.

05 The socks are dirty.
→ The socks ________ ________ dirty.

06 The test is difficult.
→ The test ________ ________ difficult.

07 They are my brothers.
→ They ________ ________ my brothers.

08 My uncle is a teacher.
→ My uncle ________ ________ a teacher.

09 Our school bus is yellow.
→ Our school bus ________ ________ yellow.

10 Tom and Kevin are lawyers.
→ Tom and Kevin ________ ________ lawyers.

Build up – Writing

 다음 문장을 'be+not'의 줄임말을 이용하여 부정문으로 바꿔 쓰세요.
(단, I am not인 경우 I'm not으로 쓰세요.)

정답 및 해설 p.20

01 I am sad.
→ I'm not sad.

02 It is windy.
→ ______________________.

03 You are ugly.
→ ______________________.

04 We are hungry.
→ ______________________.

05 That is my wallet.
→ ______________________.

06 He is a movie star.
→ ______________________.

07 The room is warm.
→ ______________________.

08 She is in third grade.
→ ______________________.

09 They are high school students.
→ ______________________.

10 Kelly and Amy are Americans.
→ ______________________.

Words

- ugly 못생긴
- third 셋째의
- grade 학년; 성적; 등급
- third grade 3학년
- high school 고등학교

현재형 be동사 의문문

be동사 현재형 의문문은 be동사를 주어 앞에 쓰고 문장 끝에 물음표를 붙여 만들고, '~이니?', '(~에) 있니?', '~하니?'라고 해석합니다.

1 be동사의 의문문 만드는 방법

be동사(am, are, is)를 주어의 앞에 쓰고, 문장의 맨 뒤에 물음표를 붙입니다.

I **am** wrong. 나는 틀렸어요.
→ **Am I** wrong? 내가 틀렸나요?

They **are** at school. 그들은 학교에 있어요.
→ **Are they** at school? 그들은 학교에 있나요?

This **is** your book. 이것이 당신이 책이에요.
→ **Is this** your book? 이것이 당신이 책인가요?

2 be동사 의문문에 대답하기

질문	긍정: 네, 그래요.	부정: 아니요, 그렇지 않아요.
Am I ~?	Yes, you(너) are.	No, you(너) aren't.
Are we ~?	Yes, you(너희들) / we are.	No, you(너희들) / we aren't.
Are you(너) **~?**	Yes, I am.	No, I'm not.
Are you(너희들) **~?**	Yes, we are.	No, we aren't.
Are they ~?	Yes, they are.	No, they aren't.
Is he / she / it ~?	Yes, he / she / it is.	No, he / she / it isn't.
Is this / that ~?	Yes, it is.	No, it isn't.
Are these / those ~?	Yes, they are.	No, they aren't.

꼭 기억하기!

주어가 명사인 질문에 대답할 때는 주어를 대명사로 바꿔 대답해야 해요.

A: **Is your sister** a middle school student? 너의 언니는 중학생이니?
B: Yes, **she is.** 응, 그래. / No, **she isn't.** 아니, 그렇지 않아.

A: **Are Ruth and Anne** 12 years old? 루스와 앤은 열두 살인가요?
B: Yes, **they are.** 네, 그래요. / No, **they aren't.** 아니요, 그렇지 않아요.

Warm up

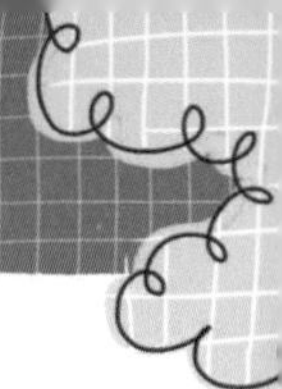

1 다음 문장을 의문문으로 바꿀 때, 빈칸에 알맞은 표현을 쓰세요.

정답 및 해설 p.20

Words

- smart 똑똑한
- heavy 무거운

01 I am pretty.
→ Am I pretty?

02 We are late.
→ ________ ________ late?

03 It is long.
→ ________ ________ long?

04 He is sick.
→ ________ ________ sick?

05 She is cute.
→ ________ ________ cute?

06 This is small.
→ ________ ________ small?

07 You are happy.
→ ________ ________ happy?

08 That is short.
→ ________ ________ short?

09 They are smart.
→ ________ ________ smart?

10 These are heavy.
→ ________ ________ heavy?

Step up be동사 의문문 형태 익히기

1 다음 괄호 안에서 알맞은 것을 고르세요.

정답 및 해설 p.21

01 (Am I / Is I) late?
제가 늦었나요?

02 (Am he / Is he) fast?
그는 빠르나요?

03 (Am it / Is it) dark outside?
밖이 어둡나요?

04 (Is this / Are this) your car?
이것이 당신 차인가요?

05 (Is they / Are they) his sons?
그들이 그의 아들들인가요?

06 (Is she / Are she) a good reporter?
그녀는 훌륭한 기자인가요?

07 (Is you / Are you) a new student?
네가 새로운 학생이니?

08 (Is your teacher / Are your teacher) kind?
너희 선생님은 친절하시니?

09 (Is your mother / Are your mother) at home?
너의 어머니는 집에 계시니?

10 (Am these bags / Are these bags) expensive?
이 가방들은 비싼가요?

- fast 빠른; 빨리
- dark 어두운
- son 아들
- reporter 기자

2 다음 의문문의 대답으로 알맞은 것을 고르세요.

정답 및 해설 p.21

01 A: Am I fat?
B: (Yes, I am. / No, you aren't.)

02 A: Is it rainy?
B: (Yes, it is. / No, it is.)

03 A: Are you ready?
B: (Yes, I am. / No, you aren't.)

04 A: Are you twins?
B: (Yes, you are. / No, we aren't.)

05 A: Are the boys sleepy?
B: (Yes, they are. / No, they are.)

06 A: Is Jim a bus driver?
B: (Yes, he is. / No, Jim isn't.)

07 A: Are these your jeans?
B: (Yes, these are. / No, they aren't.)

08 A: Are we late for school?
B: (Yes, you are. / No, you are.)

09 A: Is the movie interesting?
B: (Yes, it is. / No, the movie is.)

10 A: Are Tom and Mary lazy?
B: (Yes, Tom and Mary are. / No, they aren't.)

- rainy 비 오는
- ready 준비가 된
- twins 쌍둥이
- sleepy 졸린
- bus driver 버스운전사
- jeans 청바지
- late for ~에 늦은, 지각한

Jump up

be동사 의문문 이해하기

다음 빈칸에 알맞은 말을 써서 대화를 완성하세요.

정답 및 해설 p.21

- lost 길을 잃은
- scientist 과학자
- excited 신이 난, 흥분한

01 A: Am I sick?
B: Yes, you ___are___.

02 A: Are we lost?
B: No, you ____________.

03 A: Is it Sunday today?
B: Yes, it ____________.

04 A: Is Mike from Canada?
B: No, he ____________.

05 A: Is Jane a scientist?
B: No, ____________ ____________.

06 A: Are they dirty?
B: No, ____________ ____________.

07 A: Are you excited? (you=단수)
B: No, ____________ ____________.

08 A: Is this your bike?
B: Yes, ____________ ____________.

09 A: Are your shoes new?
B: Yes, ____________ ____________.

10 A: Are those your dogs?
B: Yes, ____________ ____________.

Build up-Writing

다음 문장을 의문문으로 바꿔 쓰세요.

정답 및 해설 p.22

Words

- OK(=okay) 괜찮은
- easy 쉬운
- rude 무례한
- soup 수프
- salty 짠
- gym 체육관
- picture 사진

01 You are OK.
→ Are you OK ?

02 It is easy.
→ ______________________________?

03 He is rude.
→ ______________________________?

04 She is an artist.
→ ______________________________?

05 The soup is salty.
→ ______________________________?

06 Your brother is tall.
→ ______________________________?

07 I am a good student.
→ ______________________________?

08 They are in the gym.
→ ______________________________?

09 These are your pictures.
→ ______________________________?

10 Your parents are in Korea.
→ ______________________________?

Wrap up unit 1- unit 2 be동사 부정문, 의문문 최종 점검하기

1 다음 문장을 주어진 지시대로 바꿔 쓰세요.

정답 및 해설 p.22

- waiter 웨이터, 종업원
- bookstore 서점
- light 가벼운
- pocket 주머니

01 I am tired.
→ 부정문 : I am[I'm] not tired.

02 His car is black.
→ 부정문 : ______________________.

03 James is a waiter.
→ 부정문 : ______________________.

04 We are famous singers.
→ 부정문 : ______________________.

05 My brother is a soccer player.
→ 부정문 : ______________________.

06 He is in the library.
→ 의문문 : ______________________?

07 David is his cousin.
→ 의문문 : ______________________?

08 That is a bookstore.
→ 의문문 : ______________________?

09 These boxes are light.
→ 의문문 : ______________________?

10 Your keys are in your pocket.
→ 의문문 : ______________________?

2 다음 우리말과 일치하도록, 밑줄 친 부분을 바르게 고쳐 쓰세요.

정답 및 해설 p.22

01 I amn't alone. am not
나는 혼자가 아니에요.

02 He not is a thief.
그은 도둑이 아니에요.

03 This lake are not clean.
이 호수는 깨끗하지 않아요.

04 The books isn't boring.
그 책들은 지루하지 않아요.

05 These not are my rain boots.
이것들은 내 장화가 아니에요.

06 Am you a musician? Yes, I am.
당신은 음악가인가요? 네, 그래요.

07 Are the water hot? No, it isn't.
물이 뜨겁나요? 아니요, 그렇지 않아요.

08 Are you old friends? Yes, you are.
너희들은 오래된 친구니? 네, 그래요.

09 Is Brian a student? No, he is.
브라이언은 학생인가요? 아니요, 그렇지 않아요.

10 Are the apples sweet? Yes, the apples are.
이 사과들이 달아요? 네, 그래요.

Words

- alone 혼자인; 외로운
- thief 도둑
- lake 호수
- clean 깨끗한
- rain boots 장화
- musician 음악가

Exercise

정답 및 해설 p.23

[1-2] 다음 우리말과 일치하도록, 빈칸에 들어갈 말로 알맞은 것을 고르세요.

1

너는 용감하지 않아.
You __________ brave.

① am ② is ③ isn't
④ are ⑤ aren't

2

그는 요리사인가요?
__________ a cook?

① Am he ② Is he ③ Are he
④ Is she ⑤ Are she

3 다음 빈칸에 들어갈 말이 바르게 짝지어진 것은?

• Our teacher __________ tall.
• He and I __________ friends.

① isn't - aren't ② isn't - am not
③ aren't - isn't ④ aren't - am not
⑤ aren't - aren't

4 다음 밑줄 친 부분 중 줄여 쓸 수 <u>없는</u> 것은?

① We <u>are not</u> in the gym.
② This <u>is not</u> my towel.
③ It <u>is not</u> an umbrella.
④ They <u>are not</u> wolves.
⑤ I <u>am not</u> thirsty.

5 다음 문장의 빈칸에 들어갈 말이 나머지 넷과 <u>다른</u> 하나는?

① ________ it a taxi?
② ________ this your pen?
③ ________ he your father?
④ ________ the man your uncle?
⑤ ________ the trees in the park?

Note

1 '~하지 않다'라는 의미로 be동사의 부정형이에요.

2 '~인가요?'라는 의미로 be동사의 의문문이에요.

3 주어가 단수 명사, 복수 명사예요.

4 towel 수건

5 taxi 택시
빈칸 뒤에 있는 주어가 단수인지 복수인지 확인하세요.

Note

6 다음 밑줄 친 부분이 잘못된 것은?

① John is not handsome.
② The box are not big.
③ These balls are not mine.
④ My sister is not five years old.
⑤ Judy and Dean are not my classmates.

6 handsome 잘생긴
주어의 수를 확인하세요.

7 다음 질문의 대답으로 알맞은 것은?

A: Am I right?
B: __________

① Yes, I am.
② Yes, you are.
③ No, we aren't
④ No, I am not.
⑤ No, you are.

7 right 맞은, 정확한

8 다음을 부정문으로 바꿀 때, 빈칸에 공통으로 들어갈 한 단어를 쓰세요.

- I am __________ a teacher.
- She is __________ at school.

8 be동사 부정문은 be동사 뒤에 무엇을 쓰는 생각해 보세요.

9 다음 질문에 적절한 대답을 빈칸에 쓰세요.

A: Is your father a fireman?
B: No, __________ __________.

9 부정의 대답이고, 주어를 대신하는 대명사를 사용해서 답해요.

10 다음 문장을 주어진 지시대로 바꿔 쓰세요.

This book is interesting.
→ 부정문: ______________________________.
→ 의문문: ______________________________?

다양한 직업을 영어로 어떻게 말하는지 알아보자!

actor, actress	배우	hairdresser	미용사
architect	건축가	lawyer	변호사
artist	예술가	model	모델
baker	제빵사	musician	음악가
builder	건축업자	nurse	간호사
businessman	사업가	painter	화가
cook, chef	요리사	pilot	비행사, 조종사
dancer	무용수	policeman, police officer	경찰관
dentist	치과의사	reporter	기자
doctor	의사	teacher	교사
driver	운전사	scientist	과학자
engineer	기술자	singer	가수
farmer	농부	vet	수의사
fireman, firefighter	소방관	waiter, waitress	(식당) 종업원
fisher	어부	writer	작가

There is/are ~

□ balloon	□ many	□ farm	□ bowl	□ vase
□ bottle	□ ring	□ roof	□ people	□ basket
□ garden	□ poor	□ world	□ floor	□ map
□ wall	□ near	□ clock	□ stage	□ town

There is/are ~

There is/are는 '~가 있다'라는 의미이며, 뒤에 나오는 명사에 따라 is 또는 are를 씁니다. there는 원래 '거기에', '그곳에'라는 의미이지만, There is/are 문장에서는 뜻이 없으므로 해석하지 않습니다.

1 There is ~

There is + a(n) 셀 수 있는 명사 + 장소 표현

There is a pear on the table. 탁자 위에 배 하나가 있어요.
There is an apple on my desk. 내 책상 위에 사과가 하나 있어요.

There is + (some) 셀 수 없는 명사 + 장소 표현

There is some water in the glass. 유리잔에 물이 조금 있어요.
There is some cheese in the bowl. 그릇에 치즈가 조금 있어요.

plus 1

some은 '조금(의)', '몇몇(의)'이라는 의미로 명사 앞에 쓰여 수나 양을 나타내며, 주로 긍정문에 쓰여요.

I have **some** money. 나는 돈이 조금 있어요.
I have **some** candies. 나는 사탕이 몇 개 있어요.

2 There are ~

There are + (숫자 / some) 복수 명사 + 장소 표현

There are ten students in the classroom. 교실에 10명의 학생들이 있어요.
There are some bananas in the basket. 바구니에 바나나가 몇 개 있어요.

plus 2

many는 복수 명사 앞에 쓰여 '많은'이라는 의미를 나타내요.

There are **many** students in the classroom. 교실에는 많은 학생들이 있어요.

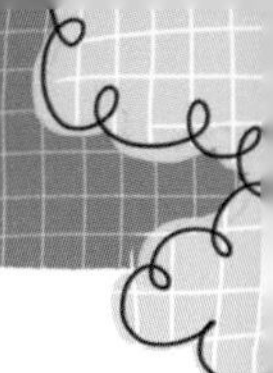

Warm up

 다음 그림을 보고, 괄호 안에서 알맞은 것을 고르세요.

정답 및 해설 p.23

- balloon 풍선
- cheese 치즈
- many 많은
- rose 장미

01  (There is / There are) a cat.

02  (There is / There are) two balloons.

03  (There is / There are) some cheese.

04  (There is / There are) many roses.

05  (There is / There are) an old car.

06  (There is / There are) three oranges.

07  (There is / There are) milk.

08  (There is / There are) five children.

Step up There is/are 형태 익히기

1 다음 밑줄 친 부분에 유의하여 괄호 안에서 알맞은 것을 고르세요.

정답 및 해설 p.24

01 There (is / are) a dish on the table.
탁자에 접시가 하나 있어요.

02 There (is / are) a pencil on the desk.
책상에 연필 한 자루가 있어요.

03 There (is / are) many toys in the box.
상자에 장난감이 많이 있어요.

04 There (is / are) a big bed in his room.
그의 방에는 큰 침대가 하나 있어요.

05 There (is / are) three cows in the farm.
그 농장에는 소 세 마리가 있어요.

06 There (is / are) some butter in the bowl.
그릇 안에 버터가 조금 있어요.

07 There (is / are) five lilies in the vase.
꽃병에 백합 다섯 송이가 있어요.

08 There (is / are) some water in the bottle.
병에 물이 조금 있어요.

09 There (is / are) two boys at the bus stop.
버스 정류장에 두 명의 소년이 있어요.

10 There (is / are) many students in that school.
저 학교에 많은 학생들이 있어요.

- cow 소
- farm 농장
- butter 버터
- bowl 그릇, 사발
- lily 백합
- vase 꽃병
- bottle 병
- bus stop 버스 정류장

2 다음 빈칸에 There is와 There are 중 알맞은 것을 쓰세요.

정답 및 해설 p.24

01 ___There is___ a ring in the box.
상자에 반지가 하나 있어요.

02 ______________ two birds on the roof.
지붕에 두 마리의 새가 있어요.

03 ______________ 20 people on the bus.
그 버스에 20명의 사람들이 있어요.

04 ______________ some sugar on the jar.
병에 설탕이 조금 있어요.

05 ______________ an elephant in the zoo.
그 동물원에 코끼리 한 마리가 있어요.

06 ______________ a soccer ball in your room.
네 방에 축구공이 하나 있어.

07 ______________ seven apples in the basket.
바구니에 일곱 개의 사과가 있어요.

08 ______________ many flowers in her garden.
그녀의 정원에 많은 꽃이 있어요.

09 ______________ a blackboard in the classroom.
교실에 칠판이 있어요.

10 ______________ many poor children in the world.
세상에 가난한 아이들이 많이 있어요.

Words

- ring 반지
- roof 지붕
- people 사람들
- jar 병, 통
- basket 바구니
- garden 정원
- blackboard 칠판
- poor 불쌍한, 가난한
- world 세상, 세계

Jump up There is/are쓰임 이해하기

다음 괄호 안에서 알맞은 것을 고르세요.

정답 및 해설 p.24

01 There is (a fork / forks) on the table.
탁자 위에 포크가 하나 있어요.

02 There is (a cookie / cookies) in the dish.
접시에 쿠키가 하나 있어요.

03 There is (a box / two boxes) on the floor.
바닥에 상자가 하나 있어요.

04 There are (a map / four maps) on the wall.
벽에 네 개의 지도가 있어요.

05 There is (a sofa / sofas) in the living room.
거실에 소파가 하나 있어요.

06 There are (a tiger / three tigers) in the zoo.
동물원에 호랑이 세 마리가 있어요.

07 There is (a coffee / some coffee) in the cup.
컵에 커피가 조금 있어요.

08 There are (a room / five rooms) in this house.
이 집에 다섯 개의 방이 있어요.

09 There are (a book / many books) in the library.
도서관에 책이 많이 있어요.

10 There is (some rice / some rices) in the pot.
냄비에 쌀이 조금 있어요.

Words

- fork 포크
- floor 바닥
- map 지도
- wall 벽
- sofa 소파
- living room 거실
- tiger 호랑이
- rice 쌀
- pot 냄비; 통

Build up – Writing

다음 우리말과 일치하도록, There is 또는 There are와 주어진 단어를 이용하여 문장을 완성하세요.

정답 및 해설 p.24

01 어항에 물고기 한 마리가 있어요. (a fish)

→ There is a fish ______________ in the bowl.

02 이 근처에 은행이 있어요. (a bank)

→ ______________ near here.

03 벽에 시계가 하나 있어요. (a clock)

→ ______________ on the wall.

04 이 방에 창문이 하나 있어요. (a window)

→ ______________ in this room.

05 바구니에 계란 열 개가 있어요. (ten eggs)

→ ______________ in the basket.

06 하늘에 별이 많이 있어요. (many stars)

→ ______________ in the sky.

07 접시에 빵이 조금 있어요. (some bread)

→ ______________ in the dish.

08 그의 가방 안에는 책이 많이 있어요. (books)

→ ______________ in his bag.

09 그 팀에 10명의 선수가 있어요. (ten players)

→ ______________ in the team.

10 무대 위에 세 명의 가수가 있어요. (three singers)

→ ______________ on the stage.

- fish 물고기
- bank 은행
- near 가까운; 가까이
- here 여기, 여기에
- clock 시계
- player 선수
- team 팀
- stage 무대

There is/are 부정문과 의문문

There is/are의 부정문은 '~가 없다'라는 의미이며, be동사 뒤에 not을 씁니다. There is/are의 의문문은 '~가 있니?'라는 의미이며, be동사를 there 앞에 씁니다.

1 There is/are ~ 부정문

'~가 없다'라는 의미이며, be동사(is, are) 뒤에 not을 붙입니다.

- **There is not**(=**isn't**)+a(n) 단수 명사 / (any) 셀 수 없는 명사 ~.
- **There are not**(=**aren't**)+(any) 복수 명사 ~.

There is not a book in his bag. 그의 가방에 책이 없어요.
There is not any paper on the desk. 책상 위에 종이가 없어요.
There are not (any) stars in the sky. 하늘에 별이 (하나도) 없어요.

plus 1

any는 '조금(의)', '몇몇(의)'이라는 의미로 명사 앞에 쓰여 수나 양을 나타내며 주로 부정문이나 의문문에 써요. 부정문에서 명사 앞에 any를 붙이면, 그 명사가 하나도 없다는 의미가 돼요.

I don't have **any** money. 나는 돈이 (하나도) 없어요.
Do you have **any** plans? 너 계획 있니?

2 There is/are ~ 의문문

'~가 있니?'라는 의미이며, be동사(is, are)를 there 앞에 쓰고, 문장의 끝에 물음표를 붙입니다.

질문 : ~가 있나요?	네, 그래요.	아니요, 그렇지 않아요.
Is there+a(n) 단수 명사 / (any) 셀 수 없는 명사 ~?	Yes, there is.	No, there isn't.
Are there+복수 명사 ~?	Yes, there are.	No, there aren't.

A: **Is there** a shopping mall in this town? 이 마을에 쇼핑몰이 있나요?
B: **Yes, there is.** 네, 그래요. / **No, there isn't.** 아니요, 그렇지 않아요.

A: **Is there** any milk in the bottle? 병에 우유가 있나요?
B: **Yes, there is.** 네, 그래요. / **No, there isn't.** 아니요, 그렇지 않아요.

A: **Are there** many animals in the zoo? 동물원에 많은 동물이 있나요?
B: **Yes, there are.** 네, 그래요. / **No, there aren't.** 아니요, 그렇지 않아요.

Warm up

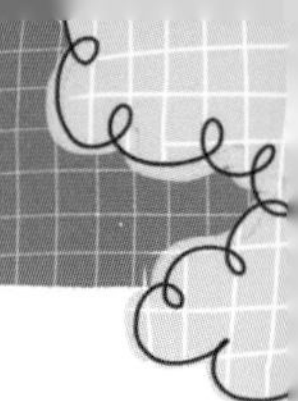

1 다음 그림을 보고, 괄호 안에서 알맞은 것을 고르세요.

정답 및 해설 p.24

• duck 오리

01  (There is / There isn't) a cup.

02  (There are / There aren't) many books.

03  (There is / There isn't) some water.

04  (There are / There aren't) any ducks.

05 
A: Is there a bus?
B: (Yes, there is. / No, there isn't.)

06 
A: Are there many balls?
B: (Yes, there are. / No, there aren't.)

07 
A: Is there any cake?
B: (Yes, there is. / No, there isn't.)

08 
A: Are there any children?
B: (Yes, there are. / No, there aren't.)

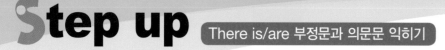

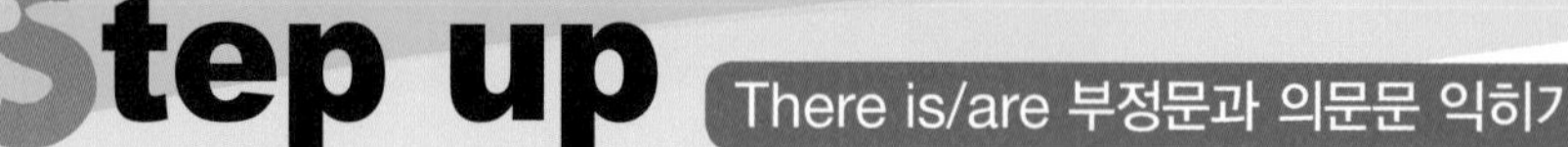

There is/are 부정문과 의문문 익히기

1 다음 밑줄 친 부분에 유의하여 괄호 안에서 알맞은 것을 고르세요.

정답 및 해설 p.24

01 (Is / Are) there any tea in the cup?
컵에 차가 있나요?

02 (Is / Are) there a park in your town?
너의 마을에 공원이 있니?

03 (Is / Are) there a letter in the mailbox?
우편함에 편지가 한 통 있나요?

04 (Is / Are) there ten potatoes in the bag?
봉지 안에 감자가 열 개 있나요?

05 There (isn't / aren't) many fish in the river.
강에 물고기가 많지 않아요.

06 There (isn't / aren't) any juice in the bottle.
병에 주스가 없어요.

07 There (isn't / aren't) any sugar in the coffee.
커피에 설탕이 안 들어갔어요.

08 There (isn't / aren't) a computer on my desk.
내 책상 위에는 컴퓨터가 없어요.

09 (Is / Are) there many dishes in the kitchen?
부엌에 접시가 많이 있나요?

10 There (isn't / aren't) five lemons in the basket.
바구니에 레몬 다섯 개가 없어요.

- tea 차
- town 마을, 시내
- letter 편지
- mailbox 우편함
- kitchen 부엌
- lemon 레몬

2 다음 빈칸에 알맞은 말을 써서 대화를 완성하세요.

정답 및 해설 p.24

01 A: Is there any soup in the bowl?
B: No, ___there___ ___isn't___.

02 A: Is there a mirror on the wall?
B: No, __________ __________.

03 A: Is there a sandwich on the dish?
B: Yes, __________ __________.

04 A: Are there many cars on the road?
B: Yes, __________ __________.

05 A: Are there any pigs in his farm?
B: No, __________ __________.

06 A: Is there an art gallery in town?
B: Yes, __________ __________.

07 A: Are there seven colors in the rainbow?
B: Yes, __________ __________.

08 A: Are there many students in the library?
B: No, __________ __________.

09 A: Is there any butter in the refrigerator?
B: Yes, __________ __________.

10 A: Are there two bathrooms in your house?
B: Yes, __________ __________.

- mirror 거울
- sandwich 샌드위치
- road 길
- pig 돼지
- art gallery 미술관, 화랑
- rainbow 무지개
- refrigerator 냉장고
- bathroom 욕실, 화장실

Jump up There is/are 부정문과 의문문 이해하기

다음 문장을 지시대로 바꿔 쓸 때, 빈칸에 알맞은 표현을 쓰세요.
(단, 'be+not'은 줄여 쓰세요.)

정답 및 해설 p.25

Words

- salt 소금
- cage 새장, 우리
- spoon 숟가락, 스푼

01 There is a dog in the garden.
→ 부정문 : __There__ __isn't__ a dog in the garden.

02 There is water in the bottle.
→ 부정문 : ________ ________ any water in the bottle.

03 There is salt in the kitchen.
→ 부정문 : ________ ________ any salt in the kitchen.

04 There are pictures on the wall.
→ 부정문 : ________ ________ any pictures on the wall.

05 There are many flowers in the vase.
→ 부정문 : ________ ________ many flowers in the vase.

06 There is a library in this town.
→ 의문문 : ________ ________ a library in this town?

07 There is a desk in your room.
→ 의문문 : ________ ________ a desk in your room?

08 There are two men in the car.
→ 의문문 : ________ ________ two men in the car?

09 There are some birds in the cage.
→ 의문문 : ________ ________ any birds in the cage?

10 There are many spoons on the table.
→ 의문문 : ________ ________ many spoons on the table?

Build up – Writing

다음 우리말과 일치하도록, 주어진 단어를 이용하여 문장을 완성하세요.

정답 및 해설 p.25

01 병 안에 잉크가 있나요? (any ink)
→ Is there any ink in the bottle?

02 이 동물원에 판다가 없어요. (a panda)
→ ______________________ in this zoo.

03 이 근처에 식당이 있나요? (a restaurant)
→ ______________________ near here?

04 한국에 도시가 많나요? (many cities)
→ ______________________ in Korea?

05 접시에 빵이 하나도 없어요. (any bread)
→ ______________________ on the dish.

06 서울에 많은 외국인들이 있나요? (many foreigners)
→ ______________________ in Seoul?

07 이 도시에 건물들이 많지 않아요. (many buildings)
→ ______________________ in this city.

08 내 주머니에 돈이 하나도 없어요. (any money)
→ ______________________ in my pocket.

09 그 학교에 30명의 선생님이 있나요? (30 teachers)
→ ______________________ in the school?

10 그 교실에 의자가 하나도 없어요. (any chairs)
→ ______________________ in the classroom.

- ink 잉크
- panda 판다
- restaurant 식당
- foreigner 외국인
- building 건물
- money 돈
- pocket 주머니

Wrap up unit 1- unit 2 There is/are 최종 점검하기

1 다음 우리말에 일치하도록, 주어진 단어를 바르게 배열하여 문장을 완성하세요.

정답 및 해설 p.26

01 당신 앞으로 온 편지가 한 통 있어요. (is, there, a letter)

→ There is a letter for you.

02 이 강에는 물고기가 많나요? (many fish, there, are)

→ ______________________ in this river?

03 네 방에 램프가 있니? (is, a lamp, there)

→ ______________________ in your room?

04 부엌에 탁자가 없어요. (isn't, a table, there)

→ ______________________ in the kitchen.

05 런던에 박물관이 많이 있어요. (are, there, many museums)

→ ______________________ in London.

06 우리 집 근처에 서점이 있어요. (a bookstore, is, there)

→ ______________________ near my house.

07 샌드위치에 치즈가 없어요. (there, any cheese, isn't)

→ ______________________ in the sandwich.

08 종이봉투에 바나나가 하나도 없어요. (any bananas, aren't, there)

→ ______________________ in the paper bag.

09 내 필통에는 연필이 두 자루 있어요. (are, there, two pencils)

→ ______________________ in my pencil case.

10 냉장고에 주스가 있나요? (any juice, there, is)

→ ______________________ in the refrigerator?

Words

- lamp 램프
- museum 박물관
- paper 종이
- pencil case 필통

2 다음 우리말과 일치하도록, 밑줄 친 부분을 바르게 고쳐 쓰세요.

정답 및 해설 p.26

01 There are a spider on the wall. is
벽에 거미 한 마리가 있어요.

02 Is there any caps in this store?
이 가게에 모자가 있나요?

03 Are there a hotel in your town?
너의 마을에 호텔이 있니?

04 There isn't any cookies in the jar.
통에 쿠키가 하나도 없어요.

05 There is some carrots in the box.
상자 안에 몇 개의 당근이 있어요.

06 There is two mice in the kitchen.
부엌에 쥐 두 마리가 있어요.

07 There are some milk in the bottle.
병에 우유가 조금 있어요.

08 There isn't many animals in the zoo.
그 동물원에는 동물이 많지 않아요.

09 There aren't a library near our school.
우리 학교 근처에는 도서관이 없어요.

10 Is there many people at the shopping mall?
쇼핑몰에 사람이 많이 있나요?

Words

- spider 거미
- hotel 호텔
- carrot 당근
- shopping mall 쇼핑몰

Exercise 정답 및 해설 p.26

[1-2] 다음 빈칸에 들어갈 말로 알맞은 것을 고르세요.

1

There is __________ in my room.

① a bed ② two chairs ③ some toys
④ many books ⑤ three windows

2

There __________ two girls on the stage.

① am ② is ③ are
④ isn't ⑤ am not

3 다음 빈칸에 들어갈 말로 알맞지 않은 것은?

Are there __________ in the kitchen?

① some bread ② vegetables ③ many chairs
④ ten dishes ⑤ two tables

4 다음 빈칸에 **isn't**가 들어갈 수 없는 것은?

① There ________ Tom in this room.
② There ________ any milk in the tea.
③ There ________ any flowers in the vase.
④ There ________ any bread in the bowl.
⑤ There ________ a koala in this zoo.

5 다음 질문에 대한 대답으로 알맞은 것은?

A: Is there a department store in this city?
B: ____________________

① Yes, there is. ② Yes, there are.
③ Yes, there isn't. ④ No, there is.
⑤ No, there aren't.

Note

1 There is 다음에는 a(n) 단수 명사 또는 셀 수 없는 명사가 와요.

2 복수 명사와 함께 쓰는 be동사를 생각해 보세요.

3 vegetable 채소
명사의 단·복수를 확인하세요.

4 koala 코알라
명사의 수가 다른 것을 찾아보세요.

5 department store 백화점

[6-7] 다음 밑줄 친 부분이 잘못된 것을 고르세요.

6 ① Are there chairs in the garden?
② Is there any juice in the bottle?
③ There is not a ruler on the desk.
④ There is some apples in the basket.
⑤ There are two towels in the bathroom.

7 ① Are there balls in the box?
② There are some eggs on the dish.
③ There isn't any cheese in the bowl.
④ Are there many cars on the street?
⑤ There not are any children on the beach.

8 다음 우리말과 일치하도록, 빈칸에 알맞은 말을 쓰세요.

1) 하늘에 무지개가 있어요.
→ ________ ________ a rainbow in the sky.

2) 박물관에 사람이 많아요.
→ ________ ________ many people in the museum.

9 다음 문장을 주어진 지시대로 바꿔 쓰세요.

There are many trees in the park.
→ 부정문: ______________________________.
→ 의문문: ______________________________?

10 다음 빈칸에 알맞은 말을 써서 대화를 완성하세요.

A: ________ there many oranges in the basket?
B: No, ________ ________.

Note

6 ruler 자
towel 수건
명사의 수를 확인하세요.

7 street 길
beach 해변

8 1) 뒤에 오는 명사가 단수예요.
2) 뒤에 오는 명사가 복수예요.

10 복수 명사가 있고, 부정의 대답이에요.

교통수단에 대한

CROSSWORD PUZZLE을 풀어보세요.

Transportation

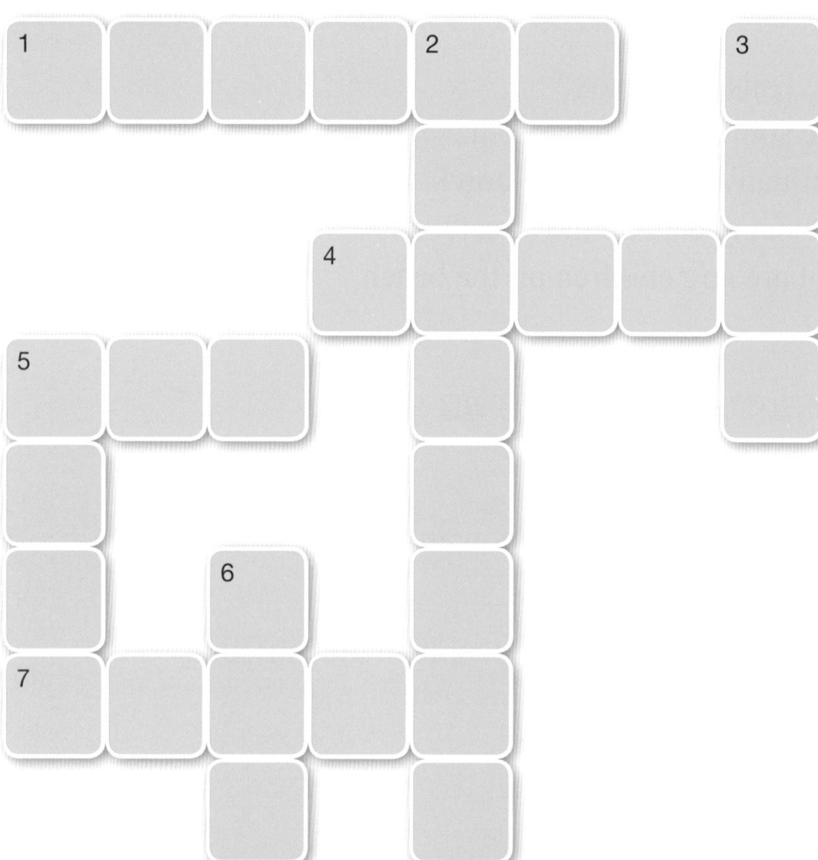

Down	Across
2 비행기	**1** 지하철
3 자전거	**4** 트럭
5 보트	**5** 버스
6 자동차	**7** 기차

일반동사

□ animal	□ rice	□ learn	□ slowly	□ stop
□ early	□ look	□ feel	□ make	□ magazine
□ food	□ answer	□ tell	□ cry	□ enjoy
□ mix	□ fix	□ stand	□ science	□ life

일반동사의 현재형

일반동사는 주어의 동작이나 상태를 나타내는 말로, be동사와 조동사 (can · must · will 등)를 제외한 동사를 일반동사라 부릅니다.

1 일반동사의 현재형

주어의 현재 동작이나 상태를 나타내며, 주어에 따라 동사원형을 쓰거나, 동사에 s 또는 es를 붙인 형태로 씁니다.

1인칭 · 2인칭 단수, 복수	I / You / We	+동사원형
3인칭 복수, 복수 명사	They / My friends 등	

I **like** soccer. 나는 축구를 좋아해요.

You **play** the piano. 너는 피아노를 연주해.

They **live** in Busan. 그들은 부산에 살아요.

plus 1

주어의 동작을 나타내는 동사를 동작동사, 주어의 상태를 나타내는 동사를 상태동사라고 해요.

동작동사 : run 뛰다 sing 노래하다 see 보다 speak 말하다 fly 날다 ...

상태동사 : live 살다 love 사랑하다 think 생각하다 understand 이해하다 ...

3인칭 단수	He / She / It	+동사원형+(e)s
단수 명사	Mike / The dog 등	

He **likes** soccer. 그는 축구를 좋아해요.

She **plays** the piano. 그녀는 피아노를 연주해요.

It **lives** in the sea. 그것은 바다에 살아요.

plus 2

주어는 문장에서 주인공이 되는 말이고, 동사는 주어의 동작이나 상태를 나타내는 말입니다. 우리말은 동사가 문장의 맨 뒤에 위치하지만, 영어의 어순은 일반적으로 「주어+동사」로 주어 뒤에 동사가 위치합니다.

우리말 : 그들은(주어) 빨리 달린다(동사).

영어 : **They**(주어) **run**(동사) fast.

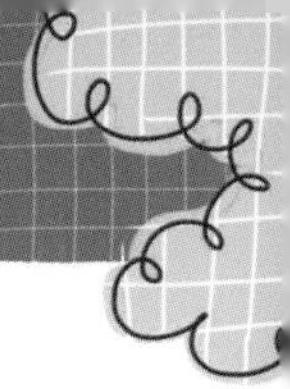

Warm up

1 다음 문장에서 동사를 찾아 일반동사에는 ○, be동사에는 △ 표시하세요.

정답 및 해설 p.27

01 I know them. 나는 그들은 알아요.
○

02 He drinks water. 그는 물을 마셔요.

03 We study hard. 우리는 열심히 공부해요.

04 You are very kind. 당신은 정말 친절해요.

05 It is snowy outside. 밖에 눈이 내려요.

06 She sings well. 그녀는 노래를 잘 불러요.

07 I am a police officer. 나는 경찰관이에요.

08 They have a big dog. 그들은 큰 개가 있어요.

09 Dolphins swim in the sea. 돌고래는 바다에서 헤엄쳐요.

10 Sarah and I are good friends. 사라와 나는 좋은 친구예요.

- hard 열심히
- snowy 눈이 내리는
- well 잘
- police officer 경찰관
- dolphin 돌고래
- swim 헤엄치다, 수영하다

Step up 일반동사의 형태 익히기

1 다음 괄호 안에서 알맞은 것을 고르세요.

정답 및 해설 p.27

01 I (like / likes) milk.

02 You (like / likes) Sue.

03 It (like / likes) carrots.

04 He (like / likes) baseball.

05 She (like / likes) movies.

06 We (like / likes) animals.

07 They (like / likes) candies.

08 It (eat / eats) fish.

09 I (eat / eats) rice.

10 You (eat / eats) soup.

11 He (eat / eats) pizza.

12 She (eat / eats) an apple.

13 We (eat / eats) spaghetti.

14 They (eat / eats) ice cream.

- animal 동물
- rice 쌀, 밥
- pizza 피자
- spaghetti 스파게티
- ice cream 아이스크림

2 다음 괄호 안에서 알맞은 것을 고르세요.

정답 및 해설 p.27

01 It (rain / rains) heavily.
비가 많이 내려요.

02 He (want / wants) water.
그는 물을 원해요.

03 She (learn / learns) yoga.
그녀는 요가를 배워요.

04 They (walk / walks) slowly.
그들은 천천히 걸어요.

05 The bus (stop / stops) here.
버스는 여기서 멈춰요.

06 I (come / comes) home early.
나는 집에 일찍 들어와요.

07 You (look / looks) great today.
당신 오늘 멋져 보여요.

08 We (watch / watches) TV at night.
우리는 밤에 TV를 시청해요.

09 Mike and John (play / plays) soccer.
마이크와 존은 축구를 해요.

10 My baby brother (sleep / sleeps) a lot.
내 남동생은 잠을 많이 자요.

- rain 비가 내리다
- heavily 아주 많이
- learn 배우다
- yoga 요가
- slowly 느리게
- stop 멈추다
- early 일찍, 빨리
- look ~하게 보이다
- watch 보다, 시청하다
- sleep 잠자다
- a lot 많이

Jump up 일반동사의 쓰임 이해하기

다음 주어진 단어를 이용하여 일반동사 현재형 문장을 완성하세요.

정답 및 해설 p.27

- feel 느끼다
- bee 벌
- make 만들다
- honey 꿀
- magazine 잡지
- Boston 보스턴
- French 프랑스어
- often 종종, 자주
- post office 우체국

01 I ____feel____ happy. (feel)
나는 행복해요.

02 It __________ a lot. (snow)
눈이 많이 와요.

03 You __________ her. (love)
당신은 그녀를 사랑해요.

04 Bees __________ honey. (make)
벌은 꿀을 만들어요.

05 She __________ a magazine. (read)
그녀는 잡지를 읽어요.

06 He __________ the house. (clean)
그가 집을 청소해요.

07 Greg __________ in Boston. (live)
그레그는 보스턴에 살아요.

08 They __________ French well. (speak)
그들은 프랑스어를 잘해요.

09 My friends __________ me often. (visit)
내 친구들은 나를 자주 찾아와요.

10 We __________ at a post office. (work)
우리는 우체국에서 일해요.

Build up – Writing

다음 우리말과 일치하도록, 주어진 단어를 이용하여 문장을 완성하세요.

정답 및 해설 p.28

01 너는 요리를 잘해. (cook)

→ You cook well.

02 내 개는 나를 따라와요. (follow)

→ ______________________ me.

03 그들은 음식을 원해요. (want)

→ ______________________ food.

04 그것은 수영을 잘해요. (swim)

→ ______________________ well.

05 우리 언니들은 영화를 좋아해요. (like)

→ ______________________ movies.

06 나는 안경을 써요. (wear)

→ ______________________ glasses.

07 그는 새 자전거가 필요해요. (need)

→ ______________________ a new bike.

08 너희들은 답을 알고 있어. (know)

→ ______________________ the answer.

09 그녀는 아침에 우유를 마셔요. (drink)

→ ______________________ milk in the morning.

10 우리는 방과 후에 농구를 해요. (play)

→ ______________________ basketball after school.

Words

- follow 따라가다[오다]
- food 음식
- wear 입다, 착용하다
- answer 답

일반동사의 3인칭 단수형

주어가 3인칭 단수일 때 일반동사에 s 또는 es를 붙입니다. 「동사원형+(e)s」의 형태를 3인칭 단수형이라고 합니다.

규칙 변화	대부분의 동사	동사원형+s	come 오다 → come**s** eat 먹다 → eat**s**
	「자음+y」로 끝나는 동사	y를 i로 바꾸고+es	study 공부하다 → stud**ies** worry 걱정하다 → worr**ies**
	「모음+y」로 끝나는 동사	동사원형+s	play 놀다 → play**s** buy 사다 → buy**s**
	o, x, s, sh, ch로 끝나는 동사	동사원형+es	do 하다 → do**es** mix 섞다 → mix**es** pass 통과하다 → pass**es** wish 바라다 → wish**es** catch 잡다 → catch**es**
불규칙 변화	have 가지다 → **has** (haves ×)		

He **comes** home late. 그는 늦게 집에 들어와요.
She **eats** breakfast every day. 그녀는 매일 아침을 먹어요.

The boy **studies** math. 그 소년은 수학을 공부해요.
Mom **worries** about me. 엄마는 나를 걱정하세요.

Tom **plays** tennis. 톰은 테니스를 쳐요.
She **buys** bread every day. 그녀는 매일 빵을 사요.

He **does** his homework. 그는 숙제를 해요.
My sister **wishes** me good luck. 우리 언니는 나에게 행운을 빌어줘요.

An elephant **has** a long nose. 코끼리는 코가 길어요.

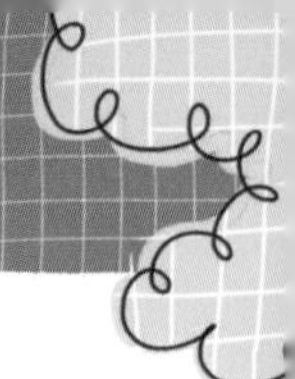

Warm up

1 다음 각각의 규칙을 읽고, 그 규칙에 맞게 동사의 3인칭 단수형을 쓰세요.

정답 및 해설 p.28

01

대부분의 동사:
동사원형+s

- love → loves
- read → ________
- tell → ________

02

「자음+y」로 끝나는 동사:
y를 i로 바꾸고+es

- study → ________
- cry → ________
- fly → ________

03

「모음+y」로 끝나는 동사:
동사원형+s

- play → ________
- enjoy → ________
- buy → ________

04

o, x, s, sh, ch로 끝나는 동사:
동사원형+es

- go → ________
- do → ________
- mix → ________
- fix → ________
- pass → ________
- cross → ________
- wash → ________
- finish → ________
- teach → ________
- watch → ________

05

불규칙 변화

- have → ________

Words

- tell 말하다
- cry 울다
- enjoy 즐기다
- mix 섞다
- fix 고치다
- pass 지나가다, 통과하다
- cross 건너다
- wash 씻다
- finish 끝내다

일반동사의 3인칭 단수형 익히기

1 다음 동사의 3인칭 단수형으로 알맞은 것을 고르세요.

정답 및 해설 p.28

01 go 가다 (gos / goes)

02 do 하다 (dos / does)

03 have 가지고 있다 (haves / has)

04 eat 먹다 (eats / eates)

05 fly 날다 (flys / flies)

06 say 말하다 (says / saies)

07 sit 앉다 (sits / sites)

08 cry 울다 (crys / cries)

09 mix 섞다 (mixs / mixes)

10 sing 노래하다 (sings / singes)

11 help 도와주다 (helps / helpes)

12 stop 멈추다 (stops / stopes)

13 play 놀다 (plays / plaies)

14 walk 걷다 (walks / walkes)

15 wash 씻다 (washs / washes)

16 wear 입다 (wears / weares)

17 drink 마시다 (drinks / drinkes)

18 meet 만나다 (meets / meetes)

19 study 공부하다 (studys / studies)

20 watch 보다 (watchs / watches)

2 다음 동사의 3인칭 단수형을 쓰세요.

정답 및 해설 p.28

01	stand	stands	16	fly	
02	teach		17	visit	
03	dance		18	go	
04	begin		19	study	
05	walk		20	think	
06	play		21	pass	
07	send		22	feel	
08	worry		23	love	
09	finish		24	buy	
10	show		25	sing	
11	dream		26	carry	
12	miss		27	enjoy	
13	move		28	touch	
14	try		29	hear	
15	turn		30	give	

Words

- stand 서다
- dance 춤추다
- begin 시작하다
- send 보내다
- worry 걱정하다
- show 보여주다
- dream 꿈꾸다
- miss 그리워하다
- move 움직이다
- try 해 보다, 노력하다
- turn 돌다
- think 생각하다
- carry 가지고 다니다
- touch 만지다
- hear 듣다
- give 주다

Jump up 일반동사의 3인칭 단수형 이해하기

다음 주어진 단어를 이용하여 일반동사 현재형 문장을 완성하세요.

정답 및 해설 p.29

01 Sam ___loves___ her. (love)
샘은 그녀를 사랑해요.

02 Steve ____________ cars. (fix)
스티브는 차를 수리해요.

03 An eagle ____________ high. (fly)
독수리는 높이 날아요.

04 He ____________ me a letter. (send)
그는 나에게 편지를 보내요.

05 Kelly ____________ science. (study)
켈리는 과학을 공부해요.

06 Judy ____________ a big bag. (carry)
주디는 큰 가방을 들고 다녀요.

07 She often ____________ her sons. (kiss)
그녀는 자주 자신의 아들들에게 뽀뽀해요.

08 Tom ____________ to school by bus. (go)
톰은 버스를 타고 학교에 가요.

09 Mr. Smith ____________ English. (teach)
스미스 선생님은 영어를 가르쳐요.

10 She ____________ her school life. (enjoy)
그녀는 학교생활을 즐겨요.

- science 과학
- kiss 뽀뽀하다, 키스하다
- life 삶, 생활

Build up – Writing

다음 우리말과 일치하도록, 주어진 단어를 이용하여 문장을 완성하세요.

정답 및 해설 p.29

01 시간은 빨리 지나가요. (time, pass)
→ Time passes quickly.

02 무당벌레는 날개가 있어요. (a ladybug, have)
→ ____________________ wings.

03 우리 엄마는 나를 걱정하세요. (my mom, worry)
→ ____________________ about me.

04 그 아기는 항상 울어요. (the baby, cry)
→ ____________________ all the time.

05 영화는 9시에 시작해요. (the movie, begin)
→ ____________________ at 9 o'clock.

06 데니스는 매일 TV를 봐요. (Dennis, watch)
→ ____________________ TV every day.

07 그는 나에게 매일 전화해요. (he, call)
→ ____________________ me every day.

08 린다는 매주 책을 한 권 사요. (Linda, buy)
→ ____________________ a book every week.

09 그녀는 일요일마다 세차해요. (she, wash)
→ ____________________ her car on Sundays.

10 내 남동생은 밤에 숙제해요. (my brother, do)
→ ____________________ his homework at night.

Words

- time 시간
- quickly 빨리
- ladybug 무당벌레
- wing 날개
- call 전화하다
- all the time 항상
- every week 매주

Wrap up unit 1- unit 2 일반동사 최종 점검하기

1 다음 괄호 안에 주어진 단어를 주어로 하는 문장으로 바꿔 쓰세요.

정답 및 해설 p.29

- go on a picnic 소풍을 가다
- grow 재배하다
- finish work 일을 끝내다
- listen to ~을 듣다
- stay 머무르다
- carefully 조심스럽게
- pool 수영장

01 They play baseball. (He)
→ He plays baseball.

02 I go on a picnic. (Alice)
→ _____ _____ on a picnic.

03 The farmer grows rice. (I)
→ _____ _____ rice.

04 Peter finishes work at six. (You)
→ _____ _____ work at six.

05 We listen to the radio. (Jane)
→ _____ _____ to the radio.

06 My mother stays at home today. (We)
→ _____ _____ at home today.

07 My brother has lunch at home. (They)
→ _____ _____ lunch at home.

08 You want that shirt. (The boy)
→ _____ _____ _____ that shirt.

09 The men drive carefully. (The man)
→ _____ _____ _____ carefully.

10 The child swims in the pool. (The children)
→ _____ _____ _____ in the pool.

2 다음 우리말과 일치하도록, 밑줄 친 부분을 바르게 고쳐 쓰세요.

정답 및 해설 p.29

01 It haves a big mouth. — has
그것은 입이 커요.

02 She help poor people.
그녀는 가난한 사람들을 도와줘요.

03 Cats catches mice.
고양이는 쥐를 잡아요.

04 She speakes very fast.
그녀는 매우 빨리 말해요.

05 He write a letter to her.
그는 그녀에게 편지를 써요.

06 My dogs likes my shoes.
내 개들은 내 신발을 좋아해요

07 Jeremy studys art at college.
제레미는 대학에서 예술을 공부해요.

08 Rachel enjoies classical music.
레이첼은 클래식 음악을 즐겨요.

09 I goes fishing every weekend.
나는 주말마다 낚시하러 가요.

10 My brother washs the dishes after dinner.
저녁 식사 후에 내 남동생이 설거지해요.

Words

- mouth 입
- catch 잡다
- art 예술
- college 대학
- classical music 고전음악, 클래식 음악
- go fishing 낚시하러 가다
- wash the dishes 설거지하다

Exercise 정답 및 해설 p.29

[1-2] 다음 중 동사의 3인칭 단수형이 잘못 짝지어진 것을 고르세요.

1
① go - goes ② pass - passes
③ cry - crys ④ stay - stays
⑤ have - has

2
① finish - finishes ② catch - catches
③ play - plays ④ help - helps
⑤ mix - mixs

3 다음 빈칸에 들어갈 말로 알맞은 것은?

Jane _______ chocolate.

① like ② buys ③ eat
④ have ⑤ love

3 chocolate 초콜릿
Jane은 단수 명사예요.

4 다음 빈칸에 들어갈 말로 알맞지 않은 것은?

_______ get up early.

① They ② The girl ③ We
④ My brothers ⑤ Cindy and I

4 동사가 동사원형이에요.

5 다음 빈칸에 들어갈 말이 바르게 짝지어진 것은?

- I _________ to school by car.
- She _________ to school by bus.
- David _________ to school by subway.

① go - goes - goes ② go - go - goes
③ goes - goes - go ④ goes - go - goes
⑤ go - goes - go

5 subway 지하철
주어가 1인칭, 3인칭 단수, 단수 명사예요.

[6-7] 다음 밑줄 친 부분이 잘못된 것을 고르세요.

6 ① We <u>like</u> hamburgers.
② The boy <u>jumps</u> high.
③ It <u>snows</u> in winter.
④ She <u>speaks</u> fast.
⑤ He <u>work</u> hard.

7 ① John <u>wears</u> a uniform.
② He <u>staies</u> in my house.
③ The store <u>opens</u> at nine.
④ My friend <u>lives</u> in Seoul.
⑤ Tina <u>watches</u> TV in the evening.

8 다음 중 어법상 바르지 않은 문장은?
① My father reads many books.
② My mother enjoys cooking.
③ My sisters makes cookies.
④ My uncle works in Tokyo.
⑤ My brothers sing well.

9 다음 우리말과 일치하도록, 주어진 단어를 이용하여 문장을 완성하세요.

1) 그는 매일 그의 숙제를 해요. (do)
→ He ________ his homework every day.

2) 브라운 씨는 돈이 많아요. (have)
→ Mr. Brown ________ a lot of money.

10 다음 문장의 주어를 바꿔 쓸 때 빈칸에 알맞은 말을 쓰세요.

1) I study history.	→ She ________ history.
2) My father fixes computers.	→ I ________ computers.

Note

6 hamburger 햄버거
jump 점프하다, 뛰다
snow 눈이 내리다
winter 겨울
명사의 수를 확인하세요.

7 uniform 교복, 유니폼

8 명사가 단수와 복수예요.

9 a lot of 많은
주어가 3인칭 단수, 단수 명사예요.

10 history 역사

Take a break !

도형을 영어로 어떻게 말하는지 알아보자!

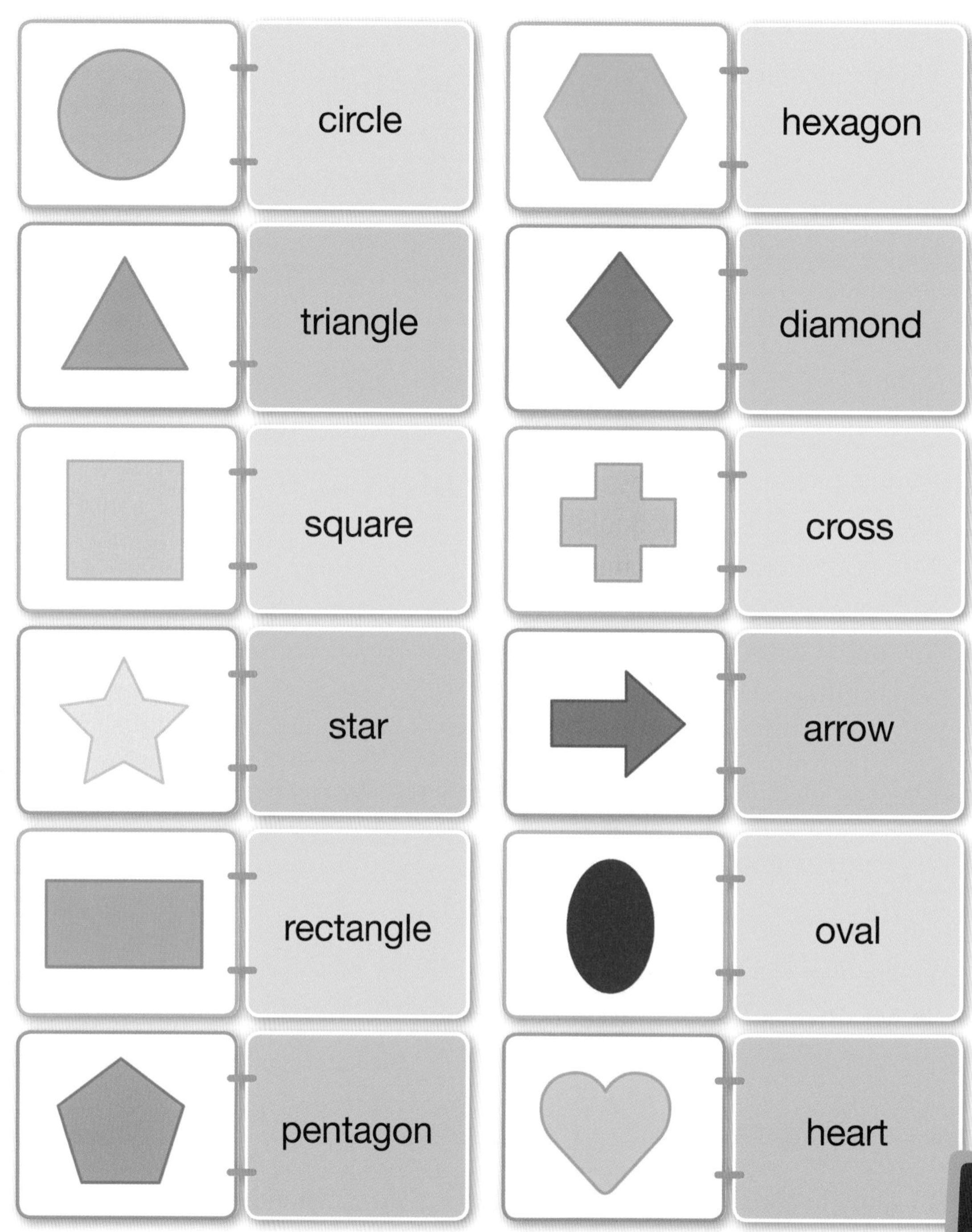

일반동사의 부정문과 의문문

□ close	□ door	□ much	□ meat	□ draw
□ spend	□ taste	□ cross	□ street	□ pet
□ wait	□ math	□ hair	□ hospital	□ sell
□ believe	□ time	□ cost	□ newspaper	□ miss

현재형 일반동사 부정문

'~하지 않는다'라는 의미의 일반동사 현재형 부정문은 be동사와는 달리 부정문을 만들 때 do 또는 does를 이용해서 만듭니다.

1 일반동사 현재형의 부정문

'~하지 않았다'는 의미이며, 주어가 1인칭, 2인칭, 3인칭 복수, 복수 명사일 때는 do not을, 주어가 3인칭 단수, 단수 명사일 때는 does not을 쓰고 동사를 동사원형을 바꿉니다. do not은 don't로, does not은 doesn't로 줄여 쓸 수 있습니다.

주어	부정문	
1인칭 · 2인칭 단수, 복수	I / You / We	+**do not**(=**don't**)+동사원형 ~.
3인칭 복수	They	
복수 명사	My friends 등	
3인칭 단수	She / He / It	+**does not**(=**doesn't**)+동사원형 ~.
단수 명사	John 등	

I **drink** coffee. 나는 커피를 마셔요.
→ I **do not**(=**don't**) drink coffee. 나는 커피를 마시지 않아요.

They **play** soccer. 그들은 축구를 해요.
→ They **do not**(=**don't**) play soccer. 그들은 축구를 하지 않아요.

She **drinks** coffee. 그녀는 커피를 마셔요.
→ She **does not**(=**doesn't**) drink coffee. 그녀는 커피를 마시지 않아요.

Mike **plays** soccer. 마이크는 축구를 해요.
→ Mike **does not**(=**doesn't**) play soccer. 마이크는 축구를 하지 않아요.

꼭 기억하기!

주어가 3인칭 단수, 단수 명사일 경우 doesn't 뒤에 동사원형이 와요.
He **doesn't** ~~likes~~ sports. 그는 운동을 좋아하지 않아요.

Warm up

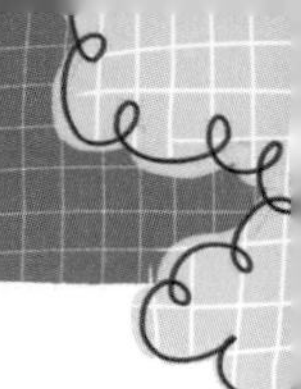

1 다음 문장이 긍정문일 경우 ○, 부정문일 경우 △ 표시하세요.

정답 및 해설 p.30

01 I have a sister. ___○___
나는 여동생이 있어요.

02 Jane studies hard. ______
제인은 열심히 공부해요.

03 We don't watch TV. ______
우리는 TV를 보지 않아요.

04 You don't know her. ______
너는 그녀를 몰라.

05 They don't visit him. ______
그들은 그를 방문하지 않아요.

06 She doesn't eat fish. ______
그녀는 생선을 먹지 않아요.

07 Tim comes home early. ______
팀은 집에 일찍 들어와요.

08 He does not teach math. ______
그는 수학을 가르치지 않아요.

09 My dog doesn't like balls. ______
내 개는 공을 좋아하지 않아요.

10 My parents enjoy camping. ______
우리 부모님은 캠핑을 즐겨요.

Words

- camping 캠핑

Step up 일반동사 부정문 형태 익히기

1 다음 문장을 부정문으로 만들 때, 빈칸에 do 또는 does를 쓰세요.

정답 및 해설 p.30

- ride 타다
- Toronto 토론토(캐나다의 남동부 도시)

01 I ride a bike. 나는 자전거를 타요.
→ I ___do___ not ride a bike.

02 We walk fast. 우리는 빨리 걸어요.
→ We __________ not walk fast.

03 He loves her. 그는 그녀를 사랑해요.
→ He __________ not love her.

04 She cooks well. 그녀는 요리를 잘해요.
→ She __________ not cook well.

05 The boy knows me. 그 소년은 나를 알아요.
→ The boy __________ not know me.

06 You need new shoes. 너는 새 신발이 필요해.
→ You __________ not need new shoes.

07 It has eight legs. 그것은 다리가 여덟 개 있어요.
→ It __________ not have eight legs.

08 They live in Toronto. 그들은 토론토에 살아요.
→ They __________ not live in Toronto.

09 My friends like books. 내 친구들은 책을 좋아해요.
→ My friends __________ not like books.

10 My father plays the guitar. 우리 아버지는 기타를 연주하세요.
→ My father __________ not play the guitar.

2 다음 괄호 안에서 알맞은 것을 고르세요.

정답 및 해설 p.30

01 You (do not / does not) know me.
당신은 나를 몰라요.

02 Tom (do not / does not) like onions.
톰은 양파를 좋아하지 않아요.

03 I (do not / does not) wear glasses.
나는 안경을 쓰지 않아요.

04 It (do not / does not) snow in summer.
여름에 눈이 내리지 않아요.

05 His friends (don't / doesn't) go skiing.
그의 친구들은 스키 타러 가지 않아요.

06 They (don't / doesn't) close the door.
그들은 그 문을 닫지 않아요.

07 My brother (don't / doesn't) drink milk.
내 남동생은 우유를 마시지 않아요.

08 Jennifer (don't / doesn't) eat breakfast.
제니퍼는 아침을 먹지 않아요.

09 The girl (don't / doesn't) clean her room.
그 소녀는 자기 방을 청소하지 않아요.

10 We (don't / doesn't) have much homework.
우리는 숙제가 많지 않아요.

- onion 양파
- go skiing 스키 타러 가다
- close 닫다
- door 문
- much 많은

Jump up 일반동사 부정문 이해하기

다음 빈칸에 don't 또는 doesn't를 써서 부정문을 완성하세요.

정답 및 해설 p.31

01 They ___don't___ eat out.

02 It ____________ have a tail.

03 Rabbits ____________ eat meat.

04 She ____________ take a walk.

05 I ____________ draw pictures well.

06 He ____________ talk to his sister.

07 We ____________ spend much money.

08 The cookies ____________ taste good.

09 Sam ____________ read comic books.

10 The girl ____________ see her friends.

11 My brother ____________ use a cell phone.

12 Ben and Rick ____________ cross the streets carefully.

Words

- eat out 외식하다
- tail 꼬리
- meat 고기
- take a walk 산책하다
- draw 그리다
- talk to ~에게 말하다
- spend 쓰다
- taste 맛이 나다
- comic book 만화책
- use 사용하다
- cell phone 휴대 전화
- cross 건너다

Build up – Writing

 다음 우리말과 일치하도록, <보기>에서 알맞은 단어를 골라 일반동사 부정문을 완성하세요. (단, don't 또는 doesn't를 사용하세요.)

정답 및 해설 p.31

- pet 애완동물
- wait 기다리다
- Santa Claus 산타클로스

보기

wash like speak want wear

01 나는 모자를 쓰지 않아요.
I __don't__ __wear__ a cap.

02 그들은 영어를 쓰지 않아요.
They ________ ________ English.

03 그의 고양이는 쥐를 좋아하지 않아요.
His cat ________ ________ mice.

04 그녀는 설거지를 하지 않아요.
She ________ ________ the dishes.

05 우리 부모님은 애완동물을 원하지 않아요.
My parents ________ ________ a pet.

보기

do go play wait work

06 그 남자는 열심히 일하지 않아요.
The man ________ ________ hard.

07 저 소년은 축구를 하지 않아요.
That boy ________ ________ soccer.

08 우리 언니들은 쇼핑하러 가지 않아요.
My sisters ________ ________ shopping.

09 샘은 자신의 숙제를 하지 않아요.
Sam ________ ________ his homework.

10 그 어린이들은 산타클로스를 기다리지 않아요.
The children ________ ________ for Santa Claus.

현재형 일반동사 의문문

'~하니?'라는 의미의 일반동사의 현재형 의문문은 Do 또는 Does를 이용해서 의문문을 만듭니다.

1 일반동사 현재형의 의문문

'~하니?'라는 의미이며, 주어가 1인칭, 2인칭, 3인칭 복수, 복수 명사일 때는 주어의 앞에 Do를 쓰고, 주어가 3인칭 단수, 단수 명사일 때는 주어의 앞에 Does를 쓴 뒤, 동사를 동사원형으로 바꾸고 문장의 끝에 물음표를 붙입니다.

주어		의문문
1인칭 · 2인칭 단수, 복수	I / You / We	**Do**+주어+동사원형 ~?
3인칭 복수	They	
복수 명사	My friends 등	
3인칭 단수	She / He / It	**Does**+주어+동사원형 ~?
단수 명사	John 등	

You **love** him. 당신은 그를 사랑해요.
→ **Do** you **love** him? 당신은 그를 사랑하나요?

He **loves** me. 그는 나를 사랑해요.
→ **Does** he **love** me? 그는 나를 사랑하나요?

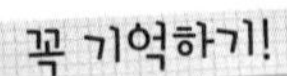
꼭 기억하기!

주어가 3인칭 단수, 단수 명사일 경우 주어 뒤에 동사원형이 와요.

Does he **like~~s~~** sports? 그는 운동을 좋아하나요?

2 Do / Does ~? 의문문에 대한 대답

질문	긍정: 네, 그래요.	부정: 아니요, 그렇지 않아요.
Do I ~?	Yes, you(너) do.	No, you(너) don't.
Do we ~?	Yes, you(너희들) / we do.	No, you(너희들) / we don't.
Do you(너) ~?	Yes, I do.	No, I don't.
Do you(너희들) ~?	Yes, we do.	No, we don't.
Do they ~?	Yes, they do.	No, they don't.
Does he / she / it ~?	Yes, he / she / it does.	No, he / she / it doesn't.

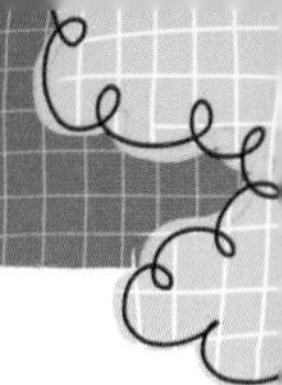

Warm up

1 다음 문장을 의문문으로 만들 때, 빈칸에 Do 또는 Does를 쓰세요.

정답 및 해설 p.31

Words

- math 수학
- penguin 펭귄
- hair 머리(털)
- help 도움

01 You study math. 너는 수학을 공부해.
→ ___Do___ you study math?

02 He wants water. 그는 물을 원해요.
→ __________ he want water?

03 They work hard. 그들은 열심히 일해요.
→ __________ they work hard?

04 She likes movies. 그녀는 영화를 좋아해요.
→ __________ she like movies?

05 Penguins swim well. 펭귄은 수영을 잘해요.
→ __________ penguins swim well?

06 Mary has long hair. 메리는 머리가 길어요.
→ __________ Mary have long hair?

07 The girl needs help. 그 소녀는 도움이 필요해요.
→ __________ the girl need help?

08 The children play outside. 아이들은 밖에서 놀아요.
→ __________ the children play outside?

09 Your sisters know Richard. 너의 언니들은 리처드를 알아.
→ __________ your sisters know Richard?

10 Your grandmother drinks tea. 너의 할머니는 차를 드셔.
→ __________ your grandmother drink tea?

Step up 일반동사 의문문 형태 익히기

1 다음 괄호 안에서 알맞은 것을 고르세요.

정답 및 해설 p.31

01 (Do / Does) Jenny sing well?
제니는 노래를 잘 부르나요?

02 (Do / Does) you live in Korea?
당신은 한국에 사나요?

03 (Do / Does) they speak German?
그들은 독일어를 말하나요?

04 (Do / Does) Mr. Kim teach science?
김 선생님은 과학을 가르치나요?

05 (Do / Does) Sue and John dance well?
수와 존은 춤을 잘 추나요?

06 (Do / Does) your mother make dinner?
너의 어머니가 저녁을 준비하시니?

07 (Do / Does) she wear a school uniform?
그녀는 교복을 입나요?

08 Do the boys (play / plays) the game?
그 소년들이 그 게임을 하나요?

09 Do we (have / has) an English class today?
우리 오늘 영어 수업 있나요?

10 Does your father (work / works) at the hospital?
너의 아버지는 그 병원에서 일하시니?

- German 독일어
- make dinner 저녁(식사)을 준비하다
- school uniform 교복
- game 게임, 경기
- hospital 병원

2 다음 대화의 빈칸에 알맞은 말을 쓰세요.

정답 및 해설 p.31

01 A: Do I look pretty?
B: Yes, ___you___ ___do___.

02 A: Does she know you?
B: Yes, ________ ________.

03 A: Do they sell cars?
B: No, ________ ________.

04 A: Does it taste good?
B: Yes, ________ ________.

05 A: Does he believe your story?
B: No, ________ ________.

06 A: Does the store open at nine?
B: No, ________ ________.

07 A: Do the students listen to you?
B: Yes, ________ ________.

08 A: Does your mother drive a car?
B: No, ________ ________.

09 A: Do you get up early? (you=단수)
B: No, ________ ________.

10 A: Do you need more time? (you=복수)
B: Yes, ________ ________.

- sell 팔다
- believe 믿다
- story 이야기
- open 열다
- listen 귀를 기울이다
- get up 일어나다
- more 더 많은
- time 시간

Jump up 일반동사 의문문 쓰기

다음 문장을 의문문으로 바꿀 때 빈칸에 알맞은 말을 쓰세요.

정답 및 해설 p.32

Words
- cheetah 치타
- cost (값이) ~이다
- dollar 달러
- sunglasses 선글라스
- go to bed 자다
- newspaper 신문
- together 함께, 같이

01 A cheetah runs fast.
→ Does a cheetah run fast?

02 Your grandparents live in Busan.
→ ______________ in Busan?

03 Jenny walks to school.
→ ______________ to school?

04 It costs ten dollars.
→ ______________ ten dollars?

05 I need sunglasses.
→ ______________ sunglasses?

06 She goes to bed early.
→ ______________ to bed early?

07 You read a newspaper.
→ ______________ a newspaper?

08 We have much money.
→ ______________ much money?

09 Chris speaks Korean well.
→ ______________ Korean well?

10 They eat lunch together.
→ ______________ lunch together?

Build up - Writing

다음 우리말과 일치하도록, 주어진 단어를 이용하여 대화를 완성하세요.

정답 및 해설 p.32

Words

- smell 냄새가 나다
- sweet 단것
- miss 그리워하다
- bat 박쥐
- at night 밤에
- test 시험
- travel 여행하다
- country 나라, 국가

01 A: Does it smell good? (it, smell)
그것은 좋은 냄새가 나나요?

B: No, ________ ________.
아니요, 그렇지 않아요.

02 A: ________ ________ ________ sweets? (she, like)
그녀는 단것을 좋아하나요?

B: No, ________ ________.
아니요, 그렇지 않아요.

03 A: ________ ________ ________ her? (Jason, miss)
제이슨은 그녀를 그리워하나요?

B: Yes, ________ ________.
네, 그래요.

04 A: ________ ________ ________ at night? (bats, sleep)
박쥐들은 밤에 잠을 자나요?

B: No, ________ ________.
아니요, 그렇지 않아요.

05 A: ________ ________ ________ a math test today? (we, have)
오늘 우리 수학 시험 있니?

B: Yes, ________ ________.
응, 그래.

06 A: ________ ________ ________ to many countries? (you, travel)
당신은 여러 나라를 여행하나요?

B: No, ________ ________.
아니요, 그렇지 않아요.

Wrap up unit 1- unit 2 일반동사 부정문, 의문문 최종 점검하기

1 다음 문장을 주어진 지시대로 바꿔 쓰세요.

정답 및 해설 p.33

- news 뉴스
- understand 이해하다
- eye 눈
- gym 체육관
- remember 기억하다
- end 끝나다

01 I watch TV news.
→ 부정문 : I do not[don't] watch TV news.

02 They understand me.
→ 부정문 : ______________________.

03 The girl has blue eyes.
→ 부정문 : ______________________.

04 My brother helps my mother.
→ 부정문 : ______________________.

05 We go to the gym after school.
→ 부정문 : ______________________.

06 He remembers me.
→ 의문문 : ______________________?

07 You love your parents.
→ 의문문 : ______________________?

08 Amy plays the piano well.
→ 의문문 : ______________________?

09 Her parents work here.
→ 의문문 : ______________________?

10 This class ends at 3 o'clock.
→ 의문문 : ______________________?

2 다음 우리말과 일치하도록, 밑줄 친 부분을 바르게 고쳐 쓰세요.

정답 및 해설 p.33

01 Do Sally visit her aunt? — Does
샐리는 그녀의 이모를 방문하니?

02 We doesn't use computers.
우리는 컴퓨터를 사용하지 않아요.

03 She doesn't grows tomatoes.
그녀는 토마토를 키우지 않아요.

04 The boy don't play basketball.
그 소년은 농구를 하지 않아요.

05 The bus doesn't comes often.
그 버스는 자주 오지 않아요.

06 My children doesn't like vegetables.
우리 아이들은 채소를 좋아하지 않아요.

07 Does they go to church on Sunday?
그들은 일요일에 교회에 가나요?

08 A: Does he collect toy cars?
그는 장난감 자동차를 수집하나요?
B: No, he don't.
아니요, 그렇지 않아요.

09 A: Does the hospital open today?
그 병원 오늘 문을 여나요?
B: Yes, it do.
네, 그래요.

10 A: Do Tom and Julie like each other?
톰과 줄리는 서로 좋아하니?
B: Yes, they does.
응, 그래.

Words

- grow 재배하다, 기르다
- basketball 농구
- vegetable 채소
- church 교회
- collect 모으다, 수집하다
- each other 서로

Exercise

정답 및 해설 p.33

[1-2] 다음 빈칸에 들어갈 말로 알맞은 것을 고르세요.

1

> Tom _______ live in Korea.

① am not ② isn't ③ aren't
④ don't ⑤ doesn't

1 주어가 단수 명사인 일반동사 부정문이에요.

2

> Do _______ eat breakfast?

① your sister ② Peter ③ she
④ you ⑤ he

2 주어가 1, 2인칭, 3인칭 복수, 복수 명사일 때 Do를 써요.

3 다음 빈칸에 들어갈 말로 알맞지 않은 것은?

> _______ don't like ice cream.

① I ② My mother ③ They
④ The boys ⑤ He and I

3 주어가 1, 2인칭, 3인칭 복수, 복수 명사일 때 don't를 써요.

4 다음 질문에 대한 대답으로 알맞은 것은?

> A: Does Susie work here?
> B: ____________________

① Yes, she is. ② Yes, she do.
③ No, she do. ④ No, she does.
⑤ No, she doesn't.

5 다음 빈칸에 들어갈 말이 나머지 넷과 다른 하나는?

① _______ we need his help?
② _______ they learn English?
③ _______ Brian play the piano?
④ _______ your brothers like pizza?
⑤ _______ the boys enjoy basketball?

5 주어의 인칭과 수를 확인하세요.

[6-7] 다음 밑줄 친 부분이 잘못된 것을 고르세요.

6 ① We don't have time.
② She doesn't tell a lie.
③ You don't look happy.
④ They doesn't know me.
⑤ This candy doesn't taste sweet.

7 ① Does it rain often?
② Do you stay in that hotel?
③ Does Jane clean her room?
④ Do they make chicken soup?
⑤ Do the girl miss her family?

8 다음 빈칸에 알맞은 말을 쓰세요.

1) Ann ____________ live in Boston. She lives in Seattle.
2) I ____________ wear a skirt. I always wear pants.

9 다음 문장을 주어진 지시대로 바꿔 쓰세요.

1) My brothers like math.
→ 부정문 : ______________________________.
2) The store closes on Sundays.
→ 의문문 : ______________________________?

10 다음 우리말과 일치하도록, 주어진 단어를 이용하여 문장을 완성하세요.

1) 그는 자신의 숙제를 하지 않아요. (he, do)
→ ______________________ his homework.
2) 너는 그를 걱정하니? (you, worry)
→ ______________________ about him?

Note

6 lie 거짓말

6 chicken 닭고기, 닭
family 가족

8 always 항상
Ann은 단수 명사, I는 1인칭 단수예요.

10 1) 주어가 3인칭 단수이고, 일반동사 부정문이에요.
2) 주어가 2인칭이고, 일반동사 의문문이에요.

Take a break !

월에 해당하는 **단어**를 찾고,
빈칸에 알맞은 단어를 쓰세요!

B	K	Z	C	L	G	G	J	Z	W	S	E	Z	L	O
J	U	L	Y	H	W	E	C	S	C	M	Q	B	Z	A
Y	Q	G	T	J	D	F	L	G	A	Q	Q	U	E	U
F	E	B	R	U	A	R	Y	E	H	I	N	A	J	G
Q	O	E	O	E	Q	C	D	P	A	V	P	Y	W	U
T	P	A	S	F	A	D	E	C	E	M	B	E	R	S
J	X	N	Q	E	S	N	O	V	E	M	B	E	R	T
U	H	E	D	R	P	J	A	N	U	A	R	Y	Z	N
N	R	I	F	B	A	T	N	P	B	K	V	W	C	M
E	P	O	C	T	O	B	E	R	R	N	A	M	R	E
P	W	F	Z	X	T	T	O	M	S	I	D	A	M	M
Q	Q	U	H	H	L	R	J	R	B	W	L	Y	W	F
M	A	R	C	H	Y	X	A	K	W	E	I	C	F	X
W	T	Q	K	M	P	A	J	K	F	F	R	S	Z	P
K	E	S	G	A	V	X	J	X	J	D	H	V	Y	H

Spring	Summer	Fall	Winter
______	______	______	______
______	______	______	______
______	______	______	______

Chapter 10 의문사

□ far	□ birthday	□ open	□ great	□ airport
□ post office	□ wake up	□ because	□ kid	□ hate
□ spell	□ arrive	□ train	□ station	□ noon
□ under	□ building	□ job	□ bridge	□ robot

의문사

의문사는 누구, 무엇, 언제, 어디서, 어떻게, 왜 등에 대한 대답을 얻기 위해 의문문 앞에 붙이는 말입니다.

1 의문사의 종류

Who	사람	누구, 누가	**Who** are you? 너는 누구니?
What	사물	무엇, 무엇이, 무엇을	**What** is your job? 당신의 직업은 무엇인가요?
When	시간	언제	**When** is your birthday? 너의 생일은 언제니?
Where	장소	어디에(서), 어디로	**Where** do you live? 너는 어디에 사니?
Why	이유	왜	**Why** are you so sad? 너는 왜 그렇게 슬프니?
How	방법, 상태	어떻게, (상태가) 어떤	**How** do you go to school? 너는 어떻게 학교에 가니?

2 How + 형용사/ What + 명사

How old	몇 살 (← 얼마나 나이 든)	나이를 물을 때
How tall	얼마나 (키가) 큰	키 또는 높이를 물을 때
How long	얼마나 긴, 얼마나 오래	길이 또는 시간을 물을 때
How far	얼마나 먼	거리를 물을 때
How much	얼마 (가격), 얼마나 많은 (양)	가격 또는 양을 물을 때(+셀 수 없는 명사)
How many	얼마나 많은 (수)	개수를 물을 때(+복수 명사)
What time	몇 시	시간을 물을 때
What color	무슨 색	색을 물을 때

How old are you? 너는 몇 살이니?
How much is this? 이것은 얼마인가요?

What time is it now? 지금 몇 시인가요?
What color do you like? 너는 무슨 색을 좋아하니?

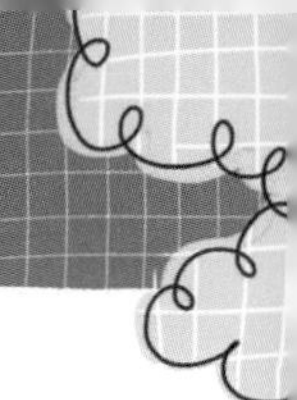

Warm up

1 다음 뜻에 해당하는 의문사를 괄호 안에서 고르세요.

정답 및 해설 p.34

- far 먼

01 누가, 누구 (How / What / Who)

02 무엇, 무엇이, 무엇을 (When / Where / What)

03 언제 (Who / When / Why)

04 어디서 (What / How / Where)

05 왜 (Why / Where / When)

06 어떻게, 얼마나 (Who / How / Where)

07 몇 살 (How far / How old)

08 얼마나 키가 큰 (How tall / How long)

09 얼마나 긴 (How far / How long)

10 얼마나 먼 (How much / How far)

11 (가격) 얼마 (How much / How many)

12 얼마나 많은 (수) (How much / How many)

13 무슨 색 (What color / How color)

14 몇 시 (When time / What time)

의문사의 의미 익히기

1 다음 빈칸에 알맞은 말을 쓰세요.

정답 및 해설 p.34

	의미	의문사		의문사	의미
01	언제	When	13	What	
02	어디에서		14	Why	
03	얼마나 긴		15	How	
04	무엇		16	What time	
05	누가, 누구		17	How far	
06	몇 살		18	Where	
07	어떻게		19	How many	
08	얼마나 먼		20	How much	
09	왜		21	When	
10	얼마 (가격)		22	How long	
11	얼마나 많은 (수)		23	How old	
12	무슨 색		24	How tall	

2 다음 우리말과 일치하도록, 괄호 안에서 알맞은 의문사를 고르세요.

정답 및 해설 p.34

01 (How / What) is this?
이것은 무엇인가요?

02 (What / Who) is the girl?
그 소녀는 누구예요?

03 (When / Where) is my key?
내 열쇠가 어디 있나요?

04 (How old / How tall) are you?
너는 몇 살이니?

05 (How far / How much) is it?
그것은 얼마인가요?

06 (How long / How tall) are you?
너는 얼마나 키가 크니?

07 (Who / Why) do you like ice cream?
너는 왜 아이스크림을 좋아하니?

08 (When / Where) is your birthday?
네 생일은 언제니?

09 (How / Why) do you go to school?
너는 어떻게 학교에 가니?

10 (How tall / How many) cars are there?
얼마나 많은 자동차가 있나요?

11 (How many / How far) is the airport?
공항까지 얼마나 멀어요?

12 (How long / How old) is this movie?
이 영화는 얼마나 오래 상영되나요?

- birthday 생일
- airport 공항

Jump up 문장에서 의문사의 파악하기

다음 우리말과 일치하도록, 빈칸에 알맞은 의문사를 쓰세요.

정답 및 해설 p.35

- weather 날씨
- open 열다

01 너 왜 늦었니?
___Why___ are you late?

02 너는 어디에 사니?
________ do you live?

03 날씨가 어때요?
________ is the weather?

04 제인은 얼마나 키가 크니?
________ ________ is Jane?

05 은행은 언제 문을 여나요?
________ does the bank open?

06 너의 영어 선생님은 누구니?
________ is your English teacher?

07 너의 남동생은 몇 살이니?
________ ________ is your brother?

08 너는 생일 선물로 무엇을 원하니?
________ do you want for your birthday?

09 너는 얼마나 많은 책을 가지고 있니?
________ ________ books do you have?

10 너는 돈이 얼마나 필요하니?
________ ________ money do you need?

Build up – Writing

 다음 <보기>에서 알맞은 의문사를 골라 대화를 완성하세요.

정답 및 해설 p.35

보기

What	When	Where	Who	How
How old	How much	How many	How far	Why

01 A: ___How___ are you?
B: Great.

02 A: __________ do you work?
B: At the post office.

03 A: __________ do you wake up?
B: At 7 o'clock.

04 A: __________ does she want?
B: Some water.

05 A: __________ do you like Billy?
B: Because he is kind.

06 A: __________ is your mother?
B: 40 years old.

07 A: __________ is the park?
B: 200 meters from here.

08 A: __________ is the man over there?
B: My uncle.

09 A: __________ sisters do you have?
B: Three sisters.

10 A: __________ are these glasses?
B: Fifty dollars.

- great 정말 좋은
- post office 우체국
- wake up 일어나다
- because ~때문에
- meter 미터
- from ~에서(부터)
- over there 저기에, 저쪽에

의문사 의문문

의문사 의문문은 동사의 형태에 따라 의문문의 형태가 달라집니다. be동사일 경우 「의문사+be동사+주어~?」 형태이고, 일반동사일 경우 「의문사+do/does+주어+동사원형~?」 형태가 됩니다.

❶ 「의문사+be동사+주어」의 형태

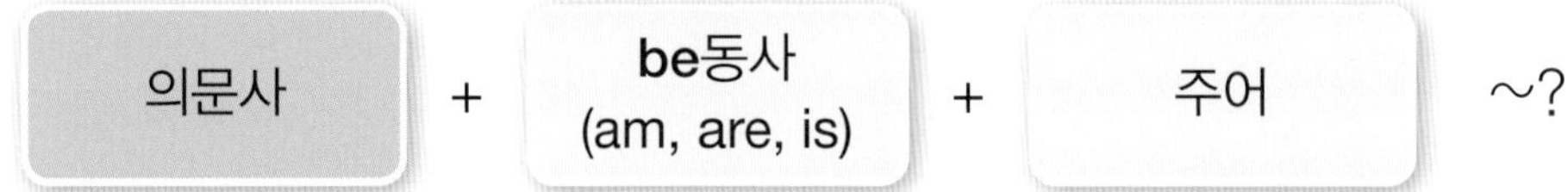

Who am I? 나는 누구인가요?

How is the weather? 날씨는 어떤가요?

What are their names? 그들의 이름은 뭔가요?

❷ 「의문사+do/does+주어+동사원형」의 형태

When do you get up? 너는 언제 일어나니?

What does he like? 그는 무엇을 좋아하니?

plus 1

의문사가 주어가 되는 의문문도 있어요. 이때 의문사를 3인칭 단수 취급해 「의문사 주어+일반동사(3인칭 단수 동사) ~?」 형태가 돼요.

What makes you happy? 무엇이 너를 행복하게 만드니?

Who sings well? 누가 노래를 잘 부르니?

❸ 의문사 의문문의 대답

의문사 의문문은 Yes 또는 No로 대답할 수 없고, 의문사가 묻고 있는 내용에 맞춰서 대답해야 합니다. '왜'라는 의미로 이유를 묻는 의문사 why는 주로 because(~때문에)를 사용해서 대답합니다.

A: **Where** is your bag? 너의 가방은 어디에 있니?
B: ~~Yes, it is~~. (×) It is **on the table**. (○) 테이블 위에 있어.

A: **Why** do you like koalas? 너는 왜 코알라를 좋아하니?
B: **Because** they are cute. 그것들이 귀엽기 때문이야.

Warm up

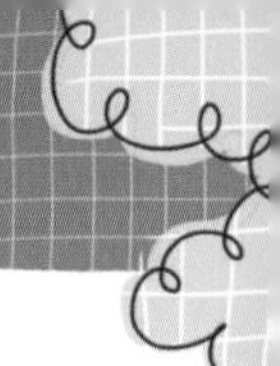

1 다음 <보기>처럼 의문사 의문문을 만드는 과정을 완성하세요.

정답 및 해설 p.35

보기

(want it)

너는 그것을 원한다.	You want it.
너는 그것을 원하니?	Do you want it?
너는 왜 그것을 원하니?	Why do you want it?

01 (be tired)

너는 피곤하다.
You are tired.

너는 피곤하니?
______________?

너는 왜 피곤하니?
______________?

02 (go home)

그는 집에 가요.
______________.

그는 집에 가나요?
______________?

그는 언제 집에 가나요?
______________?

03 (study)

너는 공부한다.
______________.

너는 공부하니?
______________?

너는 무엇을 공부하니?
______________?

04 (buy it)

그녀는 그것을 사요.
______________.

그녀는 그것을 사나요?
______________?

그녀는 어디에서 그것을 사나요?
______________?

05 (go to school)

너는 학교에 간다.
______________.

너는 학교에 가니?
______________?

너는 어떻게 학교에 가니?
______________?

06 (sell)

그들은 팔아요.
______________.

그들은 파나요?
______________?

그들은 무엇을 파나요?
______________?

Words

- sell 팔다

Step up 의문사 의문문 형태 익히기

1 다음 괄호 안에서 알맞은 말을 고르세요.

정답 및 해설 p.36

01 Why (is / are) she excited?
그녀는 왜 신이 났니?

02 Who (is / are) these kids?
이 아이들이 누구예요?

03 What (do / does) he need?
그는 무엇이 필요한가요?

04 Where (is / are) your parents?
너의 부모님은 어디 계시니?

05 When (do / does) you get up?
너는 언제 일어나니?

06 How old (is / are) your children?
당신의 아이들은 몇 살인가요?

07 Why (do / does) Fred hate cats?
왜 프레드는 고양이를 몹시 싫어하니?

08 How tall (is / are) your brother?
너의 형은 얼마나 키가 크니?

09 How (do / does) you spell your name?
너의 이름은 철자를 어떻게 쓰니?

10 How many books (do / does) she read?
그녀는 얼마나 많은 책을 읽나요?

- excited 신이 난, 흥분한
- kid 아이
- hate 몹시 싫어하다
- spell 철자를 쓰다

2 다음 질문에 대한 대답으로 알맞은 것을 고르세요.

정답 및 해설 p.36

01 A: How much is this cup?
B: (Six dollars / Ten cups.)

02 A: When does he arrive?
B: (At the train station. / At noon.)

03 A: How is the weather?
B: (It's snowy. / It takes an hour.)

04 A: Who is the girl on the bench?
B: (She is my cousin. / It is my car.)

05 A: Where is your bag?
B: (It's sunny. / It's under the desk.)

06 A: How many people are there?
B: (Five people. / Five meters tall.)

07 A: Why are you so angry?
B: (Because you are late. / It's new.)

08 A: What does he learn?
B: (He is five years old. / He learns Chinese.)

09 A: How tall are you?
B: (It's ten meters from here. / I'm 160 cm tall.)

10 A: How long is this river?
B: (Twenty years old. / Thirty kilometers long.)

- arrive 도착하다
- train 기차
- station 역
- noon 정오 (낮 12시)
- under ~ 아래
- people 사람들
- Chinese 중국어
- kilometer 킬로미터

Jump up 의문사 의문문 쓰기

다음 우리말과 일치하도록, 의문사와 be동사 또는 do/does를 이용하여 문장을 완성하세요.

정답 및 해설 p.37

- Christmas 크리스마스
- building 빌딩

01 그 영화는 어떤가요?

→ How is the movie?

02 너는 방과 후에 무엇을 하니?

→ ________________ you do after school?

03 크리스마스는 언제니?

→ ________________ Christmas?

04 너는 왜 그녀를 좋아하니?

→ ________________ you like her?

05 누가 너의 남동생이니?

→ ________________ your brother?

06 그는 하루에 사과를 몇 개 먹니?

→ ________ apples ________ he eat a day?

07 너의 엄마는 몇 살이시니?

→ ________________ your mother?

08 너의 삼촌은 어디에 사시니?

→ ________________ your uncle live?

09 너는 얼마나 오랫동안 공부를 하니?

→ ________________ you study?

10 이 빌딩은 높이가 얼마나 되니?

→ ________________ this building?

Build up - Writing

다음 우리말과 일치하도록, 주어진 단어를 바르게 배열하여 문장을 완성하세요.

정답 및 해설 p.37

Words

- job 직업
- Japanese 일본어
- robot 로봇

01 그 소녀는 누구예요? (the girl, who, is)

➞ Who is the girl ?

02 그녀의 직업은 무엇인가요? (is, her job, what)

➞ ______________________________ ?

03 그는 왜 일본어를 배우니? (learn, does, why, he)

➞ ______________________________ Japanese?

04 이 치마는 얼마예요? (is, how much, this skirt)

➞ ______________________________ ?

05 그 가게는 얼마나 먼가요? (is, the store, how far)

➞ ______________________________ ?

06 그는 어떻게 로봇을 만드니? (how, he, does, make)

➞ ______________________________ a robot?

07 그 서점은 어디 있나요? (is, the bookstore, where)

➞ ______________________________ ?

08 너는 언제 잠을 자니? (do, you, when, go to bed)

➞ ______________________________ ?

09 당신의 학생들은 몇 살인가요? (your students, how old, are)

➞ ______________________________ ?

10 너희는 풍선 몇 개가 필요하니? (balloons, you, need, how many, do)

➞ ______________________________ ?

Wrap up unit 1- unit 2 의문사 최종 점검하기

1 다음 우리말과 일치하도록, 주어진 단어를 이용하여 대화를 완성하세요.

정답 및 해설 p.37

01 A: ____Who are they____? (they)
그들은 누구예요?
B: They are my old friends.
그들은 내 오랜 친구예요.

02 A: ________________ to work? (she, go)
그녀는 어떻게 출근하니?
B: She goes to work by bus.
그녀는 버스를 타고 출근해.

03 A: ________________? (Anne, sad)
앤은 왜 슬프니?
B: Because she misses her family.
왜냐하면 그녀는 가족이 그립기 때문이야.

04 A: ________________? (color, like)
너는 무슨 색을 좋아하니?
B: I like blue.
나는 파란색을 좋아해.

05 A: ________________? (this bridge)
이 다리는 얼마나 긴가요?
B: It is 100 meters long.
그것은 100m예요.

06 A: ________________ books? (you, borrow)
너는 어디서 책을 빌리니?
B: I borrow books from City Library.
나는 시도서관에서 책을 빌려.

07 A: ________________? (your birthday)
너의 생일은 언제니?
B: It's September 2nd.
9월 2일이야.

- blue 파란색
- bridge 다리
- borrow 빌리다
- September 9월

2 다음 우리말과 일치하도록, 밑줄 친 부분을 바르게 고쳐 쓰세요.

정답 및 해설 p.37

01 How long is that boy? tall
저 소년은 얼마나 키가 크니?

02 How old are your father?
너의 아버지는 몇 살이시니?

03 How tall is the museum?
박물관은 얼마나 머나요?

04 Who does the class start?
수업이 언제 시작하나요?

05 Where are the bathroom?
화장실이 어디인가요?

06 How does they know that?
그들은 어떻게 그것을 알고 있나요?

07 What is your favorite singer?
네가 가장 좋아하는 가수는 누구니?

08 Where do you do on Sunday?
너는 일요일에 무엇을 하니?

09 Why do Gwen stay at home?
왜 그웬은 집에 있니?

10 How many water do they need?
그들은 얼마나 많은 물이 필요한가요?

Words

- museum 박물관
- bathroom 화장실
- favorite 매우 좋아하는

Exercise

정답 및 해설 p.38

1 다음 의문사의 뜻이 바르게 짝지어지지 않은 것은?

① who — 누구　② what — 무엇
③ where — 언제　④ why — 왜
⑤ how — 어떻게

2 다음 빈칸에 공통으로 들어갈 말로 알맞은 것은?

> • ___________ is the weather?
> • ___________ do you go to school?

① What　② Why　③ Who
④ How　⑤ When

3 다음 대화의 빈칸에 들어갈 의문사로 알맞은 것은?

> A: ___________ is this book?
> B: It is 5,000 won.

① How far　② How much
③ How many　④ How tall
⑤ How long

4 다음 빈칸에 들어갈 의문사가 순서대로 바르게 짝지어진 것은?

> • ___________ is your job?
> • ___________ is your bag?
> • ___________ is your birthday?

① What - How - Where　② Where - What - How
③ What - Where - When　④ How - Where - What
⑤ What - When - How

5 다음 빈칸에 알맞은 말을 쓰세요.

> A: _________ _________ is your sister?
> B: She is five years old.

Note

2 상태와 방법을 묻는 의문사를 찾아보세요.

3 won 원(한국의 화폐 단위)
가격으로 대답하고 있어요.

4 사물, 장소, 시간을 묻는 의문사를 찾아보세요.

5 나이로 대답하고 있어요.

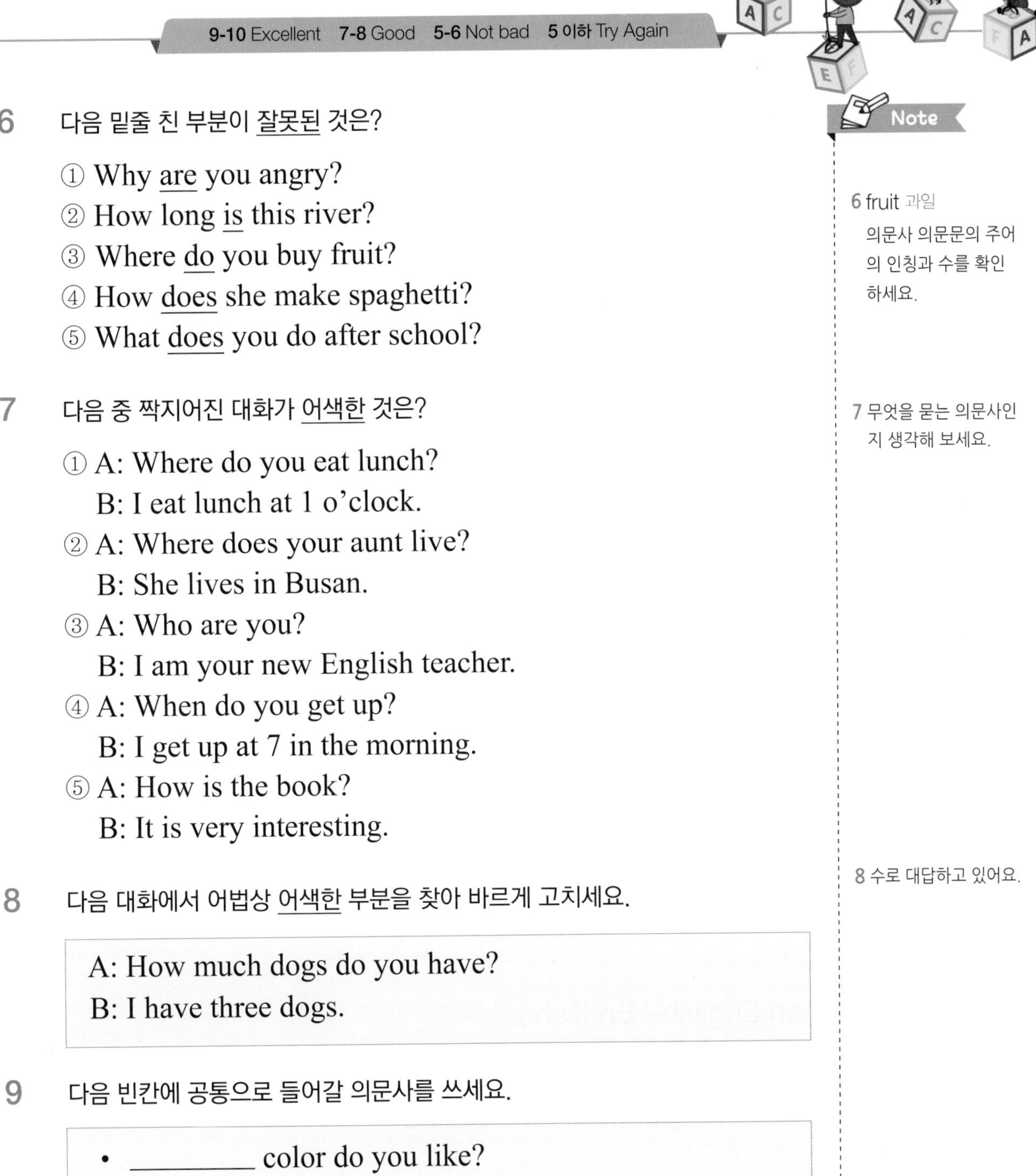

6 다음 밑줄 친 부분이 잘못된 것은?

① Why are you angry?
② How long is this river?
③ Where do you buy fruit?
④ How does she make spaghetti?
⑤ What does you do after school?

7 다음 중 짝지어진 대화가 어색한 것은?

① A: Where do you eat lunch?
B: I eat lunch at 1 o'clock.
② A: Where does your aunt live?
B: She lives in Busan.
③ A: Who are you?
B: I am your new English teacher.
④ A: When do you get up?
B: I get up at 7 in the morning.
⑤ A: How is the book?
B: It is very interesting.

8 다음 대화에서 어법상 어색한 부분을 찾아 바르게 고치세요.

A: How much dogs do you have?
B: I have three dogs.

9 다음 빈칸에 공통으로 들어갈 의문사를 쓰세요.

• _________ color do you like?
• _________ time is it now?

10 다음 우리말과 일치하도록, 주어진 단어를 바르게 배열하세요.

너는 어디서 공부하니? (do, where, study, you)
→ ____?

Note

6 fruit 과일
의문사 의문문의 주어의 인칭과 수를 확인하세요.

7 무엇을 묻는 의문사인지 생각해 보세요.

8 수로 대답하고 있어요.

10 주어가 2인칭 단수이고, 일반동사가 있어요.

Review Test Chapter 1~10

1 다음 괄호 안에서 알맞은 것을 고르세요. Chapter 1-2

01 I need (a / an) pen.
나는 펜이 하나 필요해.

02 I want (water / waters).
나는 물을 원해요.

03 He is a (painter / painters).
그는 화가예요.

04 Ruth is (a / an) honest student.
루스는 정직한 학생이에요.

05 Jane has ten (puppys / puppies).
제인은 열 마리의 강아지를 가지고 있어요.

06 She needs five (knifes / knives).
그녀는 5개의 칼이 필요해요.

07 Timothy has three (boxs / boxes).
티모시는 상자 세 개를 가지고 있어요.

08 The baby has two (teeth / tooths).
그 아기는 이가 두 개예요.

09 They study (an English / English).
그들은 영어를 공부해요.

10 We play (soccer / the soccer) after school.
우리는 방과 후에 축구를 해요.

11 I eat (the breakfast / breakfast) every day.
나는 매일 아침을 먹어요.

12 They have a house. (A / The) house is very big.
그들은 집이 있어요. 그 집은 매우 커요.

① 다음 우리말과 일치하도록, 빈칸에 알맞은 대명사를 쓰세요.

Chapter 3-5

01 우리는 학교에 가요. ______We______ go to school.

02 나의 이름은 브라이언이야. ____________ name is Brian.

03 이 아이가 내 여동생이야. ____________ is my sister.

04 그의 차는 고장 났어요. ____________ car is broken.

05 그것의 귀는 커요. ____________ ears are big.

06 그들은 그녀를 사랑해요. ____________ love ____________.

07 저것은 너의 자전거야. ____________ is ____________ bike.

08 이것들은 내 새 청바지야. ____________ are my new jeans.

② 다음 빈칸에 알맞은 be동사 현재형을 쓰세요.

01 He ______is______ very tired.

02 Ron ____________ a scientist.

03 You ____________ handsome.

04 The birds ____________ noisy.

05 They ____________ my uncles.

06 It ____________ very cold today.

07 I ____________ in the classroom.

08 Those ____________ my notebooks.

Review Test

Chapter 6

1 다음 문장을 부정문으로 바꿔 쓰세요.

01 I am Kevin.
→ I am not[I'm not] Kevin.

02 It is my raincoat.
→ ______.

03 You are a good singer.
→ ______.

04 He is in the living room.
→ ______.

05 These glasses are mine.
→ ______.

2 다음 문장을 의문문으로 바꿔 쓰세요.

01 You are happy.
→ Are you happy?

02 Rachel is a writer.
→ ______?

03 That is your aunt.
→ ______?

04 The sweater is expensive.
→ ______?

05 We are late for school.
→ ______?

1 다음 괄호 안에서 알맞은 것을 고르세요.

01 There (is / are) a cat in the kitchen.

02 There (is / are) five ladies in the room.

03 There (is / are) many letters in the mailbox.

04 There (is not / are not) any water in the glass.

05 There (is not / are not) any eggs in the box.

06 (Are / Is) there apples in the basket?

07 (Are / Is) there any milk in the bottle?

08 (Are / Is) there a museum near here?

2 다음 우리말과 일치하도록, 주어진 단어를 이용하여 문장을 완성하세요.

01 새장에 새가 한 마리 있니?
Is there a bird in the cage? (a bird)

02 벽에 거울 하나가 있어요.
______________________ on the wall. (a mirror)

03 컵에 차가 없어요.
______________________ in the cup. (any tea)

04 그 동물원에 뱀은 하나도 없어요.
______________________ in the zoo. (any snakes)

05 회의실에는 10개의 의자가 있어요.
______________________ in the meeting room. (ten chairs)

06 백화점에 사람이 많이 있니?
______________________ in the department store? (many people)

Review Test

1 다음 주어진 단어를 이용하여 문장을 완성하세요. Chapter 8-9

01 Jean ____wears____ glasses. (wear)

02 Issac __________ hard. (study)

03 We __________ very well. (sing)

04 She __________ brown hair. (have)

05 They __________ their homework. (do)

06 The baby __________ at night. (cry)

07 Mr. Park __________ science. (teach)

08 My uncle __________ broken computers. (fix)

2 다음 문장을 주어진 지시대로 바꿔 쓰세요.

01 I get up late.
→ 부정문: ____I do not[don't] get up late____.

02 She goes to bed early.
→ 부정문: ______________________.

03 My sister listens to the radio.
→ 부정문: ______________________.

04 He comes home late.
→ 의문문: ______________________?

05 They speak Korean.
→ 의문문: ______________________?

❶ 다음 대화의 빈칸에 알맞은 의문사를 쓰세요.

01 A: ___Who___ is the boy?
B: He is my friend, Philip.

02 A: ________ do you like him?
B: Because he is smart.

03 A: ________ is it in the box?
B: It's my diary.

04 A: ________ does he play soccer?
B: In the playground.

05 A: ________ do you go to school?
B: I go to school at eight.

06 A: ________ is the book?
B: It's boring.

❷ 다음 우리말과 일치하도록, 주어진 단어를 바르게 배열하세요.

01 그는 저녁으로 무엇을 원하니? (what, he, does, want)
___What does he want___ for dinner?

02 그들은 왜 피곤하니? (they, tired, why, are)
________?

03 이 나무는 얼마나 키가 큰가요? (is, this tree, how tall)
________?

04 너는 몇 시에 일어나니? (do, get up, you, what time)
________?

05 이 가방은 얼마인가요? (is, this bag, how much)
________?

06 너희 할머니는 연세가 어떻게 되니? (is, your grandmother, how old)
________?

Achievement Test Chapter 6-10

[1-2] 다음 중 3인칭 단수 현재형이 잘못 연결된 것을 고르세요.

1 ① do - does
② have - has
③ cry - crys
④ pass - passes
⑤ wash - washes

2 ① go - goes
② fly - flies
③ study - studies
④ make - makes
⑤ teach - teachs

[3-8] 다음 빈칸에 가장 알맞은 것을 고르세요.

3 I _______ a math teacher.

① am not
② are not
③ is not
④ do not
⑤ does not

4 There are _______ in the basket.

① eggs
② butter
③ bread
④ some rice
⑤ an orange

5 _______ likes sports.

① I
② We
③ They
④ Dave and I
⑤ Cindy

6 _______ he read a book every day?

① Am ② Is
③ Are ④ Do
⑤ Does

7 They _______ watch movies.

① am not ② aren't
③ isn't ④ don't
⑤ doesn't

8 _______ you a new student?

① Am ② Are
③ Is ④ Do
⑤ Does

[9-10] 다음 빈칸에 들어갈 말이 바르게 짝지어진 것을 고르세요.

9

• I _________ eat sweets.
• She _________ drink tea.

① don't - doesn't
② doesn't - don't
③ am not - doesn't
④ doesn't - isn't
⑤ am not - isn't

10

• There are _________ in the park.
• There is _________ in the room.

① child - a child
② child - children
③ some child - a child
④ a child - some children
⑤ some children - a child

[11-13] 다음 대화의 빈칸에 알맞은 것을 고르세요.

11

A: Is your car new?
B: Yes, _______ is.

① it ② this
③ that ④ they
⑤ he

12

A: _______ is my wallet?
B: It is on your desk.

① What ② Who
③ How ④ When
⑤ Where

13

A: _______ are you?
B: I'm 13 years old.

① How far ② How long
③ How much ④ How old
⑤ How many

[14-15] 다음 빈칸에 들어갈 말이 나머지 넷과 <u>다른</u> 하나를 고르세요.

14 ① There ______ a man at the door.
② There ______ some water in the bottle.
③ There ______ a post office near here.
④ There ______ books under the table.
⑤ There ______ a swimming pool in the house.

15 ① ______ is your name?
② ______ is the weather?
③ ______ time is it now?
④ ______ color do you like?
⑤ ______ do you do on weekends?

[16-19] 다음 중 밑줄 친 부분이 <u>잘못된</u> 것을 고르세요.

16 ① I <u>amn't</u> hungry.
② You <u>aren't</u> my brother.
③ Mike <u>isn't</u> in his room.
④ This <u>isn't</u> a vegetable.
⑤ Those <u>aren't</u> bees.

Achievement Test

17 ① Where do you buy bread?
② When does the train arrive?
③ Why does she hate snakes?
④ How do you spell your name?
⑤ What does they need?

18 ① Jenny has a new camera.
② Bill sleeps on the floor.
③ My father works for a bank.
④ My uncle watchs news on TV.
⑤ He does his homework after school.

19 ① How is the movie?
② When is your birthday?
③ What long is this river?
④ Where is your sister?
⑤ Why are you so angry?

[20-21] 다음 질문에 대한 대답으로 알맞은 것을 고르세요.

20

A: Does she speak English well?
B: ____________

① Yes, she is. ② No, she is
③ Yes, she do. ④ Yes, she does.
⑤ No, she don't.

21

A: Why are you so nervous?
B: ____________

① Yes, I am.
② No, I am not.
③ I want more coffee.
④ They are in the drawer.
⑤ Because I have a big test today.

22 다음 짝지어진 대화가 어색한 것을 고르면?

① A: Are you thirsty?
B: Yes, I am.
② A: Does your brother like insects?
B: No, he doesn't.
③ A: Where do you study?
B: I study at home.
④ A: How tall is your mother?
B: She is 165 cm tall.
⑤ A: How much students are there in your class?
B: There are thirty students in my class.

[23-25] 다음 빈칸에 들어갈 알맞은 의문사를 쓰세요.

23

A: _________ is the weather?
B: It's cold and snowy.

24 A: _________ do you like winter?
B: Because I love winter sports.

25 A: _________ is this book?
B: It's ten dollars.

[26-27] 다음 우리말과 일치하도록, 주어진 단어를 이용하여 문장을 완성하세요.

26 탁자 위에 오렌지 10개가 있나요? (ten oranges)
→ ____________________ on the table?

27 우리는 주말에 학교에 가지 않아요. (go)
→ ____________________ to school on weekends.

28 다음 우리말과 일치하도록, 밑줄 친 부분을 바르게 고치세요.

1) 내가 틀렸나요?
→ Is I wrong?

2) 토니는 가난한 사람들을 돕나요?
→ Do Tony helps poor people?

3) 질문 있나요?
→ Is there any questions?

4) 그는 언제 출근하나요?
→ Where does he go to work?

[29-30] 다음 우리말과 일치하도록, 주어진 단어를 바르게 배열하세요.

29 유리잔에 우유가 하나도 없어요.
(any milk, is, there, not)
→ ____________________ in the glass.

30 여기에서 공항은 얼마나 먼가요?
(is, the airport, how far)
→ ____________________ from here?

동물에 대한 CROSSWORD PUZZLE을 풀어보세요.

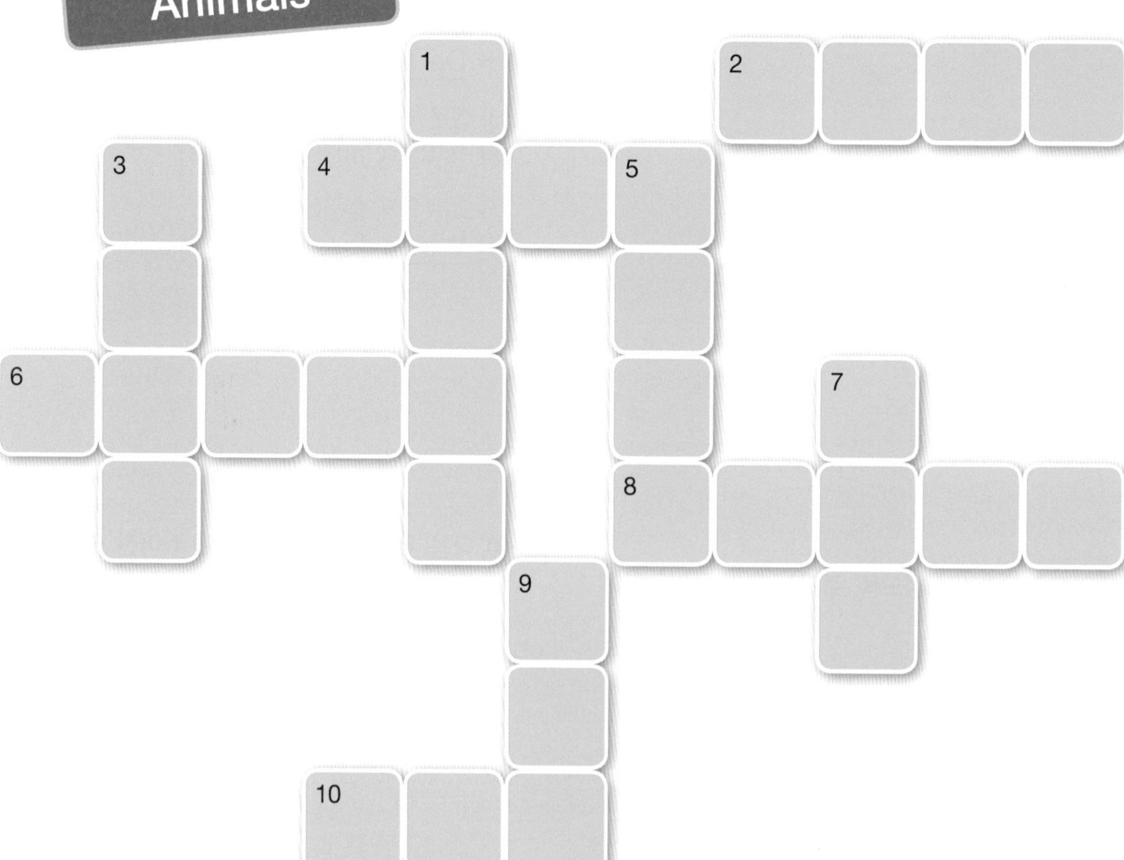

Down	Across
1 호랑이	2 물고기
3 사자	4 새
5 오리	6 쥐
7 고양이	8 코알라
9 돼지	10 개

⑤ Anna and Joe ________ my classmates.

[16-17] 다음 중 밑줄 친 부분이 잘못된 것을 고르시오.

16 ① Is this your bike?
② I don't sing well.
③ Am he your teacher?
④ Are you late for school?
⑤ She doesn't need our help.

17 ① I like that shoes.
② These are my sisters.
③ This cake is delicious.
④ Those aren't my books.
⑤ She doesn't wear this dress.

[18-19] 다음 대화를 읽고, 물음에 답하시오.

A: ⓐ ________ you know the girl over there?
B: Yes, I do.
A: ⓑ 그녀는 누구니?
B: She is a new student, Shelly. She is from Canada.

____

→ ________________

[22-23] 다음 주어진 지시대로 문장을 바꿔 쓰시오.

22 5점

He is angry with you. (의문문)

→ ________________

23 5점

Tony plays tennis. (부정문)

→ ________________

[24-25] 다음 우리말과 일치하도록, 주어진 단어를 바르게 배열하시오.

24 5점

이것들은 내 안경이야. (these, my, are, glass

→ ________________

25

⑤ does
③ are
GRAMMA
1-1

12 다음 질문에 대한 대답으로 알맞은 것은?

A: Are you happy?
B: ______________________

① Yes, I do. ② Yes, I am.
③ Yes, you are ④ No, I don't.
⑤ No, you aren't.

13 다음 밑줄 친 It의 쓰임이 나머지 넷과 다른 것은?

① It is cloudy. ② It is May 7th.
③ It is my computer. ④ It is 5 o'clock now.
⑤ It is Monday today.

[14–15] 다음 빈칸에 들어갈 말이 나머지 넷과 다른 것을 고르시오.

14 ① Sharks live in ________ sea.
② We have ________ dinner at 7.
③ My brother plays ________ cello.
④ There is a rainbow in ________ sky.
⑤ She gets up early in ________ morning.

15 ① My brother ________ tall.
② We ________ good friends.
③ They ________ my heroes.
④ Those ________ her parents.

18 ⓐ에 들어갈 말로 가장 알맞은 것은?

① Am ② Is
③ Are ④ Do
⑤ Does

19 밑줄 친 ⓑ를 영어로 옮긴 것으로 가장 알맞은 것은?

① Who is she? ② How is she?
③ When is she? ④ What is she?
⑤ Where is she?

20 다음 빈칸에 알맞은 현재형 be동사를 쓰시오.

1) Alice and Ed ________ ten years old.
2) You ________ very smart.
3) He ________ a doctor.

21 다음 문장에서 어색한 부분을 찾아 바르게 고치시오.
5점

1) I need two potatos.

→ ______________________

2) This is him house.

② That ________ my cousin, Billy.
③ Sarah ________ at school now.
④ The book ________ on your desk.
⑤ Boys ________ in the playground.

15 다음 밑줄 친 부분을 줄여 쓸 수 <u>없는</u> 것은?

① <u>I am</u> very hungry.
② <u>He is</u> very funny.
③ <u>This is</u> my textbook.
④ <u>That is</u> a nice sweater.
⑤ <u>You are</u> not a child.

[16-17] 다음 중 밑줄 친 부분이 <u>잘못된</u> 것을 고르시오.

16 ① <u>The earth</u> is round.
② <u>A cat</u> is on the sofa.
③ The baby has two <u>teeth</u>.
④ <u>A Peter</u> is a famous writer.
⑤ The farmer grows <u>tomatoes</u>.

17 ① He <u>fixes</u> computers.
② Mary <u>washes</u> the dishes.
③ We <u>learns</u> English at school.
④ Rick and I <u>have</u> lunch together.
⑤ My brothers <u>like</u> sports very much.

→ ________________

[22-23] 다음 주어진 문장을 부정문으로 바꿔 쓰시오.

22 5점

Helen is in the garden.

→ ________________

23 5점

I feel good today.

→ ________________

[24-25] 다음 우리말과 일치하도록, 주어진 단어를 바르게 배열하시오.

24 5점

그는 나를 기억하니? (he, does, me, remember)

→ ________________

25 5점

너의 여동생은 몇 살이니? (your sister, is, how old)

→ ________________

12 다음 질문에 대한 대답으로 알맞은 것은?

A: When is your birthday?
B: ______________________

① Yes, it is.
② No, it doesn't.
③ It's August 23rd.
④ It's 5 o'clock now.
⑤ I want a new computer.

13 다음 우리말을 영어로 옮긴 것으로 <u>어색한</u> 것은?

① 그녀는 쥐를 싫어한다.
→ She hates mouses.
② 저 소녀가 너의 여동생이니?
→ Is that girl your sister?
③ 제이슨은 용감한 소년이다.
→ Jason is a brave boy.
④ 그들은 도시에 살지 않는다.
→ They don't live in the city.
⑤ 공원에는 사람이 많지 않았다.
→ There aren't many people in the park.

14 다음 빈칸에 들어갈 말이 나머지 넷과 <u>다른</u> 것은?

① The museum ________ very big.
② That ________ my cousin, Billy.

[18-19] 다음 글을 읽고, 물음에 답하시오.

I like animals. My favorite animals are ⓐ <u>늑대들과 여우들</u>. ⓑ __________ are very smart and fast. I often visit the zoo. I see them.

18 밑줄 친 ⓐ를 영어로 옮긴 것으로 알맞은 것은?

① wolf and fox
② an wolf and fox
③ wolfs and foxes
④ wolves and foxs
⑤ wolves and foxes

19 ⓑ에 들어갈 말로 알맞은 것은?

① It
② She
③ He
④ We
⑤ They

[20-21] 다음 주어진 단어를 이용하여 대화를 완성하시오.

20

A: Is he a singer?
B: No, he isn't. 그는 배우야. (actor)

→ ______________________

21 5점

A: How is the weather?
B: 비가 와. (rainy)

① 1개 ② 2개
③ 3개 ④ 4개
⑤ 없음

17 다음 짝지어진 대화가 어색한 것은?

① A: Do you miss your family?
B: Yes, I do.
② A: Are they in the library?
B: No, they aren't.
③ A: How is the movie?
B: It is very interesting.
④ A: What color do you like?
B: I like blue and white.
⑤ A: How tall is your mother?
B: She is 35 years old.

[18–19] 다음 대화를 읽고, 물에 답하시오.

A: You ⓐ ________ look well today.
B: I'm so sad.
A: Why are you sad?
B: ⓑ ______________________ .
A: I'm sorry.

22 5점

2) Ten child are in the gym.

→ ______________________

23 5점 다음 우리말과 일치하도록, 주어진 단어를 이용해서 문장을 완성하시오.

그는 저녁을 먹은 후에 숙제를 한다.
(do one's homework)

→ ______________________ after dinner.

[24–25] 다음 우리말과 일치하도록, 주어진 단어를 바르게 배열하시오.

24 5점

이 가방들은 비싸다.
(bags, expensive, are, these)

→ ______________________

25 5점

그 기차는 언제 출발하나요?
(does, leave, the train, when)

→ ______________________

13 다음 빈칸에 들어갈 말이 나머지 넷과 <u>다른</u> 것은?

① ________ time is it now?
② ________ long is this river?
③ ________ old is your father?
④ ________ tall is your brother?
⑤ ________ far is the train station?

[14-15] 다음 중 밑줄 친 부분이 <u>잘못된</u> 것을 고르시오.

14 ① I need <u>your help</u>.
② <u>The moon</u> is bright.
③ They grow <u>grapes</u>.
④ <u>His mother</u> is very pretty.
⑤ <u>How much</u> sisters do you have?

15 ① She really <u>wants</u> it.
② Pitt <u>stays</u> in a hotel.
③ The bird <u>flies</u> high.
④ An elephant <u>haves</u> a long nose.
⑤ He <u>washes</u> his car every Sunday.

16 다음 중 어법상 옳은 것은 모두 몇 개인가?

- She puts a milk in her tea.
- This bank open at nine.
- I write letters to my grandparents.
- Is there any waters in the refrigerator?

18 ⓐ에 들어갈 말로 가장 알맞은 것은?

① am not ② isn't
③ aren't ④ don't
⑤ doesn't

19 ⓑ에 들어갈 대답으로 가장 알맞은 것은?

① Yes, I am. ② No, I'm not.
③ I have good news. ④ My dog likes balls.
⑤ Because my dog is sick.

20 다음 빈칸에 알맞은 관사를 〈보기〉에서 골라 한 번씩만 써서 문장을 완성하시오.

〈보기〉 a an the ×

1) I have ________ old bike.
2) We have ________ test today.
3) There are many stars in ________ sky.
4) Matt and I play ________ tennis on Fridays.

[21-22] 다음 주어진 단어를 적절한 형태로 바꿔 문장을 완성하시오.

21 5점

1) The clover has four <u>leaf</u>.

→ ________________________________

Grammar mentor joy

START 1

Vocabulary 미니북

Grammar mentor joy

Vocabulary 미니북

Chapter 1 명사

01	student 학생 [stúːdnt]	I am a student. 나는 학생이다.
02	girl 소녀 [gəːrl]	The girl is Sarah. 그 소녀는 사라이다.
03	pencil 연필 [pénsl]	He has ten pencils. 그는 연필 열 자루가 있다.
04	chair 의자 [tʃər]	A cat is on the chair. 고양이가 의자 위에 있다.
05	river 강 [rívə(r)]	The river is long. 그 강은 길다.
06	snow 눈 [snou]	We have snow in winter. 겨울에 눈이 내린다.
07	pretty 예쁜 [príti]	She is very pretty. 그녀는 아주 예쁘다.
08	know 알다 [nou]	I know the boy. 나는 그 소년을 안다.
09	table 탁자, 테이블 [téibl]	A cup is on the table. 컵이 탁자 위에 있다.
10	study 공부하다 [stʌ́di]	We study English. 우리는 영어를 공부한다.
11	city 도시 [síti]	New York is a big city. 뉴욕은 큰 도시이다.
12	flower 꽃 [fláuə(r)]	My mother likes flowers. 우리 어머니는 꽃을 좋아하신다.

13	friend 친구 [frend]	Den is my friend. 댄은 내 친구이다.
14	brother 형 · 오빠; 남동생 [brʌ́ðə(r)]	I have two brothers. 나는 두 명의 형이 있다.
15	rain 비 [rein]	The rain will stop. 비가 그칠 것이다.
16	tennis 테니스 [ténis]	They play tennis. 그들은 테니스를 친다.
17	need 필요하다 [niːd]	I need cold water. 나는 차가운 물이 필요하다.
18	bank 은행 [bæŋk]	The bank opens at 9. 그 은행은 9시에 문을 연다.
19	walk 걷다 [wɔːk]	We walk to school. 우리는 학교에 걸어간다.
20	lake 호수 [leik]	The lake is beautiful. 그 호수는 아름답다.
21	hero 영웅 [híːrou]	My father is my hero. 우리 아버지는 내 영웅이다.
22	party 파티 [pάːrti]	I have a party with friends. 나는 친구들과 파티를 한다.
23	zoo 동물원 [zuː]	They often visit the zoo. 그들은 종종 동물원에 간다.
24	morning 아침, 오전 [mɔ́ːrniŋ]	She has coffee in the morning. 그녀는 아침에 커피를 마신다.

Check Up

1 다음 우리말 뜻에 해당하는 영어 단어를 쓰세요.

01 학생
02 연필
03 강
04 예쁜
05 탁자, 테이블
06 도시
07 친구
08 테니스
09 은행
10 호수
11 영웅
12 파티
13 아침, 오전
14 공부하다
15 소녀

2 다음 영어 단어에 해당하는 우리말 뜻을 쓰세요.

01 chair

02 snow

03 flower

04 zoo

05 brother

06 study

07 know

08 rain

09 need

10 walk

3 다음 우리말과 일치하도록, 빈칸에 알맞은 단어를 쓰세요.

01 I am a(n) ____________. 나는 학생이다.

02 A cup on the ____________. 컵 하나가 탁자 위에 있다.

03 We have ____________ in winter. 겨울에 눈이 내린다.

04 The ____________ opens at 9. 그 은행은 9시에 문을 연다.

05 My mother likes ____________. 우리 어머니는 꽃을 좋아하신다.

관사

01	idea 아이디어, 생각 [aidíːə]	I have a good idea. 나에게 좋은 생각이 있다.
02	prince 왕자 [prins]	He is a prince of England. 그는 영국의 왕자이다.
03	artist 예술가 [ɑ́ːrtist]	She is an artist. 그녀는 예술가이다.
04	bike 자전거 [baik]	He has a new bike. 그는 새 자전거가 있다.
05	angel 천사 [éindʒl]	My teacher is an angel. 우리 선생님은 천사이시다.
06	want 원하다 [wɑːnt]	I want some cookies. 나는 쿠키를 좀 원한다.
07	actress 여배우 [ǽktrəs]	Mrs. Smith is an actress. 스미스 부인은 여배우이다.
08	nurse 간호사 [nəːrs]	My sister is a nurse. 우리 언니는 간호사이다.
09	test 시험 [test]	Joe has a test today. 조는 오늘 시험이 있다.
10	write 쓰다 [rait]	The man writes novels. 그 남자는 소설을 쓴다.
11	letter 편지 [létə(r)]	Here is a letter for you. 여기 네 앞으로 온 편지가 있다.
12	clean 청소하다 [kliːn]	They clean the house. 그들은 집을 청소한다.

13	watch 보다 [wɑːtʃ]	We watch TV at night. 우리는 밤에 TV를 본다.
14	read 읽다 [riːd]	The boy reads a story book. 그 소년은 이야기책을 읽는다.
15	fly 날다 [flai]	Birds fly in the sky. 새들은 하늘을 난다.
16	drive 운전하다 [draiv]	My father drives a bus. 우리 아버지는 버스를 운전하신다.
17	store 가게 [stɔː(*r*)]	The store closes at ten. 그 가게는 열 시에 문을 닫는다.
18	work 일하다 [wəː*r*k]	He works at a bank. 그는 은행에서 일한다.
19	cello 첼로 [tʃélou]	She plays the cello. 그녀는 첼로를 연주한다.
20	violin 바이올린 [vàiəlín]	I learn the violin. 나는 바이올린을 배운다.
21	cook 요리하다; 요리사 [kuk]	My mom cooks well. 우리 엄마는 요리를 잘 하신다.
22	swim 수영하다 [swim]	We swim in the river. 우리는 강에서 수영한다.
23	song 노래 [sɔːŋ]	I like this song. 나는 이 노래가 좋다.
24	island 섬 [áilənd]	Jejudo is an island. 제주도는 섬이다.

Check Up

1 다음 우리말 뜻에 해당하는 영어 단어를 쓰세요.

01 섬
02 쓰다
03 청소하다
04 왕자
05 수영하다
06 읽다
07 간호사
08 바이올린
09 원하다
10 아이디어, 생각
11 일하다
12 자전거
13 예술가
14 운전하다
15 천사

2 다음 영어 단어에 해당하는 우리말 뜻을 쓰세요.

01 cello

02 cook

03 actress

04 song

05 test

06 store

07 letter

08 angel

09 watch

10 fly

3 다음 우리말과 일치하도록, 빈칸에 알맞은 단어를 쓰세요.

01 Birds ________ in the sky. 새들은 하늘을 난다.

02 She plays the ________. 그녀는 첼로를 연주한다.

03 We ________ in the river. 우리는 강에서 수영한다.

04 The man ________ novels. 그 남자는 소설을 쓴다.

05 He is a(n) ________ of England. 그는 영국의 왕자이다.

대명사 I

01	rabbit 토끼 [rǽbit]	He has two rabbits. 그는 토끼 두 마리를 키운다.
02	ball 공 [bɔːl]	The boys play with a ball. 소년들은 공놀이를 한다.
03	run 달리다 [rʌn]	Brian runs fast. 브라이언은 빨리 달린다.
04	boring 지루한 [bɔ́ːriŋ]	The book is boring. 그 책은 지루하다.
05	puppy 강아지 [pʌ́pi]	I want a cute puppy. 나는 귀여운 강아지를 원한다.
06	nice 멋진; 친절한 [nais]	She drives a nice car. 그녀는 멋진 차를 몰고 다닌다.
07	interesting 재미있는, 흥미로운 [íntrəstiŋ]	This movie is interesting. 이 영화는 재미있다.
08	fireman 소방관 [fáiərmən]	My uncle is a fireman. 우리 삼촌은 소방관이다.
09	tail 꼬리 [teil]	A monkey has a long tail. 원숭이는 꼬리가 길다.
10	delicious 맛있는 [dilíʃəs]	The cake looks delicious. 그 케이크는 맛있어 보인다.
11	tall 키가 큰 [tɔːl]	Matt is very tall. 매트는 키가 매우 크다.
12	name 이름 [neim]	They know my name. 그들은 내 이름을 안다.

13	teach 가르치다 [tiːtʃ]	Mr. Brown teaches English. 브라운 선생님은 영어를 가르친다.
14	help 도와주다 [help]	My brother helps me all the time. 우리 오빠는 항상 나를 도와준다.
15	shoes 신발 (두 짝) [ʃuːz]	Your shoes are very nice. 너 신발 정말 멋지다.
16	use 사용하다 [juːs]	He uses my computer. 그는 내 컴퓨터를 사용한다.
17	meet 만나다 [miːt]	I meet Sam every Friday. 나는 매주 금요일에 샘을 만난다.
18	photo 사진 [fóutou]	This is my family photo. 이것은 우리 가족사진이야.
19	here 여기에 [hiə(*r*)]	My grandparents live here. 우리 조부모님은 여기에 사셔.
20	visit 방문하다 [vizit]	He often visits his uncle. 그는 종종 자신의 삼촌을 방문한다.
21	son 아들 [sʌn]	My son is five years old. 내 아들은 다섯 살이다.
22	rose 장미 [rouz]	I like red roses. 나는 빨간 장미를 좋아한다.
23	strong 힘이 센, 튼튼한 [strɔːŋ]	My father is very strong. 우리 아버지는 정말 힘이 세시다.
24	dirty 더러운, 지저분한 [dəː*r*ti]	Your room is dirty. 네 방이 지저분하다.

1 다음 우리말 뜻에 해당하는 영어 단어를 쓰세요.

01 더러운, 지저분한

02 지루한

03 멋진; 친절한

04 공

05 장미

06 토끼

07 방문하다

08 소방관

09 사진

10 맛있는

11 사용하다

12 달리다

13 도와주다

14 강아지

15 이름

② 다음 영어 단어에 해당하는 우리말 뜻을 쓰세요.

01 interesting

02 help

03 tail

04 strong

05 tall

06 son

07 teach

08 here

09 shoes

10 meet

③ 다음 우리말과 일치하도록, 빈칸에 알맞은 단어를 쓰세요.

01 The book is ________. 그 책은 지루하다.

02 My ________ is five years old. 내 아들은 다섯 살이다.

03 He ________ my computer. 그는 내 컴퓨터를 사용한다.

04 A monkey has a long ________. 원숭이는 꼬리가 길다.

05 My father is very ________. 우리 아버지는 정말 힘이 세시다.

대명사 II

01	socks 양말 (두 짝) [sɑks]	He doesn't wear socks. 그는 양말을 신지 않는다.
02	cap 모자 [kæp]	This is my cap. 이것은 내 모자이다.
03	sweater 스웨터 [swétə(*r*)]	I like that sweater. 나는 저 스웨터가 마음에 든다.
04	smell 냄새[향기]가 나다 [smel]	Flowers smell good. 꽃은 좋은 냄새가 난다.
05	long 긴 [lɔːŋ]	She has long hair. 그녀는 긴 머리를 가지고 있다.
06	expensive 비싼 [ikspénsiv]	This watch is too expensive. 이 시계는 너무 비싸다.
07	shirt 셔츠 [ʃəː*r*t]	This shirt is small for me. 이 셔츠는 나에게 작다.
08	cousin 사촌 [kʌ́zn]	The girl is my cousin, Jennie. 그 소녀가 내 사촌 제니이다.
09	fresh 신선한 [freʃ]	I want fresh apples. 나는 신선한 사과를 원한다.
10	color 색깔 [kʌ́lə*r*]	My favorite color is blue. 내가 가장 좋아하는 색은 파란색이다.
11	gloves 장갑 (두 짝) [glʌvs]	Mrs. Thomson always wears gloves. 톰슨 부인은 항상 장갑을 낀다.
12	cookie 쿠키 [kúki]	Children like chocolate cookies. 아이들은 초콜릿 쿠키를 좋아한다.

13	picture 사진, 그림 [píktʃə(r)]	He takes good pictures. 그는 사진을 잘 찍는다.
14	today 오늘 [tədéi]	It's sunny today. 오늘은 화창하다.
15	movie 영화 [mú:vi]	I like sad movies. 나는 슬픈 영화를 좋아한다.
16	notebook 공책 [nóutbùk]	She needs three notebooks. 그녀는 공책 세 권이 필요하다.
17	hour 시간 [áuə(r)]	It takes an hour by car. 차로 한 시간 걸린다.
18	dark 어두운 [dɑ:rk]	It is dark at night. 밤에는 어둡다.
19	outside 밖에, 밖으로 [àutsáid]	The kids play outside. 아이들은 밖에서 논다.
20	weather 날씨 [wéðə(r)]	The weather is very nice. 날씨가 정말 좋다.
21	bright 밝은 [brait]	The stars are bright. 별들이 밝다.
22	spider 거미 [spáidə(r)]	A spider has eight legs. 거미는 다리가 여덟 개이다.
23	story 이야기 [stɔ́:ri]	My grandmother often tells a story. 우리 할머니는 종종 이야기를 해주신다.
24	funny 재미있는 [fʌ́ni]	Mark is a funny man. 마크는 재미있는 사람이다.

1 **다음 우리말 뜻에 해당하는 영어 단어를 쓰세요.**

01 재미있는

02 스웨터

03 긴

04 양말 (두 짝)

05 거미

06 모자

07 날씨

08 냄새가 나다

09 어두운

10 비싼

11 공책

12 사촌

13 오늘

14 색깔

15 쿠키

2 다음 영어 단어에 해당하는 우리말 뜻을 쓰세요.

01 shirt

02 expensive

03 story

04 fresh

05 bright

06 outside

07 gloves

08 hour

09 picture

10 movie

3 다음 우리말과 일치하도록, 빈칸에 알맞은 단어를 쓰세요.

01 The stars are ________. 별들이 밝다.

02 The ________ is very nice. 날씨가 정말 좋다.

03 Flowers ________ good. 꽃은 좋은 냄새가 난다.

04 It takes a(n) ________ by car. 차로 한 시간 걸린다.

05 I want ________ apples. 나는 신선한 사과를 원한다.

Chapter 5 be동사

01	library 도서관 [láibrèri]	We study at the library. 우리는 도서관에서 공부한다.
02	busy 바쁜 [bízi]	My parents are busy on Friday. 우리 부모님은 금요일에 바쁘시다.
03	brave 용감한 [breiv]	He is a brave man. 그는 용감한 사람이다.
04	smart 똑똑한 [smɑːrt]	The girl is smart and pretty. 그 소녀는 똑똑하고 예쁘다.
05	scientist 과학자 [sáiəntist]	Steve is a great scientist. 스티브는 위대한 과학자이다.
06	kitchen 부엌 [kítʃin]	My mom is in the kitchen. 우리 엄마는 부엌에 계신다.
07	sick 아픈 [sik]	My cat is sick. 내 고양이가 아프다.
08	healthy 건강한 [hélθi]	Rick is a healthy child. 릭은 건강한 아이이다.
09	classroom 교실 [klǽsrùːm]	The students are in the classroom. 그 학생들은 교실에 있다.
10	tired 피곤한 [taiərd]	I'm very tired. 나는 매우 피곤하다.
11	hungry 배고픈 [hʌ́ŋgri]	The boys are hungry. 그 소년들은 배고프다.
12	famous 유명한 [féiməs]	He is a famous singer. 그는 유명한 가수이다.

13	painter 화가 [péintə(*r*)]	His uncle is a painter. 그의 삼촌은 화가이다.
14	duck 오리 [dʌk]	Ducks swim on the river. 오리들은 강에서 헤엄친다.
15	pianist 피아니스트 [píənist]	Mr. Joe is a good pianist. 조 씨는 훌륭한 피아니스트이다.
16	wallet 지갑 [wάl:it]	Your wallet is on the table. 네 지갑은 탁자 위에 있다.
17	short 키가 작은; 짧은 [ʃɔ:*r*t]	Mr. Green is short and fat. 그린 씨는 키가 작고 뚱뚱하다.
18	round 둥근 [raund]	The earth is round. 지구는 둥글다.
19	favorite 매우 좋아하는 [féivərit]	My favorite food is pizza. 내가 가장 좋아하는 음식은 피자이다.
20	sad 슬픈 [sæd]	This story is very sad. 이 이야기는 정말 슬프다.
21	snowy 눈이 내리는 [snóui]	I like snowy days. 나는 눈이 내리는 날을 좋아한다.
22	angry 화가 난 [ǽŋgri]	My brother is angry with me. 우리 오빠는 나에게 화가 났다.
23	skirt 치마 [skə:*r*t]	I want the pink skirt. 나는 그 분홍색 치마를 원한다.
24	lucky 운이 좋은 [lʌ́ki]	You are lucky. 너는 운이 좋다.

Check Up

1 다음 우리말 뜻에 해당하는 영어 단어를 쓰세요.

01 운이 좋은

02 화가 난

03 용감한

04 과학자

05 도서관

06 슬픈

07 바쁜

08 똑똑한

09 둥근

10 부엌

11 지갑

12 건강한

13 오리

14 피곤한

15 유명한

2 다음 영어 단어에 해당하는 우리말 뜻을 쓰세요.

01 sick

02 scientist

03 classroom

04 pianist

05 hungry

06 skirt

07 painter

08 snowy

09 short

10 favorite

3 다음 우리말과 일치하도록, 빈칸에 알맞은 단어를 쓰세요.

01 You are _________. 너는 운이 좋다.

02 I'm very _________. 나는 매우 피곤하다.

03 The students are in the _________. 그 학생들은 교실에 있다.

04 My brother is _________ with me. 우리 오빠는 나에게 화가 났다.

05 My parents are _________ on Friday. 우리 부모님은 금요일에 바쁘시다.

be동사의 의문문과 부정문

01	new 새것의, 새로운 [nuː]	He has a new car. 그는 새 차가 있다.
02	shy 수줍음을 많이 타는 [ʃai]	Brian is very shy. 브라이언은 정말 수줍음을 많이 탄다.
03	insect 곤충 [ínsekt]	Frogs eat insects. 개구리는 곤충들을 먹는다.
04	farmer 농부 [fáːrmər]	My grandfather is a farmer. 우리 할아버지는 농부이시다.
05	mine 나의 것 [main]	These shoes are mine. 이 신발들은 나의 것이다.
06	fat 뚱뚱한 [fæt]	Susie is not fat. 수지는 뚱뚱하지 않다.
07	hot 뜨거운, 더운 [hɑːt]	This coffee is very hot. 이 커피는 정말 뜨겁다.
08	tower 탑 [táuə(r)]	The tower is 30 meters tall. 그 탑은 높이가 30m이다.
09	high 높은; 높이 [hai]	The mountain is high. 그 산은 높다.
10	difficult 어려운 [dífikəlt]	The test is difficult. 그 시험은 어렵다.
11	ugly 못생긴 [ʌ́gli]	She has ugly hands. 그녀는 손이 못생겼다.
12	third 셋째의 [θəːrd]	I'm the third child in my family. 나는 우리 가족에서 셋째이다.

13	grade 학년, 성적; 등급 [greid]	Eric is in third grade. 에릭은 3학년이다.
14	heavy 무거운 [hévi]	This box is very heavy. 이 상자는 정말 무겁다.
15	reporter 기자 [ripɔ́:rtə(r)]	Rebecca is a reporter. 레베카는 기자이다.
16	rainy 비가 오는 [réini]	Is it rainy outside? 밖에 비가 오니?
17	ready 준비가 된 [rédi]	Are you ready? 너희들 준비됐니?
18	twins 쌍둥이 [twins]	The boys are twins. 그 소년들은 쌍둥이다.
19	sleepy 졸린 [slí:pi]	They are sleepy. 그들은 졸리다.
20	excited 신이 난, 흥분한 [iksáitid]	You look excited. 너는 신이 나 보인다.
21	easy 쉬운 [í:zi]	The problem is easy. 그 문제는 쉽다.
22	salty 짠 [sɔ́:lti]	This soup is too salty. 이 수프는 너무 짜다.
23	gym 체육관 [dʒim]	We are in the gym. 우리는 체육관에 있다.
24	alone 혼자인, 외로운 [əlóun]	You are not alone. 너는 혼자가 아니다.

1 다음 우리말 뜻에 해당하는 영어 단어를 쓰세요.

01 혼자인, 외로운

02 새것의, 새로운

03 곤충

04 나의 것

05 짠

06 수줍음을 많은 타는

07 농부

08 신이 난, 흥분한

09 뚱뚱한

10 쌍둥이

11 탑

12 비가 오는

13 어려운

14 무거운

15 셋째의

② 다음 영어 단어에 해당하는 우리말 뜻을 쓰세요.

01 hot

02 difficult

03 high

04 ugly

05 grade

06 reporter

07 ready

08 sleepy

09 easy

10 gym

③ 다음 우리말과 일치하도록, 빈칸에 알맞은 단어를 쓰세요.

01 They are ___________. 그들은 졸리다.

02 Is it ___________ outside? 밖에 비가 오니?

03 Frogs eat ___________. 개구리는 곤충들을 먹는다.

04 This box is very ___________. 이 상자는 정말 무겁다.

05 These shoes are ___________. 이 신발들은 나의 것이다.

There is/are

01	balloon 풍선 [bəlú:n]	The children play with balloons. 그 아이들은 풍선을 가지고 논다.
02	many 많은 (수) [méni]	There aren't many books in his room. 그의 방에는 책이 많지 않다.
03	farm 농장 [fɑ:rm]	He has a large farm. 그는 큰 농장을 소유하고 있다.
04	bowl 그릇, 사발 [boul]	I need a bowl and a spoon. 나는 그릇과 숟가락이 필요하다.
05	vase 꽃병 [veis]	There is a vase on the desk. 책상에 꽃병이 있다.
06	bottle 병 [bɑ́:tl]	I can't open this bottle. 나는 이 병을 열 수 없다.
07	ring 반지 [riŋ]	She always wears her wedding ring. 그녀는 항상 결혼반지를 낀다.
08	roof 지붕 [ru:f]	Two birds are on the roof. 새 두 마리가 지붕에 있다.
09	people 사람들 [pí:pl]	People like his music. 사람들은 그의 음악을 좋아한다.
10	basket 바구니 [bǽskit]	Oranges are in the basket. 오렌지가 바구니에 있다.
11	garden 정원 [gɑ́:rdn]	They have a beautiful garden. 그들은 예쁜 정원이 있다.
12	poor 가난한 [pur]	Angela helps poor people. 안젤라는 가난한 사람들을 돕는다.

13	world 세상, 세계 [wəːrld]	They travel around the world. 그들은 세계를 여행한다.
14	floor 바닥 [flɔː(r)]	Your cell phone is on the floor. 네 휴대 전화는 바닥에 있다.
15	map 지도 [mæp]	I have a city map. 나는 도시 지도가 있다.
16	wall 벽 [wɔːl]	They paint walls. 그들은 벽에 페인트를 칠한다.
17	near 가까운; 가까이 [niər]	Susan lives near the beach. 수잔은 해변 가까이 산다.
18	clock 시계 [klɑːk]	The clock is broken. 그 시계가 고장 났다.
19	stage 무대 [steidʒ]	Two girls are on the stage. 두 명의 소녀가 무대에 있다.
20	town 마을, 시내 [taun]	I'm from a small town. 나는 작은 마을 출신이다.
21	mirror 거울 [mírə(r)]	There is a mirror on the wall. 벽에 거울이 있다.
22	road 길 [roud]	Three roads meet there. 세 개의 길이 거기서 만난다.
23	rainbow 무지개 [réinbòu]	The rainbow has seven colors. 무지개는 일곱 가지 색이다.
24	bathroom 욕실, 화장실 [bǽθrùːm]	My house has two bathrooms. 우리 집은 욕실이 두 개이다.

Check Up

1 다음 우리말 뜻에 해당하는 영어 단어를 쓰세요.

01 욕실

02 농장

03 풍선

04 길

05 많은 (수)

06 마을, 시내

07 그릇, 사발

08 시계

09 지붕

10 벽

11 병

12 바닥

13 꽃병

14 가난한

15 바구니

2 다음 영어 단어에 해당하는 우리말 뜻을 쓰세요.

01 ring

02 mirror

03 rainbow

04 people

05 road

06 garden

07 stage

08 world

09 near

10 map

3 다음 우리말과 일치하도록, 빈칸에 알맞은 단어를 쓰세요.

01 They paint __________. 그들은 벽에 페인트를 칠한다.

02 He has a large __________. 그는 큰 농장을 소유하고 있다.

03 Two birds are on the __________. 새 두 마리가 지붕에 있다.

04 Susan lives __________ the beach. 수잔은 해변 가까이 산다.

05 Angela helps __________ people. 안젤라는 가난한 사람들을 돕는다.

일반동사

01	animal 동물 [ǽniml]	My son likes animals. 내 아들은 동물을 좋아한다.
02	rice 쌀, 밥 [rais]	Koreans eat rice. 한국인들은 밥을 먹는다.
03	learn 배우다 [ləːrn]	She learns the piano. 그녀는 피아노를 배운다.
04	slowly 느리게, 천천히 [slóuli]	I walk slowly. 나는 천천히 걷는다.
05	stop 멈추다 [stɑːp]	The bus stops here. 그 버스는 여기서 멈춘다.
06	early 일찍, 빨리 [ə́ːrli]	My father gets up early. 우리 아버지는 일찍 일어나신다.
07	look ~하게 보이다 [luk]	You look tired today. 너는 오늘 피곤해 보인다.
08	feel 느끼다 [fiːl]	I feel happy with the news. 그 소식을 들으니 나는 행복하다.
09	make 만들다 [meik]	The kids make kites. 아이들은 연을 만든다.
10	magazine 잡지 [mæ̀gəzíːn]	The woman reads a magazine. 그 여성은 잡지를 읽는다.
11	food 음식 [fuːd]	We want water and food. 우리는 물과 음식을 원한다.
12	honey 꿀 [hʌ́ni]	Bees make honey. 벌은 꿀을 만든다.

13	answer 답; 대답하다 [ǽnsə(r)]	I know the answer. 나는 답을 안다.
14	tell 말하다 [tel]	Sean tells a lie. 션은 거짓말을 한다.
15	cry 울다 [krai]	The baby cries at night. 그 아기는 밤에 운다.
16	enjoy 즐기다 [indʒɔ́i]	We enjoy swimming. 우리는 수영을 즐긴다.
17	mix 섞다 [miks]	The girl mixes white and red. 그 소녀는 하얀색과 빨간색을 섞는다.
18	fix 고치다 [fiks]	My uncle fixes computers. 우리 삼촌은 컴퓨터를 고친다.
19	stand 서다 [stænd]	The students stand in two lines. 그 학생들은 두 줄로 서 있다.
20	begin 시작하다 [bigín]	The movie begins at five. 영화는 5시에 시작한다.
21	send 보내다 [send]	He sends a letter to his aunt. 그는 자신의 이모에게 편지를 보낸다.
22	worry 걱정하다 [wə́:ri]	Mom worries about me. 엄마는 나를 걱정하신다.
23	science 과학 [sáiəns]	I like science a lot. 나는 과학을 정말 좋아한다.
24	life 삶, 생활 [laif]	She enjoys her school life. 그녀는 학교생활을 즐긴다.

Check Up

1 다음 우리말 뜻에 해당하는 영어 단어를 쓰세요.

01 삶, 생활

02 동물

03 걱정하다

04 쌀, 밥

05 배우다

06 느리게, 천천히

07 시작하다

08 멈추다

09 고치다

10 일찍, 빨리

11 즐기다

12 느끼다

13 말하다

14 잡지

15 꿀

② 다음 영어 단어에 해당하는 우리말 뜻을 쓰세요.

01 look

02 life

03 make

04 science

05 food

06 send

07 answer

08 stand

09 cry

10 mix

③ 다음 우리말과 일치하도록, 빈칸에 알맞은 단어를 쓰세요.

01 She __________ the piano. 그녀는 피아노를 배운다.

02 We want water and __________. 우리는 물과 음식을 원한다.

03 The woman reads a(n) __________. 그 여성은 잡지를 읽는다.

04 My father gets up __________. 우리 아버지는 일찍 일어나신다.

05 My uncle __________ computers. 우리 삼촌은 컴퓨터를 고친다.

Chapter 9 일반동사의 부정문과 의문문

01	ride 타다 [raid]	I ride a bike after school. 나는 방과 후에 자전거를 탄다.
02	onion 양파 [ʌ́njən]	I don't like onions. 나는 양파를 좋아하지 않는다.
03	close 닫다 [klous]	The store closes on Sundays. 그 가게는 일요일에 문을 닫는다.
04	door 문 [dɔː(r)]	The door is open. 문이 열려 있다.
05	much 많은 (양) [mʌtʃ]	She doesn't drink much water. 그녀는 물을 많이 마시지 않는다.
06	meat 고기 [miːt]	Lions eat meat. 사자는 고기를 먹는다.
07	draw 그리다 [drɔː]	Kelly draws a picture well. 켈리는 그림을 잘 그린다.
08	spend (돈 · 시간 등을) [spend] 쓰다	He spends money like water. 그는 돈을 물 쓰듯 쓴다.
09	taste ~ 맛이 나다 [teist]	Oranges taste sweet. 오렌지는 달콤한 맛이 난다.
10	cross 건너다 [krɔːs]	He crosses the roads carefully. 그는 길을 조심해서 건넌다.
11	street 거리 [striːt]	We walk down the street. 우리는 거리를 걷는다.
12	pet 애완동물 [pet]	My parents don't want a pet. 우리 부모님은 애완동물을 원하지 않는다.

13	wait 기다리다 [weit]	He waits for her letter. 그는 그녀의 편지를 기다린다.
14	math 수학 [mæθ]	Ben likes math and science. 벤은 수학과 과학을 좋아한다.
15	hair 머리(털) [heə(*r*)]	Clare has long hair. 클래어는 머리가 길다.
16	hospital 병원 [hɑ́:spitl]	My father works at a hospital. 우리 아버지는 병원에서 일하신다.
17	sell 팔다 [sel]	The store sells toys. 그 가게는 장난감을 판다.
18	believe 믿다 [bilí:v]	I don't believe his story. 나는 그의 이야기를 믿지 않는다.
19	time 시간 [taim]	I need more time. 나는 시간이 더 필요하다.
20	cost (값이) ~이다 [kɔ:st]	This skirt costs twenty dollars. 이 치마는 20달러이다.
21	newspaper 신문 [nú:zpèipə(*r*)]	He reads a newspaper every morning. 그는 매일 아침 신문을 읽는다.
22	together 함께, 같이 [təgéðə*r*]	They have lunch together. 그들은 점심을 같이 먹는다.
23	miss 그리워하다 [mis]	She misses her family. 그녀는 자신의 가족을 그리워한다.
24	travel 여행하다 [trǽvl]	He travels to Europe. 그는 유럽을 여행한다.

1 다음 우리말 뜻에 해당하는 영어 단어를 쓰세요.

01 여행하다

02 많은 (양)

03 함께, 같이

04 닫다

05 타다

06 (값이) ~ 이다

07 양파

08 믿다

09 문

10 병원

11 고기

12 수학

13 (돈 · 시간 등을) 쓰다

14 애완동물

15 건너다

2 다음 영어 단어에 해당하는 우리말 뜻을 쓰세요.

01 draw

02 travel

03 miss

04 taste

05 newspaper

06 street

07 time

08 wait

09 sell

10 hair

3 다음 우리말과 일치하도록, 빈칸에 알맞은 단어를 쓰세요.

01 The __________ is open. 문이 열려 있다.

02 Lions eat __________. 사자는 고기를 먹는다.

03 They have lunch __________. 그들은 점심을 같이 먹는다.

04 I don't __________ his story. 나는 그의 이야기를 믿지 않는다.

05 I __________ a bike after school. 나는 방과 후에 자전거를 탄다.

의문사

01	far 먼 [fɑːr]	The zoo is far from here. 동물원은 여기서 멀다.
02	birthday 생일 [bə́ːrθdèi]	My birthday is July 2nd. 내 생일은 7월 2일이다.
03	open 열다 [óupən]	The library opens at nine. 도서관은 9시에 문을 연다.
04	great 정말 좋은 [greit]	I feel great today. 나는 오늘 기분이 정말 좋다.
05	airport 공항 [érpɔːrt]	How far is the airport? 공항은 얼마나 머니?
06	post office 우체국 [poust ɔ́ːfis]	The post office is down the street. 우체국은 길 아래에 있다.
07	wake up 일어나다	She wakes up at seven. 그녀는 7시에 일어난다.
08	because ~ 때문에 [bikɔ́ːz]	I like her because she is kind. 그녀가 친절하기 때문에 나는 그녀를 좋아한다.
09	kid 아이 [kid]	The kids are in the swimming pool. 아이들은 수영장에 있다.
10	hate 몹시 싫어하다 [heit]	My sister hates mice. 내 누나는 쥐를 몹시 싫어한다.
11	spell 철자를 쓰다 [spel]	The boy can spell his name. 그 소년은 자기 이름의 철자를 쓸 수 있다.
12	arrive 도착하다 [əráiv]	The bus arrives on time. 그 버스는 제시간에 도착한다.

13	train 기차 [trein]	He goes to work by train. 그는 기차로 출근한다.
14	station 역 [stéiʃn]	Let's meet at the station. 역에서 만나자.
15	noon 정오, 낮 12시 [nu:n]	We have lunch at noon. 우리는 정오에 점심을 먹는다.
16	under ~ 아래에 [ʌ́ndə(*r*)]	There is a cat under the table. 탁자 아래에 고양이가 있다.
17	building 건물 [bíldiŋ]	Buildings in the city are tall. 그 도시에 있는 빌딩들은 높다.
18	job 직업 [dʒɑ:b]	My dream job is a writer. 내 꿈의 직업은 작가이다.
19	robot 로봇 [róubɑ:t]	Little boys like toy robots. 어린 소년들은 장난감 로봇을 좋아한다.
20	bridge 다리 [bridʒ]	This bridge is long and wide. 이 다리는 길고 폭이 넓다.
21	borrow 빌리다 [bɑ́:rou]	I borrow books from the library. 나는 도서관에서 책을 빌린다.
22	museum 박물관 [mjuzí:əm]	Jessica visits the museum. 제시카는 그 박물관을 방문한다.
23	fruit 과일 [fru:t]	Fruit is good for our health. 과일은 우리 건강에 좋다.
24	Japanese 일본어 [dʒæ̀pəní:z]	They speak Japanese. 그들은 일본어를 쓴다.

1 다음 우리말 뜻에 해당하는 영어 단어를 쓰세요.

01 다리

02 먼

03 공항

04 박물관

05 생일

06 열다

07 일본어

08 정말 좋은, 훌륭한

09 직업

10 우체국

11 ~ 아래에

12 ~ 때문에

13 역

14 몹시 싫어하다

15 도착하다

② 다음 영어 단어에 해당하는 우리말 뜻을 쓰세요.

01 wake up

02 museum

03 fruit

04 kid

05 borrow

06 spell

07 robot

08 train

09 building

10 noon

③ 다음 우리말과 일치하도록, 빈칸에 알맞은 단어를 쓰세요.

01 The bus __________ on time. 그 버스는 제시간에 온다.

02 He goes to work by __________. 그는 기차로 출근한다.

03 The zoo is __________ from here. 동물원은 여기서 멀다.

04 __________ in the city are tall. 그 도시에 있는 빌딩들은 높다.

05 I __________ books from the library. 나는 도서관에서 책을 빌린다.

단어장 해답

Chapter 01. 명사

① 01. student 02. pencil 03. river 04. pretty 05. table
06. city 07. friend 08. tennis 09. bank 10. lake
11. hero 12. party 13. morning 14. study 15. girl

② 01. 의자 02. 눈 03. 꽃 04. 동물원 05. 형·오빠; 남동생
06. 공부하다 07. 알다 08. 비 09. 필요하다 10. 걷다

③ 01. student 02. table 03. snow 04. bank 05. flowers

Chapter 02. 관사

① 01. island 02. write 03. clean 04. prince 05. swim
06. read 07. nurse 08. violin 09. want 10. idea
11. work 12. bike 13. artist 14. drive 15. angel

② 01. 첼로 02. 요리하다; 요리사 03. 여배우 04. 노래 05. 시험
06. 가게 07. 편지 08. 천사 09. 보다 10. 날다

③ 01. fly 02. cello 03. swim 04. writes 05. prince

Chapter 03. 대명사 I

① 01. dirty 02. boring 03. nice 04. ball 05. rose
06. rabbit 07. visit 08. fireman 09. photo 10. delicious
11. use 12. run 13. help 14. puppy 15. name

② 01. 재미있는, 흥미로운 02. 도와주다 03. 꼬리 04. 힘이 센, 튼튼한 05. 키가 큰
06. 아들 07. 가르치다 08. 여기에 09. 신발 (두 짝) 10. 만나다

③ 01. boring 02. son 03. uses 04. tail 05. strong

Chapter 04. 대명사 II

① 01. funny 02. sweater 03. long 04. socks 05. spider
06. cap 07. weather 08. smell 09. dark 10. expensive
11. notebook 12. cousin 13. today 14. color 15. cookie

② 01. 셔츠 02. 비싼 03. 이야기 04. 신선한 05. 밝은
06. 밖에, 밖으로 07. 장갑 (두 짝) 08. 시간 09. 사진, 그림 10. 영화

③ 01. bright 02. weather 03. smell 04. hour 05. fresh

Chapter 05. be동사

① 01. lucky 02. angry 03. brave 04. scientist 05. library
06. sad 07. busy 08. smart 09. round 10. kitchen
11. wallet 12. healthy 13. duck 14. tired 15. famous

② 01. 아픈 02. 과학자 03. 교실 04. 피아니스트 05. 배고픈
06. 치마 07. 화가 08. 눈이 내리는 09. 키가 작은; 짧은
10. 매우 좋아하는

③ 01. lucky 02. tired 03. classroom 04. angry 05. busy

Chapter 06. be동사의 부정문과 의문문

① 01. alone 02. new 03. insect 04. mine 05. salty
06. shy 07. farmer 08. excited 09. fat 10. twins
11. tower 12. rainy 13. difficult 14. heavy 15. third

② 01. 뜨거운, 더운 02. 어려운 03. 높은; 높이 04. 못생긴 05. 학년, 성적; 등급
06. 기자 07. 준비가 된 08. 졸린 09. 쉬운 10. 체육관

③ 01. sleepy 02. rainy 03. insects 04. heavy 05. mine

Chapter 07. There is/are

①	01. bathroom	02. farm	03. balloon	04. road	05. many
	06. town	07. bowl	08. clock	09. roof	10. wall
	11. bottle	12. floor	13. vase	14. poor	15. basket
②	01. 반지	02. 거울	03. 무지개	04. 사람들	05. 길
	06. 정원	07. 무대	08. 세상, 세계	09. 가까운; 가까이	10. 지도
③	01. walls	02. farm	03. roof	04. near	05. poor

Chapter 08. 일반동사

①	01. life	02. animal	03. worry	04. rice	05. learn
	06. slowly	07. begin	08. stop	09. fix	10. early
	11. enjoy	12. feel	13. tell	14. magazine	15. honey
②	01. ~하게 보이다	02. 삶, 생활	03. 만들다	04. 과학	05. 음식
	06. 보내다	07. 답; 대답하다	08. 서다	09. 울다	10. 섞다
③	01. learns	02. food	03. magazine	04. early	05. fixes

Chapter 09. 일반동사의 부정문과 의문문

①	01. travel	02. much	03. together	04. close	05. ride
	06. cost	07. onion	08. believe	09. door	10. hospital
	11. meat	12. math	13. spend	14. pet	15. cross
②	01. 그리다	02. 여행하다	03. 그리워하다	04. ~ 맛이 나다	05. 신문
	06. 거리	07. 시간	08. 기다리다	09. 팔다	10. 머리(털)
③	01. door	02. meat	03. together	04. believe	05. ride

Chapter 10. 의문사

① 01. bridge 02. far 03. airport 04. museum 05. birthday
06. open 07. Japanese 08. great 09. job 10. post office
11. under 12. because 13. station 14. hate 15. arrive

② 01. 일어나다 02. 박물관 03. 과일 04. 아이 05. 빌리다
06. 철자를 쓰다 07. 로봇 08. 기차 09. 건물 10. 정오, 낮 12시

③ 01. arrives 02. train 03. far 04. Buildings 05. borrow

Grammar
mentor
joy

Grammar
mentor
joy

Grammar mentor joy

Grammar mentor joy

Longman

Grammar Mentor Joy 시리즈

Grammar Mentor Joy Pre

Grammar Mentor Joy Early Start 1
Grammar Mentor Joy Early Start 2

Grammar Mentor Joy Start 1
Grammar Mentor Joy Start 2

Grammar Mentor Joy 1
Grammar Mentor Joy 2
Grammar Mentor Joy 3
Grammar Mentor Joy 4

Grammar Mentor Joy Plus 1
Grammar Mentor Joy Plus 2
Grammar Mentor Joy Plus 3
Grammar Mentor Joy Plus 4

Longman

Grammar mentor joy

START 1

정답 및 해설

Longman

Grammar mentor joy

정답 및 해설

Alphabet

Check up p.13

① C, E, F, H, J, M, N, P, Q, T, U, V, X, Z

② a, c, d, g, i, k, l, o, q, r, u, v, w, x, y

③ 대문자: A, D, E, I, K, L, N, O, Q, S, V, W, Z

④ 소문자: b, c, f, g, h, j, m, p, r, t, u, x, y

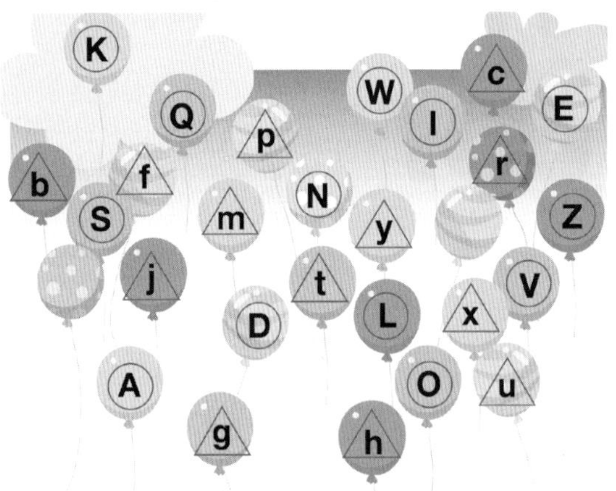

④ 01 boy 02 mom 03 cup
04 ball 05 book 06 dog
07 car 08 bag 09 love
10 pen 11 baby 12 door

⑤ 01 HOUSE 02 CAT 03 BIKE
04 GIRL 05 EYE 06 APPLE
07 TOY 08 BUS 09 CANDY
10 MILK 11 ROSE 12 WATER

Consonants and Vowels

Check up p.17

①

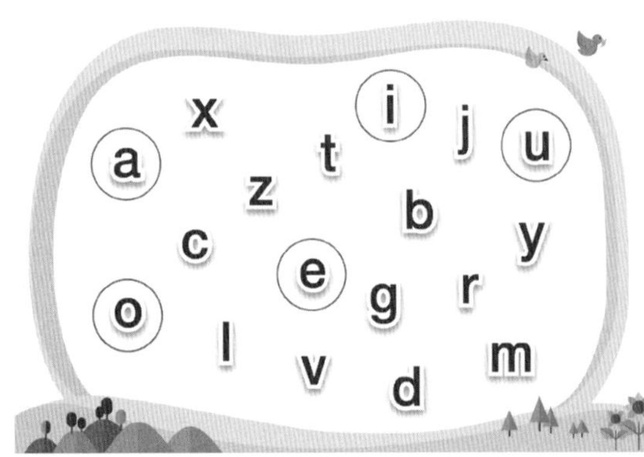

② 01 o 02 e 03 a
04 e, a 05 o, o 06 e, a
07 a 08 i 09 e
10 i 11 o, e 12 e, a

③

		자음	모음
01	cake	c, k	a, e
02	milk	m, l, k	i
03	chair	c, h, r	a, i
04	map	m, p	a
05	box	b, x	o
06	big	b, g	i
07	lion	l, n	i, o
08	dog	d, g	o
09	eat	t	e, a
10	orange	r, n, g	o, a, e
11	room	r, m	o, o
12	hand	h, n, d	a

Wrap up p.19

① ⓐ, b, c, d, ⓔ, f, g, h, ⓘ, j, k, l, m, n, ⓞ, p, q, r, s, t, ⓤ, v, w, x, y, z

② 01 grape = g + r + a + p + e
자음 자음 모음 자음 모음

02 tree = t + r + e + e
자음 자음 모음 모음

03 tiger = t + i + g + e + r
자음 모음 자음 모음 자음

04 song = s + o + n + g
자음 모음 자음 자음

05 rain = r + a + i + n
자음 모음 모음 자음

Chapter 1 명사

Unit 01 명사의 종류

Warm up p.23

① juice, orange, London, gas, baseball, river, table, butter

② 01 cat 02 books
03 James, tennis 04 coffee
05 sugar, cheese 06 brother, Canada

[해설]

❶ 명사는 사람, 사물, 장소 등을 가리키는 말이다.
rub, have, know, go는 사람이나 사물이 동작이나 상태를 나타내는 말로 동사이고, happy, pretty, good, fast는 명사의 상태나 성질을 자세하게 나타내는 말로 형용사이다.

❷ 명사는 사람, 사물, 장소 등을 가리키는 말이다.
01 cat: 셀 수 있는 명사
02 books: 셀 수 있는 명사
03 James, tennis: 셀 수 없는 명사
04 coffee: 셀 수 없는 명사
05 sugar, cheese: 셀 수 없는 명사
06 brother: 셀 수 있는 명사, Canada: 셀 수 없는 명사

Step up p.24

❶ 사람을 나타내는 말: friend, mother, teacher
동물을 나타내는 말: lion, monkey, pig
물체를 나타내는 말: banana, flower, pen
장소를 나타내는 말: bookstore, city, school
액체 · 기체 · 고체: juice, air, ice
몇몇 음식물: cheese, rice, sugar
과목 · 운동 이름: math, music, tennis
사람 · 나라 · 도시 이름: Seoul, Japan, Mary

❷ 01 girl, fish, sofa, bank, tree, car, tomato, lake, egg, star, bird, doctor
02 basketball, English, snow, wind, bread, France, Susan, ice cream, milk, science, Mike, Hong Kong

[해설]

❷ 01 사람, 동물, 물체, 장소를 나타내는 말은 셀 수 있는 명사이다.
02 액체 · 기체 · 고체, 몇몇 음식물, 과목 · 운동 이름, 사람 · 나라 · 도시 이름은 셀 수 없는 명사이다.

Jump up p.26

01 We eat rice. (rice: △)
02 I like science. (science: △)
03 They drink water. (water: △)
04 Tom lives in Paris. (Tom: △, Paris: △)
05 Oranges are delicious. (Oranges: ○)
06 My father walks fast. (father: ○)
07 The boy throws a ball. (boy: ○, ball: ○)
08 My sister is a student. (sister: ○, student: ○)
09 Monkeys eat bananas. (Monkeys: ○, bananas: ○)
10 The teacher is in the classroom. (teacher: ○, classroom: ○)

[해설]

01 rice는 음식물로 셀 수 없는 명사이다.
02 science는 과목을 나타내는 말로 셀 수 없는 명사이다.
03 water는 액체로 셀 수 없는 명사이다.
04 Tom은 사람, Paris는 도시 이름으로 셀 수 없는 명사이다.
05 oranges는 물체를 나타내는 말로 셀 수 있는 명사이다.
06 father는 사람을 나타내는 말로 셀 수 있는 명사이다.
07 boy는 사람을 나타내는 말, ball은 물체를 나타내는 말로 셀 수 있는 명사이다.
08 sister, student는 사람을 나타내는 말로 셀 수 있는 명사이다.
09 monkeys는 동물, bananas는 물체를 나타내는 말로 셀 수 있는 명사이다.
10 teacher는 사람, classroom은 장소를 나타내는 말로 셀 수 있는 명사이다.

Build up writing p.28

01 China	02 math
03 soccer	04 golf
05 neck	06 New York, city
07 water, air	08 snow
09 Mary, cheese	10 milk, bread

Unit 02 셀 수 있는 명사의 복수형

Warm up p.29

❶ 01 cat → cats, doll → dolls
02 box → boxes, bus → buses
03 hero → heroes, tomato → tomatoes
04 lady → ladies, party → parties
05 wife → wives, thief → thieves
06 child → children, foot → feet

Step up p.30

❶

01	bird	birds	16	bed	beds
02	hobby	hobbies	17	glass	glasses
03	leaf	leaves	18	brother	brothers
04	eraser	erasers	19	child	children
05	tomato	tomatoes	20	holiday	holidays
06	shoe	shoes	21	church	churches
07	class	classes	22	cup	cups
08	month	months	23	life	lives
09	woman	women	24	monkey	monkeys
10	body	bodies	25	brush	brushes
11	movie	movies	26	party	parties
12	mouse	mice	27	shirt	shirts
13	foot	feet	28	thief	thieves
14	key	keys	29	potato	potatoes
15	box	boxes	30	camera	cameras

❷ 01 two boys　02 five pencils
03 three leaves　04 six candies
05 four mice　06 three tomatoes
07 seven stars　08 two buses

[해설]

❶ 01, 04, 06, 08, 11, 16, 18, 22, 27, 30 대부분의 명사는 s를 붙인다.
02, 10, 26 「자음+y」로 끝나는 명사는 y를 i로 바꾸고 es를 붙인다.
03, 23, 28 f나 fe로 끝나는 명사는 f나 fe를 v로 바꾸고 es를 붙인다.
05, 29 「자음+o」로 끝나는 명사는 es를 붙인다.
07, 15, 17, 21, 25 x, s, sh, ch로 끝나는 명사는 es를 붙인다.
09, 12, 13, 19 불규칙 변화 명사로 복수형이 woman은 women, mouse는 mice, foot은 feet, child는 children이다.
14, 20, 24 「모음+y」로 끝나는 명사는 s를 붙인다.

❷ 01 boy는 「모음+y」로 끝나는 명사로 s를 붙인다.
02 pencil은 명사 끝에 s를 붙인다.
03 leaf는 f로 끝나는 명사로 f를 v로 바꾸고 es를 붙인다.
04 candy는 「자음+y」로 끝나는 명사로 y를 i로 바꾸고 es를 붙인다.
05 mouse는 불규칙 변화 명사로 복수형이 mice이다.
06 tomato는 「자음+o」로 끝나는 명사로 es를 붙인다.
07 star는 명사 끝에 s를 붙인다.
08 bus는 s로 끝나는 명사로 es를 붙인다.

Jump up p.32

01 children　02 toys　03 stories
04 Knives　05 dolls　06 classes
07 friends　08 teeth　09 watches
10 potatoes

[해설]

01 child는 불규칙 변화 명사로 복수형이 children이다.
02 toy는 「모음+y」로 끝나는 명사로 끝에 s를 붙인다.
03 story는 「자음+y」로 끝나는 명사로 y를 i로 고치고 es를 붙인다.
04 knife는 fe로 끝나는 명사로 fe를 v로 바꾸고 es를 붙인다.
05 대부분의 명사는 s를 붙인다.
06 s로 끝나는 명사는 es를 붙인다.
07 대부분의 명사는 s를 붙인다.
08 tooth는 불규칙 변화 명사로 복수형이 teeth이다.
09 ch로 끝나는 명사는 es를 붙인다.
10 「자음+o」로 끝나는 명사는 es를 붙인다.

Build up writing p.33

01 Six, wolves　02 two, babies
03 Three, dresses　04 Eight, children
05 Nine, men　06 Five, apples
07 seven, dishes　08 Four, cookies

[해설]

01 wolf는 f로 끝나는 단어로 f를 v로 바꾸고 es를 붙인다.
02 baby는 「자음+y」로 끝나는 명사로 y를 i로 바꾸고 es를 붙인다.
03 dress는 s로 끝나는 명사로 es를 붙인다.
04 child는 불규칙 변화 명사로 복수형은 children이다.
05 man은 불규칙 변화 명사로 복수형은 men이다.
06 apple은 s를 붙인다.
07 dish는 sh로 끝나는 명사로 es를 붙인다.
08 cookie는 s를 붙인다.

Wrap up p.34

❶ 01 snow　02 boxes　03 mice
04 days　05 English　06 teacher
07 leaves　08 flowers　09 classes
10 teeth

❷ 01 Jane　02 chairs　03 children
04 keys　05 feet　06 rabbits
07 thieves　08 milk　09 buses
10 tomatoes

[해설]

❶ 01 snow는 고체로 셀 수 없는 명사이다.
02 box는 x로 끝나는 명사로 es를 붙인다.
03 mouse는 불규칙 변화 명사로 복수형이 mice이다.
04 day는 「모음+y」로 끝나는 명사로 s를 붙인다.
05 English는 셀 수 없는 명사로 an을 붙일 수 없다.
06 teacher는 셀 수 있는 명사로 a 뒤에 단수형을 쓴다.
07 leaf는 f로 끝나는 명사로 f를 v로 바꾸고 es를 붙인다.
08 flower는 명사 끝에 s를 붙인다.
09 class는 s로 끝나는 명사로 es를 붙인다.
10 tooth는 불규칙 변화 명사로 복수형이 teeth이다.

❷ 01 사람 · 나라 · 도시 이름은 항상 대문자로 시작한다.
02 앞에 three가 있으므로 복수 명사 chairs가 되어야 한다.
03 child는 불규칙 변화 명사로 복수형이 children이다.
04 앞에 five가 있으므로 복수 명사 keys가 되어야 한다.
05 foot은 불규칙 변화 명사로 복수형이 feet이다.
06 앞에 three가 있으므로 복수 명사 rabbits가 되어야 한다.
07 thief는 f로 끝나는 단어로 f를 v로 바꾸고 es를 붙인다.
08 milk는 액체로 셀 수 없는 명사이며, 셀 수 없는 명사는 복수형을 만들 수 없다.
09 앞에 Three가 있으므로 복수 명사 buses가 되어야 한다.
10 tomato는 「자음+o」로 끝나는 명사로 es를 붙인다.

Exercise p.36

1 ② 2 ① 3 ⑤ 4 ② 5 ④ 6 ②
7 1) chairs 2) leaves 3) parties
8 potatoes 9 days 10 children

[해설 및 해석]

1 ② happy는 명사의 상태나 성질을 자세하게 나타내는 말로 형용사이다.
① 그는 선생님이에요.
② 그녀는 행복해요.
③ 그 아기는 귀여워요.
④ 나는 내 가족을 사랑해요.
⑤ 우리 오빠는 친절해요.
2 class, box, animal, candy, school, pencil은 셀 수 있는 명사이고, sugar, rice, water, snow는 셀 수 없는 명사이다.
3 ① fox는 x로 끝나는 명사로 명사 끝에 es를, ② parent는 명사 끝에 s를 붙이고, ③ wolf는 f를 v로 바꾸고 es를 붙이며, ④ foot은 불규칙 변화 명사로 복수형이 feet이다.
4 앞에 two가 있으므로 빈칸에는 복수 명사가 와야 한다. ② book은 단수 명사로 복수형 books가 되어야 한다.
5 ④ woman은 불규칙 변화 명사로 복수형이 women이다.
6 ② sister의 복수형은 sisters이다.
① 이것들은 호랑이예요.
② 우리 언니들은 예뻐요.
③ 그 열쇠는 내 주머니에 있어요.
④ 그 토마토들은 싱싱해요.
⑤ 그것은 방이 다섯 개예요.
7 1) chair는 뒤에 s, 2) leaf는 f로 끝나는 명사로 f를 v로 바꾸고 es, 3) party는 「자음+y」로 끝나는 명사로 y를 i로 바꾸고 es를 붙인다.
8 앞에 five가 있으므로 복수 명사가 필요하다. 「자음+o」로 끝나는 명사는 es를 붙인다.
9 앞에 seven이 있으므로 복수 명사가 필요하다. 「모음+y」로 끝나는 명사는 s를 붙인다.
10 앞에 two가 있으므로 복수 명사가 필요하다. child는 불규칙 변화 명사로 복수형이 children이다.

Chapter 2 관사

Unit 01 관사 a와 an

Warm up p.41

❶
01 a	02 an	03 a
04 a	05 an	06 an
07 a	08 a	09 an
10 a	11 a	12 an
13 an	14 a	15 a
16 a	17 a	18 a
19 a	20 a	

[해설]

❶ 01~20 자음 소리로 시작하는 명사의 앞에는 a, 모음(a, e, i, o, u) 소리로 시작하는 명사의 앞에는 an을 쓴다.

Step up p.42

❶
01 ×	02 a	03 an
04 a	05 a	06 ×
07 an	08 ×	09 an
10 ×	11 a	12 ×
13 a	14 ×	15 a
16 ×	17 a	18 ×
19 a	20 ×	

❷
01 a	02 an	03 a
04 a	05 ×	06 a
07 an	08 an	09 a
10 ×		

[해설]

① 01, 06, 08, 10 셀 수 없는 명사 앞에는 a 또는 an을 쓰지 않는다.
02, 04, 05, 11, 13, 15, 17, 19 자음 소리로 시작하는 명사의 앞이므로 a를 쓴다.
03, 07, 09 모음 소리로 시작하는 명사의 앞이므로 an을 쓴다.
12, 14, 16, 18, 20 복수 명사는 앞에 a 또는 an을 쓰지 않는다.

② 01, 03, 04, 09 자음 소리로 시작하는 명사의 앞이므로 a를 쓴다.
02 모음 소리로 시작하는 명사의 앞이므로 an을 쓴다.
05 복수 명사는 앞에 a 또는 an을 쓰지 않는다.
06 「자음 소리로 시작하는 형용사+명사」로 앞에 a를 쓴다.
07, 08 「모음 소리로 시작하는 형용사+명사」로 an을 쓴다.
10 셀 수 없는 명사 앞에는 a 또는 an을 쓰지 않는다.

Jump up p.44

01 a book	02 an eraser
03 An eagle	04 a pencil
05 an old car	06 a writer
07 a rabbit	08 a red umbrella
09 an hour	10 an uncle, an aunt

[해설]

01, 04, 06, 07 자음 소리로 시작하는 명사의 앞이므로 a를 쓴다.
02, 03, 09, 10 모음 소리로 시작하는 명사의 앞이므로 an을 쓴다.
05 「모음 소리로 시작하는 형용사+명사」로 앞에 an을 쓴다.
08 「자음 소리로 시작하는 형용사+명사」로 앞에 a를 쓴다.

Build up writing p.45

01 a doctor	02 an actor
03 An apple	04 an egg
05 a store	06 an elephant
07 a party	08 an orange

[해설]

01, 05, 07 자음 소리로 시작하는 명사의 앞이므로 a를 쓴다.
02, 03, 04, 06, 08 모음 소리로 시작하는 명사의 앞이므로 an을 쓴다.

Unit 02 관사 the

Warm up p.47

① 01 the	02 the	03 the
04 ×	05 the	06 ×
07 ×	08 the	09 the
10 the	11 the	12 ×
13 ×	14 the	15 the
16 the	17 the	18 ×
19 the	20 ×	

[해설]

① 01, 09, 15, 17 play 뒤 악기 이름 앞에는 the를 쓴다.
02, 03, 08, 10, 14, 16 세상에 하나밖에 없는 것 앞에는 the를 쓴다.
04, 07, 13 식사 이름 앞에는 관사를 쓰지 않는다.
05, 11, 19 하루의 시간 구분 morning, afternoon, evening 앞에는 the를 쓴다.
06, 12, 18, 20 play 뒤 운동 경기 앞에는 관사를 쓰지 않는다.

Step up p.48

① 01 the	02 the	03 The
04 the	05 ×	06 the
07 the	08 ×	09 ×
10 the		
② 01 The	02 The	03 The
04 The	05 The	06 The
07 The	08 The	

[해설]

① 01, 04 play 뒤 악기 이름 앞에는 the를 쓴다.
02, 03, 10 세상에 하나밖에 없는 것 앞에는 the를 쓴다.
05 식사 이름 앞에는 관사를 쓰지 않는다.
06, 07 하루의 시간 구분 morning, evening 앞에는 the를 쓴다.
08, 09 play 뒤 운동 경기 앞에는 관사를 쓰지 않는다.

② 01~08 앞에서 언급된 a 또는 an이 붙은 명사에 대해 다시 말할 때는 the를 쓴다.

Jump up p.50

01 The earth	02 the flute
03 the sky	04 dinner
05 soccer	06 the evening
07 breakfast	08 The car
09 The dog	10 the morning

[해설]

01, 03 세상에 하나밖에 없는 것 앞에는 the를 쓴다.
02 play 뒤 악기 이름 앞에는 the를 쓴다.
04, 07 식사 이름 앞에는 관사를 쓰지 않는다.
05 play 뒤 운동 이름 앞에는 관사를 쓰지 않는다.
06, 10 하루의 시간 구분 evening, morning 앞에는 the를 쓴다.
08, 09 앞에서 언급된 a 또는 an이 붙은 명사에 대해 다시 말할 때는 the를 쓴다.

Build up writing p.51

01 The moon
02 the guitar
03 the piano
04 the afternoon
05 lunch
06 tennis
07 baseball
08 The cap

[해설]

01 세상에 하나밖에 없는 것 앞에는 the를 쓴다.
02, 03 play 뒤 악기 이름 앞에는 the를 쓴다.
04 하루의 시간 구분 afternoon 앞에는 the를 쓴다.
05 식사 이름 앞에는 관사를 쓰지 않는다.
06, 07 play 뒤 운동 이름 앞에는 관사를 쓰지 않는다.
08 앞에서 언급된 a 또는 an이 붙은 명사에 대해 다시 말할 때는 the를 쓴다.

Wrap up p.52

❶ 01 an 02 the 03 a
04 a 05 × 06 an
07 the 08 The 09 ×
10 ×

❷ 01 The 02 cats 03 an
04 An 05 dinner 06 milk
07 a 08 the piano 09 The
10 baseball

[해설]

❶ 01 「모음 소리로 시작하는 형용사+명사」 앞에는 an을 쓴다.
02 세상에 하나밖에 없는 것 앞에는 the를 쓴다.
03, 04 정확히 알 수 없는 사람 또는 사물에 대해 처음 얘기를 꺼내고, 자음 소리로 시작하는 명사 앞에는 a를 쓴다.
05, 09 식사 이름 앞에는 관사를 쓰지 않는다.
06 하나임을 나타내고, 모음 소리로 시작하는 명사 앞에는 an을 쓴다.
07 play 뒤 악기 이름 앞에는 the를 쓴다.
08 앞에서 언급된 a 또는 an이 붙은 명사에 대해 다시 말할 때는 the를 쓴다.
10 play 뒤 운동 경기 앞에는 관사를 쓰지 않는다.

❷ 01 세상에 하나밖에 없는 것 앞에는 the를 쓴다.
02 복수 명사 앞에는 a 또는 an을 쓰지 않는다.
03 「모음 소리로 시작하는 형용사+명사」 앞에는 an을 쓴다.
04 모음 소리로 시작하는 명사 앞에는 an을 쓴다.
05 식사 이름 앞에는 관사를 쓰지 않는다.
06 셀 수 없는 명사 앞에는 a 또는 an을 쓰지 않는다.
07 하나임을 나타내고, 자음 소리로 시작하는 명사 앞에는 a를 쓴다.
08 play 뒤 악기 이름 앞에는 the를 쓴다.
09 앞에서 언급된 a 또는 an이 붙은 명사에 대해 다시 말할 때는 the를 쓴다.
10 play 뒤 운동 경기 앞에는 관사를 쓰지 않는다.

Exercise p.54

1 ④ 2 ③ 3 ③ 4 ④ 5 ② 6 ⑤
7 ① 8 The 9 a, The
10 1) the sky 2) An hour

[해설 및 해석]

1 ①, ②, ⑤ 자음 소리로 시작하는 명사로 a가 와야 하고, ③ 모음 소리로 시작하는 명사로 an이 와야 한다.
2 ③ 복수 명사 앞에는 a 또는 an을 쓰지 않으므로 a book 또는 books가 되어야 한다.
3 ③ 셀 수 없는 명사는 앞에는 a 또는 an을 쓰지 않는다.
4 ④ actor는 모음 소리로 시작하는 명사로 앞에 an을 쓴다.
① 나는 학생이에요.
② 우리 아버지는 비행사예요.
③ 우리 어머니는 선생님이에요.
④ 우리 형은 배우예요.
⑤ 우리 삼촌은 경찰관이에요.
5 ② 복수 명사 앞에는 a 또는 an을 쓰지 않는다.
① 이것은 재미있는 책이에요.
② 그들은 친절한 아이들이에요.
③ 그녀는 유명한 가수예요.
④ 그녀의 아기는 이가 하나 났어요.
⑤ 나는 웨이터예요.
6 ⑤ play 뒤 운동 이름 앞에는 관사를 쓰지 않는다.
① 그들은 바다에서 헤엄쳐요.
② 우리 언니는 기타를 연주해요.
③ 우리는 저녁에 TV를 봐요.
④ 많은 동물들이 세상에 살아요.
⑤ 그들은 오후에 테니스를 쳐요.
7 ① play 뒤 악기 이름 앞에는 the를 쓴다.
① 나는 피아노를 연주해요.
② 그는 축구를 해요.

③ 우리 아버지가 저녁을 요리해요.
④ 달은 밤에 빛나요.
⑤ 우리는 아침에 영어 공부를 해요.

8 세상에 하나밖에 없는 것 앞에는 the를 쓴다.
- 해는 동쪽에서 떠요.
- 지구는 둥글어요.

9 듣는 사람이 어떤 것인지 정확히 알 수 없는 사물에 대해 처음 얘기를 할 때는 a 또는 an을 쓰고, 앞에서 언급한 a 또는 an을 붙은 명사에 대해 다시 말하는 경우는 the를 쓴다.
나는 한 소년을 알아요. 그 소년은 매우 영리해요.

10 sky는 세상에 하나밖에 없는 것으로 the, hour는 모음 소리로 시작하는 명사로 an을 쓴다.

Chapter 3 대명사 I

Unit 01 주격 인칭대명사

Warm up p.59

❶ 01 우리는, 1, 복수 02 그는, 3, 단수
03 너는, 2, 단수 04 그것은, 3, 단수
05 그녀는, 3, 단수 06 그들은, 그것들은, 3, 복수
07 나는, 1, 단수 08 너희들은, 2, 복수

Step up p.60

❶ 01 he 02 we 03 she 04 you
05 he 06 they 07 it 08 he
09 she 10 they 11 we 12 she
13 you 14 it 15 they

❷ 01 He 02 She 03 We 04 It
05 We 06 She 07 You 08 They
09 It 10 He

[해설]

❶ 01, 05, 08 남자 1명은 he로 바꿔 쓸 수 있다.
02, 11 나를 포함한 여러 명은 we로 바꿔 쓸 수 있다.
03, 09, 12 여자 1명은 she로 바꿔 쓸 수 있다.
04, 13 너를 포함한 여러 명은 you(복수)로 바꿔 쓸 수 있다.
06, 10, 15 너와 나를 제외한 사람 여러 명, 물건 여러 개, 동물 여러 마리는 they로 바꿔 쓸 수 있다.
07, 14 물건 한 개, 동물 한 마리는 it으로 바꿔 쓸 수 있다.

❷ 01, 10 남자 1명은 he로 바꿔 쓸 수 있다.
02, 06 여자 1명은 she로 바꿔 쓸 수 있다.
03, 05 나를 포함한 여러 명은 we로 바꿔 쓸 수 있다.
04, 09 물건 한 개 또는 동물 한 마리는 it으로 바꿔 쓸 수 있다.
07 너를 포함한 여러 명은 you(복수)로 바꿔 쓸 수 있다.
08 나와 너를 제외한 여러 명은 they로 바꿔 쓸 수 있다.

Jump up p.62

01 You 02 He 03 They 04 We
05 She 06 You 07 It 08 I

[해설]

01 '너희들은'이라는 의미의 주격 인칭대명사는 you이다.
02 '그는'이라는 의미의 주격 인칭대명사는 he이다.
03 '그들은'이라는 의미의 주격 인칭대명사는 they이다.
04 '우리는'이라는 의미의 주격 인칭대명사는 we이다.
05 '그녀는'이라는 의미의 주격 인칭대명사는 she이다.
06 '당신은'이라는 의미의 주격 인칭대명사는 you이다.
07 '그것은'이라는 의미의 주격 인칭대명사는 it이다.
08 '나는'이라는 의미의 주격 인칭대명사는 I이다.

Build up writing p.63

01 He 02 It 03 It 04 She
05 She 06 He 07 They 08 They
09 We 10 You

[해설]

01, 06 남자 1명은 he로 바꿔 쓸 수 있다.
02, 03 동물 한 마리 또는 물건 한 개는 it으로 바꿔 쓸 수 있다.
04, 05 여자 1명은 she로 바꿔 쓸 수 있다.
07 나와 너를 제외한 여러 명은 they로 바꿔 쓸 수 있다.
08 물건 여러 개는 they로 바꿔 쓸 수 있다.
09 나를 포함한 여러 명은 we로 바꿔 쓸 수 있다.
10 너를 포함한 여러 명은 you로 바꿔 쓸 수 있다.

Unit 02 소유격·목적격 인칭대명사

Warm up p.65

❶

		소유격	목적격
1인칭	단수	my 나의	me 나를
	복수	our 우리의	us 우리를
2인칭	단수	your 너의	you 너를
	복수	your 너희들의	you 너희들을

3인칭	단수	his	him
		그의	그를
		her	her
		그녀의	그녀를
		its	it
		그것의	그것을
	복수	their	them
		그들의, 그것들의	그들을, 그것들을

Step up p.66

❶ 01 him　02 our
03 their　04 your
05 it　06 her
07 you　08 you
09 its　10 them
11 그녀의, 그녀를　12 그의
13 나의　14 너의, 너희들의
15 그를　16 그들의, 그것들의
17 우리를　18 그것의
19 나를　20 우리의

❷ 01 you, Your　02 him, His
03 her, Her　04 it, Its
05 them, Their　06 us, our
07 you, your　08 them, their
09 me, my　10 him, his

Jump up p.68

01 you　02 them　03 Its
04 our　05 it　06 us
07 me　08 your　09 His
10 him　11 my　12 their

[해설]

01, 02, 05, 06, 07, 10 문장에서 목적어 역할을 하는 목적격 인칭대명사를 고른다.
03, 04, 08, 09, 11, 12 뒤에 있는 명사와 소유 관계를 나타내므로 소유격 인칭대명사를 고른다.

Build up writing p.69

01 their　02 it　03 them
04 our　05 us　06 His, me
07 My, you　08 Your, her　09 her, him
10 Your, my

[해설]

01 store와 소유 관계를 나타내므로 '그들의'라는 의미에 해당하는 소유격 인칭대명사 their를 쓴다.
02 목적어 자리이므로 '그것을'이라는 의미의 목적격 인칭대명사 it을 쓴다.
03 목적어 자리이므로 '그들을'이라는 의미의 목적격 인칭대명사 them을 쓴다.
04 photo와 소유 관계를 나타내므로 '우리의'라는 의미의 소유격 인칭대명사 our를 쓴다.
05 목적어 자리이므로 '우리를'이라는 의미의 목적격 인칭대명사 us를 쓴다.
06 uncle과 소유 관계를 나타내므로 '그의'라는 의미의 소유격 인칭대명사는 his를 쓰고, 목적어 자리이므로 '나를'이라는 의미의 목적격 인칭대명사 me를 쓴다.
07 parents와 소유 관계를 나타내므로 '나의'라는 의미의 소유격 인칭대명사 my를 쓰고, '너를'이라는 의미의 목적격 인칭대명사 you를 쓴다.
08 bag과 소유 관계를 나타내므로 '너의'라는 의미의 소유격 인칭대명사 your를 쓰고, room과 소유 관계를 나타내므로 '그녀의'라는 의미의 소유격 인칭대명사 her를 쓴다.
09 목적어 자리이므로 '그녀를'과 '그를'이라는 의미의 목적격 인칭대명사 her와 him를 쓴다.
10 sister와 소유 관계를 나타내므로 '너의'와 '나의'라는 의미의 소유격 인칭대명사 your와 my를 쓴다.

Wrap up p.70

❶ 01 We, it　02 It, her　03 You, us
04 We, him　05 She, his　06 They, her
07 He, my　08 I, their　09 My, your
10 Your, their

❷ 01 It　02 She　03 us
04 her　05 Its　06 I
07 Your　08 His　09 them
10 Their

[해설]

❶

01 주어 역할을 하는 주격 인칭대명사 We와, 목적어 역할을 하는 목적격 인칭대명사 it을 고른다.
02 주어 역할을 하는 주격 인칭대명사 It과, puppy와 소유 관계를 나타내는 소유격 인칭대명사 her를 고른다.
03 주어 역할을 하는 주격 인칭대명사 You와, 목적어 역할을 하는 목적격 인칭대명사 us를 고른다.
04 주어 역할을 하는 주격 인칭대명사 We와, 목적어 역할을 하는 목적격 인칭대명사 him을 고른다.
05 주어 역할을 하는 주격 인칭대명사 She와, sister와 소유 관계를 나타내는 소유격 인칭대명사 his를 고른다.
06 주어 역할을 하는 주격 인칭대명사 They와, 목적어 역할을 하는 목적격 인칭대명사 her를 고른다.
07 주어 역할을 하는 주격 인칭대명사 He와, teacher와 소유 관계를 나타내는 소유격 인칭대명사 my를 고른다.

08 주어 역할을 하는 주격 인칭대명사 I와, son과 소유 관계를 나타내는 소유격 인칭대명사 their를 고른다.
09 각각 book과 desk의 소유 관계를 나타내므로 소유격 인칭대명사 My와 your를 고른다.
10 각각 brother와 friend의 소유 관계를 나타내므로 소유격 인칭대명사 Your와 their를 고른다.

②

01 '그것은'라는 의미의 주격 인칭대명사는 It이다.
02 주어 자리이므로 주격 인칭대명사 She가 되어야 한다.
03 목적어 자리이므로 목적격 인칭대명사 us가 되어야 한다.
04 목적어 자리이므로 목적격 인칭대명사 her가 되어야 한다.
05 legs와 소유 관계를 나타내므로 소유격 인칭대명사 Its가 되어야 한다.
06 주어 자리이므로 주격 인칭대명사 I가 되어야 한다.
07 hands와 소유 관계를 나타내므로 소유격 인칭대명사 Your가 되어야 한다.
08 car와 소유 관계를 나타내므로 소유격 인칭대명사 His가 되어야 한다.
09 목적어 자리이므로 목적격 인칭대명사 them이 되어야 한다.
10 parents와 소유 관계를 나타내므로 소유격 인칭대명사 Their가 되어야 한다.

Exercise p.72

1 ③ 2 ④ 3 ④ 4 ③ 5 ② 6 ①
7 ④ 8 ①
9 1) We 2) They 3) Its 4) her
10 1) He, them 2) I, him, His

[해설 및 해석]

1 ①, ②, ④, ⑤는 주격 인칭대명사이고, ③은 목적격 인칭대명사이다.
2 ④ our는 '우리의'라는 의미의 소유격 인칭대명사이다.
3 ①, ②, ③, ⑤는 주격 인칭대명사 – 목적격 인칭대명사의 관계이고, ④는 주격 인칭대명사 – 소유격 인칭대명사의 관계이다.
4 주어 자리이므로 주격 인칭대명사 또는 명사가 와야 한다. 소유격 인칭대명사 His는 적절하지 않다.
5 pencil과 소유 관계를 나타내야 하므로 목적격 인칭대명사 us는 적절하지 않다.
6 목적어 자리이므로 목적격 인칭대명사가 와야 한다. 소유격 인칭대명사 its는 적절하지 않다.
7 brother와 소유 관계를 나타내는 소유격 인칭대명사가 필요하고, 문장에서 목적어 역할을 하는 목적격 관계대명사가 필요하다.
→ 소유격과 목적격 인칭대명사의 형태가 같은 her가 적절하다.
• 톰은 그녀의 남동생이에요.
• 그는 그녀를 사랑해요.
8 ① 주어 자리이므로, 주격 인칭대명사 You가 되어야 한다.
① 너는 정말 바쁘구나.
② 그것의 입은 정말 커요.
③ 그의 누나는 여배우예요.
④ 나는 주말마다 그들을 방문해요.
⑤ 샌디와 켈리는 우리의 도움이 필요해요.
9 1) 나를 포함한 여러 명이고, 주어 자리이므로 We, 2) 나와 너를 제외한 여러 명이고, 주어 자리이므로 They, 3) neck과 소유 관계를 나타내므로 Its, 4) 목적어 자리이고, 여자 1명으로 her를 쓴다.
1) 제니와 나는 영화를 좋아해요. 우리는 영화 동호회 회원이에요.
2) 나는 빌과 수를 알아요. 그들은 우리 반 친구들이에요.
3) 아이들은 기린을 좋아해요. 그것의 목은 길어요.
4) 에이미는 친절해요. 우리는 그녀를 좋아해요.
10 1) 주어 자리이고, '그는'이라는 의미의 주격 인칭대명사 He, 목적어 자리이고 '그들을'이라는 의미의 목적격 인칭대명사 them을 쓴다.
2) 주어 자리이고, '나는'이라는 의미의 주격 인칭대명사 I, 목적어 자리이고 '그를'이라는 의미의 목적격 인칭대명사 him, name의 소유 관계를 나타내므로 소유격 인칭대명사 His를 쓴다.

Chapter 4 대명사 II

Unit 01 지시대명사

Warm up p.77

① 01 That, This 02 This, That
03 That, This 04 These, Those
05 Those, These 06 These, Those

[해설]

① 01~03 가리키는 대상이 단수인 경우 가까이에 있는 사람, 사물, 동물은 This를, 멀리 있는 사람, 사물, 동물은 That을 쓴다.
04~06 가리키는 대상이 복수인 경우 가까이에 있는 사람, 사물, 동물은 These를, 멀리 있는 사람, 사물, 동물은 Those를 쓴다.

Step up p.78

① 01 This 02 this 03 that
04 this 05 That 06 Those
07 That 08 These 09 These
10 Those

❷ 01 Those 02 That 03 This
04 That 05 Those 06 These

[해설 및 해석]

❶ **01, 04** '이것'이라는 의미의 지시대명사는 this이다.
02 '이 ~'라는 의미로 단수 명사를 수식하는 지시형용사는 this이다.
03 '저 ~'라는 의미로 단수 명사를 수식하는 지시형용사는 that이다.
05, 07 '저것'이라는 의미의 지시대명사는 that이다.
06 '저것들'이라는 의미의 지시대명사는 those이다.
08 '이것들'이라는 의미의 지시대명사는 these이다.
09 '이 ~들'이라는 의미로 복수 명사를 수식하는 지시형용사는 these이다.
10 '저 ~들'이라는 의미로 복수 명사를 수식하는 지시형용사는 those이다.

❷ **01** 가리키는 대상이 복수이고 멀리 있으므로 Those를 쓴다.
02 가리키는 대상이 단수이고 멀리 있으므로 That을 쓴다.
03 pencil이 단수이고 가까이에 있으므로 This를 쓴다.
04 chair가 단수이고 멀리 있으므로 That을 쓴다.
05 students가 복수이고 멀리 있으므로 Those를 쓴다.
06 가리키는 대상이 복수이고 가까이에 있으므로 These를 쓴다.
01 저것들은 사자예요.
02 저 아이가 내 친구예요.
03 이 연필은 길어요.
04 저 의자는 비싸요.
05 저 학생들은 친절해요.
06 이것들은 예쁜 꽃들이에요.

Jump up p.80

01 That 02 that 03 This
04 That 05 These 06 This
07 These 08 Those 09 These
10 those

[해설]

01, 04 '저 사람'이라는 의미의 지시대명사는 that이다.
02 '저 ~'라는 의미로 단수 명사를 수식하는 지시형용사는 that이다.
03 '이것'이라는 의미의 지시대명사는 this이다.
05, 07 '이것들', '이 사람들'이라는 의미의 지시대명사는 these이다.
06 '이 ~'라는 의미로 단수 명사를 수식하는 지시형용사는 this이다.
08 '저 사람들'이라는 의미의 지시대명사는 those이다.
09 '이 ~들'이라는 의미로 복수 명사를 수식하는 지시형용사는 these이다.
10 '저 ~들'이라는 의미로 복수 명사를 수식하는 지시형용사는 those이다.

Build up writing p.81

01 This color 02 those gloves
03 These dogs 04 Those cookies
05 these students 06 that car
07 This, my brother 08 That, a koala
09 These, my pictures 10 Those, the letters

[해설]

01 '이 ~'라는 의미로 단수 명사를 수식하는 지시형용사는 this이다.
02, 04 '저 ~들'이라는 의미로 복수 명사를 수식하는 지시형용사는 those이다.
03, 05 '이 ~들'이라는 의미로 복수 명사를 수식하는 지시형용사는 these이다.
06 '저 ~'라는 의미로 단수 명사를 수식하는 지시형용사는 that이다.
07 '이 사람'이라는 의미의 지시대명사는 this이다.
08 '저것'이라는 의미의 지시대명사는 that이다.
09 '이것들'이라는 의미의 지시대명사는 these이다.
10 '저것들'이라는 의미의 지시대명사는 those이다.

Unit 02 비인칭 주어 it

Warm up p.83

❶ 01 인칭대명사 02 비인칭 주어
03 비인칭 주어 04 인칭대명사
05 비인칭 주어 06 비인칭 주어
07 비인칭 주어 08 인칭대명사
09 인칭대명사 10 비인칭 주어
11 인칭대명사 12 비인칭 주어

[해설]

❶ **01, 04, 08, 09, 11** It이 사물 또는 동물을 나타내므로 인칭대명사이다.
02, 03, 05, 06, 07, 10, 12 달, 계절, 날짜, 날씨, 시간, 요일, 거리를 나타내는 문장에서 주어로 쓰인 It으로 비인칭 대명사이다.

Step up p.84

❶ 01 August 02 cloudy
03 3 o'clock 04 Thursday
05 November 10th 06 10 miles
07 dark 08 autumn

❷ 01 3:20
02 hot
03 Friday
04 April 5th
05 sunny
06 October 3rd
07 7 o'clock
08 Tuesday

[해석]

❷ 01 A: 지금 몇 시인가요?
B: 3시 20분이에요.
02 A: 날씨가 어떤가요?
B: 더워요.
03 A: 오늘이 무슨 요일이에요?
B: 금요일이에요.
04 A: 오늘이 며칠인가요?
B: 4월 5일이에요.
05 A: 날씨가 어떤가요?
B: 화창해요.
06 A: 오늘이 며칠인가요?
B: 10월 3일이에요.
07 A: 지금 몇 시인가요?
B: 7시예요.
08 A: 오늘이 무슨 요일이에요?
B: 화요일이에요.

Jump up p.86

01 It is cold
02 It is February
03 It is Friday
04 It is June 20th
05 It is 9:25
06 It is Saturday
07 It is warm
08 It is bright
09 It is winter
10 It is 5 miles

[해설]

01~10 날씨, 달, 요일, 날짜, 시간, 명암, 계절, 거리를 나타내는 문장은 주어로 비인칭 주어 it을 쓴다.

Build up writing p.87

01 It is May 1st
02 It is hot
03 It is Wednesday
04 It is 11 o'clock
05 It is dark
06 It is 5:30
07 It is July 3rd
08 It is 500 meters

[해설]

01~08 날짜, 날씨, 요일, 시간, 명암, 거리를 나타내는 문장은 주어로 비인칭 주어를 it을 쓴다.

Wrap up p.88

❶ 01 It
02 That
03 those
04 It
05 pants
06 These
07 Those
08 It
09 book
10 This

❷ 01 It is December
02 That is my jacket
03 This is her house
04 These are my friends
05 It is summer
06 It is May 5th
07 It is cold
08 This movie
09 Those flowers
10 That dress

[해설]

❶

01, 04, 08 요일, 날씨, 시간을 나타내는 문장은 주어로 비인칭 주어 it을 쓴다.
02 '저것'이라는 의미의 지시대명사는 that이다.
03 '저 ~들'이라는 의미로 복수 명사를 수식하는 지시형용사는 those이다.
05 지시형용사 those 다음에는 복수 명사가 온다.
06 '이것들'이라는 의미의 지시대명사는 these이다.
07 '저것들'이라는 의미의 지시대명사는 those이다.
09 지시형용사는 this 다음에는 단수 명사가 온다.
10 '이 사람'이라는 의미의 지시대명사는 this이다.

❷

01, 05, 06, 07 달, 계절, 날짜, 날씨를 나타내는 문장은 주어로 비인칭 it을 쓴다.
02 '저것'이라는 의미의 지시대명사는 that이다.
03 '이것'이라는 의미의 지시대명사는 this이다.
04 '이 사람들'이라는 의미의 지시대명사는 these이다.
08 '이 ~'라는 의미로 단수 명사는 수식하는 지시형용사는 this이다.
09 '저 ~들'이라는 의미로 복수 명사를 수식하는 지시형용사는 those이다.
10 '저 ~'라는 의미로 단수 명사는 수식하는 지시형용사는 that이다.

Exercise p.90

1 ⑤ 2 ① 3 ④ 4 ③ 5 This, That
6 ① 7 That, pencil 8 These, potatoes
9 It 10 1) these 2) That

[해설 및 해석]

1 날씨를 나타내는 문장은 주어로 비인칭 주어 it을 쓴다.
춥고 비가 내려요.
2 '이 ~들'이라는 의미로 복수 명사를 수식하는 지시형용사는 these이다.

3 '이 ~'이라는 의미의 지시형용사 this는 단수 명사를 수식한다. ④ cookies는 복수 명사로 this를 쓸 수 없다.
① 우리 언니는 이 영화를 좋아해요.
② 피터는 이 학교에 다녀요.
③ 나는 매일 이 게임을 해요.
④ 그녀가 이 쿠키들을 만들어요.
⑤ 그는 이 모자를 원해요.

4 ①, ②, ④, ⑤ 계절, 요일, 날짜, 거리는 나타내는 문장의 주어로 비인칭 주어 It이다. ③ '그것은'이라는 의미로 사물을 나타내므로 인칭대명사 It이다.
① 봄이에요.
② 일요일이에요.
③ 그것은 내 앨범이에요.
④ 10월 10일이에요.
⑤ 역까지는 10마일이에요.

5 '이것'이라는 의미의 지시대명사는 this이고, '저것'이라는 의미의 지시대명사는 that이다.

6 ① shoes가 복수 명사이므로 '저 ~들'이라는 의미로 복수 명사를 수식하는 지시형용사는 those가 되어야 한다.
① 나는 저 신발을 원해요.
② 이것들은 좋은 책이에요.
③ 이 아이가 내 친구 데이브예요.
④ 그녀는 저 가위가 필요해요.
⑤ 그는 저 집에서 살아요.

7 Those를 단수 명사를 수식하는 지시형용사 That으로, 복수 명사(pencils)를 단수형 pencil로 바꾼다.
저 연필들은 짧아요. → 저 연필은 짧아요.

8 This를 복수 명사를 수식하는 지시형용사 These로, 단수 명사(potato)는 복수형 potatoes로 바꾼다.
이 감자는 커요. → 이 감자들은 커요.

9 시간과 날짜를 나타내는 문장은 주어로 비인칭 주어 It을 쓴다.
• 10시 정각이에요.
• 1월 1일이에요.

10 1) '이 ~들'이라는 의미의 지시형용사는 these이다.
2) '저 사람[분, 아이]'이라는 의미의 지시대명사는 that이다.

Chapter 5 be동사

Unit 01 현재형 be동사 1

Warm up p.95

❶ 01 am 02 are 03 is
04 are 05 is 06 is
07 are 08 am 09 are
10 are

[해설]

❶ be동사는 am, are, is이다.

Step up p.96

❶ 01 am 02 are 03 are
04 are 05 is 06 is
07 are 08 is

❷ 01 이다 02 하다 03 있다
04 하다 05 이다 06 있다

❸ 01 is 02 are 03 is
04 are 05 are 06 are
07 am 08 are 09 is
10 am

[해설]

❶ 01 I와 함께 쓰는 be동사는 am이다.
02, 03, 04, 07 you(단수, 복수), we, they와 함께 쓰는 be동사는 are이다.
05, 06, 08 he, she, it과 함께 쓰는 be동사는 is이다.

❷ 01, 05 「be동사+명사」는 '~이다'라는 의미이다.
02, 04 「be동사 + 형용사」는 '~하다'라는 의미이다.
03, 06 「be동사+장소를 나타내는 말」은 '(~에) 있다'라는 의미이다.

❸ 01, 03, 09 She, It, He와 함께 쓰는 be동사는 is이다.
02, 04, 05, 06, 08 They, You(복수, 단수), we와 함께 쓰는 be동사는 are이다.
07, 10 I와 함께 쓰는 be동사는 am이다.

Jump up p.98

01 am 02 are 03 are
04 is 05 is 06 is
07 is 08 are 09 are
10 are 11 are 12 am

[해설 및 해석]

01, 12 I와 함께 쓰는 be동사는 am이다.
02, 03, 08, 09, 10, 11 They, We, You(복수), You(단수)와 함께 쓰는 be동사는 are이다.
04, 05, 06, 07 He, It, She와 함께 쓰는 be동사는 is이다.

01 나는 아파요.
02 그것들은 작아요.
03 우리는 건강해요.
04 그가 그린 씨예요.
05 그것은 탁자 위에 있어요.
06 그녀는 인도에서 왔어요.

07 그것은 좋은 영화예요.
08 너희들은 축구선수야.
09 너는 내 가장 친한 친구야.
10 우리는 교실에 있어요.
11 그들은 박물관에 있어요.
12 나는 초등학생이에요.

Build up writing p.99

01 He, is
02 I, am
03 We, are
04 It, is
05 You, are
06 She, is
07 You, are
08 They, are

[해설]

01, 04, 06 he, it, she와 함께 쓰는 be동사는 is이다.
02 I와 함께 쓰는 be동사는 am이다.
03, 05, 07, 08 we, you(단수), you(복수), they와 함께 쓰는 be동사는 are이다.

Unit 02 현재형 be동사 2

Warm up p.101

❶ 01 is
02 is
03 are
04 are
05 is
06 is
07 is
08 is
09 are
10 is
11 are
12 is
13 are
14 are
15 are

[해설]

❶ 주어가 this, that, 「this+단수 명사」, 「that+단수 명사」, 단수 명사, 셀 수 없는 명사일 때는 is를 쓰고, 주어가 these, those, 「these+복수 명사」, 「those+복수 명사」, 복수 명사일 때는 are를 쓴다.

Step up p.102

❶ 01 I'm
02 It's
03 She's
04 That's
05 ×
06 ×
07 He's
08 You're
09 ×
10 They're
11 We're

❷ 01 is
02 is
03 is
04 is
05 are
06 is
07 is
08 are
09 are
10 are
11 are
12 are

[해설 및 해석]

❶ **01** I am은 I'm으로, **02** It is는 It's로, **03** She is는 She's로, **04** That is는 That's로, **07** He is는 He's로, **08** You are는 You're로, **10** They are는 They're로, **11** We are는 We're로 줄여 쓸 수 있다. **05, 06, 09** This is, These are, Those are는 줄여 쓸 수 없다.

❷ **01, 02, 04, 07**은 주어가 단수 명사로 is를 쓴다.
03 주어가 This로 is를 쓴다.
05, 10, 12 주어가 복수 명사로 are를 쓴다.
06 주어가 셀 수 없는 명사로 is를 쓴다.
08, 09 주어가 these/those+복수 명사로 are를 쓴다.
11 주어가 those로 are를 쓴다.

01 하늘이 파래요.
02 그 강은 길어요.
03 이것은 내 지갑이에요.
04 그의 형은 키가 작아요.
05 무당벌레는 귀여워요.
06 그 빵은 맛있어요.
07 그녀의 어머니는 아름다워요.
08 이 접시들은 둥글어요.
09 저 가방들은 비싸요.
10 그 책들은 탁자 위에 있어요.
11 저것들은 내가 좋아하는 인형들이에요.
12 제인과 메리는 훌륭한 가수예요.

Jump up p.104

01 I'm sad
02 It's snowy
03 He's my uncle
04 They're angry
05 That's my skirt
06 We're in Canada
07 They're kangaroos
08 She's a good doctor
09 I'm in the bathroom
10 You're a great cook

[해설 및 해석]

01 I am은 I'm으로, **02** It is는 It's로, **03** He is는 He's로, **04** They are는 They're로, **05** That is는 That's로, **06** We are는 We're로, **07** They are는 They're로, **08** She is는 She's로, **09** I am은 I'm로, **10** You are는 You're로 줄여 쓸 수 있다.

01 나는 슬퍼요.
02 눈이 내려요.
03 그는 내 삼촌이에요.
04 그들은 화가 났어요.
05 저것은 제 치마예요.
06 우리는 캐나다에 있어요.
07 그것들은 캥거루예요.
08 그녀는 좋은 의사예요.
09 나는 욕실에 있어요.
10 당신은 훌륭한 요리사예요.

Build up writing p.105

01 The men are kind
02 These are on sale
03 His brothers are fat
04 This is my friend
05 Those students are clever
06 The cups are on the table
07 His toy is in the box
08 The child is noisy
09 That book is boring
10 My sisters are in the bedroom

[해설 및 해석]

01 man은 불규칙 변화 명사로 men으로 바꾸고, is를 are로 바꾼다.
02 This를 복수형 These로 바꾸고, is를 are로 바꾼다.
03 brother를 복수형 brothers로 바꾸고 is를 are로 바꾼다.
04 These를 단수형 This로, friends를 friend로 바꾸고, are를 is로 바꾼다.
05 That student를 복수형 Those students로 바꾸고, is를 are로 바꾼다.
06 cup을 복수형 cups로 바꾸고, is를 are로 바꾼다.
07 toys를 단수형 toy로 바꾸고, are를 is로 바꾼다.
08 children은 단수형 child로 바꾸고, are를 is로 바꾼다.
09 Those books를 단수형 That book으로 바꾸고 are를 is로 바꾼다.
10 sister를 복수형 sisters로 바꾸고, is를 are로 바꾼다.

01 그 남자는 친절해요.
→ 그 남자들은 친절해요.
02 이것은 할인 중이에요.
→ 이것들은 할인 중이에요.
03 그의 남동생은 뚱뚱해요.
→ 그의 남동생들은 뚱뚱해요.
04 이 아이들이 내 친구들이에요.
→ 이 아이가 내 친구예요.
05 저 학생은 영리해요.
→ 저 학생들은 영리해요.
06 그 컵은 탁자 위에 있어요.
→ 그 컵들은 탁자 위에 있어요.
07 그의 장난감들은 상자에 있어요.
→ 그의 장난감은 상자에 있어요.
08 그 아이들은 시끄러워요.
→ 그 아이는 시끄러워요.
09 저 책들은 지루해요.
→ 저 책은 지루해요.
10 우리 누나는 침실에 있어요.
→ 우리 누나들은 침실에 있어요.

Wrap up p.106

❶ 01 am 02 are 03 He's
04 are 05 This is 06 is
07 It's 08 are 09 is
10 are

❷ 01 You are 02 These pants are
03 The cake is 04 His sisters are
05 John is 06 They are
07 Seoul is 08 I am
09 She is 10 It is

[해설]

❶ 01 주어가 I이므로 am이 와야 한다.
02 주어가 You이므로 are가 와야 한다.
03 He is의 줄임말은 He's이다.
04 주어가 We이므로 are가 와야 한다.
05 This is를 줄여 쓸 수 없다.
06 주어가 「That+단수 명사」로 is가 와야 한다.
07 Its는 It의 소유격 대명사이고, It is의 줄임말은 It's이다.
08 주어 Tom and Greg는 복수 명사로 are가 와야 한다.
09 주어 The mountain은 단수 명사로 is가 와야 한다.
10 주어 The leaves는 복수 명사로 are가 와야 한다.

❷ 01~10 주어진 우리말에 따라 주어를 고르고, 주어가 I이면 am을, you이면 are를 쓰고, he, she, it, this, that, 「this+단수 명사」, 「that+단수 명사」, 단수 명사이면 is를 쓰며, we, they, these, those, 「these+복수 명사」, 「those+복수 명사」, 복수 명사이면 are를 쓴다.

Exercise p.108

1 ②, ⑤ 2 ② 3 ④ 4 ③ 5 ① 6 ③
7 ② 8 is 9 is → are
10 1) It's 2) I'm 3) They're

[해설 및 해석]

1 am, are, is는 현재형 be동사이고, was, were는 과거형 be동사이다.
2 주어 her sister가 단수 명사로 is, 주어 Kevin and Mary가 복수 명사로 are가 적절하다.
- 그녀의 언니는 학생이에요.
- 케빈과 메리는 친절해요.

3 ① I am은 I'm으로, ② He is는 He's로, ③ You are는 You're로, ⑤ They are는 They're로 줄여 쓸 수 있다. ④ This is는 줄여 쓸 수 없다.
① 나는 피곤해요.
② 그는 게을러요.

③ 너는 예뻐.
④ 이것은 내 모자예요.
⑤ 그들이 우리 언니들이에요.

4 ①, ②, ④, ⑤ 주어가 That, It, Jane, He로 is가 와야 하며, ③ The girls는 복수 명사로 are가 와야 한다.
① 저것은 사자예요.
② 그것은 세계지도예요.
③ 그 소녀들은 사랑스러워요.
④ 제인은 미국에서 왔어요.
⑤ 그는 유명한 영화배우예요.

5 ②, ③, ④, ⑤ 주어가 My dogs, The rooms, Those buses, Her gloves로 모두 복수 명사 이므로 are가 와야 하며, ① The water는 셀 수 없는 명사로 is가 와야 한다.
① 그 물은 차가워요.
② 내 개들이 아파요.
③ 그 방들은 깨끗해요.
④ 저 버스들은 낡았어요.
⑤ 그녀의 장갑은 따뜻해요.

6 ④ You와 함께 쓰는 be동사는 are이다.
① 우리는 행복해요.
② 그것은 탁자 위에 있어요.
③ 당신은 경찰관이에요.
④ 나는 테니스 선수예요.
⑤ 이 강아지들은 귀여워요.

7 ② It is의 줄임말은 It's이고, its는 it의 소유격 인칭대명사이다.
① 저것은 그의 자동차예요.
② 오늘은 화창해요.
③ 우리는 런던에 있어요.
④ 그녀는 부엌에 있어요.
⑤ 나는 열두 살이에요.

8 주어가 He와 It이므로 is가 적절하다.
• 그는 제 아버지세요.
• 그것은 내 애완견이에요.

9 문장이 These men이므로 be동사로 are가 와야 한다.
이 남자들은 가수예요.

10 1) It is는 It's로, 2) I am은 I'm으로, 3) They are는 They're로 줄여 쓸 수 있다.
1) 12월이에요.
2) 나는 비행사예요.
3) 그것들은 신선해요.

Review Test (Chapter 1-5) p.110

Chapter 1

❶

01	cup	cups	16	singer	singers
02	tree	trees	17	wolf	wolves
03	bus	buses	18	Mike	Mike
04	tomato	tomatoes	19	class	classes
05	man	men	20	window	windows
06	city	cities	21	key	keys
07	water	water	22	baby	babies
08	house	houses	23	rice	rice
09	box	boxes	24	leaf	leaves
10	child	children	25	potato	potatoes
11	sugar	sugar	26	air	air
12	monkey	monkeys	27	mouse	mice
13	music	music	28	toy	toys
14	dish	dishes	29	radio	radios
15	tennis	tennis	30	foot	feet

[해설]

01, 02, 08, 16, 20 대부분의 명사는 s를 붙인다.
03, 09, 14, 19 s, x, sh로 끝나는 명사로 es를 붙인다.
04, 25 「자음+o」로 끝나는 명사로 es를 붙인다.
05, 10, 27, 30 불규칙 변화 명사로 man -men , child - children, mouse - mice, foot - feet이다.
06, 22 「자음+y」로 끝나는 명사로 y를 i로 바꾸고 es를 붙인다.
07, 11, 13, 15, 18, 23, 26 셀 수 없는 명사이다.
12, 21, 28 「모음+y」로 끝나는 명사로 s를 붙인다.
17, 24 f 또는 fe로 끝나는 명사로 f 또는 fe를 v로 바꾸고 es를 붙인다.
29 「모음+o」로 끝나는 명사로 s를 붙인다.

Chapter 2-3

❶ 01 an　02 a　03 ×, a
04 The, the　05 a, The　06 ×, ×
07 a, the　08 ×, an

❷ 01 Its　02 me　03 She
04 us　05 him　06 your
07 his　08 They

[해설]

01 모음 소리로 시작하는 명사 앞에는 an을 쓴다.
02 자음 소리로 시작하는 명사 앞에는 a를 쓴다.
03 셀 수 없는 명사 앞에는 a, an을 붙이지 않고, 사람 이름 앞에 the를 쓸 수 없다. new bicycle은 「자음 소리로

시작하는 형용사+명사」로 a를 쓴다.
04 세상에 하나밖에 없는 것 앞에는 the를 쓴다.
05 정확히 알 수 없는 사물에 대해 처음 얘기를 꺼내고 자음 소리로 시작하는 명사로 a를, 앞에 언급한 명사를 대해 다시 말할 때는 the를 쓴다.
06 운동 경기와 식사 이름 앞에는 관사를 쓰지 않는다.
07 정확히 알 수 없는 사물에 대해 처음 얘기를 꺼내고 자음 소리로 시작하는 명사로 a를, 하루의 시간 구분 앞에는 the를 쓴다.
08 정확히 알 수 없는 사물에 대해 처음 얘기를 꺼낼 때 셀 수 없는 명사 앞에는 관사를 쓰지 않고, apple은 모음 소리로 시작하는 명사로 an을 쓴다.

❷

01 color와 소유 관계를 나타내는 소유격 인칭대명사 Its를 고른다.
02 목적어 자리이므로 목적격 인칭대명사 me를 고른다.
03 주어 자리이므로 주격 인칭대명사 She를 고른다.
04 목적어 자리이므로 목적격 인칭대명사 us를 고른다.
05 목적어 자리이므로 목적격 인칭대명사 him을 고른다.
06 new teacher와 소유 관계를 나타내는 소유격 인칭대명사 your를 고른다.
07 songs와 소유 관계를 나타내는 소유격 인칭대명사 his를 고른다.
08 주어 자리이므로 주격 인칭대명사 They를 고른다.

Chapter 4-5

❶ 01 These 02 that 03 This
04 Those 05 This 06 those
07 That 08 These

❷ 01 am 02 is 03 is
04 are 05 are 06 are
07 is 08 is

[해설]

❶

01 '이것들'이라는 의미로 가까이에 있는 대상을 가리키는 지시대명사는 these이다.
02 '저것'이라는 의미로 멀리 있는 대상을 가리키는 지시대명사는 that이다.
03 '이 사람'이라는 의미로 가까이에 있는 대상을 가리키는 지시대명사는 this이다.
04 '저것들'이라는 의미로 멀리 있는 대상을 가리키는 지시대명사는 those이다.
05 '이 ~'라는 의미로 단수 명사를 수식하는 지시형용사는 this이다.
06 '저 ~들'이라는 의미로 복수 명사를 수식하는 지시형용사는 those이다.
07 '저 ~'라는 의미로 단수 명사를 수식하는 지시형용사는 that이다.
08 '이 ~들'이라는 의미로 복수 명사를 수식하는 지시형용사는 these이다.

❷

01 I와 함께 쓰는 be동사는 am이다.
02, 03, 07, 08 It, He, 단수 명사(Sandra), This와 함께 쓰는 be동사는 is이다.
04, 05, 06 We, You, 복수 명사(The children)와 함께 쓰는 be동사는 are이다.

Chapter 1-5

❶ 01 It, is, rainy
02 It, is, October
03 They, are, writers
04 He, the, guitar
05 is, a, pianist
06 We, basketball
07 I, his, brothers
08 These, watches, are
09 That, is, her, school
10 a, cat, The, cat

[해설]

01, 02 날씨나 달을 나타내는 문장에서 주어로 비인칭 대명사 It을 사용하며, it과 함께 쓰는 be동사는 is이다.
03 '그들은'이라는 의미의 주격 인칭대명사는 they이고, be동사는 are를 쓰며, '작가들'이라는 의미가 되어야 하므로 복수형(writers)으로 쓴다.
04 '그는'이라는 의미의 주격 인칭대명사는 he이고, play 뒤 악기 이름 앞에는 the를 쓴다.
05 주어(Susie)가 단수 명사로 be동사는 is, pianist는 자음 소리로 시작하는 단어로 앞에 a를 쓴다.
06 '우리는'이라는 의미의 주격 인칭대명사는 we이고, 운동 경기 앞에는 관사를 쓰지 않는다.
07 '나는'이라는 의미의 주격 인칭대명사는 I이고, '그의'라는 소유격 인칭대명사는 his이며, '형들'이라는 의미가 되어야 하므로 복수형(brothers)으로 쓴다.
08 '이 ~들'이라는 의미의 지시형용사는 these이고, watch는 ch로 끝나는 명사로 복수형을 만들 때 끝에 es를 붙인다. 주어가 복수 명사일 때 be동사는 are를 쓴다.
09 '저것'이라는 의미의 지시대명사는 that이고, '그녀의'라는 의미의 소유격 인칭대명사 her를 쓴다.
10 정확히 알 수 없는 사물에 대해 처음 얘기를 꺼내고 자음 소리로 시작하는 명사로 a를, 앞에 언급한 명사를 대해 다시 말할 때는 the를 쓴다.

Achievement Test p.114

Chapter 1-5

1 ④ 2 ④ 3 ① 4 ④ 5 ① 6 ③
7 ① 8 ⑤ 9 ② 10 ③ 11 ④ 12 ②
13 ③ 14 ② 15 ④ 16 ③ 17 ② 18 ③
19 ⑤ 20 ① 21 ④ 22 a, The
23 the, the 24 teeth 25 his
26 1) toys 2) baseball 3) her
27 are, teachers 28 These, knives, are
29 I am a doctor 30 It is windy

[해석 및 해설]

1 ④ ch로 끝나는 명사는 끝에 es를 붙인다. bench → benches

2 ④ f 또는 fe로 끝나는 명사는 f 또는 fe를 v로 바꾸고 es를 붙인다. wolf → wolves

3 English는 셀 수 없는 명사로 a 또는 an을 붙일 수 없고, 복수형으로 만들 수 없다.
나는 영어를 정말 좋아해요.

4 앞에 two가 있으므로 빈칸에는 복수형이 와야 한다. 「자음+y」로 끝나는 명사는 y를 i로 바꾸고 es를 붙인다.
그는 강아지 두 마리가 있어요.

5 water는 셀 수 없는 명사로 a 또는 an을 붙일 수 없고, 복수형으로 만들 수 없다.
그녀는 물이 필요해요.

6 세상에 하나밖에 없는 것 앞에는 the를 붙인다.
하늘에 별들이 있어요.

7 be동사 am과 함께 쓰는 주격 인칭대명사 I를 고른다.
나는 작가예요.

8 빈칸 뒤에 are가 있으므로 복수형 주어인 These를 고른다.
이분들이 제 부모님이세요.

9 apple은 모음 소리로 시작하는 단어로 an을, play 다음 악기 이름 앞에는 the를 쓴다.
• 그녀는 사과를 하나 먹어요.
• 그녀는 피아노를 연주해요.

10 The boy는 단수 명사로 be동사 is를 쓰고, We는 be동사 are를 쓴다.
• 그 소년은 친절해요.
• 우리는 도서관에 있어요.

11 ①, ②, ③, ⑤ 모음 소리로 시작하는 명사로 an, ④ 자음 소리로 시작하는 단어로 a를 쓴다.
① 그 소년은 코끼리를 좋아해요.
② 나는 우산을 원해요.
③ 그녀는 계란을 하나 먹어요.
④ 그는 모자가 필요해요.
⑤ 나는 오렌지가 하나 있어요.

12 ①, ③, ④, ⑤ You, My parents(복수 명사), We, Those는 be동사로 are, ② The movie는 단수 명사로 be동사로 is를 쓴다.
① 너희들은 좋은 학생이야.
② 그 영화는 지루해요.
③ 우리 부모님은 바쁘세요.
④ 우리는 쌍둥이 자매예요.
⑤ 저 아이들이 우리 반 친구들이에요.

13 ① math는 셀 수 없는 명사로 a 또는 an을 쓸 수 없다. ② potato는 「자음+o」로 끝나는 명사로 es를 붙인다. ④ korea는 나라 이름으로 항상 대문자로 시작한다. ⑤ 복수형 앞에는 a를 쓰지 않기 때문에 a cat 또는 cats가 되어야 한다.
① 우리는 수학을 공부해요.
② 그녀는 감자를 요리해요.
③ 그 소년은 자전거가 한 대 있어요.
④ 샘은 한국에 살아요.
⑤ 나는 고양이 한 마리가(고양이들이) 있어요.

14 ① 계절을 나타내는 문장이므로 주어로 비인칭 주어 it을 쓴다. ③ 지시형용사 this는 단수 명사를 수식하므로 puzzle이 되어야 한다. ④ 뒤에 복수 명사(my old friends)가 있기 때문에 These are가 되어야 한다. ⑤ Those는 복수 명사를 수식하는 지시형용사로 books가 되어야 한다.
① 봄이에요.
② 그들은 내 언니들이에요.
③ 이 퍼즐은 쉬워요.
④ 이 사람들이 내 오랜 친구들이에요.
⑤ 저 책들은 재미있어요.

15 ④ 「모음 소리로 시작하는 형용사+명사」 앞에는 an을 쓴다.
① 나는 양파 하나가 필요해요.
② 그들은 야구를 해요.
③ 엄마는 저녁을 요리해요.
④ 그녀는 정직한 소녀예요.
⑤ 나는 아침에 조깅하러 가요.

16 ③ child는 불규칙 변사 명사로 복수형이 children이다.
① 브라운 씨는 버스가 세 대 있어요.
② 그들은 영국에서 왔어요.
③ 그 아이들은 행복해요.
④ 여우들은 영리해요.
⑤ 벤은 간호사예요.

17 ② It is의 줄임말은 It's이다.
① 저것은 뱀이에요.
② 그것은 내 교과서예요.
③ 나는 욕실에 있어요.
④ 그들은 나에게 화가 났어요.
⑤ 그는 스위스에서 왔어요.

18 ③ 목적어 자리이므로 목적격 인칭대명사 us가 되어야 한다.
① 나는 그들을 매일 봐요.
② 당신은 그의 여동생을 알아요.
③ 그들은 우리를 사랑해요.
④ 그는 나를 도와줘요.
⑤ 나는 그것의 색깔이 마음에 들어요.
19 air는 셀 수 없는 명사로 a 또는 an을 쓸 수 없고, 복수형으로 만들 수 없다.
20 날짜를 나타내는 문장으로 비인칭 주어 it을 쓴다.
21 '저것'이라는 의미의 지시대명사는 that이고 be동사는 is를 쓴다. house와 소유 관계를 나타내야 하므로 소유격 인칭대명사 their를 쓴다.
22 정확히 알 수 없는 사물에 대해 처음 얘기를 꺼내고 자음 소리로 시작하는 명사로 a를, 앞에 언급한 명사를 대해 다시 말할 때는 the를 쓴다.
23 세상에 하나밖에 없는 것 앞에는 the를 쓴다.
24 앞에 three가 있으므로 복수형이 되어야 한다. tooth는 불규칙 변화 명사로 복수형이 teeth이다.
25 '그의'라는 의미로 old shoes와 소유 관계는 나타내는 his를 쓴다.
26 1) toy는 「모음+y」로 끝나는 단어로 끝에 s를 붙여야 하므로 toys, 2) 운동 경기 앞에는 관사를 붙이지 않으므로 baseball, 3) piano와 소유 관계를 나타내야 하므로 소유격 인칭대명사 her가 되어야 한다.
27 is는 are로 바꾸고, a teacher는 a를 빼고 복수형 teachers로 바꾼다.
28 this는 these로, knife는 knives로 바꾸고, is를 are로 바꾼다.
29 주격 인칭대명사 I, be동사 am, 관사 a, 명사 doctor 어순으로 배열한다.
30 비인칭 주어 It, be동사 is, windy 어순으로 배열한다.

Chapter 6 be동사의 부정문과 의문문

Unit 01 현재형 be동사 부정문

Warm up p.121

❶ 01 am, not 02 is, not 03 is, not
04 are, not 05 are, not 06 is, not
07 is, not 08 is, not 09 are, not
10 are, not

[해설 및 해석]

❶ 01~10 현재형 be동사 부정문은 be동사(am, are, is)의 뒤에 not을 붙인다.

01 나는 바빠요.
→ 나는 바쁘지 않아요.
02 그것은 새것이에요.
→ 그것은 새것이 아니에요.
03 그는 게을러요.
→ 그는 게으르지 않아요.
04 우리는 늦었어요.
→ 우리는 늦지 않았어요.
05 너는 친절해.
→ 너는 친절하지 않아.
06 이것은 커요.
→ 이것은 크지 않아요.
07 그녀는 수줍음을 많이 타요.
→ 그녀는 수줍음을 많이 타지 않아요.
08 저것은 낡았어요.
→ 저것은 낡지 않았어요.
09 그들은 행복해요.
→ 그들은 행복하지 않아요.
10 이것들은 비싸요.
→ 이것들은 비싸지 않아요.

Step up p.122

❶ 01 is not 02 am not 03 are not
04 is not 05 am not 06 are not
07 is not 08 isn't 09 isn't
10 isn't 11 aren't 12 aren't

❷ 01 am not 02 are not[aren't]
03 is not[isn't] 04 is not[isn't]
05 is not[isn't] 06 is not[isn't]
07 are not[aren't] 08 are not[aren't]
09 are not[aren't] 10 are not[aren't]

[해설]

❶

01, 05, 06 현재형 be동사 부정문은 be동사(am, are, is) 다음에 not을 붙인다.
02 주어가 I로 am not을 고른다.
03 주어가 We로 are not을 고른다.
04 주어가 단수 명사(The dress)로 is not을 고른다.
07 주어가 She로 is not을 고른다.
08 주어가 단수 명사(Julie)로 isn't를 고른다.
09 주어가 단수 명사(Mike)로 isn't를 고른다.
10 주어가 단수 명사(My father)로 isn't를 고른다.
11 주어가 복수 명사(The boys)로 aren't를 고른다.
12 주어가 복수 명사(These photos)로 aren't를 고른다.

❷

01 주어가 I로 am not을 쓴다.
02 주어가 You로 are not[aren't]을 쓴다.
03 주어가 That으로 is not[isn't]을 쓴다.

04 주어가 셀 수 없는 명사(This coffee)로 is not[isn't]을 쓴다.
05 주어가 단수 명사(The weather)로 is not[isn't]을 쓴다.
06 주어가 She로 is not[isn't]을 쓴다.
07 주어가 We로 are not[aren't]을 쓴다.
08 주어가 복수 명사(These flowers)로 are not[aren't]을 쓴다.
09 주어가 They로 are not[aren't]을 쓴다.
10 주어가 복수 명사(Ryan and Paul)로 are not[aren't]을 쓴다.

Jump up p.124

01 is, not　02 am, not　03 is, not
04 are, not　05 are, not　06 is, not
07 are, not　08 is, not　09 is, not
10 are, not

[해설 및 해석]

01 주어가 단수 명사(Ann)로 is not을 쓴다.
02 주어가 I로 am not을 쓴다.
03 주어가 단수 명사(This tower)로 is not을 쓴다.
04 주어가 복수 명사(Those trees)로 are not을 쓴다.
05 주어가 복수 명사(The socks)로 are not을 쓴다.
06 주어가 단수 명사(The test)로 is not을 쓴다.
07 주어가 They로 are not을 쓴다.
08 주어가 단수 명사(My uncle)로 is not을 쓴다.
09 주어가 단수 명사(Our school bus)로 is not을 쓴다.
10 주어가 복수 명사(Tom and Kevin)로 are not을 쓴다.

01 앤은 아름다워요.
→ 앤은 아름답지 않아요.
02 나는 내 방에 있어요.
→ 나는 내 방에 없어요.
03 이 탑은 높아요.
→ 이 탑은 높지 않아요.
04 저 나무들은 키가 커요.
→ 저 나무들은 키가 크지 않아요.
05 그 양말들은 더러워요.
→ 그 양말들은 더럽지 않아요.
06 그 시험은 어려워요.
→ 그 시험은 어렵지 않아요.
07 그들은 내 오빠들이에요.
→ 그들은 내 오빠들이 아니에요.
08 우리 삼촌은 선생님이에요.
→ 우리 삼촌은 선생님이 아니에요.
09 우리 학교 버스는 노란색이에요.
→ 우리 학교 버스는 노란색이 아니에요.
10 톰과 케빈은 변호사예요.
→ 톰과 케빈은 변호사가 아니에요.

Build up writing p.125

01 I'm not sad
02 It isn't windy
03 You aren't ugly
04 We aren't hungry
05 That isn't my wallet
06 He isn't a movie star
07 The room isn't warm
08 She isn't in third grade
09 They aren't high school students
10 Kelly and Amy aren't Americans

[해설 및 해석]

01~10 be동사(am, are, is) 뒤에 not을 붙이고, is not은 isn't로, are not은 aren't로 줄여 쓴다.

01 나는 슬퍼요.
→ 나는 슬프지 않아요.
02 바람이 불어요.
→ 바람이 불지 않아요.
03 너는 못생겼어.
→ 너는 못생기지 않았어.
04 우리는 배가 고파요.
→ 우리는 배가 고프지 않아요.
05 저것은 내 지갑이에요.
→ 저것은 내 지갑이 아니에요.
06 그는 영화배우예요.
→ 그는 영화배우가 아니에요.
07 그 방은 따뜻해요.
→ 그 방은 따뜻하지 않아요.
08 그녀는 3학년이에요.
→ 그녀는 3학년이 아니에요.
09 그들은 고등학생이에요.
→ 그들은 고등학생이 아니에요.
10 켈리와 에이미는 미국인이에요.
→ 켈리와 에이미는 미국인이 아니에요.

Unit 02 현재형 be동사 의문문

Warm up p.127

① 01 Am, I　02 Are, we　03 Is, it
04 Is, he　05 Is, she　06 Is, this
07 Are, you　08 Is, that　09 Are, they
10 Are, these

[해설 및 해석]

① 01~10 현재형 be동사 의문문은 be동사(am, are, is)를 주어 앞에 쓰고, 문장 끝에 물음표를 붙인다.

01 나는 예뻐요. → 내가 예쁜가요?
02 우리는 늦었어요. → 우리는 늦었나요?
03 그것은 길어요. → 그것은 긴가요?
04 그는 아파요. → 그가 아픈가요?
05 그녀는 귀여워요. → 그녀는 귀엽나요?
06 이것은 작아요. → 이것은 작은가요?
07 너는 행복해. → 너는 행복하니?
08 저것은 짧아요. → 저것은 짧은가요?
09 그들은 똑똑해요. → 그들은 똑똑한가요?
10 이것들은 무거워요. → 이것들은 무겁나요?

Step up p.128

❶ 01 Am I
02 Is he
03 Is it
04 Is this
05 Are they
06 Is she
07 Are you
08 Is your teacher
09 Is your mother
10 Are these bags

❷ 01 No, you aren't.
02 Yes, it is.
03 Yes, I am.
04 No, we aren't.
05 Yes, they are.
06 Yes, he is.
07 No, they aren't.
08 Yes, you are.
09 Yes, it is.
10 No, they aren't.

[해설 및 해석]

❶
01 주어가 I로 Am I를 고른다.
02 주어가 he로 Is he를 고른다.
03 주어가 it으로 Is it을 고른다.
04 주어가 this로 Is this를 고른다.
05 주어가 they로 Are they를 고른다.
06 주어가 she로 Is she를 고른다.
07 주어가 you로 Are you를 고른다.
08 주어가 your teacher로 Is your teacher를 고른다.
09 주어가 your mother로 Is your mother를 고른다.
10 주어가 these bags로 Are these bags를 고른다.

❷
be동사 의문문에 대한 긍정에 대답은 「Yes, 주어(대명사)+be동사.」로 나타내고, 부정의 대답은 「No, 주어(대명사)+be동사+not(축약형).」으로 나타낸다.
01 I로 물으면 you로 대답한다.
02 부정의 답에 not이 없으므로 긍정의 대답 Yes, it is를 고른다.
03 you(단수)로 물으면 I로 대답한다.
04 you(복수) ~?로 물으면 we로 대답한다.
05 the boys가 복수 명사이므로 they로 대답한다.
06 Jim이 단수 명사이고, 남자이므로 he로 대답한다.
07 these로 물으면 they로 대답한다.
08 부정의 답에 not이 없으므로 긍정의 대답을 고른다.
09 the movie가 단수 명사이므로 it으로 대답한다.
10 Tom and Mary가 복수 명사이므로 they로 대답한다.

01 A: 제가 뚱뚱한가요?
B: 아니요, 그렇지 않아요.
02 A: 비가 오나요?
B: 네, 그래요.
03 A: 준비됐나요?
B: 네, 그래요.
04 A: 너희는 쌍둥이니?
B: 아니, 그렇지 않아.
05 A: 그 소년들은 졸린 가요?
B: 네, 그래요.
06 A: 짐은 버스 운전사인가요?
B: 네, 그래요.
07 A: 이것들이 너의 청바지니?
B: 아니, 그렇지 않아.
08 A: 우리 학교에 지각한 건가요?
B: 네, 그래요.
09 A: 그 영화 재미있나요?
B: 네, 그래요.
10 A: 톰과 메리는 게으른가요?
B: 아니요, 그렇지 않아요.

Jump up p.130

01 are
02 aren't
03 is
04 isn't
05 she, isn't
06 they, aren't
07 I'm, not
08 it, is
09 they, are
10 they, are

[해설 및 해석]

01 긍정의 대답으로 are를 쓴다.
02 부정의 대답으로 aren't를 쓴다.
03 긍정의 대답으로 is를 쓴다.
04 부정의 대답으로 isn't를 쓴다.
05 주어가 Jane으로 she를, 부정의 대답으로 isn't를 쓴다.
06 주어가 they로 they를, 부정의 대답으로 aren't를 쓴다.
07 you(단수)로 물으면 I로, 부정의 대답으로 I'm, not을 쓴다. am not은 줄여 쓸 수 없기 때문에 I'm not으로 쓴다.
08 주어가 this로 it을, 긍정의 대답으로 is를 쓴다.
09 주어가 your shoes로 they를, 긍정의 대답으로 are를 쓴다.
10 주어가 those로 they를, 긍정의 대답으로 are를 쓴다.

01 A: 제가 아픈가요?
B: 네, 그래요.
02 A: 우리가 길을 잃었나요?

B: 아니요, 그렇지 않아요.
03 A: 오늘이 일요일인가요?
B: 네, 그래요.
04 A: 마이크가 캐나다 출신인가요?
B: 아니요, 그렇지 않아요.
05 A: 제인은 과학자인가요?
B: 아니요, 그렇지 않아요.
06 A: 그것들은 더럽나요?
B: 아니요, 그렇지 않아요.
07 A: 너 흥분되니?
B: 아니, 그렇지 않아.
08 A: 이것이 네 자전거니?
B: 응, 그래.
09 A: 네 신발 새것이니?
B: 응, 그래.
10 A: 저것들이 네 강아지니?
B: 응, 그래.

Build up writing p.131

01 Are you OK
02 Is it easy
03 Is he rude
04 Is she an artist
05 Is the soup salty
06 Is your brother tall
07 Am I a good student
08 Are they in the gym
09 Are these your pictures
10 Are your parents in Korea

[해설 및 해석]

01~10 현재형 be동사 의문문은 be동사(am, are, is)를 주어 앞에 쓰고, 문장 끝에 물음표를 붙인다.

01 너는 괜찮아.
→ 너는 괜찮니?
02 그것은 쉬워요.
→ 그것은 쉽나요?
03 그는 무례해요.
→ 그는 무례한가요?
04 그녀는 예술가예요.
→ 그녀는 예술가인가요?
05 그 수프는 짜요.
→ 그 수프는 짠가요?
06 네 오빠는 키가 커.
→ 네 오빠는 키가 크니?
07 나는 좋은 학생이에요.
→ 나는 좋은 학생인가요?
08 그들은 체육관에 있어요.
→ 그들은 체육관에 있나요?
09 이것들은 너의 사진이야.
→ 이것들은 너의 사진이니?
10 너의 부모님은 한국에 계셔.
→ 너의 부모님은 한국에 계시니?

Wrap up p.132

❶
01 I am[I'm] not tired
02 His car is not[isn't] black
03 James is not[isn't] a waiter
04 We are not[aren't] famous singers
05 My brother is not[isn't] a soccer player
06 Is he in the library
07 Is David his cousin
08 Is that a bookstore
09 Are these boxes light
10 Are your keys in your pocket

❷ 01 am not 02 is not 03 is not
04 aren't 05 are not 06 Are
07 Is 08 we 09 isn't
10 they

[해설 및 해석]

❶
01~05 현재형 be동사 부정문은 be동사(am, are, is)의 뒤에 not을 붙인다.
06~10 현재형 be동사 의문문은 be동사(am, are, is)를 주어 앞에 쓰고, 문장 끝에 물음표를 붙인다.

01 나는 피곤해요.
→ 나는 피곤하지 않아요.
02 그의 차는 검은색이에요.
→ 그의 차는 검은색이 아니에요.
03 제임스는 웨이터예요.
→ 제임스는 웨이터가 아니에요.
04 우리는 유명한 가수예요.
→ 우리는 유명한 가수가 아니에요.
05 우리 형은 축구선수예요.
→ 우리 형은 축구선수가 아니에요.
06 그는 도서관에 있어요.
→ 그는 도서관에 있나요?
07 데이비드는 그의 사촌이에요.
→ 데이비드는 그의 사촌인가요?
08 저곳은 서점이에요.
→ 저곳은 서점인가요?
09 이 상자들은 가벼워요.

→ 이 상자들은 가벼운가요?
10 네 열쇠는 네 주머니에 있어.
→ 네 열쇠는 네 주머니에 있니?

❷
01 am not은 줄여 쓸 수 없다.
02, 05 be동사 현재형 부정문은 be동사(am, are, is) 뒤에 not을 붙인다.
03 this lake는 단수 명사로 is not이 되어야 한다.
04 the books는 복수 명사로 aren't가 되어야 한다.
06 주어 you가 2인칭 단수로 Are가 되어야 한다.
07 주어 the water가 셀 수 없는 명사이므로 Is가 되어야 한다.
08 의문문의 주어 you가 '너희들은'이라는 의미로 복수이므로 we로 대답한다.
09 No 다음에는 주어(대명사)+be동사의 부정(축약형)이 온다.
10 의문문의 주어는 대답할 때 대명사로 바꿔 쓰기 때문에 the apples는 they가 되어야 한다.

Exercise p.134

1 ⑤ 2 ② 3 ① 4 ⑤ 5 ⑤ 6 ②
7 ② 8 not 9 he, isn't
10 This book is not[isn't] interesting, Is this book interesting

[해설 및 해석]

1 현재형 be동사 부정문은 be동사 뒤에 not을 붙이며, 주어가 you이므로 aren't를 고른다.
2 '그는'이라는 의미의 주격 인칭대명사는 he이며, 현재형 be동사 의문문은 be동사를 주어 앞에 쓰고 문장 끝에 물음표를 붙이므로 Is he를 고른다.
3 주어 Our teacher가 3인칭 단수로 isn't, 주어 He and I가 1인칭 복수이므로 aren't를 고른다.
- 우리 선생님은 키가 크지 않아요.
- 그와 나는 친구가 아니에요.

4 ⑤ am not을 줄여 쓸 수 없다.
① 우리는 체육관에 있지 않아요.
② 이것은 내 수건이 아니에요.
③ 그것은 우산이 아니에요.
④ 그것들은 늑대가 아니에요.
⑤ 나는 목이 마르지 않아요.
5 ⑤ 주어 the trees가 복수 명사로 빈칸에는 Are가 와야 한다.
① 그것은 택시인가요?
② 이것이 너의 펜이니?
③ 그가 너의 아버지시니?
④ 그 남자가 너의 삼촌이시니?
⑤ 그 나무들이 공원에 있나요?
6 ② 주어 The box가 단수 명사이므로 is not이 되어야 한다.
① 존은 잘생기지 않았어요.
② 그 상자는 크지 않아요.
③ 이 공들은 내 것이 아니에요.
④ 내 여동생은 다섯 살이 아니에요.
⑤ 주디와 딘은 우리 반 친구가 아니에요.
7 현재형 be동사의 의문문에 대한 긍정의 대답은 「Yes, 주어(대명사)+be동사.」으로, 부정의 대답은 「No, 주어(대명사)+be동사+not.(축약형)」으로 나타내며, I로 물으면 you로 대답한다.
A: 제가 맞나요?
B: 네, 그래요.
8 현재형 be동사의 부정문은 be동사 뒤에 not을 붙인다.
- 나는 선생님이 아니에요.
- 그녀는 학교에 없어요.

9 앞에 No가 있으므로 뒤에 주어(대명사)와 be동사의 부정이 와야 한다. my father를 대신하는 대명사는 he이므로 he isn't를 쓴다.
A: 너의 아버지는 소방관이시니?
B: 아니요, 그렇지 않아요.
10 현재형 be동사 부정문은 be동사 뒤에 not을 붙인다. 현재형 be동사의 의문문은 be동사를 주어 앞에 쓰고, 문장 끝에 물음표를 쓴다.
- 이 책은 재미있어요.

→ 이 책은 재미있지 않아요.
→ 이 책은 재미있나요?

Chapter 7 There is/are

Unit 01 There is/are

Warm up p.139

❶
01 There is 02 There are
03 There is 04 There are
05 There is 06 There are
07 There is 08 There are

[해설 및 해석]

❶ 01~08 뒤에 단수 명사와 셀 수 없는 명사가 오면 There is를 고르고, 뒤에 복수 명사가 오면 There are를 고른다.

01 고양이 한 마리가 있어요.
02 풍선 두 개가 있어요.
03 치즈가 조금 있어요.
04 장미꽃이 많이 있어요.

05 낡은 자동차가 한 대 있어요.
06 오렌지가 세 개 있어요.
07 우유가 있어요.
08 다섯 명의 아이들이 있어요.

Step up p.140

① 01 is 02 is 03 are
04 is 05 are 06 is
07 are 08 is 09 are
10 are

② 01 There is 02 There are
03 There are 04 There is
05 There is 06 There is
07 There are 08 There are
09 There is 10 There are

[해설]

①
01, 02, 04 뒤에 단수 명사가 있기 때문에 is를 고른다.
06, 08 뒤에 셀 수 없는 명사가 있기 때문에 is를 고른다.
03, 05, 07, 09, 10 뒤에 복수 명사가 있기 때문에 are를 고른다.

②
01, 05, 06, 09 뒤에 단수 명사가 있기 때문에 is를 고른다.
04 뒤에 셀 수 없는 명사가 있기 때문에 is를 고른다.
02, 03, 07, 08, 10 뒤에 복수 명사가 있기 때문에 are를 고른다.

Jump up p.142

01 a fork 02 a cookie
03 a box 04 four maps
05 a sofa 06 three tigers
07 some coffee 08 five rooms
09 many books 10 some rice

[해설]

01, 02, 03, 05, 07, 10 There is 뒤에는 단수 명사 또는 셀 수 없는 명사가 온다.
04, 06, 08, 09 There are 다음에는 복수 명사가 온다.

Build up writing p.143

01 There is a fish
02 There is a bank
03 There is a clock
04 There is a window
05 There are ten eggs
06 There are many stars
07 There is some bread
08 There are many books
09 There are ten players
10 There are three singers

[해설]

01, 02, 03, 04 단수 명사는 There is를 쓴다.
07 셀 수 없는 명사는 There is를 쓴다.
05, 06, 08, 09, 10 복수 명사는 There are를 쓴다.

Unit 02 There is/are 부정문과 의문문

Warm up p.145

① 01 There isn't 02 There aren't
03 There is 04 There aren't
05 Yes, there is. 06 No, there aren't.
07 No, there isn't. 08 Yes, there are.

[해설 및 해석]

①
01 컵이 없으므로 There isn't를 고른다.
02 책이 많지 않으므로 There aren't를 고른다.
03 물이 조금 있으므로 There is를 고른다.
04 오리가 없으므로 There aren't를 고른다.
05 버스가 한 대 있으므로 Yes, there is를 고른다.
06 공이 많지 않으므로 No, there aren't를 고른다.
07 케이크가 없으므로 No, there isn't를 고른다.
08 아이들이 있으므로 Yes, there are를 고른다.

01 컵이 없어요.
02 책이 많지 않아요.
03 물이 조금 있어요.
04 오리가 하나도 없어요.
05 A: 버스가 한 대 있나요? B: 네, 그래요.
06 A: 공이 많이 있나요? B: 아니요, 그렇지 않아요.
07 A: 케이크가 있나요? B: 아니요, 그렇지 않아요.
08 A: 아이들이 있나요? B: 네, 그래요.

Step up p.146

① 01 Is 02 Is 03 Is
04 Are 05 aren't 06 isn't
07 isn't 08 isn't 09 Are
10 aren't

② 01 there, isn't 02 there, isn't
03 there, is 04 there, are
05 there, aren't 06 there, is
07 there, are 08 there, aren't
09 there, is 10 there, are

[해설 및 해석]

❶

01 뒤에 셀 수 없는 명사가 있기 때문에 Is를 고른다.
02, 03 뒤에 단수 명사가 있기 때문에 Is를 고른다.
04, 09 뒤에 복수 명사가 있기 때문에 Are를 고른다.
05, 10 뒤에 복수 명사가 있기 때문에 aren't를 고른다.
06, 07 뒤에 셀 수 없는 명사가 있기 때문에 isn't를 고른다.
08 뒤에 단수 명사가 있기 때문에 isn't를 고른다.

❷

01, 02 Is there~?로 묻고, 앞에 No가 있으므로 there, isn't를 쓴다.
03, 06, 09 Is there~?로 묻고, 앞에 Yes가 있으므로 there, is를 쓴다.
04, 07, 10 Are there~?로 묻고, 앞에 Yes가 있으므로 there, are를 쓴다.
05, 08 Are there~?로 묻고, 앞에 No가 있으므로 there, aren't를 쓴다.

01 A: 그릇에 수프가 있나요?
B: 아니요, 그렇지 않아요.
02 A: 벽에 거울이 있나요?
B: 아니요, 그렇지 않아요.
03 A: 접시에 샌드위치가 있나요?
B: 네, 그래요.
04 A: 거리에 차가 많나요?
B: 네, 그래요.
05 A: 그의 농장에 돼지가 있나요?
B: 아니요, 그렇지 않아요.
06 A: 시내에 미술관이 있나요?
B: 네, 그래요.
07 A: 무지개에 일곱 색깔이 있나요?
B: 네, 그래요.
08 A: 도서관에 학생들이 많나요?
B: 아니요, 그렇지 않아요.
09 A: 냉장고에 버터가 있나요?
B: 네, 그래요.
10 A: 너의 집에 화장실이 두 개 있니?
B: 응, 그래.

Jump up p.148

01 There, isn't
02 There, isn't
03 There, isn't
04 There, aren't
05 There, aren't
06 Is, there
07 Is, there
08 Are, there
09 Are, there
10 Are, there

[해설 및 해석]

01~10 There is/are의 부정문은 be동사 뒤에 not을 붙인다. There is/are의 의문문은 be동사를 there 앞에 쓰고 문장 끝에 물음표를 붙인다.

01 정원에 개 한 마리가 있어요.
→ 정원에 개 한 마리가 없어요.
02 병에 물이 있어요.
→ 병에 물이 없어요.
03 부엌에 소금이 있어요.
→ 부엌에 소금이 없어요.
04 벽에 사진들이 있어요.
→ 벽에 사진들이 없어요.
05 꽃병에 꽃이 많아요.
→ 꽃병에 꽃이 많이 없어요.
06 이 마을에 도서관이 있어요.
→ 이 마을에 도서관이 있나요?
07 네 방에 책상이 있어.
→ 네 방에 책상이 있니?
08 차에 남자 두 명이 있어요.
→ 차에 남자 두 명이 있나요?
09 새장에 몇 마리의 새가 있어요.
→ 새장에 새가 있나요?
10 탁자 위에 숟가락이 많이 있어요.
→ 탁자 위에 숟가락이 많이 있나요?

Build up writing p.149

01 Is there any ink
02 There is not[isn't] a panda
03 Is there a restaurant
04 Are there many cities
05 There is not[isn't] any bread
06 Are there many foreigners
07 There are not[aren't] many buildings
08 There is not[isn't] any money
09 Are there 30 teachers
10 There are not[aren't] any chairs

[해설]

01 any ink 셀 수 없는 명사로 「Is there 명사~?」 어순이 된다.
02 a panda는 단수 명사로 「There is not 명사」 어순이 된다.
03 a restaurant는 단수 명사 「Is there 명사~?」 어순이 된다.
04 many cities는 복수 명사 「Are there 명사~?」 어순이 된다.
05 any bread는 셀 수 없는 명사로 「There is not 명사」 어순이 된다.
06 many foreigners는 복수 명사로 「Are there 명사

~?」 어순이 된다.

07 many buildings는 복수 명사로 「There are not 명사」 어순이 된다.

08 any money는 셀 수 없는 명사로 「There is not 명사」 어순이 된다.

09 30 teachers는 복수 명사로 「Are there 명사~?」 어순이 된다.

10 any chairs는 복수 명사로 「There are not 명사」 어순이 된다.

Wrap up p.150

❶

01 There is a letter
02 Are there many fish
03 Is there a lamp
04 There isn't a table
05 There are many museums
06 There is a bookstore
07 There isn't any cheese
08 There aren't any bananas
09 There are two pencils
10 Is there any juice

❷ 01 is 02 Are 03 Is
04 aren't 05 are 06 are
07 is 08 aren't 09 isn't
10 Are

[해설]

❶

01, 05, 06, 09 '~가 있어요'라는 의미의 표현은 「There is/are 명사(주어)」의 어순이다.

02, 03, 10 There is/are의 의문문은 be동사를 there 앞에 쓰고 끝에 물음표를 붙인다.

04, 07, 08 There is/are의 부정문은 be동사 뒤에 not을 붙인다.

❷

01 a spider가 단수 명사이므로 is가 되어야 한다.
02 any caps가 복수 명사이므로 Are가 되어야 한다.
03 a hotel이 단수 명사이므로 Is가 되어야 한다.
04 any cookies는 복수 명사이므로 aren't가 되어야 한다.
05 some carrots는 복수 명사이므로 are가 되어야 한다.
06 two mice는 복수 명사이므로 are가 되어야 한다.
07 some milk는 셀 수 없는 명사이므로 is가 되어야 한다.
08 many animals가 복수 명사이므로 aren't가 되어야 한다.
09 a library가 단수 명사이므로 isn't가 되어야 한다.
10 many people이 복수 명사이므로 Are가 되어야 한다.

Exercise p.152

1 ① 2 ③ 3 ① 4 ③ 5 ① 6 ④
7 ⑤ 8 1) There, is 2) There, are
9 There are not[aren't] many trees in the park, Are there many trees in the park
10 Are, there, aren't

[해설 및 해석]

1 앞에 There is가 있으므로 단수 명사 a bed를 고른다.
내 방에는 침대가 하나 있어요.

2 뒤에 복수 명사(two girls)가 있으므로 are를 고른다.
무대에 두 명의 소녀가 있어요.

3 앞에 Are there가 있으므로 복수 명사가 와야 한다. 따라서 셀 수 없는 명사는 some bread는 알맞지 않다.

4 ③ 빈칸 뒤에 복수 명사(any flowers)가 있으므로 빈칸에 aren't가 와야 한다.
① 이 방에 톱이 있어요.
② 차에 우유가 들어있지 않아요.
③ 꽃병에 꽃이 없어요.
④ 그릇에 빵이 없어요.
⑤ 이 동물원에 코알라가 없어요.

5 Is there ~? 의문문에 대한 긍정의 대답은 「Yes, there is.」로 나타내고, 부정의 대답은 「No, there isn't.」로 나타낸다.
A: 이 도시에 백화점이 있나요?
B: 네, 그래요.

6 ④ 뒤에 복수 명사(some apples)가 있으므로 There are가 되어야 한다.
① 정원에 의자가 있나요?
② 병에 주스가 있니?
③ 책상 위에 자가 없어요.
④ 바구니에 사과 몇 개가 있어요.
⑤ 욕실에 수건이 두 개 있어요.

7 ⑤ There is/are의 부정문은 be동사 뒤에 not을 쓰기 때문에 There are not이 되어야 한다.
① 상자에 공이 있니?
② 접시에 몇 개의 계란이 있어요.
③ 그릇에 치즈가 없어요.
④ 거리에 차들이 많이 있니?
⑤ 해변에 아이들이 없어요.

8 '~가 있어요'라는 의미의 표현은 「There is/are+명사(주어)」이다. 1) 뒤에 단수 명사(a rainbow)가 있기 때문에 There, is를, 2)뒤에 복수 명사(many people)가 있기 때문에 There, are를 쓴다.

9 There is/are의 부정문은 be동사 뒤에 not을 쓴다. 의문문은 be동사를 there 앞에 쓰고, 문장 끝에 물음표를

붙인다.
공원에 나무가 많이 있어요.
→ 공원에 나무가 많지 않아요.
→ 공원에 나무가 많이 있나요?

10 뒤에 복수 명사(many oranges)가 있으므로 Are를 쓰고, 부정의 대답으로 there, aren't를 쓴다.
A: 바구니 안에 오렌지가 많이 있니?
B: 아니, 그렇지 않아.

Chapter 8 일반동사

Unit 01 일반동사의 현재형

Warm up p.157

❶

01 I know them. ○
02 He drinks water. ○
03 We study hard. ○
04 You are very kind. △
05 It is snowy outside. △
06 She sings well. ○
07 I am a police officer. △
08 They have a big dog. ○
09 Dolphins swim in the sea. ○
10 Sarah and I are good friends. △

[해설]

❶

01, 02, 03, 06, 08, 09 know, drinks, study, sings, have, swim은 주어의 동작이나 상태는 나타내는 말로 일반동사이다.
04, 05, 07, 10 are, is, am은 be동사이다.

Step up p.158

❶ 01 like 02 like 03 likes
04 likes 05 likes 06 like
07 like 08 eats 09 eat
10 eat 11 eats 12 eats
13 eat 14 eat

❷ 01 rains 02 wants 03 learns
04 walk 05 stops 06 come
07 look 08 watch 09 play
10 sleeps

[해설 및 해석]

❶

01, 02, 06, 07 주어가 1인칭, 2인칭, 3인칭 복수로 동사원형(like)을 고른다.
03, 04, 05 주어가 3인칭 단수로 likes를 고른다.
08, 11, 12 주어가 3인칭 단수로 eats를 고른다.
09, 10, 13, 14 주어가 1인칭, 2인칭, 3인칭 복수로 동사원형(eat)을 고른다.

01 나는 우유를 좋아해요.
02 너는 수를 좋아해.
03 그것은 당근을 좋아해요.
04 그는 야구를 좋아해요.
05 그녀는 영화를 좋아해요.
06 우리는 동물을 좋아해요.
07 그들은 사탕을 좋아해요.
08 그것은 물고기를 먹어요.
09 나는 밥을 먹어요.
10 너는 수프를 먹어.
11 그는 피자를 먹어요.
12 그녀는 사과를 하나 먹어요.
13 우리는 스파게티를 먹어요.
14 그들은 아이스크림을 먹어요.

❷

01, 02, 03, 05, 10 주어가 3인칭 단수, 단수 명사로 「동사원형+-(e)s」를 고른다.
04 주어가 3인칭 복수, **06** 주어가 1인칭, **07** 주어가 2인칭, **08** 주어가 1인칭 복수, **09** 주어가 복수 명사로 동사원형을 고른다.

Jump up p.160

01 feel 02 snows 03 love
04 make 05 reads 06 cleans
07 lives 08 speak 09 visit
10 work

[해설]

01 주어가 1인칭, **03** 주어가 2인칭, **04** 주어가 복수 명사, **08** 주어가 3인칭 복수, **09** 주어가 복수 명사, **10** 주어가 1인칭 복수로 동사원형을 쓴다.
02, 05, 06, 07 주어가 3인칭 단수, 단수 명사로 「동사원형+-(e)s」를 쓴다.

Build up writing p.161

01 You cook
02 My dog follows
03 They want
04 It swims
05 My sisters like
06 I wear
07 He needs
08 You know
09 She drinks
10 We play

[해설]

01 주어로 You를 쓰고, you는 2인칭으로 동사원형을 쓴다.
02 주어로 My dog를 쓰고, my dog는 3인칭 단수로 「동사원형+-(e)s」를 쓴다.
03 주어로 They를 쓰고, they는 3인칭 복수로 동사원형을 쓴다.
04 주어로 It을 쓰고, it은 3인칭 단수로 「동사원형+-(e)s」를 쓴다.
05 주어로 My sisters를 쓰고, my sisters는 3인칭 복수로 동사원형을 쓴다.
06 주어로 I를 쓰고, I는 1인칭으로 동사원형을 쓴다.
07 주어로 He를 쓰고, he는 3인칭 단수로 「동사원형+-(e)s」를 쓴다.
08 주어로 You를 쓰고, you는 2인칭 복수로 동사원형을 쓴다.
09 주어로 She를 쓰고, she는 3인칭 단수로 「동사원형+-(e)s」를 쓴다.
10 주어로 We를 쓰고, we는 1인칭 복수로 동사원형을 쓴다.

Unit 02 일반동사의 3인칭 단수형

Warm up p.163

❶

01 대부분의 동사: 동사원형+s	04 o, x, s, sh, ch로 끝나는 동사: 동사원형+es
• love → loves • read → reads • tell → tells	• go → goes • do → does • mix → mixes • fix → fixes • pass → passes • cross → crosses • wash → washes • finish → finishes • teach → teaches • watch → watches
02 「자음+y」로 끝나는 동사: y를 i로 바꾸고 es	
• study → studies • cry → cries • fly → flies	
03 「모음+y」로 끝나는 동사: 동사원형+s	05 불규칙 변화
• play → plays • enjoy → enjoys • buy → buys	• have → has

Step up p.164

❶

01 goes
02 does
03 has
04 eats
05 flies
06 says
07 sits
08 cries
09 mixes
10 sings
11 helps
12 stops
13 plays
14 walks
15 washes
16 wears
17 drinks
18 meets
19 studies
20 watches

❷

01	stand	stands	16	fly	flies
02	teach	teaches	17	visit	visits
03	dance	dances	18	go	goes
04	begin	begins	19	study	studies
05	walk	walks	20	think	thinks
06	play	plays	21	pass	passes
07	send	sends	22	feel	feels
08	worry	worries	23	love	loves
09	finish	finishes	24	buy	buys
10	show	shows	25	sing	sings
11	dream	dreams	26	carry	carries
12	miss	misses	27	enjoy	enjoys
13	move	moves	28	touch	touches
14	try	tries	29	hear	hears
15	turn	turns	30	give	gives

[해설]

❶

01, 02, 09, 15, 20 o, x, s, sh, ch로 끝나는 동사는 동사원형에 es를 붙인다.
03 have는 불규칙 변화 동사로 has이다.
04, 07, 10, 11, 12, 14, 16, 17, 18 대부분의 동사는 동사원형에 s를 붙인다.
05, 08, 19 「자음+y」로 끝나는 동사는 y를 i로 바꾸고 es를 붙인다.
06, 13 「모음+y」로 끝나는 동사는 동사원형에 s를 붙인다.

❷

01, 03, 04, 05, 07, 10, 11, 13, 15, 17, 20, 22, 23, 25, 29, 30 대부분의 동사는 동사원형에 s를 붙인다.
02, 09, 12, 18, 21, 28 o, x, s, sh, ch로 끝나는 동사는 동사원형에 es를 붙인다.
06, 24, 27 「모음+y」로 끝나는 동사는 동사원형에 s를 붙인다.
08, 14, 16, 19, 26 「자음+y」로 끝나는 동사는 y를 i로 바꾸고 es를 붙인다.

Jump up p.166

01 loves 02 fixes 03 flies
04 sends 05 studies 06 carries
07 kisses 08 goes 09 teaches
10 enjoys

[해설]

01, 04 대부분의 동사는 동사원형에 s를 붙인다.
02, 07, 08, 09 o, x, s, sh, ch로 끝나는 동사는 동사원형에 es를 붙인다.
03, 05, 06 「자음+y」로 끝나는 동사는 y를 i로 바꾸고 es를 붙인다.
10 「모음+y」로 끝나는 동사는 동사원형에 s를 붙인다.

Build up writing p.167

01 Time passes 02 A ladybug has
03 My mom worries 04 The baby cries
05 The movie begins 06 Dennis watches
07 He calls 08 Linda buys
09 She washes 10 My brother does

[해설]

01, 06, 09, 10 o, x, s, sh, ch로 끝나는 동사는 동사원형에 es를 붙인다.
02 have 불규칙 변화 동사로 has로 바꾼다.
03, 04 「자음+y」로 끝나는 동사는 y를 i로 바꾸고 es를 붙인다.
05, 07 대부분의 동사는 동사원형에 s를 붙인다.
08 「모음+y」로 끝나는 동사는 동사원형에 s를 붙인다.

Wrap up p.168

①

01 He, plays 02 Alice, goes
03 I, grow 04 You, finish
05 Jane, listens 06 We, stay
07 They, have 08 The, boy, wants
09 The, man, drives 10 The, children, swim

②

01 has 02 helps 03 catch
04 speaks 05 writes 06 like
07 studies 08 enjoys 09 go
10 washes

[해설 및 해석]

①

01, 02, 05, 08, 09 괄호 안에 주어진 주어가 3인칭 단수, 단수 명사로 동사를 3인칭 단수형으로 바꾼다.
03, 04, 06, 07, 10 괄호 안에 주어진 주어가 1, 2인칭 또는 3인칭 복수, 복수 명사로 3인칭 단수 동사를 동사원형으로 바꾼다.

01 그들은 야구를 해요.
→ 그는 야구를 해요.
02 나는 소풍 가요.
→ 앨리스는 소풍을 가요.
03 그 농부는 쌀을 재배해요.
→ 나는 쌀을 재배해요.
04 피터는 6시에 일을 끝내요.
→ 당신은 6시에 일을 끝내요.
05 우리는 라디오를 들어요.
→ 제인은 라디오를 들어요.
06 우리 어머니는 오늘 집에 계세요.
→ 우리는 오늘 집에 있어요.
07 우리 오빠는 집에서 점심을 먹어요.
→ 그들은 집에서 점심을 먹어요.
08 너는 저 셔츠를 원해.
→ 그 소년은 저 셔츠를 원해요.
09 그 남자들은 조심해서 운전해요.
→ 그 남자는 조심해서 운전해요.
10 그 아이는 수영장에서 수영해요.
→ 그 아이들은 수영장에서 수영해요.

②

01 have 불규칙 변화 동사로 3인칭 단수형이 has이다.
02 주어(she)가 3인칭 단수로 3인칭 단수형(helps)이 되어야 한다.
03 주어(cats)가 복수 명사로 동사원형(catch)이 되어야 한다.
04 speak의 3인칭 단수형은 speaks이다.
05 주어(he)가 3인칭 단수로 3인칭 단수형(writes)이 되어야 한다.
06 주어(my dogs)가 복수 명사로 동사원형(like)이 되어야 한다.
07 study는 3인칭 단수 동사를 만들 때 「자음+y」로 끝나는 동사로 y를 i로 바꾸고 es를 붙인다.
08 enjoy는 3인칭 단수 동사를 만들 때 「모음+y」로 끝나는 동사로 동사원형에 s를 붙인다.
09 I는 1인칭으로 동사원형(go)이 되어야 한다.
10 wash는 sh로 끝나는 동사로 동사원형에 es붙인다.

Exercise p.170

1 ③ 2 ⑤ 3 ② 4 ② 5 ① 6 ⑤
7 ② 8 ③ 9 1) does 2) has
10 1) studies 2) fix

[해설 및 해석]

1 ③ cry는 「자음+y」로 끝나는 동사로 y를 i로 바꾸고 es를 붙인다. cry → cries

2 ⑤ mix는 x로 끝나는 동사로 동사원형에 es붙인다. mix → mixes

3 Jane은 단수 명사로 빈칸에는 3인칭 단수 동사 buys가 적절하다.
제인은 초콜릿을 사요.

4 동사가 동사원형으로 3인칭 단수 동사와 함께 쓰는 단수 명사로 The girl은 알맞지 않다.

5 I는 1인칭으로 동사원형 go, She는 3인칭 단수로 3인칭 단수 동사 goes, David는 단수 명사로 3인칭 단수 동사 goes가 와야 한다.
- 나는 차를 타고 학교에 가요.
- 그녀는 버스를 타고 학교에 가요.
- 데이비드는 지하철을 타고 학교에 가요.

6 ⑤ 주어(He)가 3인칭 단수로 works가 되어야 한다.
① 우리는 햄버거를 좋아해요.
② 그 소년은 높이 뛰어요.
③ 겨울에 눈이 와요.
④ 그녀는 빨리 말해요.
⑤ 그는 열심히 일해요.

7 ② stay는 「모음+y」로 끝나는 동사로 3인칭 단수형을 만들 때 끝에 s를 붙인다. staies → stays
① 존은 교복을 입어요.
② 그는 우리 집에 머물러요.
③ 그 가게는 9시에 문을 열어요.
④ 내 친구는 서울에 살아요.
⑤ 티나는 저녁에 TV를 봐요.

8 ③ 주어가 3인칭 복수로 동사로 동사원형 make가 와야 한다.
① 우리 아버지는 책을 많이 읽으세요.
② 우리 어머니는 요리하는 것을 즐기세요.
③ 우리 언니들은 쿠키를 만들어요.
④ 우리 삼촌은 도쿄에서 일해요.
⑤ 우리 오빠들은 노래를 잘해요.

9 1) He는 3인칭 단수로 3인칭 단수 동사가 와야 한다. do는 o로 끝나는 동사로 동사원형에 es를 붙인다.
2) Mr. Brown은 단수 명사로 3인칭 단수 동사가 와야 한다. have는 불규칙 변화 동사로 3인칭 단수형이 has이다.

10 1) 주어가 I(1인칭)에서 She(3인칭 단수)로 바꿔야 하므로 동사를 동사원형에서 3인칭 단수형 studies로 바꾼다.
2) 주어가 My father(단수 명사)에서 I(1인칭)로 바꿔야 하므로 동사를 3인칭 단수형에서 동사원형으로 바꾼다.
1) 나는 역사를 공부해요.
→ 그녀는 역사를 공부해요.
2) 우리 아버지는 컴퓨터를 고쳐요.
→ 나는 컴퓨터를 고쳐요.

Chapter 9 일반동사의 부정문과 의문문

Unit 01 일반동사 현재형 부정문

Warm up p.175

❶ 01 ○　02 ○　03 △
04 △　05 △　06 △
07 ○　08 △　09 △
10 ○

[해설]

❶

01, 02, 07, 10 「주어+일반동사」의 형태로 일반동사의 긍정문이다.
03, 04, 05, 06, 08, 09 「주어+do not[don't]/does not[doesn't]+동사원형」의 형태로 부정문이다.

Step up p.176

❶ 01 do　02 do　03 does
04 does　05 does　06 do
07 does　08 do　09 do
10 does

❷ 01 do not　02 does not
03 do not　04 does not
05 don't　06 don't
07 doesn't　08 doesn't
09 doesn't　10 don't

[해설]

01 주어가 1인칭 단수(I), **02** 주어가 1인칭 복수(We), **06** 주어가 2인칭(You), **08** 주어가 3인칭 복수(They), **09** 주어가 복수 명사(My friends)일 경우는 do not을 쓴다.
03, 04, 07 주어가 3인칭 단수(He, She, It), **05, 10** 단수 명사(The boy, My father)일 경우는 does not을 쓴다.

❷

01, 03, 05, 06, 10 주어가 1, 2인칭, 3인칭 복수, 복수 명사로 do not[don't]을 고른다.
02, 04, 07, 08, 09 주어가 3인칭 단수, 단수 명사로 does not[doesn't]을 고른다.

Jump up p.178

01 don't
02 doesn't
03 don't
04 doesn't
05 don't
06 doesn't
07 don't
08 don't
09 doesn't
10 doesn't
11 doesn't
12 don't

[해설 및 해석]

01, 03, 05, 07, 08, 12 주어가 1인칭, 3인칭 복수, 복수 명사로 don't를 쓴다.
02, 04, 06, 09, 10, 11 주어가 3인칭 단수, 단수 명사로 doesn't를 쓴다.

01 그들은 외식을 하지 않아요.
02 그것은 꼬리를 가지고 있지 않아요.
03 토끼들은 고기를 먹지 않아요.
04 그녀는 산책을 하지 않아요.
05 나는 그림을 잘 못 그려요.
06 그는 자기 누나와 말을 하지 않아요.
07 우리는 돈을 많이 쓰지 않아요.
08 그 쿠키는 맛있지 않아요.
09 샘은 만화책을 읽지 않아요.
10 그 소녀는 자기 친구들을 만나지 않아요.
11 우리 형은 휴대 전화를 사용하지 않아요.
12 벤과 릭은 조심해서 길을 건너지 않아요.

Build up writing p.179

01 don't, wear
02 don't, speak
03 doesn't, like
04 doesn't, wash
05 don't, want
06 doesn't, work
07 doesn't, play
08 don't, go
09 doesn't, do
10 don't, wait

[해설]

01 보기에서 wear를 고르고, 주어가 1인칭으로 don't, wear를 쓴다.
02 보기에서 speak을 고르고, 주어가 3인칭 복수로 don't, speak을 쓴다.
03 보기에서 like를 고르고, 주어가 단수 명사로 doesn't, like를 쓴다.
04 보기에서 wash를 고르고, 주어가 3인칭 단수로 doesn't, wash를 쓴다.
05 보기에서 want를 고르고, 주어가 복수 명사로 don't, want를 쓴다.
06 보기에서 work를 고르고, 주어가 단수 명사로 doesn't, work를 쓴다.
07 보기에서 play를 고르고, 주어가 단수 명사로 doesn't, play를 쓴다.
08 보기에서 go를 고르고, 주어가 복수 명사로 don't, go를 쓴다.
09 보기에서 do를 고르고, 주어가 단수 명사로 doesn't, do를 쓴다.
10 보기에서 wait을 고르고, 주어가 복수 명사로 don't, wait을 쓴다.

Unit 02 일반동사 현재형 의문문

Warm up p.181

❶ 01 Do 02 Does 03 Do
04 Does 05 Do 06 Does
07 Does 08 Do 09 Do
10 Does

[해설]

❶

01 주어가 2인칭(You), **03** 주어가 3인칭 복수(They), **05** 주어가 복수 명사(Penguins), **08** 주어가 복수 명사(The children), **09** 주어가 복수 명사(Your sisters)로 Do를 쓴다.
02 주어가 3인칭 단수(He), **04** 주어가 3인칭 단수(She), **06** 주어가 단수 명사(Mary), **07** 주어가 단수 명사(The girl), **10** 주어가 단수 명사(Your grandmother)로 Does를 쓴다.

Step up p.182

❶ 01 Does 02 Do 03 Do
04 Does 05 Do 06 Does
07 Does 08 play 09 have
10 work

❷ 01 you, do
02 she, does
03 they, don't
04 it, does
05 he, doesn't
06 it, doesn't
07 they, do
08 she, doesn't
09 I, don't
10 we, do

[해설 및 해석]

❶

01, 04, 06, 07 주어가 3인칭 단수, 단수 명사로 Does를 고른다.
02, 03, 05 주어가 2인칭, 3인칭 복수, 복수 명사로 Do를 고른다.
08, 09, 10 일반동사 의문문에서 주어 뒤에 동사원형이 온다.

❷

01 Do I로 물었고, 대답이 Yes로 시작하므로 빈칸에는

you, do를 쓴다. I로 물으면 you로 대답한다.
02 Does she로 물었고, 대답이 Yes로 시작하므로 she, does를 쓴다.
03 Do they로 물었고, 대답이 No로 시작하므로 they, don't를 쓴다.
04 Does it으로 물었고, 대답이 Yes로 시작하므로 it, does를 쓴다.
05 Does he로 물었고, 대답이 No로 시작하므로 he, doesn't를 쓴다.
06 Does the store로 물었고, 대답이 No로 시작하므로 it, doesn't를 쓴다.
07 Do the students로 물었고, 대답이 Yes로 시작하므로 they, do를 쓴다.
08 Does your mother로 물었고, 대답이 No로 시작하므로 she, doesn't를 쓴다.
09 Do you(단수)로 물었고, 대답이 No로 시작하므로 I, don't를 쓴다. you(단수)로 물으면 I로 대답한다.
10 Do you(복수)로 물었고, 대답이 Yes로 시작하므로 we, do를 쓴다. you(복수)로 물으면 we로 대답한다.

01 A: 제가 예뻐 보이나요?
B: 네, 그래요.
02 A: 그녀는 너를 아니?
B: 응, 그래.
03 A: 그들은 차를 판매하나요?
B: 아니요, 그렇지 않아요.
04 A: 그것은 맛있나요?
B: 네, 그래요.
05 A: 그는 너의 이야기를 믿니?
B: 아니, 그렇지 않아.
06 A: 그 가게는 9시에 문을 여나요?
B: 아니요, 그렇지 않아요.
07 A: 그 학생들은 당신의 말에 귀 기울이나요?
B: 네, 그래요.
08 A: 너의 엄마는 차를 운전하시니?
B: 아니요, 그렇지 않아요.
09 A: 너는 일찍 일어나니?
B: 아니, 그렇지 않아.
10 A: 너희들은 시간이 더 필요하니?
B: 네, 그래요.

Jump up p.184

01 Does a cheetah run
02 Do your grandparents live
03 Does Jenny walk
04 Does it cost
05 Do I need
06 Does she go
07 Do you read
08 Do we have
09 Does Chris speak
10 Do they eat

[해설 및 해석]

01, 03, 04, 06, 09 주어가 3인칭 단수, 단수 명사로 「Does+주어+동사원형~?」의 형태로 쓴다.
02, 05, 07, 08, 10 주어가 1인칭, 2인칭, 3인칭 복수, 복수 명사로 「Do+주어+동사원형~?」의 형태로 쓴다.

01 치타는 빨리 달려요.
→ 치타는 빨리 달리나요?
02 너의 조부모님은 부산에 사셔.
→ 너의 조부모님은 부산에 사시니?
03 제니는 걸어서 학교에 가요.
→ 제니는 걸어서 학교에 가나요?
04 그것은 10달러예요.
→ 그것은 10달러인가요?
05 나는 선글라스가 필요해요.
→ 제가 선글라스가 필요한가요?
06 그녀는 일찍 자요.
→ 그녀는 일찍 자나요?
07 너는 신문을 읽어.
→ 너는 신문을 읽니?
08 우리는 돈이 많아.
→ 우리 돈이 많니?
09 크리스는 한국말을 잘해요.
→ 크리스는 한국말을 잘하나요?
10 그들은 같이 점심을 먹어요.
→ 그들은 같이 점심을 먹나요?

Build up writing p.185

01 Does, it, smell, it, doesn't
02 Does, she, like, she, doesn't
03 Does, Jason, miss, he, does
04 Do, bats, sleep, they, don't
05 Do, we, have, we, do
06 Do, you, travel, I, don't

[해설]

01 주어(it)가 3인칭 단수로 「Does+it+동사원형」 형태로 쓰고, 부정의 대답으로 it, doesn't를 쓴다.
02 주어(she)가 3인칭 단수로 「Does+she+동사원형」 형태로 쓰고, 부정의 대답으로 she, doesn't를 쓴다.
03 주어(Jason)가 단수 명사로 「Does+Jason+동사원형」 형태로 쓰고, 긍정의 대답으로 Jason을 대신하는 대명사 he와 does를 쓴다.
04 주어(bats)가 복수 명사로 「Do+bats+동사원형」 형

태로 쓰고, 부정의 대답으로 bats를 대신하는 대명사 they와 don't를 쓴다.

05 주어(we)가 1인칭 복수로 「Do+we+동사원형」 형태로 쓰고, 긍정의 대답으로 we와 don't를 쓴다.

06 주어(you)가 2인칭 단수로 「Do+you+동사원형」 형태로 쓰고, 부정의 대답으로 I와 don't를 쓴다.

Wrap up p.186

①

01 I do not[don't] watch TV news
02 They do not[don't] understand me
03 The girl does not[doesn't] have blue eyes
04 My brother does not[doesn't] help my mother
05 We do not[don't] go to the gym after school
06 Does he remember me
07 Do you love your parents
08 Does Amy play the piano well
09 Do her parents work here
10 Does this class end at 3 o'clock

②

01 Does	02 don't	03 grow
04 doesn't	05 come	06 don't
07 Do	08 doesn't	09 does
10 do		

[해설 및 해석]

①

01, 02, 05 주어가 1인칭 단수, 3인칭 복수, 1인칭 복수로 「주어+do not[don't]+동사원형」의 형태가 된다.

03, 04 주어가 단수 명사로 「주어+does not[doesn't]+동사원형」의 형태가 된다.

06, 08, 10 주어가 3인칭 단수, 단수 명사로 「Does+주어+동사원형~?」의 형태가 된다.

07, 09 주어가 2인칭, 복수 명사로 「Do+주어+동사원형~?」의 형태가 된다.

01 나는 TV 뉴스를 봐요.
→ 나는 TV 뉴스를 보지 않아요.
02 그들은 나를 이해해요.
→ 그들은 나를 이해하지 못해요.
03 그 소녀는 파란 눈을 가지고 있어요.
→ 그 소녀는 파란 눈을 가지고 있지 않아요.
04 우리 형은 엄마를 도와줘요.
→ 우리 형은 엄마를 도와주지 않아요.
05 우리는 방과 후에 체육관에 가요.
→ 우리는 방과 후에 체육관에 가지 않아요.
06 그는 나를 기억해요.
→ 그는 나를 기억하나요?
07 너는 너의 부모님을 사랑해.
→ 너는 너의 부모님을 사랑하니?
08 에이미는 피아노를 잘 연주해요.
→ 에이미는 피아노를 잘 연주하나요?
09 그녀의 부모님은 여기서 일해요.
→ 그녀의 부모님은 여기서 일하나요?
10 이 수업은 3시에 끝나요.
→ 이 수업은 3시에 끝나나요?

②

01 주어(Sally)가 단수 명사로 Does가 되어야 한다.
02 주어(We)가 1인칭 복수로 don't가 되어야 한다.
03 doesn't 다음에는 동사원형이 온다.
04 주어(The boy)가 단수 명사로 doesn't가 되어야 한다.
05 doesn't 다음에는 동사원형이 온다.
06 주어(My children)가 복수 명사로 don't가 되어야 한다.
07 주어(they)가 3인칭 복수로 Do가 되어야 한다.
08 주어(he)가 3인칭 단수로 doesn't가 되어야 한다.
09 Does the hospital ~?로 물었으므로 does로 답해야 한다.
10 Do Tom and Julie~?로 물었으므로 do로 답해야 한다.

Exercise p.188

1 ⑤ 2 ④ 3 ② 4 ⑤ 5 ③ 6 ④
7 ⑤ 8 1) does not[doesn't] 2) do not[don't]
9 1) My brothers do not[don't] like math
2) Does the store close on Sundays
10 1) He does not[doesn't] do 2) Do you worry

[해설 및 해석]

1 주어가 단수 명사이고, 빈칸 뒤에 동사원형이 있으므로 doesn't를 고른다.
톰은 한국에 살지 않아요.

2 일반동사 의문문을 만들 때 주어가 1인칭, 2인칭, 3인칭 복수, 복수 명사이면 문장 앞에 Do를 쓴다. 따라서 you를 고른다.

3 일반동사 부정문을 만들 때 주어가 1인칭, 2인칭, 3인칭 복수, 복수 명사이면 문장 앞에 don't를 쓴다. 따라서 단수 명사인 My mother는 적절하지 않다.

4 일반동사 의문문이고 주어(Susie)를 대신하는 대명사가 She이므로 긍정의 대답은 「Yes, She+does.」로, 부정의 대답은 「No, She+doesn't.」로 나타낸다.
A: 수지는 여기서 일하나요?
B: 아니요, 그렇지 않아요.

5 일반동사 의문문을 만들 때 주어가 1인칭, 2인칭, 3인칭 복수, 복수 명사이면 문장 앞에 Do를 쓰고, 3인칭 단수, 단수 명사이면 Does를 쓴다. ① we, ② they, ④ your brothers, ⑤ the boys는 1인칭, 3인칭 복수,

복수 명사로 Do를 쓰고, ③ Brian은 단수 명사로 Does를 쓴다.
① 우리는 그의 도움이 필요하니?
② 그들이 영어를 배우나요?
③ 브라이언은 피아노를 치나요?
④ 네 오빠들은 피자를 좋아하니?
⑤ 그 소년들은 농구를 즐기나요?

6 ④ 주어가 3인칭 복수(They)로 do not[don't]가 되어야 한다.
① 우리는 시간이 없어요.
② 그녀는 거짓말을 하지 않아요.
③ 너는 행복해 보이지 않아.
④ 그들은 나를 몰라요.
⑤ 이 사탕은 달지 않아요.

7 ⑤ 문장의 주어가 3인칭 단수(the girl)로 Does가 와야 한다.
① 비가 자주 오나요?
② 너는 저 호텔에서 묵니?
③ 제인은 자기 방을 청소하나요?
④ 그들이 치킨 수프를 만드나요?
⑤ 그 소녀는 가족을 그리워하나요?

8 1) 시애틀에 살기 때문에 보스턴에 살지 않는다는 의미가 되어야 한다. Ann은 3인칭 단수로 does not[doesn't]을 쓴다.
2) 항상 바지를 입기 때문에 치마를 입지 않는다는 의미가 되어야 한다. I는 1인칭으로 do not[don't]을 쓴다.
1) 앤은 보스턴에 살지 않아요. 그녀는 시애틀에 살아요.
2) 나는 치마를 입지 않아요. 나는 항상 바지를 입어요.

9 1) 주어가 복수 명사(My brothers)로 일반동사 앞에 do not[don't]을 쓴다.
2) 주어가 단수 명사(The store)로 주어 앞에 Does를 쓰고 3인칭 단수 동사를 동사원형을 바꿔 쓴다.
1) 우리 오빠들은 수학을 좋아해요.
→ 우리 오빠들은 수학을 좋아하지 않아요.
2) 그 가게는 일요일에 문을 닫아요.
→ 그 가게는 일요일에 문을 닫나요?

10 1) 일반동사 현재형의 부정문이 되어야 한다. 주어가 3인칭 단수(he)로 「주어+does not[doesn't]+동사원형」 어순으로 쓴다.
2) 일반동사 현재형의 의문문이 되어야 한다. 주어가 2인칭(you)으로 「Do+주어+동사원형~?」 어순으로 쓴다.

Chapter 10 의문사

Unit 01 의문사

Warm up

p.193

❶

01 Who
02 What
03 When
04 Where
05 Why
06 How
07 How old
08 How tall
09 How long
10 How far
11 How much
12 How many
13 What color
14 What time

Step up

p.194

❶

	의미	의문사		의문사	의미
01	언제	When	13	What	무엇, 무엇이 무엇을
02	어디에서	Where	14	Why	왜
03	얼마나 긴	How long	15	How	어떻게, (상태가) 어떤
04	무엇	What	16	What time	몇 시
05	누가, 누구	Who	17	How far	얼마나 먼
06	몇 살	How old	18	Where	어디에(서), 어디로
07	어떻게	How	19	How many	얼마나 많은 (수)
08	얼마나 먼	How far	20	How much	얼마 (가격), 얼마나 많은 (양)
09	왜	Why	21	When	언제
10	얼마 (가격)	How much	22	How long	얼마나 긴, 얼마나 오래
11	얼마나 많은 (수)	How many	23	How old	몇 살
12	무슨 색	What color	24	How tall	얼마나 키가 큰

❷

01 What
02 Who
03 Where
04 How old
05 How much
06 How tall
07 Why
08 When
09 How
10 How many
11 How far
12 How long

[해설]

❷

01 '무엇'이라는 의미의 의문사는 What이다.
02 '누구'라는 의미의 의문사는 Who이다.
03 '어디에'라는 의미의 의문사는 Where이다.
04 '몇 살(얼마나 나이든)'이라는 의미의 의문사 표현은 How old이다.
05 '얼마(가격)'라는 의미의 의문사 표현은 How much이다.
06 '얼마나 키가 큰'이라는 의미의 의문사 표현은 How tall이다.
07 '왜'라는 의미의 의문사는 Why이다.
08 '언제'라는 의미의 의문사는 When이다.
09 '어떻게'라는 의미의 의문사는 How이다.
10 '얼마나 많은(수)'이라는 의미의 의문사 표현은 How many이다.
11 '얼마나 먼'이라는 의미의 의문사 표현은 How far이다.
12 '얼마나 오래'라는 의미의 의문사 표현은 How long이다.

Jump up p.196

01 Why	02 Where	03 How
04 How, tall	05 When	06 Who
07 How, old	08 What	09 How, many
10 How, much		

[해설]

01 '왜'라는 의미의 의문사는 Why이다.
02 '어디에'이라는 의미의 의문사는 Where이다.
03 '어떤'이라는 의미의 의문사는 How이다.
04 '얼마나 키가 큰'이라는 의미의 의문사 표현은 How tall이다.
05 '언제'이라는 의미의 의문사는 When이다.
06 '누구'이라는 의미의 의문사는 Who이다.
07 '몇 살(얼마나 나이 든)'이라는 의미의 의문사 표현은 How old이다.
08 '무엇을'이라는 의미의 의문사는 What이다.
09 '얼마나 많은(수)'이라는 의미의 의문사 표현은 How many이며, How many 뒤에는 복수 명사를 쓴다.
10 '얼마나 많은(양)'이라는 의미의 의문사 표현은 How much이며, How much 뒤에는 셀 수 없는 명사를 쓴다.

Build up writing p.197

01 How	02 Where	03 When
04 What	05 Why	06 How old
07 How far	08 Who	09 How many
10 How much		

[해설 및 해석]

01 대답이 상태로 How(어떻게)를 고른다.
02 대답이 장소로 Where(어디에서)를 고른다.
03 대답이 시간으로 When(언제)을 고른다.
04 대답이 사물로 What(무엇을)을 고른다.
05 대답이 이유를 나타내므로 Why(왜)를 고른다.
06 대답이 나이로 How old(몇 살)를 고른다.
07 대답이 거리를 나타내므로 How far(얼마나 먼)를 고른다.
08 대답이 사람이므로 Who를 고른다.
09 대답이 수로 How many를 고른다.
10 대답이 가격으로 How much를 고른다.

01 A: 어떻게 지내니?
B: 아주 잘 지내.
02 A: 당신은 어디에서 일하세요?
B: 우체국이요.
03 A: 넌 언제 일어나니?
B: 7시에.
04 A: 그녀는 무엇을 원하니?
B: 물 조금.
05 A: 너는 왜 빌리를 좋아하니?
B: 그가 친절하기 때문이야.
06 A: 너의 엄마는 몇 살이시니?
B: 마흔 살이셔.
07 A: 공원이 얼마나 머나요?
B: 여기서 200m예요.
08 A: 저기 남자는 누구니?
B: 우리 삼촌이야.
09 A: 너는 여자형제가 몇 명이니?
B: 세 명이야.
10 A: 이 안경은 얼마인가요?
B: 50달러예요.

Unit 02 의문사 의문문

Warm up p.199

01	(be tired) 너는 피곤하다. You are tired. 너는 피곤하니? Are you tired? 너는 <u>왜</u> 피곤하니? Why are you tired?	02	(go home) 그는 집에 가요. He goes home. 그는 집에 가나요? Does he go home? 그는 <u>언제</u> 집에 가나요? When does he go home?
03	(study) 너는 공부한다. You study.	04	(buy it) 그녀는 그것을 사요. She buys it.

	너는 공부하니? Do you study? 너는 무엇을 공부하니? What do you study?		그녀는 그것을 사나요? Does she buy it? 그녀는 어디에서 그것을 사나요? Where does she buy it?
05	(go to school) 너는 학교에 간다. You go to school. 너는 학교에 가니? Do you go to school? 너는 어떻게 학교에 가니? How do you go to school?	06	(sell) 그들은 팔아요. They sell. 그들은 파나요? Do they sell? 그들은 무엇을 파나요? What do they sell?

[해설]

①

01~06 의문사 의문문은 「의문사+be동사+주어~?」와 「의문사+do/does+주어+일반동사의 동사원형~?」의 형태이다.

Step up p.200

①

01 is	02 are	03 does
04 are	05 do	06 are
07 does	08 is	09 do
10 does		

②

01 Six dollars.
02 At noon.
03 It's snowy.
04 She is my cousin.
05 It's under the desk.
06 Five people.
07 Because you are late.
08 He learns Chinese.
09 I'm 160 cm tall.
10 Thirty kilometers long.

[해설 및 해석]

01 주어가 3인칭 단수(she)로 is를 고른다.
02 주어가 「these+복수 명사(these kids)」로 are를 고른다.
03 주어가 3인칭 단수(he)로 does를 고른다.
04 주어가 복수 명사(your parents)로 are를 고른다.
05 주어가 2인칭(you)으로 do를 고른다.
06 주어가 복수 명사(your children)로 are를 고른다.
07 주어가 단수 명사(Fred)로 does를 고른다.
08 주어가 단수 명사(your brother)로 is를 고른다.
09 주어가 2인칭(you)으로 do를 고른다.
10 주어가 3인칭 단수(she)로 does를 고른다.

②

01 How much는 가격을 묻는 의문사 표현으로 Six dollars를 고른다.
02 When은 시간을 묻는 의문사로 At noon을 고른다.
03 How는 상태를 묻는 의문사로 It's snowy를 고른다.
04 Who는 사람을 묻는 의문사로 She is my cousin을 고른다.
05 Where는 장소를 묻는 의문사로 It's under the desk를 고른다.
06 How many는 수를 묻는 의문사 표현으로 Five people을 고른다.
07 Why는 이유를 묻는 의문사로 Because you are late를 고른다.
08 What은 사물을 묻는 의문사로 He learns Chinese를 고른다.
09 How tall은 키를 묻는 의문사 표현으로 I'm 160 cm tall을 고른다.
10 How long은 길이를 묻는 의문사 표현으로 Thirty kilometers long을 고른다.

01 A: 이 컵 얼마예요?
B: 6달러예요.
02 A: 그는 언제 도착하나요?
B: 정오에요.
03 A: 날씨가 어때요?
B: 눈이 와요.
04 A: 벤치에 있는 소녀는 누구니?
B: 그녀는 내 사촌이야.
05 A: 너의 가방은 어디에 있니?
B: 책상 아래 있어.
06 A: 몇 명이 있죠?
B: 5명이요.
07 A: 너 왜 그렇게 화가 났니?
B: 네가 늦었기 때문이야.
08 A: 그는 무엇을 배우니?
B: 그는 중국어를 배워.
09 A: 너는 얼마나 키가 크니?
B: 나는 160cm야.
10 A: 이 강은 얼마나 기니?
B: 30km야.

Jump up p.202

01 How is 02 What do

03 When is
04 Why do
05 Who is
06 How many, does
07 How old is
08 Where does
09 How long do
10 How tall is

[해설]

01 상태를 묻는 의문사는 how이고, 주어가 the movie, 뒤에 동사원형이 없으므로 be동사를 써서 How is를 쓴다.
02 사물을 묻는 의문사는 what이고, 주어가 you, 뒤에 동사원형(do)이 있으므로 What do를 쓴다.
03 시간을 묻는 의문사는 when이고, 주어가 Christmas, 뒤에 동사원형이 없으므로 be동사를 써서 When is를 쓴다.
04 이유를 묻는 의문사는 why이고, 주어가 you, 뒤에 동사원형(like)이 있으므로 Why do를 쓴다.
05 사람을 묻는 의문사는 who이고, 주어가 your brother, 뒤에 동사원형이 없으므로 be동사를 써서 Who is를 쓴다.
06 수를 묻는 의문사 표현이 how many이고, 주어가 3인칭 단수인 he, 뒤에 동사원형(eat)이 있으므로 How many, does를 쓴다.
07 나이를 묻는 의문사 표현이 how old이고, 주어가 your mother, 뒤에 동사원형이 없으므로 be동사를 써서 How old is를 쓴다.
08 장소를 묻는 의문사는 where이고, 주어가 단수 명사인 your uncle, 뒤에 동사원형(live)이 있으므로 Where does를 쓴다.
09 길이를 묻는 의문사 표현이 how long이고, 주어가 you, study가 일반동사로 How long do를 쓴다.
10 높이를 묻는 의문사 표현이 how tall이고, 주어가 this building, 뒤에 동사원형이 없으므로 be동사를 써서 How tall is를 쓴다.

Build up writing

p.203

01 Who is the girl
02 What is her job
03 Why does he learn
04 How much is this skirt
05 How far is the store
06 How does he make
07 Where is the bookstore
08 When do you go to bed
09 How old are your students
10 How many balloons do you need

[해설]

01, 02, 04, 05, 07, 09 문장의 동사가 be동사로 「의문사+be동사+주어 ~?」의 어순으로 쓴다.
03, 06, 08, 10 문장의 동사가 일반동사로 「의문사+do/does+주어+동사원형~?」의 어순으로 쓴다.

Wrap up

p.204

01 Who are they
02 How does she go
03 Why is Anne sad
04 What color do you like
05 How long is this bridge
06 Where do you borrow
07 When is your birthday

❷

01 tall	02 is	03 far
04 When	05 is	06 do
07 Who	08 What	09 does
10 much		

[해설]

❶

01 사람을 묻는 의문사가 who이고, 주어가 they이므로 Who are they의 어순으로 쓴다.
02 방법을 묻는 의문사가 how이고, 주어가 she, 동사가 go로 How does she go to work의 어순으로 쓴다.
03 이유를 묻는 의문사가 why이고, 주어가 Anne이므로 Why is Anne sad의 어순으로 쓴다.
04 '무슨 색'이라는 의미의 의문사 표현은 what color이고, 주어가 you, 동사가 like이므로 What color do you like의 어순으로 쓴다.
05 길이를 묻는 의문사 표현은 how long이고, 주어가 this bridge이므로 How long is this bridge의 어순으로 쓴다.
06 장소를 묻는 의문사가 where이고, 주어가 you, 동사가 borrow이므로 Where do you borrow의 어순으로 쓴다.
07 시간을 묻는 의문사가 when이고, 주어가 your birthday이므로 When is your birthday의 어순으로 쓴다.

❷

01 키를 묻는 의문사 표현은 how tall이다.
02 주어가 단수 명사(your father)로 is가 되어야 한다.
03 거리를 묻는 의문사 표현은 how far이다.
04 시간을 묻는 의문사는 when이다.
05 주어가 단수 명사(the bathroom)로 is가 되어야 한다.
06 주어가 3인칭 복수(they)로 do가 되어야 한다.
07 사람을 묻는 의문사는 who이다.
08 '무엇'이라는 의미의 의문사는 what이다.

09 주어가 단수 명사(Gwen)로 does가 되어야 한다.
10 water가 셀 수 없는 명사이므로, 양을 묻는 의문사 표현 how much가 되어야 한다.

Exercise p.206

1 ③ 2 ④ 3 ② 4 ③ 5 How, old
6 ⑤ 7 ① 8 much → many 9 What
10 Where do you study?

[해설 및 해석]

1 ③ where는 '어디에(서)', '어디로'라는 의미이다.
2 상태와 방법을 묻는 의문사는 how이다.
• 날씨가 어떠니?
• 너는 학교에 어떻게 가니?
3 가격을 묻는 의문사 표현은 How much이다.
A: 이 책은 얼마예요?
B: 오천 원이요.
4 • '무엇'이라는 의미로 사물을 묻는 의문사는 what이다.
• '어디에'라는 의미로 장소를 묻는 의문사는 where이다.
• '언제'라는 의미로 시간을 묻는 의문사는 when이다.
• 당신이 직업은 무엇인가요?
• 네 가방은 어디 있니?
• 너의 생일은 언제니?
5 대답이 '그녀는 다섯 살이야'로 나이를 묻는 의문사 표현 How old를 쓴다.
A: 네 여동생은 몇 살이니?
B: 그녀는 다섯 살이야.
6 ⑤ 주어가 2인칭으로 do가 되어야 한다.
① 너는 왜 화가 났니?
② 이 강은 얼마나 긴가요?
③ 너는 과일을 어디서 사니?
④ 그녀는 어떻게 스파게티를 만드니?
⑤ 너는 방과 후에 무엇을 하니?
7 ① 어디에서 점심을 먹는지 묻는 질문에 1시에 먹는다는 대답은 어색하다. 따라서 Where가 When이 되어야 한다.
① A: 너는 어디에서 점심을 먹니?
B: 나는 1시에 점심을 먹어.
② A: 네 이모는 어디에 사시니?
B: 부산에 사셔.
③ A: 당신은 누구세요?
B: 나는 여러분의 새 영어 선생님이에요.
④ A: 너는 언제 일어나니?
B: 나는 아침 7시에 일어나.
⑤ A: 그 책 어떠니?
B: 정말 재미있어.
8 '얼마나 많은'이라는 의미로 수를 묻는 의문사 표현은 how many이다.
A: 너는 몇 마리의 개를 가지고 있니?
B: 나는 세 마리의 개가 있어.
9 • '무슨 색'이라는 의미로 색을 묻는 의문사 표현은 what color이다.
• '몇 시'라는 의미로 시간을 묻는 의문사 표현은 what time이다.
• 너는 무슨 색을 좋아하니?
• 지금 몇 시인가요?
10 일반동사가 있는 의문사 의문문은 「의문사+do/does+주어+동사원형~?」의 어순으로 쓴다.

Review Test (Chapter 1-10) p.208

Chapter 1-2

❶

01 a	02 water	03 painter
04 an	05 puppies	06 knives
07 boxes	08 teeth	09 English
10 soccer	11 breakfast	12 The

[해설]

01 pen은 자음 소리로 시작하는 명사로 a를 고른다.
02 water는 셀 수 없는 명사로 복수형으로 만들 수 없다.
03 앞에 a가 있으므로 단수 명사 painter를 고른다.
04 honest student는 앞에 'h'가 발음되지 않아 「모음 소리로 시작되는 형용사+명사」의 형태이다. 따라서 an을 고른다.
05 앞에 ten이 있으므로 복수 명사가 와야 하는데, puppy가 「자음+y」로 끝나는 명사로 y를 i로 바꾸고 es를 붙인다.
06 f 또는 fe로 끝나는 명사는 f 또는 fe를 v로 고치고 es를 붙인다.
07 앞에 three가 있으므로 복수형이 와야 한다. box는 x로 끝나는 명사로 es를 붙인다.
08 앞에 two가 있으므로 복수형이 와야 한다. tooth는 불규칙 변화 명사로 복수형이 teeth이다.
09 English는 셀 수 없는 명사로 a 또는 an을 붙일 수 없다.
10 운동 경기 앞에는 관사를 쓰지 않는다.
11 식사 이름 앞에는 관사를 쓰지 않는다.
12 앞에서 언급된 a 또는 an이 붙은 명사를 다시 말할 때는 the를 쓴다.

Chapter 3-5

❶

01 We	02 My	03 This
04 His	05 Its	06 They, her
07 That, your	08 These	

❷

01 is	02 is	03 are

04 are　05 are　06 is
07 am　08 are

[해설 및 해석]

❶

01 주어 자리이고 '우리는'이라는 의미가 되어야 하므로 주격 인칭대명사 we를 쓴다.
02 뒤에 있는 name과 소유 관계를 나타내야 하고, '나의'라는 의미의 소유격 대명사는 my이다.
03 '이 아이'라는 의미의 지시대명사는 this이다.
04 뒤에 있는 car와 소유 관계를 나타내야 하고, '그의'라는 의미의 소유격 대명사는 his이다.
05 뒤에 있는 명사 ears와 소유 관계를 나타내야 하고, '그것의'라는 의미의 소유격 인칭대명사는 its이다.
06 주어 자리이고 '그들은'이라는 의미의 주격 인칭 대명사는 they, 목적어 자리이고 '그녀를'이라는 의미의 목적격 인칭대명사는 her이다.
07 저것이라는 의미의 지시대명사는 that이고, 뒤에 있는 bike와 소유 관계를 나타내는 소유격 대명사는 your이다.
08 '이것들'이라는 의미의 지시대명사는 these이다.

❷

01, 02, 06 주어가 3인칭 단수(He), 단수 명사(Ron), 3인칭 단수(It)로 is를 쓴다.
03, 04, 05, 08 주어가 2인칭 단수(You), 복수 명사(The birds), 3인칭 복수(They), **08** 복수 지시대명사(Those)로 are를 쓴다.
07 I와 함께 쓰는 be동사는 am이다.

01 그는 매우 피곤해요.
02 론은 과학자예요.
03 너는 잘생겼어.
04 그 새들은 시끄러워요.
05 그들은 내 삼촌들이에요.
06 오늘은 정말 추워요.
07 나는 교실에 있어요.
08 저것들은 내 공책이에요.

Chapter 6

❶

01 I am not[I'm not] Kevin
02 It is not[isn't] my raincoat
03 You are not[aren't] a good singer
04 He is not[isn't] in the living room
05 These glasses are not[aren't] mine

❷

01 Are you happy
02 Is Rachel a writer
03 Is that your aunt
04 Is the sweater expensive
05 Are we late for school

[해설 및 해석]

❶

01~05 be동사 부정문을 만들 때는 be동사 뒤에 not을 붙이고, is not는 isn't로, are not은 aren't로 줄여 쓸 수 있다.

01 나는 케빈이에요.
→ 나는 케빈이 아니에요.
02 그것은 내 우비예요.
→ 그것은 내 우비가 아니에요.
03 너는 노래를 잘 불러.
→ 너는 노래를 잘 못 불러.
04 그는 거실에 있어요.
→ 그는 거실에 있지 않아요.
05 이 안경은 내 것이에요.
→ 이 안경은 내 것이 아니에요.

❷

01~05 be동사 의문문을 만들 때는 be동사(am, are, is)를 주어의 앞에 쓰고, 문장의 맨 뒤에 물음표를 붙인다.

01 너는 행복해.
→ 너는 행복하니?
02 레이첼은 작가예요.
→ 레이첼은 작가인가요?
03 저분이 네 이모셔.
→ 저분이 네 이모이시니?
04 그 스웨터는 비싸요.
→ 그 스웨터는 비싼가요?
05 우리는 학교에 늦었어.
→ 우리는 학교에 늦었니?

Chapter 7

❶

01 is　02 are　03 are
04 is not　05 are not　06 Are
07 Is　08 Is

❷

01 Is there a bird
02 There is a mirror
03 There is not[isn't] any tea
04 There are not[aren't] any snakes
05 There are ten chairs
06 Are there many people

[해설 및 해석]

❶

01 뒤에 단수 명사(a cat)가 있기 때문에 is를 고른다.

02 뒤에 복수 명사(five ladies)가 있기 때문에 are를 고른다.
03 뒤에 복수 명사(many letters)가 있기 때문에 are를 고른다.
04 뒤에 셀 수 없는 명사(any water)가 있기 때문에 is not을 고른다.
05 뒤에 복수 명사(any eggs)가 있기 때문에 are not을 고른다.
06 뒤에 복수 명사(apples)가 있기 때문에 Are를 고른다.
07 뒤에 셀 수 없는 명사(any milk)가 있기 때문에 Is를 고른다.
08 뒤에 단수 명사(a museum)가 있기 때문에 Is를 고른다.

01 부엌에 고양이 한 마리가 있어요.
02 방에 다섯 명의 숙녀가 있어요.
03 우편함에 많은 편지가 있어요.
04 유리잔에 물이 하나도 없어요.
05 상자에 계란이 하나도 없어요.
06 바구니 안에 사과가 있나요?
07 병에 우유가 있나요?
08 이 근처에 박물관이 있나요?

②

01 주어가 단수 명사(a bird)이고, 의문문으로 Is there a bird의 어순으로 쓴다.
02 주어가 단수 명사(a mirror)이고, 평서문으로 There is a mirror의 어순으로 쓴다.
03 주어가 셀 수 없는 명사(any tea)이고, 부정문으로 There is not[isn't] any tea의 어순으로 쓴다.
04 주어가 복수 명사(any snakes)이고, 부정문으로 There are not[aren't] any snakes의 어순으로 쓴다.
05 주어가 복수 명사(ten chairs)이고, 평서문으로 There are ten chairs의 어순으로 쓴다.
06 주어가 복수 명사(many people)이고, 의문문으로 Are there many people의 어순으로 쓴다.

Chapter 8-9

①

01 wears	02 studies	03 sing
04 has	05 do	06 cries
07 teaches	08 fixes	

②

01 I do not[don't] get up late
02 She does not[doesn't] go to bed early
03 My sister does not[doesn't] listen to the radio
04 Does he come home late
05 Do they speak Korean

[해설 및 해석]

①

01 주어가 단수 명사(Jean)로 3인칭 단수 동사를 써야 한다. 3인칭 단수 동사를 만들 때 대부분의 동사는 동사원형에 s를 붙인다.
03, 05 주어가 1인칭 복수(We), 3인칭 복수(They)로 동사원형을 쓴다.
02, 06 주어가 단수 명사(Issac, The baby)로 3인칭 단수 동사를 써야 한다. 「자음+y」로 끝나는 동사는 동사원형의 y를 i로 바꾸고 es를 붙인다.
04 주어가 3인칭 단수(She)로 3인칭 단수 동사를 써야 한다. have는 불규칙 변화 동사로 단수형이 has이다.
07, 08 주어가 단수 명사(Mr. Park, My uncle)로 3인칭 단수 동사를 써야 한다. ch, x로 끝나는 동사로 동사원형에 es를 붙인다.

01 진은 안경을 써요.
02 이삭은 열심히 공부해요.
03 우리는 노래를 아주 잘 불러요.
04 그녀는 갈색 머리를 가지고 있어요.
05 그들은 숙제를 해요.
06 그 아기는 밤에 울어요.
07 박 선생님은 과학을 가르치세요.
08 우리 삼촌은 고장 난 컴퓨터를 수리해요.

②

01 주어가 1인칭(I)으로 「주어+do not[don't]+동사원형」의 형태로 쓴다.
02, 03 주어가 3인칭 단수(She), 단수 명사(My sister)로 「주어+does not[doesn't]+동사원형」의 형태로 쓴다.
04 주어가 3인칭 단수(He)로 「Does+주어+동사원형 ~?」의 형태로 쓴다.
05 주어가 3인칭 복수(They)로 「Do+주어+동사원형 ~?」의 형태로 쓴다.

01 나는 늦게 일어나요.
→ 나는 늦게 일어나지 않아요.
02 그녀는 일찍 잠을 자요.
→ 그녀는 일찍 잠을 자지 않아요.
03 우리 언니는 라디오를 들어요.
→ 우리 언니는 라디오를 듣지 않아요.
04 그는 집에 늦게 들어와요.
→ 그는 집에 늦게 오나요?
05 그들은 한국말을 해요.
→ 그들은 한국말을 하나요?

Chapter 10

①

01 Who	02 Why	03 What
04 Where	05 When	06 How

②

01 What does he want
02 Why are they tired
03 How tall is this tree
04 What time do you get up
05 How much is this bag
06 How old is your grandmother

[해설 및 해석]

❶

01 사람을 묻는 의문사는 who이다.
02 이유를 묻는 의문사는 why이다.
03 사물을 묻는 의문사는 what이다.
04 장소를 묻는 의문사는 where이다.
05 시간을 묻는 의문사는 when이다.
06 상태를 묻는 의문사는 how이다.

01 A: 그 소년은 누구니?
B: 그는 내 친구 필립이에요.
02 A: 너는 왜 그를 좋아하니?
B: 그가 똑똑하기 때문이에요.
03 A: 상자 안에 든 그것이 무엇이니?
B: 그것은 내 일기장이에요.
04 A: 그는 어디서 축구를 하나요?
B: 운동장에서요.
05 A: 너는 언제 학교에 가니?
B: 나는 8시에 학교에 가요.
06 A: 그 책은 어떠니?
B: 그것은 지루해.

❷

01 주어가 3인칭 단수(he)이고, 동사가 일반동사이므로 「의문사+does+주어+동사원형~?」의 어순으로 쓴다.
02 주어가 3인칭 복수(they)이고, 동사가 are로 「의문사+are+주어+~?」의 어순으로 쓴다.
03, 05, 06 주어가 단수 명사(this tree, this bag, your grandmother)이고, 동사가 is로 「의문사+is+주어 ~?」의 어순으로 쓴다.
04 주어가 2인칭(you)이고, 동사가 일반동사이므로 「의문사+do+주어+동사원형~?」의 어순으로 쓴다.

Achievement Test p.214

Chapter 6-10

1 ③ 2 ⑤ 3 ① 4 ① 5 ⑤ 6 ⑤
7 ④ 8 ② 9 ① 10 ⑤ 11 ① 12 ⑤
13 ④ 14 ④ 15 ② 16 ① 17 ⑤ 18 ④
19 ③ 20 ④ 21 ⑤ 22 ⑤ 23 How
24 Why 25 How much 26 Are there ten oranges
27 We do not[don't] go
28 1) Am 2) Does Tony help 3) Are 4) When
29 There is not any milk
30 How far is the airport

[해석 및 해설]

1 ③ cry는 「자음+y」로 끝나는 동사로 y를 i를 바꾸고 es를 붙인다. cry → cries
2 ⑤ teach는 ch로 끝나는 동사로 동사의 끝에 es를 붙인다. teach → teaches
3 주어가 I이고, 뒤에 일반동사가 없으므로 am not을 고른다.
나는 수학 선생님이 아니에요.
4 동사가 are이므로 빈칸에는 복수 명사 eggs가 적절하다.
바구니에 계란이 있어요.
5 likes가 3인칭 단수 동사이므로 빈칸에는 단수 명사 Cindy가 가장 적절하다.
신디는 스포츠를 좋아해요.
6 주어가 he이고, 주어 뒤에 read가 있으므로 Does가 가장 적절하다.
그는 매일 책을 읽나요?
7 주어가 3인칭 복수이고, 뒤에 일반동사 watch가 있으므로 don't가 가장 적절하다.
그들은 영화를 보지 않아요.
8 주어가 you이고 주어 뒤에 일반동사가 없으므로 Are가 가장 적절하다.
네가 새로 온 학생이니?
9 • 주어가 1인칭이고, 빈칸 뒤에 일반동사가 있으므로 don't가 가장 적절하다.
• 주어가 3인칭 단수이고, 빈칸 뒤에 일반동사가 있으므로 doesn't가 가장 적절하다.
• 나는 단것을 먹지 않아요.
• 그녀는 차를 마시지 않아요.
10 • 동사가 are로 빈칸에는 복수 명사 some children이 와야 한다.
• 동사가 is로 빈칸에는 단수 명사 a child가 와야 한다.
• 공원에 아이들 몇 명이 있어요.
• 방에 아이가 한 명 있어요.
11 be동사 현재형의 의문문에 대한 대답이 긍정이면 「Yes, 주어(대명사)+be동사.」의 형태이다. 따라서 your car를 대신하는 대명사 it이 가장 적절하다.
A: 너의 차는 새것이니?
B: 응, 그래.
12 '책상 위에 있어요'라고 대답하고 있으므로 '어디에'라는 의미로 장소를 묻는 의문사 where가 가장 적절하다.
A: 내 지갑이 어디 있나요?
B: 그것은 당신의 책상 위에 있어요.
13 '열세 살이에요'라는 대답하고 있으므로 나이를 묻는 의문사 표현 how old가 가장 적절하다.
A: 너는 몇 살이니?

B: 열세 살이에요.

14 There is 다음에는 단수 명사 또는 셀 수 없는 명사가 오고, There are 다음에는 복수 명사가 온다. ④ 뒤에 복수 명사인 books가 있기 때문에 are가 와야 한다.
① 문가에 남자가 한 명 있어요.
② 병에 물이 조금 있어요.
③ 이 근처에 우체국이 있어요.
④ 탁자 밑에 책이 있어요.
⑤ 그 집에는 수영장이 있어요.

15 ①, ⑤ '무엇'이라는 의미의 의문사 what, ③ time과 함께 쓰여 '몇 시'라는 의미를 나타내는 what, ④ color와 함께 쓰여 '어떤 색'이라는 의미를 나타내는 what이 와야 한다. ② '상태'를 나타내는 의문사 how가 와야 한다.
① 네 이름은 무엇이니?
② 날씨가 어때요?
③ 지금 몇 시인가요?
④ 너는 어떤 색깔을 좋아하니?
⑤ 너는 주말에 무엇을 하니?

16 ① am not은 줄여 쓸 수 없다.
① 나는 배고프지 않아요.
② 너는 내 오빠가 아니야.
③ 마이크는 자기 방에 없어요.
④ 이것은 채소가 아니에요.
⑤ 저것들은 벌이 아니야.

17 ⑤ they가 3인칭 복수로 do가 되어야 한다.
① 너는 어디서 빵을 사니?
② 기차는 언제 도착하나요?
③ 그녀는 왜 뱀을 싫어하나요?
④ 너의 이름은 철자가 어떻게 되니?
⑤ 그들에게 무엇이 필요하나요?

18 ④ watch는 ch로 끝나는 동사로 3인칭 단수 동사를 만들 때 동사원형에 es를 붙인다.
① 제니는 새 사진기가 있어요.
② 빌은 바닥에서 잠을 자요.
③ 우리 아버지는 은행에서 일해요.
④ 우리 삼촌은 TV로 뉴스를 봐요.
⑤ 그는 방과 후에 숙제를 해요.

19 ③ 길이를 묻는 의문사 표현은 how long이다.
① 그 영화는 어떠니?
② 네 생일은 언제니?
③ 그 강은 얼마나 기니?
④ 네 언니는 어디에 있니?
⑤ 너는 왜 그렇게 화가 났니?

21 일반동사 현재형의 의문문으로 긍정의 답은 「Yes, 주어(대명사)+do/does.」로, 부정의 답은 「No, 주어(대명사)+don't/doesn't.」로 나타낸다. 주어가 she로 Yes, she does가 가장 적절하다.
A: 그녀는 영어를 잘하나요?
B: 네, 그래요.

21 Why(이유 의문사)로 묻고 있기 때문에 because로 답한다.
A: 너는 왜 그렇게 긴장했니?
B: 오늘 큰 시험이 있기 때문이야.

22 ⑤ 얼마나 많은 학생이 있는지 묻는 질문이 되어야 하므로 How many가 되어야 한다. How much 뒤에는 셀 수 없는 명사가 온다.
① A: 목이 마르니?
B: 응, 그래.
② A: 네 남동생은 곤충을 좋아하니?
B: 아니, 그렇지 않아.
③ A: 너는 어디서 공부하니?
B: 난 집에서 공부해.
④ A: 네 어머니는 얼마나 키가 크니?
B: 그녀는 165cm이셔.
⑤ A: 너의 반에는 얼마나 많은 학생들이 있니?
B: 우리 반에는 30명의 학생이 있어요.

23 날씨를 묻는 질문으로 상태를 묻는 의문사 How를 쓴다.
A: 날씨가 어때요?
B: 춥고 눈이 와요.

24 because는 '~때문에'라는 의미이며, why 의문사 의문문의 대답에 사용한다.
A: 너는 왜 겨울을 좋아하니?
B: 나는 겨울 스포츠가 정말 좋기 때문이야.

25 '얼마(가격)'를 묻는 의문사 표현은 How much이다.
A: 이 책은 얼마인가요?
B: 10달러예요.

26 '~가 있나요?'라는 의미의 의문문은 Is/Are there~? 이다. 뒤에 ten oranges가 복수 명사이므로 Are there ten oranges를 쓴다.

27 주어가 '우리는'이라는 의미로 we, 일반동사 현재형 부정문이며, 주어가 1인칭 복수로 We do not[don't] go를 쓴다.

28 1) I와 함께 쓰는 be동사는 am이다.
2) 주어가 3인칭 단수일 때 일반동사 현재형의 의문문은 「Does+주어+동사원형」의 어순이다.
3) 주어(any questions)가 복수 명사로 Are가 되어야 한다.
4) '언제'라는 의미로 시간을 묻는 의문사는 when이다.

29 There is/are의 부정문은 be동사 뒤에 not을 쓰므로 There is not any milk로 쓴다.

30 동사가 is이므로 「의문사+be동사+주어 ~?」 어순으로 쓴다.

실전모의고사 1회

1 ④	2 ⑤	3 ①	4 ⑤	5 ①	6 ②
7 ⑤	8 ⑤	9 ③	10 ③	11 ①	12 ②
13 ③	14 ②	15 ①	16 ③	17 ①	18 ④

19 ① 20 1) are 2) are 3) is
21 1) potatos → potatoes 2) him → his
22 Is he angry with you?
23 Tony does not[doesn't] play tennis.
24 These are my glasses.
25 I don't eat carrots.

[해석 및 해설]

1 ④ knife는 fe로 끝나는 명사로 fe를 v로 고치고 es를 붙인다.

2 two puppies를 대신하는 3인칭 복수 대명사 they를 고른다.
나는 강아지 두 마리가 있어요. 그들은 귀여워요.

3 am과 함께 쓰이는 주격 인칭대명사는 I이다.
나는 한국에서 왔어요.

4 뒤에 주어와 동사원형이 있으므로 일반동사 의문문이다. 주어가 she로 Does를 고른다.
그녀는 영어를 쓰니?

5 He가 3인칭 단수이고, 빈칸 뒤에 형용사가 있으므로 isn't을 고른다.
그는 배가 고프지 않아요.

6 뒤에 단수 명사(a book)가 있으므로 is를 고른다.
책상 위에 책이 한 권 있어요.

7 장소로 답하고 있으므로 Where를 고른다.
A:그는 어디에 사나요?
B: 그는 토론토에 살아요.

8 앞에 two가 있으므로 복수 명사가 와야 한다. ⑤ 셀 수 없는 명사 butter는 알맞지 않다.

9 동사가 is로 are와 함께 쓰는 you는 알맞지 않다.

10 뒤에 셀 수 없는 명사가 있으므로 is, 뒤에 복수 명사가 있으므로 are를 고른다.
• 병에 물이 조금 있어요.
• 바구니에 바나나가 몇 개 있어요.

11 「자음 소리로 시작하는 형용사+명사」 앞에는 a를, play 뒤 악기 앞에는 the를, 모음 소리로 시작하는 명사 앞에는 an을 쓴다.
• 테드는 착한 소년이에요.
• 그는 피아노를 정말 잘 쳐요.
• 그녀는 아침으로 사과 하나를 먹어요.

12 현재형 be동사 의문문으로 긍정의 대답은 「Yes, 주어(대명사)+be동사.」로, 부정의 대답은 「No, 주어(대명사)+be동사+not.」으로 나타내고, I로 물으면 you로 대답한다.
A: 너는 행복하니?
B: 응, 그래.

13 ①, ②, ④, ⑤ 날씨, 날짜, 시간, 요일을 나타내는 문장에서 주어로 쓰인 비인칭 주어 it이고, ③ 사물이나 동물을 대신할 때 사용하는 인칭대명사이다.
① 흐려요.
② 5월 7일이에요.
③ 그것은 내 컴퓨터예요.
④ 지금은 5시예요.
⑤ 오늘은 월요일이에요.

14 ①, ④ 세상에 하나밖에 없는 것 앞, ③ play 뒤 악기 앞, ⑤ 하루의 시간 구분 morning 앞에는 the가 와야 한다. ② 식사 이름 앞에는 관사를 쓰지 않는다.
① 상어는 바다에 살아요.
② 우리는 저녁밥을 7시에 먹어요.
③ 우리 형은 첼로를 연주해요.
④ 하늘에 무지개가 있어요.
⑤ 그녀는 아침에 일찍 일어나요.

15 ① 주어가 단수 명사로 is가 와야 한다. ②, ③, ④, ⑤ 주어가 1인칭 복수, 3인칭 복수, 복수 지시대명사, 복수 명사로 are가 와야 한다.
① 내 남동생은 키가 커요.
② 우리는 좋은 친구예요.
③ 그들은 내 영웅이에요.
④ 저 분들의 그녀의 부모님이셔.
⑤ 애나와 조는 우리 반 친구들이에요.

16 ③ 주어가 3인칭 단수(he)로 Is가 되어야 한다. Am → Is
① 이것이 너의 자전거니?
② 나는 노래를 잘 부르지 못해요.
③ 그가 너의 선생님이시니?
④ 너는 학교에 지각하니?
⑤ 그녀는 우리에 도움이 필요하지 않아요.

17 ① 뒤에 복수 명사가 있기 때문에 복수 명사를 수식하는 지시형용사 those가 와야 한다. that shoes → those shoes
① 나는 저 신발이 마음에 들어요.
② 이 아이들이 내 여동생들이야.
③ 이 케이크는 맛있어요.
④ 저것들은 내 책이 아니에요.
⑤ 그녀는 이 드레스를 입지 않아요.

18 주어 뒤에 동사원형(know)이 있으므로 일반동사 의문문이다. 주어가 you로 Do가 와야 한다.

19 '누구'에 해당하는 의문사는 who이다.
A: 너 저기 있는 소녀 아니?
B: 응, 그래.
A: 그녀는 누구니?
B: 그녀는 새로 온 학생, 셀리야. 그녀는 캐나다 출신이야.

20 1) 주어가 복수 명사로 are, 2) 주어가 2인칭 단수로 are, 3) 주어가 3인칭 단수로 is를 쓴다.
1) 앨리스와 에드는 열 살이에요.
2) 너는 정말 똑똑해.
3) 그는 의사예요.

21 1) potato는 「자음+o」로 끝나는 명사로 복수형을 만들 때 es를 붙인다. 2) '그의 집'이라는 의미가 되어야 하므로 house와 소유 관계를 나타내는 소유격 인칭대명사 his가 되어야 한다.
1) 나는 감자 두 개가 필요해요.
2) 이곳이 그의 집이야.

22 현재형 be동사 의문문은 be동사를 주어 앞에 쓰고, 문장 끝에 물음표를 붙인다.
그는 너에게 화가 났어. → 그가 나에게 화가 났니?

23 문장의 동사가 일반동사 현재형이고, 주어가 단수 명사로 「주어+does not[doesn't]+동사원형」의 형태로 쓴다.
토니는 테니스를 쳐요. → 토니는 테니스를 치지 않아요.

24 지시대명사 these가 주어로 「지시대명사+be동사+소유격+명사」의 어순으로 쓴다.

25 현재형 일반동사 부정문으로 「주어+don't+동사원형」의 어순으로 쓴다.

실전모의고사 2회

1 ③	2 ⑤	3 ①	4 ②	5 ④	6 ②
7 ⑤	8 ②	9 ③	10 ③	11 ②	12 ③
13 ①	14 ⑤	15 ③	16 ④	17 ③	18 ⑤

19 ⑤ 20 He is an actor.
21 It is rainy.
22 Helen is not[isn't] in the garden.
23 I do not[don't] feel good today.
24 Does he remember me?
25 How old is your sister?

[해석 및 해설]

1 toy, car, letter, woman, umbrella는 셀 수 있는 명사, air, water, sugar, cheese, rain은 셀 수 없는 명사이다.

2 앞에 an이 있으므로 「모음 소리로 시작하는 형용사+명사」인 easy question을 고른다.
이것은 쉬운 문제예요.

3 명암을 나타내는 문장은 주어로 비인칭 주어 it을 쓴다.
밖이 어두워요.

4 주어가 3인칭 단수로 is를 고른다.
그녀는 지금 자기 방에 있어요.

5 가격으로 대답하고 있으므로 가격을 묻는 How much를 고른다.
A: 이 치마는 얼마인가요?
B: 그것은 20달러예요.

6 빈칸 앞에 are가 있으므로 복수 명사가 와야 한다. 단수 명사 a cup은 알맞지 않다.

7 빈칸 뒤에 명사가 있으므로 소유 관계를 나타내는 소유격 인칭대명사가 와야 한다. they는 주격 인칭대명사로 알맞지 않다.

8 빈칸 앞에 a가 있으므로 셀 수 없는 명사 bread는 알맞지 않다.

9 ③ play 뒤 운동 경기 앞에는 관사를 쓰지 않으므로 soccer가 되어야 한다.
① 우리 부모님은 우리를 사랑하세요.
② 이 차는 정말 멋지다.
③ 우리는 축구를 해요.
④ 나는 수업이 다섯 개 있어요.
⑤ 그 아기는 항상 울어요.

10 듣는 사람이 어떤 것인지 정확이 알 수 없는 사물에 대해 처음 얘기하고 자음 소리를 시작하므로 a를, 앞에서 언급한 명사에 대해 다시 말하는 경우는 the를 쓰므로 a, The를 고른다.
데이브는 컴퓨터가 있어요. 그 컴퓨터는 매우 낡았어요.

11 뒤의 명사와 소유 관계를 나타내야 하므로 소유격 인칭대명사 Its, 목적어 자리이므로 목적격 인칭대명사 it을 고른다.
나는 개가 한 마리 있어요. 그것의 이름은 부예요. 나는 그것을 정말 좋아해요.

12 When은 '언제'라는 의미로 때를 묻는 의문사이다.
A: 너의 생일은 언제니?
B: 8월 23일이야.

13 ① mouse는 불규칙 변화 명사로 복수형이 mice이다.

14 ①, ②, ③, ④는 주어가 단수 명사, 지시대명사 That으로 is가 와야 하고, ⑤ 복수 명사로 are가 와야 한다.
① 이 박물관은 정말 커요.
② 저 아이가 내 사촌, 빌리야.
③ 사라는 지금 학교에 있어.
④ 그 책은 너의 책상에 있어.
⑤ 소년들이 운동장에 있어요.

15 ③ This is는 줄여 쓸 수 없다.
① 나는 정말 배가 고파요.
② 그는 정말 재미있어요.
③ 이것은 내 교과서야.
④ 저것은 멋진 스웨터야.
⑤ 너는 아이가 아니야.

16 ④ 사람 이름은 관사를 붙이지 않는다. A Peter → Peter
① 지구는 둥글어요.
② 고양이가 소파에 있어요.
③ 그 아기는 이가 두 개예요.
④ 피터는 유명한 작가예요.
⑤ 그 농부는 토마토를 재배해요.

17 주어 We가 1인칭 복수로 동사원형이 와야 한다.
learns → learn
① 그는 컴퓨터를 수리해요.
② 메리는 설거지를 해요.
③ 우리는 학교에서 영어를 배워요.
④ 릭과 나는 점심을 같이 먹어요.
⑤ 우리 오빠들은 운동을 정말 좋아해요.

18 wolf는 f로 끝나는 명사로 f를 v로 바꾸고 es를 붙이고, fox는 x로 끝나는 명사로 es를 붙인다.

19 동물 여러 마리를 대신하는 대명사는 they이다.
나는 동물을 좋아해요. 내가 가장 좋아하는 동물은 늑대들과 여우들이에요. 그들은 매우 똑똑하고 빨라요. 나는 자주 동물원에 가요. 나는 그것들을 봐요.

20 '그는'이라는 의미의 주격 인칭대명사는 he이고, he와 함께 쓰는 be동사는 is이며, actor는 모음 소리를 시작하는 명사로 앞에 an을 쓰므로 he, is, an, actor 어순으로 쓴다.
A: 그는 가수니?
B: 아니, 그렇지 않아. 그는 배우야.

21 날씨를 나타내는 문장으로 비인칭 주어 it과, it과 함께 쓰는 be동사 is를 써서 It, is, rainy 어순으로 쓴다.
A: 날씨가 어떠니?
B: 비가 와.

22 현재형 be동사 부정문이 되어야 하므로 be동사 뒤에 not을 쓴다.
헬렌은 정원에 있어요. → 헬렌은 정원에 있지 않아요.

23 일반동사의 현재형 부정문이 되어야 하며, 주어가 1인칭으로 일반동사 앞에 do not[don't]를 쓴다.
나는 오늘 기분이 좋아. → 나는 오늘 기분이 좋지 않아.

24 일반동사의 현재형 의문문이 되어야 하며, 주어가 3인칭 단수로 「Does+주어+동사원형~?」의 어순으로 쓴다.

25 의문사 의문문으로 동사가 be동사로 「의문사+is+주어~?」의 어순으로 쓴다.

실전모의고사 3회

1 ⑤	2 ②	3 ⑤	4 ③	5 ③	6 ③
7 ②	8 ②	9 ③	10 ①	11 ⑤	12 ①
13 ①	14 ⑤	15 ④	16 ①	17 ⑤	18 ④

19 ⑤ 20 1) an 2) a 3) the 4) ×
21 leaves
22 children
23 He does his homework
24 These bags are expensive.
25 When does the train leave?

[해석 및 해설]

1 study는 「자음+y」로 끝나는 동사로 y를 i로 바꾸고 es를 붙인다. study → studies

2 likes가 3인칭 단수 동사로 3인칭 단수 He를 고른다.
그는 야구를 좋아해요.

3 목적어 자리이고, Jim and Alex는 나와 너를 제외한 여러 명으로 they의 목적격 인칭대명사 them을 고른다.
짐과 알렉스는 내 가장 친한 친구예요. 나는 그들을 매일 만나요.

4 뒤에 flowers가 있으므로 복수 명사를 수식하는 지시형용사를 고른다.
이 꽃들은 좋은 냄새가 나요.

5 주어가 many trees와 we로 be동사 Are를 고른다.
- 그 공원에는 나무가 많나요?
- 우리는 학교에 늦었나요?

6 목적어 자리이므로 목적격 인칭대명사, 뒤에 있는 명사 room과 소유 관계를 나타내는 소유격 인칭대명사가 필요하다. 목적격 인칭대명사와 소유격 인칭대명사 형태가 같은 her를 고른다.
- 나는 그녀를 몰라요.
- 그녀는 자기 방을 청소해요.

7 동사가 is로 복수 명사 cookies는 알맞지 않다.

8 앞에 Does가 있으므로 3인칭 복수 they는 알맞지 않다.

9 ③ 나라 이름 앞에는 관사를 쓰지 않는다.
① 그녀는 하얀색 개가 있어요.
② 나는 매일 오렌지를 한 개 먹어요.
③ 우리 이모는 중국에 사세요.
④ 스미스 씨는 좋은 의사예요.
⑤ 우리 어머니는 영어 선생님이세요.

10 ① am not은 줄여 쓸 수 없다.
① 나는 힘이 세지 않아요.
② 너는 친절하지 않아.
③ 그는 부엌에 없어요.
④ 그녀는 춤을 잘 추지 않아요.
⑤ 우리는 오늘 수업이 없어요.

11 '이것'이라는 의미의 지시대명사는 this, be동사 부정문으로 is 뒤에 not, '그의'라는 의미의 소유격 인칭대명사는 his로 This is not his coat를 고른다.

12 시간을 나타내는 문장은 주어로 비인칭 주어 it을 쓰므로 It is ten o'clock now를 고른다.

13 ① '몇 시'라는 의미의 의문사 표현은 What time으로 빈칸에는 What이 와야 한다. ② '얼마나 긴'이라는 의미의 의문사 표현은 How long, ③ '몇 살(얼마나 나이 든)'이라는 의미의 의문사 표현은 How old, ④ '얼마나 키가 큰'이라는 의미의 의문사 표현은 How tall, ⑤ '얼마나 먼'이라는 의미의 의문사 표현은 How far로 빈칸에는 How가 와야 한다.
① 지금 몇 시인가요?
② 이 강은 얼마나 긴가요?
③ 너의 아버지는 몇 살이시니?
④ 너의 오빠는 얼마나 키가 크니?

⑤ 기차역은 얼마나 먼가요?

14 ⑤ '얼마나 많은'이라는 의미로 수를 묻는 의문사 표현은 How many이다.
① 나는 너의 도움이 필요해.
② 달이 밝아요.
③ 그들은 포도를 재배해요.
④ 그녀의 어머니는 매우 예쁘세요.
⑤ 너는 언니가 몇 명 있니?

15 ⑤ have는 불규칙 변화 동사로 3인칭 단수형이 has이다.
① 그녀는 정말로 그것을 원해요.
② 피트는 호텔에 묵어요.
③ 그 새는 높이 날아요.
④ 코끼리는 코가 길어요.
⑤ 그는 매주 일요일에 세차를 해요.

16
- milk는 셀 수 없는 명사로 a를 붙이지 않는다.
- This bank는 「지시형용사+단수 명사」로 opens가 되어야 한다.
- 어법상 옳은 문장
- water는 셀 수 없는 명사로 복수형으로 쓰지 않는다.
- 그녀는 자신의 차에 우유를 넣어요.
- 이 은행은 9시에 열어요.
- 나는 우리 조부모님께 편지를 써요.
- 냉장고에 물이 있나요?

17 ⑤ 키를 묻는 질문에 나이로 답하고 있다.
① A: 너는 너의 가족이 그립니?
B: 응, 그래.
② A: 그들이 도서관에 있나요?
B: 아니요, 그렇지 않아요.
③ A: 그 영화는 어떠니?
B: 정말 재미있어.
④ A: 너는 무슨 색을 좋아하니?
B: 나는 파란색과 하얀색을 좋아해.
⑤ A: 너의 어머니는 키가 얼마나 크시니?
B: 그녀는 35세셔.

18 주어가 You이고, 뒤에 동사원형이 있으므로 don't를 고른다.

19 Why로 물으면 because를 이용해 대답한다.
A: 너 오늘 별로 안 좋아 보여.
B: 나 정말 슬퍼.
A: 너는 왜 슬프니?
B: 내 개가 아프기 때문이야.
A: 유감이야.

20 1) 「모음 소리로 시작하는 형용사+명사」 앞에는 an을 쓴다. 2) 자음 소리로 시작하는 명사 앞에는 a를 쓴다. 3) 세상에 하나밖에 없는 것 앞에는 the를 쓴다. 4) play 뒤 운동 경기 앞에는 관사를 쓰지 않는다.
1) 나는 낡은 자전거가 있어요.
2) 우리는 오늘 시험이 있어요.
3) 하늘에 별이 많아요.
4) 매트와 나는 금요일마다 테니스를 쳐요.

21 leaf는 f로 끝나는 명사로 f를 v로 고치고 es를 붙인다.
그 클로버는 잎이 네 개예요.

22 child는 불규칙 변화 명사로 복수형이 children이다.
열 명의 아이들이 체육관에 있어요.

23 '그는'이라는 의미의 주격 인칭대명사는 He이고, do의 3인칭 단수형은 does로, '그의'라는 의미의 소유격 대명사는 his이다. He does his homework의 어순으로 쓴다.

24 주어가 지시형용사+명사로 「지시형용사+복수 명사+be동사+형용사」의 어순으로 쓴다.

25 의문사 의문문이고, 주어가 단수 명사로 「When+does+주어+동사원형~?」의 어순으로 쓴다.

Take a Break!

Chapter 4 Take a break! p.92

1 w, e, e
2 a, n, t
3 h, r, t
4 l, a, s, s
5 j, a, k, t
6 a, p
7 s, h, o, e
8 o, c, k
9 l, o, v, e
10 r, e, s, s

Chapter 5 Take a break! p.118

1 red
2 white
3 purple
4 yellow
5 green
6 blue
7 black
8 brown
9 gray/grey

Chapter 7 Take a break! p.154

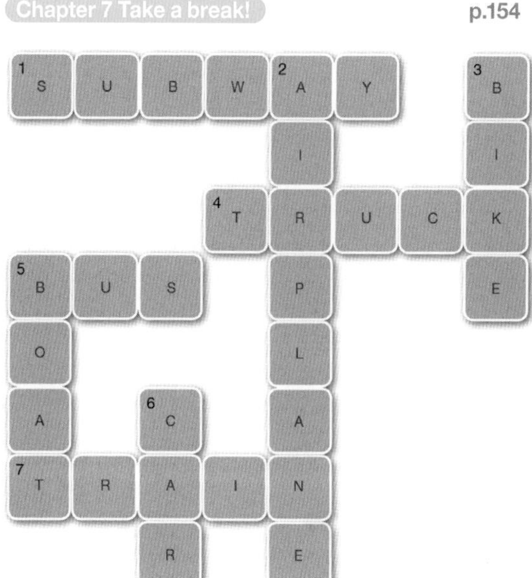

Chapter 9 Take a break! p.190

B K Z C L G G J Z W S E Z L O
J U L Y H W E C S C M Q B Z A
Y Q G T J D F L G A Q Q U E U
F E B R U A R Y E H I N A J G
Q O E O E Q C D P A V P Y W U
T P A S F A D E C D M B E R S
J X N Q E S N O V E M B E R T
U H E D R P J A N U A R Y Z N
N R I F B A T N P B K V W C M
E P O C T O B E R R N A M R E
P W F Z X T T O M S I D A M M
Q Q U H H L R J R B W L Y W F
M A R C H Y X A K W E I C F X
W T Q K M P A J K F F R S Z P
K E S G A V X J X J D H V Y H

Spring	Summer	Fall	Winter
March	June	September	December
April	July	October	January
May	August	November	February

Chapter 10 Take a break! p.218

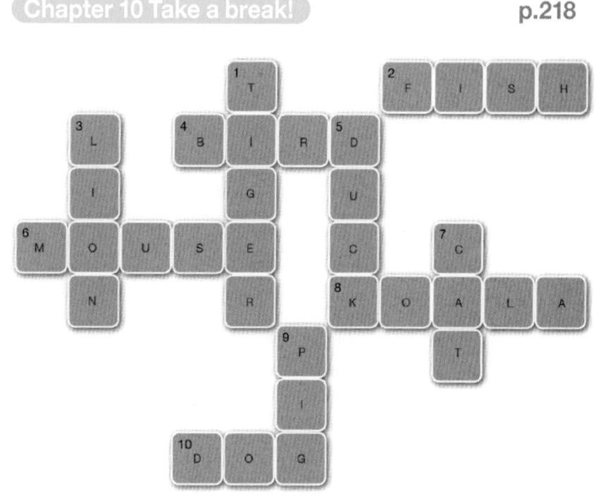

Grammar
mentor
joy

Grammar mentor joy

Longman

Grammar Mentor Joy 시리즈

Grammar Mentor Joy Pre

Grammar Mentor Joy Early Start 1
Grammar Mentor Joy Early Start 2

Grammar Mentor Joy Start 1
Grammar Mentor Joy Start 2

Grammar Mentor Joy 1
Grammar Mentor Joy 2
Grammar Mentor Joy 3
Grammar Mentor Joy 4

Grammar Mentor Joy Plus 1
Grammar Mentor Joy Plus 2
Grammar Mentor Joy Plus 3
Grammar Mentor Joy Plus 4